KB172940

김재홍 문학전집 ④

한국현대시인연구

국학자료원

김재홍 문학전집 간행위원회

위원장 : 이성천(경희대 교수)

위　원 : 유성호(한양대 교수), 김창수(인천연구원 부원장),
　　　　강동우(가톨릭관동대 교수), 남승원(서울여대 교수), 이수정(GIST 교수)

간　사 : 조운아, 김웅기, 최민지

일러두기

1. 전집은 단행본 발행연도를 기준으로 삼았으나, 학위논문인 『한용운 문학연구』는 1권에, 편저는 9권과 10권에 각각 수록했다.
2. 출판 당시 저자의 집필의도를 살리기 위해, 일부의 보완 원고는 그대로 두었다. 단, 내용이 중복된 것은 삭제하여 전집의 전체성을 유지했다.
3. 원문을 최대한으로 살리되, 의미와 어감을 해치지 않는 범위에서 현행 맞춤법에 따라 고쳤다.
4. 한문과 외국어는 괄호 안에 병기하는 원칙으로 하되, 필요한 부분은 노출하였다. 단, 제1권 『한용운 문학연구』는 원문 그대로 수록하였다.
5. 본문의 '인용' 부분은 필요에 따라 한글 표기를 했으며, 이외의 것은 원문에 충실하려고 노력했다.

한국현대시인연구

金載弘 著

1986年
일지사

머 리 말

돌이켜 보건대 시가 없었다면 내 젊은 날은 얼마나 쓸쓸하고 막막한 것이었을까. 또한 어둡기만 하던 식민지 치하에서 예술사의 꽃, 정신사의 열매로서 시가 없었더라면 우리의 민족사는 얼마나 황량하였을까.

우리의 현대시에는 비관적인 현실인식이 짙게 깔려 있는 것으로 보인다. 이것은 그만큼 이 땅의 현대사가 험난하였고, 그 속에서의 삶이 고통스러웠다는 사실을 반영하는 것이리라. 그렇지만 우리의 현대시는 비극적인 현실인식을 담고 있으면서도 그로부터 벗어나려는 치열한 몸부림을 보여주었다는 점에서 우리에게 소중한 감동을 불러일으킨다. 식민지 치하에서 우리 시는 항일독립운동의 기치를 높이 치켜들었을 뿐만 아니라, 분단의 오늘날에도 이 땅의 근본이념인 자유민주주의의 실천을 위해서 희망의 등불을 밝혀주고 있기 때문이다. 끊임없는 수난과 질곡 속에서도 이 땅의 시는 낙관적인 미래를 기다리는 후천 개벽 사상 내지는 건강한 미래지향의 역사의식을 탁월하게 형상화해 왔다는 점에서 그 의미가 놓여진다. 이들 현대 시인들이 성취한 사랑의 철학과 자유의 사상, 기다림의 철학과 평화의 사상이야말로 우리 근대정신사가 도달한 하나의 소중한 이념태가 아닐 수 없다.

저자는 우리의 현대시를 검토하는 과정에서, 시라는 것이 개인적으로는 자기극복의 명제 혹은 자기구원의 길로 열려 있지만, 또 다른 차원에서는 인간애의 지난한 실천 과정이자 민족어의 완성을 지향하는 길이라는 점을 새삼 확인할 수 있었다.

저자는 이 책에서 한용운부터 윤동주에 이르기까지 해방 이전에 등장한 17명의 현대 시인을 살펴보는데 주안점을 두었다.

시인 선정의 원칙은, 현실인식과 사회의식을 포괄하는 의미에서 역사의식이 투철하거나, 자유와 평등정신을 바탕으로 한 생명의식 또는 인간 존중 사상이 두드러지고, 아울러 시가 상상력과 언어의 예술이라는 점을 인식하고 미의식을 구현하려 노력한 시인을 우선하였다. 이것은 '뼈대'로서의 이념과 사상, '살'로서의 정서와 미의식, 그리고 '피'로서의 전통과 혼이 함께 조화를 이루고 있는 시가 가장 바람직한 것이라는 저자의 평소 신념을 재확인한 것이라 하겠다. 이 세 가지 요소들이 서로 탄력 있게 균형과 조화를 성취하고 있다면 더욱 바람직하겠지만, 그렇지 않다 하더라도 그 어느 한 가지에라도 치열하다면 그것이 의미 있는 작품으로 판단되기 때문이다.

다만 아쉬운 것은 좋은 작품을 남겼음에도 불구하고 문학사에서 실종 상태에 있는 몇몇 시인들과, 상대적인 비중으로 인하여 개성이 독특한 몇몇 시인들이 유보되었다는 점이다. 이 점은 차후 선배·동학과 독자 여러분의 가르침에 힘입어 보완하고자 한다.

이제 비로소 자립할 수 있도록 지도해주신 은사님들께, 특히 시와 학문에 눈뜨게 해 주신 정한모 선생님께 머리 숙인다. 또한 지난해에 이 책을 쓰도록 계기를 마련해 주시고 여러모로 일깨워 주신 조동일 선생님께도 이 자리를 빌어 감사드린다. 아울러 연재의 기회를 주신 소설문학사 이정숙 사장과 여러분께, 그리고 항상 격려해 주시는 김성재 사장님과 여러분께 감사드린다. 연구실에서 성심성의껏 저자를 도와주는 이기형·김창수·황규수군에게도 고마움을 표한다. 끝으로 이 책이 때마침 화갑을 맞이하신 장인어른께 작은 기쁨이라도 됐으면 좋겠다.

1986. 8. 15.

저자 씀.

차 례

1. 만해(萬海) 한용운(韓龍雲)

—평화의 사상, 자유의 사상—

만해(萬海) 한용운(韓龍雲)(1879.8.29.~1944.6.29)은 선구적 독립투사이자 민족운동가로서, 시집『님의 침묵』과 소설『흑풍』의 기념비적 문학인으로서, 또한 높은 경지의 선승이면서 실천적인 종교인으로서, 이 땅 근대사에 있어 최대 인물의 한 사람으로 평가되기에 충분하다. 그는 국권 상실의 시대에 주권의 회복을 위해 평생을 바쳤으며 민족적 주체성의 확립과 민족적 자존심의 고양에 심혈을 기울였다. 또한 외래 종교와 문화의 무분별한 유입 속에서 방향감각을 상실한 당대 불교와 혼란된 이 땅의 가치관을 혁신하고 바로잡기 위해 열과 성을 다하였다. 아울러 식민지하의 궁핍과 탄압 속에서 보수와 진보, 계몽과 순수, 민족과 개인이라는 모순 명제가 강요하는 갈등과 분열을 탁월하게 문학적으로 형상화함으로써 이 땅 근대문학사의 물길을 올바로 터놓는데 결정적으로 기여한 것이다.

만해는 문인으로서 특별히 문단 활동을 전개하지는 않았다.『개벽』지 등에 시조류를 간간이 발표했을 뿐 문예지나 동인지 등에 관여한 일이 없다. 시집『님의 침묵』만이 시작 활동의 시초이자 결산이 되며, 30년대에 조선일보 등에『흑풍』등의 장편소설을 연재한 것이 그 전부라 할 수 있다. 따라서 일제하에서 그에 대한 평론이나 연구는 거의 찾아볼 수 없다. 해방 후 독립투사로서 그에 대한 관심이 고조되면서 그의 문학 또한 관심의 대상이 되기 시작하였다. 특히 그의 문학은 박노준·인권환의 『만해한용운연구』가 간행되면서부터 본격적인 연구의 대상으로 떠오르게 되었다. 이후 만해 연구, 특히 문학 연구는 60년대 후반의 국학 연구 추세와 70년대의 민족문학론 및 민중문학론의 대두와 함께 크게 관심을 불러일으켰다. 지금까지의 연구 성과만 하더라도 송욱의 『님의 침묵, 전편 해설』, 김재홍의 『한용운문학연구』, 윤재근의 『님의 침묵 연구』 등 단행본이 간행되고, 4백 편 가까운 대소 논문이 발표되는 등 국문학 연구사상 가장 많은 관심이 집중되어 온 것이다. 앞으로도 그에 관한 연구는 독립운동사, 종교사상사, 문학사 등 여러 관점에서 다양한 방법론으로 전개될 것이 틀림없는 사실이다.

본고에서 필자는 만해의 시 가운데서 만해의 시 정신과 사상의 요체를 드러내고 있는 대표적인 작품들을 통해서 만해 문학의 골자를 살펴보고자 한다. 특히 그의 작품은 몇 차례의 시집 전재 과정에서 잘못 옮겨짐으로써 원본 표기 또는 원래 내용과 틀리는 것이 시중 유통본에서 많이 발견된다. 따라서 본고에서는 원문을 직접 인용함으로써 본래 시가 지니고 있는 문학적 향기를 되살려 보기로 하겠다.

1 소멸과 생성의 변증법

시집 『님의 침묵』은 외견상 두 가지 특징이 발견된다. 그 하나는 그것이 전혀 구두점을 사용하지 않고 있다는 점이고, 다른 한 가지는 띄어쓰기가 일정치 않다는 점이다. 전자는 시 전체를 유기적인 총체로 파악하여 의식의 흐름이 단절되는 것을 피하려는 의도 때문인 듯싶다. 시에서 쉼표 하나 마침표 하나가 갖는 중요성은 새삼 논할 필요가 없다. 그럼에도 그것을 전혀 사용하지 않은 것은 전통적인 문장들, 예컨대 한문, 고대소설 등과 마찬가지로 장구법

(章句法)을 의식하지 않고 전체로서 받아들이려는 열린 생각의 반영일 수 있다. 띄어쓰기만 하더라도 일정한 규칙성이 없다. 대체로 시인의 호흡률(breath group)에 맞춰 편의대로 띄어 쓰고 있을 뿐이다. 실상 자유시가 시인의 개성적 호흡을 적의하게 드러낸 것이라 할 때 어쩌면 이러한 자의적 띄어쓰기는 올바른 의미의 자유시의 실천일 수 있을 것이다. 이 점 외견상에 있어서도 만해시는 당대의 다른 시와 달리 독특한 표현 양식을 지닌다.

시집 『님의 침묵』의 기본 구조는 대체로 이별과 만남의 이야기로 짜여져 있다. 그것은 '님'을 구심점으로 한 이별과 만남의 변증법적 드라마로 볼 수 있다.

> 님은갓슴니다 아아 사랑하는나의님은 갓슴니다
> 푸른산빗을깨치고 단풍나무숩을향하야난 적은길을 거러서 참어썰치고 갓슴니다
> 황금(黃金)의 쏫가티 굿고빗나든 옛맹서(盟誓)는 차듸찬띄끌이되야서 한숨의미풍(微風)에 나러갓슴니다
> 날카로운 첫「키쓰」의추억(追憶)은 나의운명(運命)의지침(指針)을 돌너노코 뒤ㅅ거름처서 사라젓슴니다
> 나는 향긔로은 님의말소리에 귀먹고 쏫다은 님의얼골에 눈머럿슴니다
> 사랑도 사람의일이라 맛날째에 미리 써날것을 염녀하고경계하지 아니한것은 아니지만 리별은 뜻밧긔일이되고 놀난가슴은 새로운슯음에 터짐니다
> 그러나 리별을 쓸데업는 눈물의원천(源泉)을만들고 마는것은 스스로 사랑을깨치는것인줄 아는까닭에 것잡을수업는 슯음의힘을 옴겨서 새희망(希望)의 정수박이에 드러부엇슴니다
> 우리는 만날째에 써날것을염녀하는것과가티 써날째에 다시맛날것을 밋슴니다
> 아아 님은갓지마는 나는 님을보내지 아니하얏슴니다
> 제곡조를못이기는 사랑의노래는 님의침묵(沈黙)을 휩싸고돔니다
>
> —「님의 침묵」 전문

시집 『님의 침묵』에서 시 「님의 침묵」은 전체 시집의 내용, 주제를 함축적으로 제시한다는 점에서 서시의 성격을 지닌다. 먼저 10행으로 구성된 이 시는 기·승·전·결의 구조로 되어있다. 첫 연은"님은 갓슴니다~사러젓슴니다"까지, 즉 1~4행으로서 이별이라는 상황을 제시한다. 둘째 연은 5~6행으로 "귀먹고/눈머러//새로은 슯음에 터지는"과 같이 이별 후의 슬픔과 고통을 드러낸다. 셋째 연은 7~8행, 즉 "그러나~밋슴니다"까지로서 "슯음의 힘이/새희망의 정수박이에 드러부어지는" 과정이다. 넷째 연은 마지막 9~10행, 즉 "님을 보내지 아니 하얏슴니다"하는 만남의 확신으로 맺어진다. 따라서 시 「님의 침묵」은 '이별→이별 후의 고통, 슬픔→희망으로의 전이→만남'으로 전개되는 극적 구성 방식을 취하고 있음을 알 수 있다. 이렇게 본다면 시집 『님의 침묵(沈默)』도 대략 그 88편이 '이별→고통→희망→만남'이라는 기·승·전·결의 구성으로 짜여 있음을 짐작해 수 있게 된다.

그런데 여기서 중요한 것은 이 시에 만해의 시적 사유 방식이 제시되어 있다는 점이다. 그것은 대략 '감각적 인지/감정 노출/깨달음(관념)제시/의지(신념)/실천화'라는 단계로 나타난다. 이별은 "푸른산빗/황금의쏫/차듸찬씌끌/날카로은 첫키쓰/향긔로은 님의말소리" 등의 여러 가지 감각으로 인지되며, "놀난가슴은 새로은 슯음에 터지며/리별을 쓸데, 업는 눈물의 원천을만들고" 등과 같이 감정의 노출로 연결된다. 또한 이 감정은 "스스로 사랑을 깨치는것인줄 아는까닭"과 같이 형이상적 깨달음을 통해서 다시 "것잡을수업는 슯음의 힘"을 발견하게 되고, 마침내 "슯음의 힘을 옴겨서 새희망의 정수박이에 드러 부엇슴니다"라는 실천의지로 상승하게 되는 것이다.

이러한 이별이 주는 좌절의 극복 또는 절망에 대한 초극의 노력은 만해의 시가 기본적인 면에서 초극의지에 그 실천적 모티브를 두고 있음을 말해 준다. 그것은 이별을 통한 만남의 성취이며, 소멸을 통한 생성에의 갈망이며 의지이다. 이별은 사랑의 모습을 새롭게 발견하고 보다 큰 만남을 성취할 수 있게 하는 전제 원리이자 방법론이 되는 것이다. 실상 이것은 모든 생명 있는 것들의 원리이기도 하다. 현상적인 면에서 모든 생명 있는 것들은 소멸과 생성을 되풀이 하게 마련이며, 그것이 바로 대자연의 원칙이자 섭리인 것이다. 이별은 더 크고 빛나는 만남을 성취하기 위한 사랑의 원리이자 방법으로 작용한다. 실상 만해 시가 저항시로 파악될 수 있는 소지도 '이별→만남'이라는 개체적 원리를 공적 현실로 상승시킴으로써 가능해진다. 그것은 이 시의 창작시기가 일제하이며, 작자가 독립투사인 만해 한용운이라는 사실에서 유추될 수 있다. 이럴 때 비로소 '조국 상실→국권 회복'이라는 규범적 의미 범주가 설정되는 것이다. 이별과 만남 또는 소멸과 생성을 상대축으로 한 변증법적 갈등과 그 지양을 통해서 새롭고 빛나는 정신의 승리를 성취한 예가 바로 「님의 침묵」인 것이다.

2 종교적 상상력과 은유시학

바람도업는공중에 수직(垂直)의파문(波紋)을내이며 고요히써러지는 오동닙은 누구의발자최임닛가
지리한장마씃헤 서풍에몰녀가는 무서은검은구름의 터진틈으로 언뜻언뜻보이는 푸른하늘은 누구의 얼골임닛가
쏫도업는 깁흔나무에 푸른이씨를거처서 옛탑(塔)위의 고요한하늘을 슬치는 알ㅅ수업는향긔는 누구의 입김임닛가
근원은 알지도못할곳에서나서 돍쑤리를울니고 가늘게흐르는 적은시내는 구븨구븨 누구의노래임닛가
련쏫가튼발꿈치로 갓이업는바다를밟고 옥가튼손으로 쏫업는하늘을 만지면서 써러지는날을 곱게단장하는 저녁놀은 누구의시(詩)임닛가
타고남은재가 다시기름이됩니다 그칠줄을모르고타는 나의가슴은 누구의밤을지키는 약한등ㅅ불임닛가

—「알ㅅ수업서요」 전문

구두점이 전혀 없고 띄어쓰기가 일정치 않은 이 작품 역시 외면상으로는 2연으로 되어 있지만, 내용면으로는 기·승·전·결 4연으로 구성돼 있다. 첫 연은 "~에~는~은(는)~의~임닛가"라는 일정한 반복으로 이루어진 1~3행까지로서 자연물이 직접 인체 부위와 연결되며, 그 시간 배경은 낮이다. 둘째 연은 "나서(만지면서)~는~적은시내는~(저녁놀은)~의~임닛가"로 구성된 4~5행으로서, "노래", "시" 등 인공물이 나타나고, 그 배경은 대체로 저녁 무렵이다. 3연은 "타고남은재가 다시기름이됨니다"이고, 4연은 "~가슴은~등ㅅ불임닛가"인데 그 시간 배경은 밤이 된다. 이렇게 본다면 이 시는 「님의 침묵」의 구성과 대동소이함을 알 수 있다. 그것은 선경후정이라는 전통적 시작법에 기초를 둔 전환의 구조이며 상승의 구조이다. 특히 3·4연 즉 전·결 부분은 유사하다. 전에서 '슬픔→희망'의 전이가 여기서는 '재→기름'으로, 결에서 '갓지만→보내지 않은 것'이 '타는 가슴→약한 등불'로 각각 대응을 이루는 것이다. 그러나 이 시가 「님의 침묵」과는 상이한 시법으로 구성돼 있음은 물론이다. 무엇보다 이 시는 선문답의 형식으로 구성된 데에 특징이 있다. 화두의 제시와 그 반복으로 짜여 있는 것이다. 그리고 그것은 모두 인간과 자연의 상응으로 '누구의~임닛가'라는 의문형 종지로 맺어져 있다. 이것은 대자연에 관한 탐구의지를 반영한 것이며, 동시에 인간존재에 관한 근원적 물음에 기초하는 것이다. 다시 말해 현상의 밑바닥에 대한 질문에 자리잡고 있다. 사물의 원상에 대한 탐구의 자세, 즉 구도정신이 구체적 비유로서 제시된 것이다. 따라서 경어법과 설의법을 취하게 된다. 경어법은 시적 진지성과 경건감을 불러일으키며, 설의법은 미지의 것에 대한 신비감을 고조시키기 때문이다.

또 한 가지 특징은 이 시가 은유법의 중첩 구조로 짜여 있다는 점이다. "오동닙/푸른하늘 /향긔"는 "발자취/얼골/입김"과, "시내/저녁놀"은 "노래/시"와, "재/가슴"은 "기름/등ㅅ불"과 각각 비유적 대응 관계를 형성한다. 이러한 은유법의 활용은 자연과 인간, 현상과 본질, 무와 존재를 하나로 연결해 줌으로써 시적 초월과 극복의 모티브를 마련하게 된다. 특히 '재→기름'으로의 은유적 전치는 이 시를 성공시키는 포인트가 된다. 그것은 무로부터 적극적인 '있음'으로서의 전환이며, 정신이 역동성을 획득하는 순간이 된다. 그러므로 "나의 가슴"이 밤을 지키는 "약한 등ㅅ불"로서 타오를 수 있게 되는 것이다. 이러한 정신의 초극은 바로 상상력의 능동적인 움직임에 의해 성취되며, 그 바탕이 은유에 의한 것이다. 「님의 침묵」이 "님은갓지마는 나는 님을보내지 아니하얏습니다"라고 하는 역설의 논리에 근거한다면, 이 「알ㅅ수업서요」는 "타고남은재가 다시기름이됩니다"라는 은유적 방법론에 바탕을 두고 있다.

따라서 이 시는 은유에 의한 초월적 상상력을 바탕으로 선문답적인 화두 제시, 그리고 경어법과 설의법의 반복에 의한 종교적 명상의 심화를 성취함으로써 시적 성공을 거둔 것으로 판단된다. 또한 이 시는 '감각→정서→깨달음→의지→실천화'라고 하는 만해의 시적 사유과정을 반영하고 있는 점에서도 의미가 드러난다. 무엇보다 존재의 근원에 대한 형이상적 질문을 제기함으로써 그 본질에로 다가가려는 노력을 보여주었다는 점에 의미가 있다. 한국의 현대시에 있어서 부족한 요소의 하나인 종교적 상상력 또는 형이상적 명상의 깊이를 실천적으로 탐구한 점에서 중요성에 놓이는 것이다.

3 부정적 세계관과 저항정신

당신이가신뒤로 나는 당신을이즐수가 업습니다
까닭은 당신을위하나니보다 나를위함이 만습니다

나는 갈고심을땅이 업슴으로 추수(秋收)가업습니다
저녁거리가업서서 조나감자를 꾸러 이웃집에 갓더니 주인(主人)은
「거지는 인격(人格)이 업다 인격(人格)이업는사람은 생명(生命)이업다
너를도아주는것은 죄악(罪惡)이다」고 말하얏습니다

그말을듯고 도러나올때에 쏘더지는눈물속에서 당신을 보앗습니다

나는 집도업고 다른까닭을겸하야 민적(民籍)이업습니다
「민적(民籍)업는자(者)는 인권(人權)이업다 인권(人權)이업는너에게 무슨정조(貞操)냐」하고 능욕(凌辱)하랴는 장군(將軍)이 잇섯습니다
그를항거(抗拒)한뒤에 남에게대한격분(激憤)이 스스로의슯음으로 화(化)하는찰나(刹那)에 당신을보앗습니다
아아 왼갓 윤리(倫理), 도덕(道德), 법률(法律)은 칼과황금(黃金)을제사(祭祀)지내는 연기(烟氣)인줄을 아럿습니다
영원(永遠)의사랑을 바들ㅅ가 인간역사(人間歷史)의첫페지에 잉크칠을할ㅅ가 술을말실ㅅ가 망서릴때에 당신을보앗습니다
—「당신을보앗습니다」 전문

이 작품은 만해의 현실인식을 잘 보여준다. 그것은 기본적인 면에서 부정적 현실인식의 태도이며, 비극적 세계관에 기초를 두고 있다. '님이 가신 뒤'와 '당신을 봄'이라는 대립 명제 속에는 부재와 실재가 불러일으키는 모순과 갈등이 드러나 있다. 먼저 현실의 모습은 '없음'으로 파악된다. "땅도 업고/추수도 업고/인격도 업고/생명도 업고/민적도 업고/인권도 업다"라는 구절 속에는 부정적인 현실인식이 담겨 있는 것이다. 이것은 '님이 가신 것'에 연유하는 절망적 현실에 대한 인식이며 확인이다. 따라서 현실은 슬픔과 고통으로 가득찬 비극적 세계상으로 받아들여진다. 여기에서 님의 의미가 선명히 드러난다. 님이 없이 홀로 선 나의 모습은 생의 현실적 바탕을 잃어버린 '거지'와 다름이 없다. 현실적 생활 근거의 상실은 인격의 상실을 의미하며, 그것은 생명조차 없는 빈껍데기로의 전락을 뜻한다. 님의 상실은 인간적 주체성과 존엄성을 동시에 상실하는 생의 파멸로서 받아들여지는 것이다. 바로 이 순간에 님의 의미가 새롭게 발견된다. "그말을듯고 도러나올때에 쏘더지는눈물속에서 당신을보앗습니다"라는 구절 속에는 절망과 고통 속에서 새롭게 떠오르

는 구원의 표상으로서 님이 받아들여지고 있음이 나타나 있다. 님은 내가 인간적 주체성과 존엄성을 확보함으로써 나의 생존에 의미를 확인시켜 주고 생을 가능케 해주는 구원의 표상이자 희망의 상징인 것이다. 그리고 그러한 실체로서의 님의 절대성은 님의 부재에서 비로소 확실하게 다가오는 것이다.

이러한 님의 의미에 대한 깨달음은 마지막 연에서 더욱 확실하게 나타난다. 그것은 "집도업슴"에서 "민적이 업슴"으로의 점진적 전이에 바탕을 둔다. 인격이나 생명이라는 개체적 사실을 넘어 인권이 상징하는 보편적 사실로의 전환인 것이다. 님을 잃은 나의 비참함은 마침내 인권과 정조까지도 무시당해야 하는 처참한 상황에 직면하게 된다. 인권은 인간에게 있어 기본적, 근원적 권리이며, 정조는 지고지선의 덕목이자 최후의 재산이다. 이것들을 잃게 되는 상황은 바로 인간성의 파멸을 의미한다. 장군이 상징하는 현실적·무력적 폭력에 항거하여 이러한 인권, 정조를 지키기 위해 분투하는 눈물겨운 순간에 님은 또다시 새롭게 발견된다. 이 순간에 님은 불의와 폭력에 대해 저항할 수 있는 힘을 주는 원동력으로서의 의미를 지닌다. 님은 자아를 새롭게 발견하고 확인시켜 주는, 구원과 희망의 표상인 동시에 현실적인 삶의 어려움을 헤쳐나갈 수 있는, 용기와 신념을 불어넣어 주는 힘의 표상으로 다가오는 것이다. 바로 이 점에서 이 시가 당대 현실과의 암유적 관계를 지니게 된다. 그것은 '님을 잃은 나'와 '주권을 잃은 조국'의 대응 관계이다. 님을 잃은 나의 절망은 바로 조국을 잃은 민족의 절망인 것이다. 따라서 님의 발견과 회복이 나의 인간적 존엄성을 확보할 수 있게 하는 힘이 되듯이 조국광복의 꿈과 갈망이 조국의 상실에 따르는 절망적 상황을 극복하게 하는 원동력이 된다.

실상 이러한 현실에 대한 절망과 그에 따른 부정적 세계관이 '없음'의 문제로 표상된 것이다. 이 '없음'으로서의 현실인식은 일제하의 당대를 님이 부재하는 시대, 침묵하는 시대, 신이 숨은 시대로 파악하는 만해의 역사의식을 반영한 것이 된다. 또한 정조를 능욕하려는 장군에 대한 항거와 그에 대한 격분은 당대 일제의 폭력에 대한 저항정신을 반영한 것으로 보인다. 그렇기 때문에 "온갖 윤리, 도덕, 법률은 칼과 황금을 제사지내는 연기인 줄"을 알게 되는 것이다. 자유와 진리와 정의 앞에 인간의 온갖 현실적 규범과 인위적 척도는 한낱 부질없는 것일 수밖에 없기 때문이다. 그러면서도 님이 부재하는 상황에 대한 절망은 끊임없는 현실적 갈등을 불러일으킨다. 그것은 영원한 사랑에 대한 믿음에 헌신하는가, 아니면 삶의 무의미에 절망한 나머지 끝내 인간과 역사를 부정해 버리고 마는가, 혹은 현실과 적당히 타협하거나 그 속에 빠져들고 마는가 하는 따위의 갈등에 사로잡히게 되는 것이다. 이때에도 '나'는 그러한 절망과 갈등을 님의 모습을 통해 구원받게 된다. 님은 '나'를 그러한 갈등으로부터 해방되어 님이 없는 상황에서도 '나'를 신념 있게 살게 하는 정신의 푯대 역할을 하는 것이다.

이렇게 볼 때, 님은 '나'의 삶을 구원하고 가능케 해주며, 완성시켜 주는 현실적 힘의 표상인 동시에 이념적 지표로서의 의미를 지닌다. 님은 고통과 절망의 시간, 상실과 슬픔의 시대로부터 벗어나 삶에 신념과 용기를 가질 수 있게 하는 희망의 상징인 것이다. 어려운 시대일수록 그 시대 상황이 강요하는 억압과 고통을 싸워서 이겨 나아가는 데서 참된 생의 의미가 발견되고 올바른 역사 전개가 이루어질 것이라는 확신이 이 시에 담겨 있는 것으로 보인다. 이 점에서 이 시는 만해의 부정적 세계관과 함께 진보적인 역사의식이 담겨 있는 작품으로 이해된다. 슬픔, 절망, 갈등의 절정에서 발견되는 당신의 참된 모습을 통해서 인간과 역사의 허상과 실상을 드러내 보이고자 한 것이다.

4 사랑과 자유의 문제

남들은 자유(自由)를사랑한다지마는 나는 복종(服從)을조아하야요

자유(自由)를모르는 것은 아니지만 당신에게는 복종(服從)만하고십허요
복종(服從)하고십흔데 복종(服從)하는것은 아름다은자유(自由)보다도 달금합니다 그것이 나의 행복(幸福)임니다
그러나 당신이 나더러 다른사람을복종(服從)하라면 그것만은 복종(服從)할수가 업슴니다
다른사람을 복종(服從)하랴면 당신에게 복종(服從)할수가업는 까닭임니다

—「복종(服從)」 전문

이 작품에는 사랑의 원리와 자유의 본질에 대한 투시가 담겨 있다. 시집 『님의 침묵』에서 "님", "당신"은 반드시 사랑과 연관되어 나타난다. 님과 당신이라는 말 자체가 사랑을 전제로 한 상대성 원리 위에 놓여지기 때문이다. 님이나 당신이 만해 시 전편에 걸쳐 나타난다는 사실은 시집 『님의 침묵』이 사랑의 철학에 바탕을 두고 있다는 점과 무관하지 않다. 따라서 사랑의 속성과 원리가 어떠한 것인가를 구명하는 것은 「님의 침묵」을 바르게 이해하는데 긴요한 일이 된다.

이 사랑의 본성에 관한 표현은 여러 시편에서 두루 발견된다.

① 사랑을 「사랑」이라고하면 발써 사랑은아님니다
사랑을 이름지을만한 말이나글이 어데잇슴닛가

—「사랑의 존재」 부분

② 사랑의줄에 묵기운것이 압흐기는압흐지만 사랑의줄읏으면 죽는것보다도 더압흔줄을 모르는말임니다
사랑의속박은 단단히 얼거매는것이 푸러주는것임니다

—「선사의 설법」 부분

③ 그러나 늙고 병들고 죽기까지라도 당신때문이라면 나는 실치안하
여요
나에게 생명을주던지 죽엄을주던지 당신의뜻대로만 하서요
나는 곳당신이여요

—「당신이아니더면」 부분

①에는 사랑이 말로 이루어지는 것이 아니라는 인식이 들어 있다. 사랑은 말로써 표현할 수 없는 것, 즉 무형의 정신적 차원에 놓이는 것이며 또한 말이 아닌 실천 속에서 참뜻이 발견될 수 있다는 깨달음이 담겨 있다. 사랑의 불립문자설이며, 실천적 사랑의 의미에 대한 깨달음이다. ②에는 사랑의 양면성이 드러나 있다. 그것은 사랑의 구속성을 의미하며 동시에 해방성을 의미한다. "사랑의 줄"은 사랑이 본성적으로 상대적 구속성을 전제로 해서 성립됨을 말해 준다. "묵기운것이" 그것이다. 그러나 "사랑의줄을끈으면 죽는것보다도 더압흔줄"이라는 구절 속에는 진정한 사랑이란 완전한 해방이 아니라 오히려 강한 속박 속에서 참된 의미가 발견되는 것이라는 역설적인 깨달음이 담겨져 있다. 사랑은 그 본질 속에 운명과 자유, 구속과 해방이라는 모순되는 두 측면을 함께 지니고 있는 것이다. "사랑의 속박은 단단히 얼거매는것이 푸러주는것"이라는 깨달음 속에는 실상 사랑의 모순되는 두 속성이 생의 원리로서 제시돼 있다. ③에는 사랑의 자율성과 절대성, 그리고 상대성이 함께 담겨져 있다. 사랑은 '늙음/병들음/죽음'을 뛰어넘게 하는, 그리고 '생명/죽음'까지도 좌우하는 절대적인 것으로서 받아들여진다. 그리고, 그것은 자율적인 것인 한에 있어서는 고통이 아닌 즐거움이며, 사랑은 어디까지나 당신과 나의 상대적 평등을 전제로 해서 성립된다는 깨달음이다.

그런데 중요한 것은 이러한 사랑의 속성들이 그대로 자유의 속성과 연결될 수 있다는 점이다. ①에서 사랑이 말로써 정의될 수 없으며 실천적 차원에 놓인다는 사실은 그대로 자유가 말로써 정의되거나 논의될 수 있는 것이 아니

라 실천 속에서 참된 가치가 드러날 수 있다는 사실과 대응된다. ②에서도 사랑이 구속과 해방의 양측면을 지니듯이, 자유 또한 구속과 자유라는 두 측면으로 성립된다. 진정한 자유란 일정한 테두리에 얽매이면서도 얽매이지 않고, 벗어나면서도 벗어나지 않아야 하는 상호모순의 양면성을 동시에 포용하는 데서 참뜻이 드러난다. 동시에 그것은 자발성, 자율성을 전제로 하는 데서 기본 원리가 찾아지기 때문이다. ③의 경우에도 사랑이 자율성, 평등성, 절대성, 상대성을 지니듯이 자유 또한 그래야만 한다. 자유는 자발성을 전제로 할 때 성립되며, 그렇기 때문에 인간사회에서 절대적인 규범이 될 수 있다. 그러나 그것은 나의 자유와 남의 자유라는 상대성을 전제로 성립된다. 자유는 성질상 무한개념이지만 상대적인 속성을 지니기 때문에 남의 자유를 침해해서는 안 되는 것이다. 서로가 상대방을 이해하고 존중하는 데서 자유의 진가가 드러난다. 그렇기 때문에 자유는 평등을 속성적 원리로 지닐 수밖에 없는 것이다. 사랑이 상대적인 것이며 평등을 전제로 하듯이, 자유도 상대적인 것으로서 평등을 토대로 성립되는 것이다. 따라서 사랑의 속성과 원리는 그대로 자유의 속성과 원리로 연결되며, 또 그것은 생의 근본 원리로서 작용하게 되는 것이다. 사랑과 자유야말로 인간의 삶에 있어 본질이자 원리로서의 중요성을 지니기 때문이다.

시 「복종」의 의미는 이상과 같이 사랑과 자유의 원리를 반영한 데서 찾아질 수 있다. 여기에서의 '자유'와 '복종'은 사랑의 의미를 전제로 할 때 성립된다. '내'가 남들이 사랑하는 자유를 마다하고 복종을 좋아하는 것은 '당신'을 사랑하기 때문에 가능한 것이다. 여기에서의 복종은 타율적인 강요에 의해서 마지못해 하는 굴종이 아니다. 그것은 '내'가 '당신'을 사랑하기 때문에 하는 자발적, 능동적인 것이기 때문에 오히려 사랑을 위한 희생이며 헌신으로서의 의미를 지닌다. '하고 싶어 하는 것'으로서의 사랑이 자율성·자발성을 전제로 할 때 진실로 행복한 것이 되듯이, '하고 싶어 하는 것'으로서의 복종은 오히려 막연한 자유 속에서보다도 더 큰 행복감과 유열감을 느낄 수 있게 마련이다. "복종하고십흔데 복종하는것은 아름다운자유보다도 달금합니다 그것이 나의행복임니다"라는 구절 속에는 바로 이러한 사랑의 본질로서의 자율성과 자유의 원리로서의 자발성에 대한 깊은 깨달음이 담겨져 있다. 사랑의 본질이 운명과 자유, 구속과 해방의 교차 속에서 그 의미를 드러내듯이 자유 또한 그러한 상대적 속성들의 부딪침 속에서 생생한 의미를 획득하게 되는 것이다. 앞의 시 「선사의 설법」에서처럼 "사랑의속박은 단단히 얼거매는것이 푸러주는것"이기 때문이다. 자발적인 복종은 속박이나 굴종이 아니다. 오히려 그것은 사랑을 위한 전제 원리가 된다. 이별이 더 크고 빛나는 만남을 성취하기 위한 전제 원리가 되듯이, 복종은 더 큰 의미의 자유와 행복을 발견하고 실천하기 위한 전제 조건인 것이다. 사랑하는 오직 한 사람인 당신을 위해서 '하고 싶어 하는 복종'은 그 자유의 실천이며 행복의 실현에 해당한다는 깨달음이 담겨져 있는 것이다.

이렇게 볼 때 이 「복종」은 사랑과 자유의 본질과 원리를 선명히 제시한 작품으로 이해된다. 이것은 아울러 운명과 자유, 구속과 해방으로서의 생의 근본 원리를 반영한 것이기도 하다. 사랑의 구속성과 자유성, 자유의 자발성과 평등성은 인간존재의 양면성을 드러낸 것이다. 운명의 구속에 지배당하면서도 끊임없이 자유에의 길을 갈망하고 추구하는 인간존재의 참뜻 이 시 「복종」에 담겨져 있는 것이다.

5 역사의식의 문제

벗이어 나의 벗이어 애인(愛人)의무덤위의 픠여잇는 쏫처럼 나를 울니는 벗이어

적은새의자최도업는 사막(沙漠)의밤에 문득맛난님처럼 나를깃부게하는 벗이어
그대는 옛무덤을깨치고 하늘까지사못치는 백골(白骨)의향기(香氣)임니다
그대는 화환(花環)을만들냐고 써러진꽃을줏다가 다른가지에걸녀서 주슨꽃을헤치고 부르는 절망(絶望)인희망(希望)의 노래임니다

벗이어 깨여진사랑에우는 벗이어
눈물이 능히 써러진꽃을 옛가지에 도로픠게할수는 업습니다
눈물을 써러진꽃에 뿌리지말고 꽃나무밋희씌끌에 뿌리서요

벗이어 나의벗이어
죽엄의향기(香氣)가 아모리조타하야도 백골(白骨)의입설에 입마출수는업습니다
그의무덤을 황금(黃金)의노래로 그물치지마서요 무덤위에 피무든기(旗)대를 세우서요
그러나 죽은대지(大地)가 시인(詩人)의노래를 거처서 움직이는것을 봄바람은 말합니다

벗이어 부끄럽습니다 나는 그대의노래를 드를때에 엇더케 부끄럽고 떨니는지 모르것습니다
그것은 내가 나의님을써나서 홀로 그노래를 듯는까닭임니다

—「타골의 시를 읽고」 전문

이 시는 타골의 시 「Gardenisto」(원정)를 읽고 난 소감을 만해가 자신의 생각과 견주어 표현한 작품이다. 흔히 만해 시가 타골 시의 영향하에서 쓰인 것으로 인식되어 두 시인에 관한 비교문학적 연구가 성행했던 것이 사실이다. 그러나 이 시는 만해와 타골이 근본적인 면에서는 차이가 있음을 선명히 보여준 데서 의미가 놓여진다.

먼저 이 시는 논개, 계월향 등과 같이 타골이라는 인명이 구체적으로 제시된 『님의 침묵』의 세 편 시 중의 하나라는데 특징이 있다. 이것은 이 시가 「논개의 애인이 되어 그의 묘에」와 「계월향에게」 등과 같이 직접적으로 주제를 드러내고자 한 데 기인한다. 즉 순국 의기인 논개와 계월향을 통해서 그들의 애국정신을 찬양하고 그 유덕을 기리고자 한 것처럼, 타골의 시를 읽고 느낀 감회와 그에 대한 비판을 제시하고자 한 것이다. 먼저 타골은 만해에게 "울음과 웃음을 주던 논개"처럼 이율배반적인 의미로 받아들여진다. 그것은 찬탄이며 동시에 비판이다. 타골의 시는 만해에게 커다란 감동을 불러일으키는 동시에 비판점을 일깨워 주는 것이다.

4연으로 구성된 이 시는 첫 연에서 타골에 대한 추모와 그의 시에 대한 찬양을 노래한다. "애인의무덤 위의 픠여잇는 꼿처럼 나를울니는 벗이어"라는 구절 속에는 죽음을 넘어서서 비로소 향기를 더하는 타골 문학에 대한 공감이 드러나 있다. 타골은 만해에게 "사막의밤에 문득맛난님"과 같이 절망과 어둠 속에서 문득 발견한 구원과 희망의 상징인 것이다. 따라서 타골의 문학은 만해에게 "옛무덤을깨치고 하늘까지 사뭇치는 백골의향기"이며 "절망인희망의노래"로서 다가오게 된다. 특히 이 "절망인희망의노래"라는 구절 속에는 타골의 인생과 문학에 대한 깊은 공감을 담고 있는 것으로 보인다.

그러나 둘째, 셋째 연에는 타골에 대한 비판을 통해서 그에 대한 극복의지가 나타난다. 이 두 연의 구조는 각각 대칭을 이룬다. 그것은 "벗이어/업슴니다/말고—쌔리서요"의 대칭이다. 먼저 둘째 연에는 "깨여진사랑에 우는벗이어"와 같이 타골이 겪는 현실적 번뇌의 원인이 밝혀져 있다. 그것은 깨어진 사랑, 즉 빼앗긴 현실이거나 잃어버린 조국에 대한 암유일 수 있다. 이 점에서 만해의 타골에 대한 동병상련의 우정과 함께 그에 대한 비판 의지가 드러난다. 그것은 타골이 조국상실에 대해 흘린 눈물을 살릴 수 있는 길이 "써러진 꼿"에 연연하고 집착하는 것에 있는 것이 아니라, "꼿나무밋희씌끌에 쌔리서요"와 같이 현상에 대한 본질적 투시와 그 실천 의지를 통해서만이 획득될 수 있다는 깨달음을 보여준다는 점이다. 이러한 현실인식에 대한 차이점은 셋째 연에서 더욱 극명하게 드러난다. "무덤을 황금의노래로그물치지마서요/무덤위에피무든기대를세우서요" 라는 구절은 타골의 찬양일변도의 여왕 예찬에 대한 비판을 제시한 것이다. 당대 인도와 한국은 똑같은 식민지 상황에 놓여 있었다. 이때에 타골은 초월자로서의 여왕에 대한 가없는 연모와 찬양을 원정으로 노래한 것이다. 만해가 비판한 것은 바로 이점이다. 타골의 이상주의 혹은 식민주의적 시혼에 대한 비판이며, 동시에 역사의식의 허약함에 대한 반발인 것이다. 어두운 식민지 상황하에서 시인은 "피무든기(旗)대"를 세울 수 있는 실천적 지성이자 혁명가일 수도 있어야 한다는 주장이 담겨 있는 것이다. 이것은 바로 역사에 대한 날카로운 비판의식이며, 현실에 대한 투쟁 정신의 반영이고, 동시에 미래에 대한 투철한 신념과 소망의 표출일 수도 있다. 만해는 타골의 시적 한계를 바로 이러한 투철한 역사의식과 저항정신의 결여로 인식하고 이의 극복을 노래한 것이다. 그러므로 만해는 시인의 참된 사명이 "죽은대지가 시인의 노래를 거처서 움직이는것"과 같이 민족의 살아있는 혼을 일깨우는 데 있음을 밝히고 있다. 동시에 시가 찬양, 찬송이 아닌 현실 극복의 힘을 제공하는 생명의 원천일 수 있어야 함을 강조하는 것이다.

그럼에도 불구하고 마지막 연에서는 다시 타골에 대한 공감을 표출한다. 그것은 님을 잃은 상황에서 고독하게 울리는 영혼의 고적함이자 동병상린의 애절함이다. 만해는 타골의 순응주의적 현실인식이나 신비주의적 시정신에는 만족할 수 없었지만 식민지 치하의 불행한 지성으로서 동병상린의 정을 느낄 수밖에 없었던 것이다.

이렇게 본다면 만해는 타골의 영향을 부분적으로 받아들였음을 알 수 있다. 그것은 정신적인 면보다 형태와 문체 등 주로 형식적인 면에 치우쳐 있다. 「님의 침묵」이 식민지 치하에서의 절망을 희망의 정신으로 치환함으로써 당대의 모순을 뛰어넘으려 한 데 비해 「원정」은 초월자를 향한 찬송, 찬양으로 일관한 것이다. 당대의 조선과 인도라는 피지배 민족으로서 식민지 시대를 살아가는 공통된 입장으로 볼 때, 보다 절실한 문제는 당대를 모순의 시대로 파악하여 이를 극복할 수 있는 정신적 응전력의 획득임에도 불구하고, 타골은 치열한 현실의식이나 저항정신을 결여하고 초월자에 대한 찬양만을 노래하였기 때문이다. 따라서 이 「타골의 시를 읽고」는 투철한 역사의식에 바탕을 둔 만해의 건강한 시 정신을 읽을 수 있는 대표적인 작품이 된다.

6 신성과 세속의 갈등

① 의심하지마서요 당신과 써러져잇는 나에게 조금도 의심을두지마서요
의심을둔대야 나에게는 별로관계가업스나 부지럽시 당신에게 고통(苦痛)의수자(數字)만 더할섇임니다

나는 당신의첫사랑의팔에 안길째에 왼갓거짓의옷을 다벗고 세상에나온그대로의 발게버슨몸을 당신의압헤 노앗슴니다 지금까지도 당신의압헤는 그째에 노아둔몸을 그대로밧들고 잇슴니다

만일 인위(人爲)가잇다면 「엇지하여야 츰마음을변치안코 끗끗내 거짓업는 몸을 님에게바칠고」하는 마음뿐임니다
당신의 명령(命令)이라면 생명(生命)의옷까지도 벗것슴니다
—「의심하지마서요」 부분

② 나의노래가락의 고저장단은 대중이업슴니다
그레서 세속의노래곡조와는 조금도 맛지안슴니다
그러나 나는 나의노래가 세속곡조에 맛지안는것을 조금도 애닯어

하지 안습니다
나의노래는 세속의노래와 다르지아니하면 아니되는 까닭입니다
나의노래는 님의귀에드러가서는 천국(天國)의음악(音樂)이되고 님
의꿈에드러가서는 눈물이됩니다
나의노래가 산과들을지나서 멀니게신님에게 들니는줄을 나는암니다
나는 나의노래가 님에게들니는것을 생각할때에 광영(光榮)에넘치는
나의 적은 가슴은 발발발떨면서 침묵(沈默)의음보(音譜)를 그림니다
—「나의 노래」 부분

만해 시는 기본적인 면에서 두 가지 상이한 정신의 양태가 갈등을 이루면서 펼쳐지는 데 묘미가 있다. 그것을 우리는 세속적 정감과 신성 지향 정신의 갈등이라고 부를 수 있을 것이다. 실상 인간의 삶이 육신과 정신, 물질과 영혼의 이중구조로 이루어져 있다는 사실 자체가 이미 그러한 갈등을 예시하는 일이 아닐 수 없다. 많은 작가들의 문학적 테마가 이러한 세속성과 신성성의 갈등을 바탕으로 전개되어 온 것이 사실이지만, 특히 만해 문학에 있어 이 두 요소는 작품 세계 전체를 지배하는 중심 골격이 된다. 이것은 그가 기본적인 면에서 승려임에도 불구하고 불가의 일에만 국한되지 않고 승, 속의 일에 함께 참여하였다는 사실에서도 쉽게 짐작할 수 있는 일이다. 만해에게 승, 속은 분리되지 않는 하나로 받아들여지면서도 만해의 문학에는 그 둘의 갈등이 첨예하게 드러나 있는 것이다.

위에서 인용한 두 시는 만해 시에 있어 세속과 신성이 갈등하는 모습을 잘 보여준다. 먼저 ①의 시는 세속적인 정감이 적나라하게 드러남으로써 일견 대중가요와 유사한 느낌을 갖게 한다. 세속의 원색적인 정감이 진솔하게 문면에 드러나 있다. 「의심하지마서요」 라는 제목부터가 시정의 필부필부들의 일상 어투를 연상케 해준다. '의심을 한다'는 것은 일상적인 남녀 관계 혹은 부부 관계에서 항용 일어날 수 있는 보편적인 감정이기 때문이다. 더구나 "부지럽시 당신에게 고통의수자만 더할뿐/발게버슨몸을 당신의 압헤 노앗슴니

다"라는 구절들은 솔직한 감정 표현으로서 또한 육감적인 묘사로서 사랑의 세속적인 정감을 제시한 것이 된다. "특히 당신의명령이라면 생명의옷까지도 벗것슴니다"라는 과장적인 표현은 연인들 사이에서 주고받을 수 있는 진솔한 자기 고백이 된다. 이처럼 ①시는 세속적인 정감에 바탕을 두고 있다.

그러나 ②시는 전혀 다르다. 이 시는 "나의 노래가락의 고저장단은/세속의 노래곡조와는 조금도 맛지안슴니다"와 같이 세속적인 것과의 위화감 또는 갈등을 표출한다. 세속적인 정감에 충실하면서도 그것과는 또 다른 가치를 인정하고 그것을 추구하는 것이다. 나의 노래와 다르지 아니하면 아니 되는 까닭은 바로 보다 높은 초월적 가치, 즉 신성성에 대한 갈망과 지향을 담고 있는 것으로 풀이된다. 그러므로 "나의 노래는 천국의음악이 되고/멀니게신님에게 들릴 수"있는 초월적 세계로 이끌어 올려진다. 세속의 감정, 즉 지상의 척도가 신성의 세계, 즉 천상의 질서로 이행하게 되는 것이다. 바로 이 점에서 이 시는 세속적 정감에서 벗어나 신성성을 지향하는 사랑의 고뇌가 드러나 있다. 실상 사랑의 본성은 이러한 세속성과 신성성이 서로 갈등하고 조화하는 데서 현현될 수 있는 것이다. 인생 또한 현실과 이상, 추와 미, 악과 선, 거짓과 진실 등의 두 가지 측면이 갈등을 이루면서 전개되는 특성을 지닌다. 그렇다면 만해 시에 드러나는 이러한 양면성은 기실 사랑과 인생의 본질을 드러낸 것이 아닐 수 없다. 사랑과 인생은 바로 이러한 세속과 신성이 표상하는 두 가지 모순되는 측면이 갈등을 이루고 또 조화하는 데서 그 이념적 모습이 드러나는 것이다.

실상 『님의 침묵』의 시적 가치와 우수성도 여기에서 드러난다. 세속적 사랑에 깊이 뿌리내리고 있으면서도 세속사에만 떨어지지 않고 신성사에 대한 갈망과 지향을 보여준다는 점에서 정신의 깊이와 넓이를 획득하는 것이다. 또한 세속적 정감의 진솔성이 불러일으키는 친근감과 형이상학적 깊이가 서로 갈등하면서도 조화를 이룸으로써 예술적 긴장을 유발하고 폭넓은 공감대를 형성하게 되는 것이다. 이것은 『님의 침묵』이 세속사에 충실하면서도 그것에서 벗어날 수 있기를 갈망하는 노력, 즉 세속과 신성의 갈등 속에 사랑과 삶의 진정한 의미가 존재한다는 점을 소중하게 일깨워 준 데서 의미가 드러난다.

7 예언자적 지성과 역사의식

네 네 가요 지금곳가요
에그 등ㅅ불을켜랴다가 초를 거꾸로쏘젓습니다 그려 저를 엇저나 사람들이 숭보겟네
님이어 나는 이러케밧붐니다 님은 나를 게으르다고 꾸짓습니다 에그 저것좀 보아 「밧분것이 게으른것이다」하시네
내가 님의꾸지럼을듯기로 무엇이실컷습닛가 다만 님의거문고줄이 완급(緩急)을이를까 접허함니다

님이어 하늘도업는바다를 거처서 느름나무그늘을 지어버리는것은 달빗이아니라 새는빗임니다
홰를탄 닭은 날개를움직임니다
마구에매인 말은 굽을침니다
네 네 가요 이제곳가요

—「사랑의 끗판」 부분

시집 『님의 침묵』이 대체로 서시 「님의 침묵」과 마찬가지로 기승전결 형태로 구성되어 있음은 이미 언급한 바 있다. 『님의 침묵』 88편의 시들은 '기(이별)—승(이별 후의 슬픔과 고통)—전(슬픔→희망)—결(만남)'이라는 존재론적 드라마를 형성한다. 첫 시 「님의 침묵」의 첫 행이 "님은갓슴니다 아아

사랑하는 나의 님은 갓습니다"로 시작되어 끝 시 「사랑의 씃판」의 마지막 행이 "네 네 가요 이제곳가요"로 끝이 남으로써 극적 구성(dramatic plot)을 취하고 있는 것이다.1) 님과의 이별은 슬픔과 한탄, 절망과 갈등을 겪게 만들지만, 이러한 과정은 오히려 님의 존재를 새롭고 크게 깨닫게 하는 계기가 되며 나의 인간적 성숙을 이루는 데 필수적인 시간이 된다. 통과 과정(initiation)으로서의 무(이별)를 겪고, 그 쓰라린 고통과 절망 속에서 보다 큰 사랑의 완성을 기약하게 되는 것이다.

시집 『님의 침묵』의 마지막 시편인 이 「사랑의 씃판」은 님을 만나러 가는 조급한 심정을 효과적으로 표현함으로써 시적 긴박감을 불러일으킨다. 8행 2연으로 구성된 이 시는 전반부에서는 이별의 갈등이 해소되어 만남을 서두르는 모습이 "등ㅅ불을켜랴다가 초를 거꾸로꼬젓습니다"로 묘사돼 있다. 그러면서도 "님은 나를 게으르다고 꾸짓습니다 에그 저것좀보아 「밧분것이 게으른것이다」 하시네/내가/님의꾸지럼을듯기로 무엇이실컷습닛가 다만 님의거문고줄이 완급을이를까 접허합니다"와 같이, 높고 먼 존재로서의 님에 대한 가없는 연모와 외경심을 표출하는 것이다. 이것은 오랜 이별과 그것이 주는 고통과 절망을 통해서 마침내 도달하게 된 참된 사랑을 깨닫는 순간의 설렘이며 안타까움이다. 후반에는 시간적 배경부터가 달라진다. 시집 『님의 침묵』에 가득히 출렁이던 어둠은 시의 전반으로 마무리되고 '새는 빛', 즉 새벽의 이미지로 전환하게 된 것이다. 이별이 만남으로, 절망이 희망으로, 소멸이 생성으로 극적 전환을 성취함으로써 마침내 개벽의 새아침, 역사의 새벽을 맞이하게 되는 것이다. "홰를탄 닭은 날개를움직임니다/마구에매인 말은 굽을 침니다"에는 새로운 만남, 역사의 새출발을 향한 힘찬 의지가 생동한다. 그럼으로써 "네 네 가요 이제곳가요"라는 시집 『님의 침묵』의 대미가 이루어지는 것이다. 오랜 동안의 슬픔과 절망, 고통과 갈등의 어둠이 걷히고 새로운 삶과

---

1) 김재홍, 『한용운문학연구』(일지사, 1982) 99-107쪽.

새 역사에 대한 벅찬 감격의 출발이 시작되는 것이다. 「사랑의 슷판」이라는 제목 자체가 새로운 시작을 암시하는 탁월한 역설이 아닐 수 없다.

이렇게 볼 때 시집 『님의 침묵』은 사랑의 이별이나 이별의 슬픔 그 자체를 노래한 시가 아님을 알 수 있다. 오히려 그것은 이별을 모티브로 하여 슬픔과 절망의 변증법적 갈등을 겪고 난 다음 사랑과 인생의 참다운 본질을 새롭게 발견하고자 하는 극복의 시, 깨달음의 시라고 할 수 있을 것이다. 실상 이것은 식민지의 어둠 속에서 역사의 새벽을 갈망하는 예언자적 지성 혹은 역사의식의 발현으로 해석된다. 이별을 통한 더 큰 만남의 성취는 바로 국권상실에서 오는 고통과 절망을 이겨 냄으로써 더욱 차원 높은 조국애에 도달하려는 열린 의지를 표상한 것일 수 있다.

이 점에서 『님의 침묵』에서 '침묵'은 소극적인 명상의 침묵이 아니라 실천적인 깨달음과 극복의지가 용솟음치는 적극적인 생성의 침묵인 것이 확실하다.

□ 맺음말

그렇다면 만해 시가 폭넓은 공감을 불러일으키는 것은 과연 무엇 때문일까? 만해가 혁혁한 독립투사이기 때문인가, 아니면 그의 시가 진실로 훌륭한 문학적 형상화를 이룩하고 있기 때문인가. 아마도 그것은 만해 문학의 성패를 결정짓는 관건이 될 수 있을 것이다. 다행스럽게도 만해의 경우는 이 두 가지가 행복한 일치를 보이는 것으로 이해된다. 많은 식민지하 문인들이 자신의 생애와 문학, 실제와 이념의 괴리를 보여주었던 것이 사실이다. 이에 비해 만해는 생애와 사상과 문학이 자연스럽게 합일되고 조화를 이룸으로써 사랑의 예술적 실천화에 성공한 것으로 판단된다. 무엇보다도 그의 문학은 사상의 시학을 통해서 자유와 평등의 사상, 평화의 철학을 완성한 데서 의미가 놓여진다. 그가 말하려는 것은 사랑과 평화에의 갈망이며, 자유와 평등에 기초를 둔 휴머니즘의 실천이다. 특히 인간애의 정신과 그 실천 의지는 생생한 민중적인 정감과 민중적인 언어에 맞닿음으로써 시적 설득력을 획득하게 된다.

올해(1985년)는 3·1운동 66주년이 되고 해방 40년을 맞이하는 뜻깊은 해임에 비추어 만해의 생애와 사상, 그리고 문학은 여러 가지 의미에서 그 울림을 더해 준다. 지금은 그 어느 때보다도 세계사 속에서 한국의 위치가 정립돼야 하고, 동시에 밀려오는 외세의 격랑 속에서 민족적 주체성과 자존심을 고양해야 할 시기인 것이다. 무엇보다도 분단 상황하에서 가속화되는 민족 이질화 현상의 심화를 극복해야 하고, 날로 어려워만 가는 이 땅의 정치, 사회, 문화의 혼란을 이겨내야 하는 시점에서 만해의 정신은 새로운 빛을 던져 줄 것이다. 만해 사상의 핵심인 자유사상·평등사상·민족사상·인권사상·진보사상·민중사상이야말로 어려운 시대일수록 생생한 의미와 가치를 획득해 가기 때문이다. 그것은 이러한 만해의 문학과 사상이 인류의 근원적 양심에서 우러나온 휴머니즘 사상에 기초하고 있으며, 민족의 특수한 상황을 깊이 있게 인식한 투철한 역사의식의 소산이기 때문이다.

해방을 맞이하여 정인보가 만해를 추모하여 읊은 시대로, "풍란화 매운 향내"로서 만해의 고결한 정서와 인품, 그리고 크고 넓은 사상은 이 땅 어두운 역사를 밝혀 주는 정신의 빛이며 혼의 횃불인 것이다.

□ 연 보

1879 : 8월 29일 충남 홍성군 결성면 성곡리에서 부 한응준(韓應俊)의 차남으로 출생. 속명은 정옥, 법명은 용운, 법호는 만해.

1884~97 : 향리에서 한학 수학.

1892 : 천안 전씨와 결혼.

1899 : 강원도 설악산의 백담사 등지를 전전.

1904 : 귀향하여 향리에서 수개월간 머물다.

1905 : 백담사 김연곡 스님에게서 득도. 김영제 스님에 의하여 수계. 이후 이학암 스님으로부터 「기신론」, 「능엄경」, 「원각경」 등을 사사받음.

1908 : 4월경 일본으로 건너가 하관 등지를 순유하고 동경의 조동종 대학에서 불교와 서양철학을 청강함. 10월경 귀국.

1910 : 「조선불교유신론」 탈고(1913년 불교서관에서 간행).

1912 : 불교경전 대중화의 일환으로 『불교 대전』을 편찬하기 위해 양산 통도사의 고려대장경을 열람함.

1913 : 불교강연회 총재에 취임. 박한영 등과 함께 불교 종무원을 창설. 통도사 불교강사에 취임. 『불교대전』을 국한문으로 편찬 (홍법원, 1914).

1918 : 월간 교양지 『유심』을 창간하여 편집인 겸 발행인이 됨.

1919 : 1월경 최린, 현상윤 등과 조선 독립에 대해 의논함. 최남선이 작성한 「독립선언서」의 자구수정을 하였으며 '공약 3장'을 추가함. 3월 1일 명월관 지점에서 33인을 대표하여 독립선언 연설을 하고 투옥됨. 7월 10일 서대문 형무소에서 일본 검사의 심문에 대한 답변으로 「조선 독립에 대한 감상의 개요」를 제출하다.

1926 : 시집 『님의 침묵』을 회동서관에서 발행하다.

1927 : 신간회 중앙집행위원 겸 서울지부장에 피선됨.

1931 : 김법린, 최범술 등이 조직한 승려 비밀결사인 만당(卍黨)의 영수로 추대됨.

1933 : 유숙원과 재혼, 벽산(壁山) 스님, 방응보, 박광 등의 도움으로 성북동에 심우장(尋牛莊)을 짓다. 여기에서 소설 「흑풍」, 「죽음」 등을 조선일보 등에 연재하다.

1944 : 6월 29일 심우장에서 입적. 미아리에서 화장하여 망우리 공동묘지에 묻히다.

1962 : 대한민국 건국공로훈장 중장이 수여되다.

1967 : '용운당 만해 대선사비'가 파고다 공원에 건립됨.

1973 : 『한용운 전집』(전 6권)이 신구문화사에서 간행됨.

2. 소월(素月) 김정식(金廷湜)

—민중시의 원형·민족시의 요람—

소월(素月) 김정식(金廷湜)(1902~1934)은 현대시사에 있어서 시집 『진달래꽃』 한 권으로 불멸의 위치에 놓인 이 땅의 대표적 시인의 한 사람이다. 서른세 살 짧은 나이에 아편을 먹고 자살하기까지 그는 전통적인 민중 정감과 한의 가락을 서정시로 형상화하는 데 탁월한 솜씨를 보여주었다. 아직까지도 소월의 시는 한국시의 가장 아름다운 한 전범으로서 겨레의 가슴속에 살아 있는 것으로 이해된다. 그것은 무엇보다도 그의 시가 민족적인 서정을 가장 한국적인 가락으로 되살림으로써 시의 시다움을 실천적으로 보여주었다는 점에 기인하는 것으로 보인다.

지금까지 소월시는 여러 각도에서 다루어져 왔다. 내용 면에서는 주로 그의 시가 사랑과 이별의 문제를 노래하고 있다는 데 초점이 맞춰져 왔다. '사랑의 정한'이라는 말로 요약할 수 있는 서정시의 차원에서 해석되고 감상돼 온 것이다. 또한 형식적인 면에서는 그의 시가 지닌 민요적 율조 또는 율격 장치에 관해 논의가 거듭되었다. 그것은 소월시가 지닌 대중적 친화력의 비밀을 율격 문제에서 풀어 보려는 시도에 해당한다.

그러나 소월시론은 많은 연구자들의 노력에도 불구하고 미흡한 감이 없지 않다. 그가 식민지하 최대의 시인으로서 누리고 있는 성과에 비해 그의 시가 지닌 참뜻은 아직 충분히 해명되고 있지 못한 것으로 보이기 때문이다. 이보다 늦게 시작된 '만해 연구'가 몇 권의 단행본 연구서를 낳고 있음에 비추어 소월시에 관한 체계적 ·종합적인 연구서가 학계에 제출되고 있지 않다는 사실이 저간의 사정을 말해 준다. 물론 본고가 그러한 무리한 욕심을 펴보고자 하는 의도는 없다. 다만 심정적, 기호적 차원에서 동어 반복을 되풀이하고 있는 소월시 몇 편을 새로운 시각으로 조명해 보고자 하는 데 목표를 두고 있을 뿐이다. 이 땅 민족시의 탯줄이자 민중시의 요람으로서 소월시는 논의를 거듭하면 할수록 새로운 맛과 향기가 우러나는 정신의 '묵은 술'에 해당되기 때문이다.

1 전원 서정과 민중의 가락

시집 『진달내꼿』은 1925년 12월 매문사(賣文社) 발행으로 간행되었다. 여기에는 「님에게」, 「봄밤」, 「두사람」. 「무주공산」, 「한때한때」, 「반달」, 「귀뚜람이」, 「바다가변하야 뽕나무밧된다고」, 「녀름의달밤」, 「바리운몸」, 「고독」, 「여수」, 「진달내꼿」, 「꼿촛불켜는 밤」, 「금잔듸」, 「닭은꼬꾸요」(이하 원문표기와 띄어쓰기를 살린다) 등의 소제목 아래 모두 126편의 시가 수록돼 있다.

소월시의 표기상의 특징은 그것이 구두점을 전혀 사용하고 있지 않은 시(「님의 노래」, 「진달내」 등), 부분적으로 사용한 시 (「왕십리」, 「바리운 몸」 등), 습관적으로 반복한 시(「몹쓸 꿈」, 「애모」 등) 등으로 나뉜다. 대체로 정조가 불안하고 다급한 것은 구두점이 많이 찍혀 있고, 부분적이거나 안 찍혀 있는 것일수록 내용이나 형태가 안정돼 있는 경우가 많다. 「진달내꼿」, 「삭주구성」, 「접동새」, 「산유화」, 「님의 노래」 등 인구에 회자되는 뛰어난 작품들은 대부분 구두점이 없거나 덜 찍혀 있는 특징을 보인다.

띄어쓰기는 대체로 율격을 맞추려는 시도가 역력하지만, 초기 시단의 일반적 특징인 호흡률에 의지하여 띄어 쓴 특징을 지닌다.

한자, 한글의 쓰임새에 있어서는 대체로 고유어(특히 방언)를 활용한 시편이 많은데 이 작품들은 서정성과 향토성이 두드러진다. 한자는 관념적인 제목이나 추상적인 어구 혹은 강조하고자 하는 시어와 고유명사, 특히 지명 표기에 주로 나타난다. 특기할 만한 것은 고유어가 많이 사용된 시일수록 구두점이 적게 찍혀 있으며 그 구조가 비교적 안정돼 있다는 점이다.

그러면 시를 구체적으로 살펴보기로 하자.

① 엄마야 누나야 강변(江邊)살쟈,
뜰에는 반짝는 금(金)모래빗,
뒷문(門)박게는 갈닙의노래
엄마야 누나야 강변(江邊)살쟈.

② 우리집뒷산(山)에는 풀이푸르고
숩사이의시냇물, 모래바닥은
파알한풀그림자, 써서흘너요.

그립은우리님은 어듸계신고.
날마다 퓌여나는 우리님생각.
날마다 뒷산(山)에 홀로안자서
날마다 풀을싸서 물에던져요.

흘러가는 시내의 물에흘너서
내여던진풀닙픈 엿게써갈제
물쌀이 해적해적 품을헤쳐요.

그립은우리님은 어듸게신고.
가엽는이내속을 둘곳업섯서

날마다 풀을따서 물에썬지고
흘러가는닙피나 맘해보아요

시 ①은 「엄마야 누나야」, ②는 「풀따기」라는 작품이다. 이 두 작품은 왜 소월의 시가 우리의 심금에 부딪쳐 오는지를 말해 주는 좋은 예가 된다. 가장 먼저 우리에게 부딪쳐 오는 것은 두 시가 인간에게 있어 가장 본원적 문제인 사랑의 정감에 근거를 두고 있다는 점일 것이다. 시 ①은 엄마와 누나라고 하는 가족사적 사랑의 문제와 연관돼 있다. 엄마와 누나는 아빠와 오빠보다도 인간의 심서에 더 가까이 맞닿아 있는 것이 사실이다. 그것을 우리는 여성 심상 혹은 모성의 이미지로 풀이할 수 있을 것이다. 모성이 지니는 부드러움과 따뜻함은 인간이 가장 신뢰할 수 있는 영혼의 고향이며 유토피아가 아닐 수 없다. 모태의 아늑한 공간, 그곳은 시간이 정지된 신화의 장소이며 영원회귀의 요람인 것이다. 이러한 여성 또는 모성이 불러일으키는 원초적 정감에 이 시가 자리잡고 있는 데서 시적 친근감이 더욱 고조된다.

시 ②의 경우에는 이성 간의 사랑의 정감에 근거를 두고 있다. 님과 나의 사랑은 이 시에서 부재하는 님에 대한 그리움의 정으로 표출된다. 이성 간의 사랑만큼 우리에게 정서적 긴장과 호기심을 불러일으키는 경우는 그리 많지 않다. 더구나 부재하는 님에 대한 가없는 그리움과 연모의 마음은 인간의 심혼 속에 감춰져 있는 연민의 정을 일깨워 주게 마련이다. 이처럼 이 시가 남녀 간의 사랑의 문제를 테마로 하고 있다는 점이 우리에게 시적 친화력을 불러일으키는 요인이 되는 것으로 이해된다. ①과 ②는 모두 인간에게 있어 가장 원초적 · 본원적인 사랑의 문제를 테마로 하고 있다는 점에서 우리의 심성에 크게 어필하는 것이다.

두 번째로는 이 시들이 식물적 이미지 혹은 전원심상에 의지하고 있다는 이다. 초기 시단의 많은 시인들이 서구시로부터 감염된 관념적인 시어와 외래풍의 감수성에서 벗어나지 못한 실정에서 소월시가 보여 준 전원적 풍 정과 식물적 소재들은 오히려 신선한 것으로 보이기까지 한다. ①의 경우에도 "강변/뜰/금모래" 들의 전원심상과 "갈닙"의 식물적 이미지는 포근한 안정감과 따뜻한 화해감을 불러일으켜 준다. ②에서도 "뒷산/시냇물/모래바닥/물살" 등의 전원심상과 "풀/풀그림자" 등의 식물적 이미지가 서로 어울림으로써 자연과 인간의 친화와 교감을 감지시켜 준다. 특히 ①에서의 "금모래빗"과 "갈닙의노래"의 조응은 대자연의 아름다운 교향시를 일깨워 줌으로써 자연과 인간의 교감을 심화해 준다. 아울러 유년의 고향에 대한 강한 향수를 통해서 인간의 인간다움을 고양시켜 주는 듯하다.

②에서도 인생을 '물'에, 그리움을 '풀'에 비유함으로써 인간사와 자연사의 아름다운 화응을 노래하는 것이다. 이러한 두 시에 있어서의 전원심상과 식물적 이미지에 의한 자연과 인간의 친화와 교감은 시멘트, 철근, 비닐, 강철, 유리, 석유 등 온갖 공해와 기름기로 얼룩진 광물성의 시대를 살아가는 현대인들에게 인간성의 살아 있음을 일깨워 주는 소중한 자산이 아닐 수 없다. 수천 년 동안 식물적 상상력과 그 감수성에 바탕을 두고 살아온 한국인에게 소월시는 영혼의 고향을 일깨워 준다는 데서 친근감을 강화하게 된 것이다.

세 번째로는 민중적인 언어 감각과 리듬의식에 소월 시가 밀착돼 있다는 점을 들 수 있다. ①시는 소박한 일상적인 시어를 활용하고 있다. 어느 면 지나칠 정도로 단순, 소박한 시어를 구사함으로써 동요적인 느낌을 줄 정도이다. ②의 경우에도 관념적인 어투나 현학적인 수사가 하나도 없다. 평이하고 소박한 필부필부의 정감이 단순하면서도 진솔하게 드러나 있는 것이다. 이러한 대중적인 정감과 일상적 어투는 소월시에 거리감이나 저항감을 느끼게 하지 않는 요인이 된다.

무엇보다도 소월시는 리듬 감각에 있어 감정적 친화력이 강하게 부딪쳐 오는 것이 돋보인다. 대략 3음보를 기준으로 한 소월시의 리듬은 한국의 전통적

가락에 연원한 것으로서 친밀감을 불러일으키기에 적당하다. 특히 ①시의 경우에는 기·승·전·결 4행 구조를 기본으로 하여 1행에 10자씩 배열되어 있는데, 이것은 앞뒤가 호흡률의 등장성(等張性)에 의해 나뉘어짐으로써 정서적인 균형감과 안정감을 준다. ②시의 경우도 마찬가지이다. 기·승·전·결 4연 구조로 되어 있어서 전체적인 리듬감과 균형감을 더해 준다. 아울러 전후 연이 각각 '3/4/3/4'행으로 구성되어 있는데, 앞에는 정경묘사와 뒤에는 감정 표현을 선경후정이라는 전통적인 시작법을 활용함으로써 심리적 안정감을 준다. 아울러 각 행은 7·5조로 되어 있어서 리듬 감각의 유려함과 흥취를 불러일으키는 것이다. 이른바 노래체에 의지함으로써 대중적 공감과 친화력을 확대하게 되는 것이다.

그의 시에 있어서의 이러한 원형적인 사랑의 정감과 전원심상, 그리고 민중적인 정감의 가락은 향토적인 소재나 민담적인 배경 등과 어울림으로써 더욱 민족적·민·중적인 호소력을 유발한다. 이 점에서 소월을 우리는 민족시인 혹은 민중시인이라고 부를 수 있을 것이다.

2 꽃과 존재론(存在論)의 시학

산(山)에는 꼿픠네
꼿치픠네
갈 봄 녀름업시
꼿치픠네

산(山)에
산(山)에
픠는꼿츤

저만치 혼자서 픠여잇네

산(山)에서우는 적은새요
꼿치죠와
산(山)에서
사노라네

산(山)에는 꼿지네
꼿치지네
갈 봄 녀름업시
꼿치지네

―「산유화」 전문

이 작품은 「진달내꼿」과 함께 소월의 대표작 중의 하나로 꼽혀 왔다. 흔히 '청산과의 거리'를 의미하는 것으로 이해돼 온 이 작품은 실상에 있어 더 크고 깊은 뜻을 담고 있는 것으로 보인다. 우선 제목 「산유화」에 담긴 뜻이 그러하다. 이것은 '꽃'만을 말하는 것이 아니라, 산과 꽃을 동시에 포괄하는 상징성을 지닌다. 즉, 산으로서의 자연과 꽃으로서의 식물 혹은 생명 있는 것의 결합인 것이다. 꽃을 말하면서 자연을 함께 말하고자 하는 의도가 담긴 제목이다.

그렇다면 꽃의 '무엇'을 말하고자 하는가? 그것은 먼저 꽃의 피어남으로 제시된다. 산(자연)의 질서 내에서 꽃이 피어난다는 평범한 사실을 제시한다. 그러면서 꽃이 피는 것을 시간의 질서 속에서 파악한다. "갈 봄 녀름업시/꼿치픠네"라는 구절에는 계절의 순환원리가 담겨 있다. "산에는/갈 봄 녀름업시"라는 구절에는 각각 꽃, 즉 생명이 공간적 질서와 시간적 질서의 결합 위에 놓여져 있으며, 그것은 순환의 원리에 근거한다는 깨달음이 제시돼 있는 것이다.

제2연에는 1연의 확장이 일어난다. "山에/山에"처럼 행을 병렬한 것은 율격의 변화를 의도한 것과 함께 자연의 공간적 배치를 시각화한 것이다. 문제는 '꽃'이 무엇이며, 이것이 왜 "저만치 혼자서 피어"있나 하는 데 놓여진다. 단적으로 말해서, 꽃은 자연 위에 살아 있는 것들의 표상이며 동시에 인간의 객관적 상관물로 이해된다. 왜냐하면 산에 피는 꽃은 식물로서의 꽃이라는 단순한 의미를 넘어서서 모든 생명 있는 것들, 혹은 존재의 표상으로 해석할 수 있기 때문이다. 따라서 "저만치 혼자서 피어 있네"라는 것은 모든 존재들이 지닐 수밖에 없는 운명의 거리를 뜻하는 것으로 보인다. 단독자로서, 홀로의 존재로서 지상 위에 놓여서 덧없이 살아갈 수밖에 없는 존재와 존재 사이에 가로 놓인 공간적 거리이며 시간적 거리이고, 동시에 영혼 사이의 운명적 거리인 것이다. 즉 모든 존재의 본질을 서로 '혼자 있음', '떨어져 있음'으로 파악한 것으로 볼 수 있다. 이것은 항상 '너와 나/가고 옴/옛날과 지금' 등 대립적인 거리 감각으로 세계를 인식하는 소월(素月)의 태도와 연결된 것으로 해석되기 때문이다.

3연에서는 2연의 병렬, 확대가 일어난다. 꽃과 새의 관계 설정이 그것이다. 꽃과 새는 다 같이 산속에 터를 잡고 살아가는 생물이다. 식물과 동물의 차이가 있을 뿐, 자연에 젖줄을 대고 살아가는 의존적 관계라는 점에서 이들은 인간의 객관적 상관물로 보아도 큰 무리가 없다. 생명의 질서와 자연의 질서라는 커다란 질서 속에 인간의 그것도 포함될 수 있기 때문이다.

4연은 다시 1연과 호응된다. 1연의 '꽃이 핌'이 4연의 '꽃이 짐'으로 맞물리는 것이다. 이 점에서 이 시가 'a/b/b/a' 구조, 즉 기·승·전·결의 구조를 지닌다는 것은 중요한 시사를 준다. 꽃이 핀다는 것과 진다는 것은 꽃이 지닌 생명의 원리요. 법칙이다. 이것은 봄, 여름, 가을, 겨울이라는 계절의 순환 원리와도 연결되며, 생·로·병·사라고 하는 인생의 법칙과도 통하는 것이다. 이 점에서 이 시는 산에서 꽃이 피고 지는 모습을 통해 꽃이 지닌 생명의 원리를 바라보고, 이것을 계절의 순환원리와 연결함으로써 다시 떠남과 만남으로 이루어지는 사랑의 원리를 발견하고, 마침내 탄생과 소멸이라는 존재의 원리를 투시하게 되는 과정을 보여준다.

이것은 다음과 같이 정리할 수 있을 것이다.

① 꽃—피고/짐 (생명의 원리)
② 사랑—만남/헤어짐 (사랑의 원리)
③ 인생—탄생/죽음 (인생의 원리)
④ 삼라만상—생성/소멸 (존재의 원리)

따라서 이 시는 '꽃의 법칙 → 사랑의 법칙 → 인간의 법칙 → 존재의 원리'라는 존재상을 밝혀 주는 존재론의 시로 보는 것이 타당하리라 생각된다.

소월의 많은 시가 이러한 현상과 본질에 대한 투지를 바탕으로 한 표층구조와 심층구조로 짜여 있음은 「진달내꼿」에서도 확인할 수 있다. 흔히 이 시는 이별의 슬픔 또는 석별의 정한을 노래한 것으로 이야기되고 있다. 그러나 이 시도 좀 더 주의 깊게 살펴보면, 그것이 단순히 이별을 노래한 것만이 아니라는 사실을 발견하게 된다.

나보기가 역겨워
가실째에는
말업시 고히 보내드리우리다

영변(寧邊)에약산(藥山)
진달내꼿
아름짜다 가실길에 색리우리다

가시는거름거름
노힌그꼿츨
삽분히즈려밟고 가시옵소서

나보기가 역겨워
가실때에는
죽어도아니 눈물흘니우리다

―「진달래쏫」 전문

이 작품도 꽃을 소재로 하고 있는데 이것은 이별이라고 하는 인간사의 문제와 연관돼 있다. 그리고 시간적 배경은 봄으로 되어있다. 이렇게 본다면 '꽃―봄―이별'의 상관관계에 이 시의 핵심이 놓여 있음을 알 수 있다. 먼저 이 시의 구성은 다음과 같다.

①기(起)―가실 때/시간성/가정적 상황(보낸다)→나의 문제
②승(承)―가실 길/공간성/가정적 상황(뿌린다)→나의 문제
③전(轉)―가시는걸음걸음/사건, 행위 제시/현재법(밟고 가라)→너의 문제
④결(結)―가실 때/수미상응/비장한 다짐, 결의(눈물흘린다)→나의 문제

대체로 이 시의 구성은 「산유화」와 마찬가지로 기·승·전·결로 되어있으며, 문제의 핵심이 '나의 문제'에 집중돼 있음을 알 수 있다. 무엇보다도 이 시의 특징은 이별이 가정적 상황 또는 미래의 공간에 설정되어 있다는 점에 놓여진다. 실제 눈앞의 일로서가 아니라 있을지도 모르는 상황에 대한 예감 또는 대비로서의 성격을 띠는 것이다. '가실'에서의 '-ㄹ'어미에서의 '리'라는 미래시제의 습용이 이 사실을 뒷받침한다. 특히 "죽어도아니"라는 역설의 강조어사는 이별이 일어나서는 안 될 불행한 일이지만, 만일 일어난다 해도 눈물 속에서 카타르시스 하겠다는 미래에의 비장한 결의를 표현한 것으로 보인다. 이 점에서 앞으로 있을지도 모르는 이별과 그에 따른 충격으로부터 자신을 보호하려는 심리적인 방어기제(defense mechanism)의 드러냄으로 해석할 수 있는 것이다. 또한 님에게 사랑을 호소하거나 또는 만류와 애원의 역설적 표현일 수 있는 것이다.

이것은 앞에서 시사한 바 있는 '꽃―봄―이별'의 상징적 상관관계에서 드

러난다. 봄에 피어나는 진달래꽃은 겨울의 죽은 땅에서 살아나지만, 계절의 순환에 따라 머지않아 떨어져 가고 말아 아이러니컬한 운명을 지닌다. 개화 속에서 낙화를 보는 것이며, 봄 속에서 겨울을 읽는 것이다. 피어남과 떨어짐으로서의 꽃의 숙명은 자연의 순환 원리에 비춰볼 때 극히 자연스러운 것이다. 소월이 깨달은 것은 바로 이 점이다. 사랑도 반드시 피어남과 떨어짐의 원리를 지니며, 그렇기 때문에 이별은 사랑의 근본 원리로서 언젠가는 닥쳐올 것이 분명하다는 점이다. 이것은 비단 사랑의 원리뿐 아니라 모든 생명 있는 것들, 특히 인생에서도 당연한 법칙인 것이다. 인간도 태어나면 언젠가는 죽을 수밖에 없는 운명을 지닌다. 소월은 '피고 짐'으로서의 꽃의 원리를 '만나고 떠남'으로서의 사랑의 원리로, 다시 이것을 태어나고 죽음으로서의 인생과 자연의 원리로 상승시킨 것이다.

이 점에서 이 시는 역시 이별의 정한을 노래한 것이 아니라, 존재의 근본 원리를 이별의 상황 설정이라는 문학적 장치를 통해서 형상화한 '존재론의 시'라고 볼 수 있다. 이별이라는 상황 설정과 산화공덕(散花功德)의 사건 제시는 시의 정서적 긴장을 유발하고 지속시키기 위한 방법적 장치에 불과한 것이다. 그리고 이별이라는 드라마틱한 상황 인식은 소월이 항상 지니고 있던 세계에 대한 불안의식을 표상한 것이며, 동시에 소월의 생리적 콤플렉스의 자연스런 유로라고도 해석할 수 있을 것이다. 끝내 서른세 살 아까운 나이로 자살할 수밖에 없던 사연도 이러한 감수성의 병적 예민함에 기인하는 것이 아닐 수 없다. 꽃이 피고 지는 현상 속에서 존재의 밑바닥, 인생의 끝을 투시하는 소월의 심혼은 그 자체가 고통스럽고 허무한 것일 수밖에 없기 때문이다.

3 달의 상상력과 사랑의 미학

> 봄가을업시 밤마다 돗는달도
> 「예젼엔 밋처몰낫서요.」
>
> 이럿케 사뭇차게 그려울줄도
> 「예젼엔 밋처몰낫서요.」
>
> 달이 암만밝아도 쳐다볼줄은
> 「예젼엔 밋처몰낫서요.」
>
> 이제금 져달이 서름인줄은
> 「예젼엔 밋처몰낫서요.」
>
> ―「예젼엔 밋처몰낫서요」 전문

달은 고전시가에서부터 애용되던 상징적인 제재이다. 「정읍사」와 「찬기파랑가」에서부터 가사, 시조에 이르기까지 폭넓게 나타나는 한국시의 대표적 심상 가운데 하나인 것이다. 소월시의 경우에도 달은 시집 「진달내꼿」의 도처에서 발견되는 중심 이미저리의 하나로 나타난다. "예젼엔 밋처몰낫서요"가 그 한 예이다. 기·승·전·결이라는 'a/b/a/b'의 구조를 이끌어가는 것은 달을 매개체로 한 달의 상상력(lunar imagination)이다. 달은 충만과 소실, 소실과 충만이라고 하는 변화의 원리를 지닌다. 이것은 그대로 마음속에 그리움과 서글픔을 불러일으킨다. 이른바, 소월의 유일한 시론인 「시혼」에서의 음영(陰影)의 시학인 것이다. 달은 시적 퍼스나의 마음속에 그리움과 서러움이라는 정조의 음영을 찍어 놓게 되는 것이다. 달은 충만과 소실, 소실과 충만을 되풀이하면서 퍼스나의 심령 속에 그리움과 서러움, 외로움과 처연함을 심화, 고조시키게 된다. 달은 님을 표상하는 동시에 님과 나를 맺어 주는 정서적 매개물로서 작용한다. 이미 달은 물질이 아니라 정신의 빛, 관념의 빛으로서 그리움을 일깨워 주는 촉매가 된 것이다.

① 바드득 니를갈고
죽어볼까요
창(窓)까에 아롱아롱
달이 빗춘다

눈물은 새우잠의
팔굽벼개요
봄꿩은 잠이업서
밤에 와 운다.

두동달이벼개는
어듸갓는고
언제는 둘이자든 벼개머리에
「죽쟈 사쟈」 언약도 하여보앗지.

봄메의 멧기슭에
우는접동도
내사랑 내사랑
죠히울것다.

두동달이 벼개는
어듸갓는고
창(窓)까에 아롱아롱
달이 빗춘다.

—「원앙침」 전문

② 왜안이 오시나요.

영창(暎窓)에는 달빗, 매화(梅花)꼿치
그림자는 산란(散亂)히 휘젓는데.
아이. 눈 꽉감고 요대로 잠을들쟈.

저멀니 들니는것!
봄철의 밀물소래
물나라의 영롱(玲瓏)한구중궁궐(九重宮闕), 궁궐(宮闕)의오요한곳,
잠못드는용녀(龍女)의춤과노래, 봄철의밀물소래.

어둡은가슴속의 구석구석……………
환연한 거울속에, 봄구름잠긴곳에,
소솔비나리며, 달무리둘녀라.
이대도록 왜안이 오시나요. 왜안이 오시나요..

—「애모」 전문

이 두 편의 시는 소월시에 있어서 탐미적 사랑의 한 정점을 이루는 것으로 이해된다. 여기에서 정서적 촉매가 되는 것은 역시 달이며, 또한 달의 상상력이다. ①시에서 제목 「원앙침」은 말 그대로 사랑을 표상한다. 원앙은 예로부터 부부의 금슬 또는 영원한 사랑을 뜻하는 새이며 그것을 수놓은 베개는 사랑과 정감의 표상인 것이다.

첫 연에서 "바드득 니를갈고/죽어볼까요/창까에아롱아롱/달이빗츈다"라는 구절은 달빛에 의해 촉발된 깊은 그리움을 드러낸다. 특히 "바드득 니를갈고"라는 구절 속에는 애(哀)·원(怨)·한(恨)이라는 정감에 바탕을 둔 심화된 그리움이 깃들여 있다. 2연에서는 감각에 의해 탐미적인 서정의 긴장체계(emotional crystallization)가 형성된다. "눈물"이라는 촉감적 이미지는 1연의 "달빛"이라는 시각적 이미지와 다음 구절에서 "봄꿩울음"이라는 청각적 이미지가 서로 조응됨으로써 그리움의 심도를 더욱 깊게 해주는 것이다. "눈물/달빛/봄꿩울음"이 환기하는 서정적 긴장은 그것 자체가 이미 탐미적인 아름

다움을 담고 있는 것으로 보인다. 3연에서는 님의 부재 를 "두동달이벼개는 어듸갓는고"라는 표현으로 나타내면서 "죽쟈사쟈언약도 하여보앗지"와 같은 회상 시제로 처리하고 있다. 그러나 이러한 님의 부재와 상실감의 표출은 님에 대한 애절한 그리움을 강조하고자 하는 시적 기법으로 보인다. 4연에서 접동새의 울음이 그것을 확인할 수 있게 해준다. "내사랑 내사랑/죠히울것다"라는 구절 속에는 님에 대한 가없는 그리움이 담겨 있는 것이다. 여기에서 접동도 그리움의 촉매임은 물론이다. 5연은 다시 첫 연과 상응되면서 베개와 달을 통해 님에 대한 사랑과 그리움을 확인해준다. 이렇게 본다면 이 시는 사랑과 그리움이라는 관념이 달을 주심상으로 한 "눈물/봄/접동" 등의 서정적 소재 들과 어울림으로써 예술적 형상성을 획득하고 있음을 알 수 있게 해준다.

②시에서는 탐미적 서정성이 더욱 두드러진다. 「애모」라는 제목부터가 서정성을 짙게 지닌다. 첫 연에서 "영창에는 달빗, 매화쏫치/그림자는 산란히 휘젓는데"라는 감각의 교차는 봄밤의 지향 없는 그리움을 표상한 것이다. 둘째 연에서는 그리움이 환상적인 세계를 빚어내게 된다. "밀물소래/물나라/구중궁궐/용녀의 춤과 노래" 등은 애절한 그리움이 빚어낸 탐미적인 환상 세계인 것이다. 마지막 연에서는 다시 어두운 마음의 현실로 되돌아옴으로써 그리움의 심도를 깊게 해준다. "어둡은가슴속/환연한 거울속"의 대조와 "소솔비나리며/달무리둘녀라"의 대응이 바로 그것이다. 이들의 교차 속에는 님에 대한 가없는 연모의 마음이 담겨져 있는 것이다. 따라서 "이대도록 왜안이 오시나요/왜안이 오시나요"라는 반복되는 하소연으로 시의 결구를 맺을 수밖에 없게 된다. 실상 이러한 하소연 속에는 사랑하는 마음의 안타까움과 님을 그리워하는 애절함이 함께 표출돼 있다.

시집 『진달내쏫』에는 이러한 달의 이미저리가 도처에 출렁이고 있다. 이것은 소월 특유의 여성 어법과 그 분위기에 어울려서 비극적인 아름다움을 고조시킨다. 이러한 달의 상상력은 소월시가 근원적인 면에서 비극적인 사랑

혹은 탐미적인 서정에 바탕을 두고 있음을 말해 주는 것이 된다.

4 지속과 변화, 흐름의 철학

그립다
말을할까
하니 그리워

그냥 갈까
그래도
다시 더한번(番) ·········

저산(山)에도 가마귀, 들에 가마귀,
서산(西山)에는 해진다고
지저귑니다.

압강(江)물, 뒷강(江)물,
흐르는 물은
어서 따라오라고 따라가쟈고
흘너도 년다라 흐릅듸다려.

—「가는 길」 전문

이 작품은 지속과 중단, 그리고 변화라는 흐름의 원리에 기초를 있다. 우선 '가는 길'과 '흐르는 강물'은 인생과 자연의 원리가 지속(duration)에 근거함을 비유적으로 말해 준다. 기·승·전·결이라는 4연 구조로 짜여진 이 시는 다시 1·2연과 3·4연으로 구분된다. 먼저 1연은 "그립다"(지속), "말을할까"(중단), "하니 그리워"(변화)라는 세 가지 감정의 기복을 보여준다. 이것은 그리움이라는 지속적인 감정이 겪고 있는 갈등의 표출이면서, 동시에 사랑의 본질적인 한 모습이 된다. 2연도 마찬가지이다. "그냥갈까/그래도 다시 더 한번……"이라는 구절 속에는 단념과 미련이라는 중단과 지속의 갈등이 개재돼있는 것이다. 아울러 이 속에는 미완의 긴장이 형성됨으로써 시의 서정성을 강화하게 된다. 사랑은 지속과 중단, 그리고 변화의 감정이 교차하는 가운데 하나의 흐름을 이뤄 가게 되는 것이다. 이 점에서 사랑은 생의 원리와 근원적인 동일성을 지니는 것으로 이해된다. 그것은 지속과 변화, 혹은 지속과 중단과 변화라는 흐름의 원리 위에 놓여짐을 의미한다. 3연에서는 예의 상관물이 등장한다. 여기에서는 가마귀가 그것이다. '저산'과 '들'에서 "서산에 해진다고 지저귀는" 가마귀는 퍼스나의 시적 인식이 비관적인 것에 연결돼 있음을 말해 준다. 가마귀는 비관적인 생의 인식을 반영하는 정서적 상관물에 해당하는 것이다. 4연에서 강물도 마찬가지이다. "압강물/뒷강물/흐르는 물"은 흐름으로서의 그리움(사랑)이며, 흐름으로서의 생의 원리를 제시한 것으로 보이기 때문이다. '강물'은 '길'과 마찬가지로 언제나 과거와 현재, 그리고 미래로 이어지는 지속과 변화의 표상이다. 그리고 이들은 앞과 뒤에서 서로 밀고 당기는 힘으로서 작용하게 마련이다. "어서 ᄯᅡ라오라고/ᄯᅡ라가쟈고"라는 강물의 밀고 당김은 바로 체념과 미련, 지속과 변화, 이성과 감성 등이 서로 갈등을 이루는 사랑의 모습이자 인생의 모습일 수 있는 것이다. 그리움으로서의 사랑과 변화로서의 인생은 과거와 현재, 그리고 미래라는 시간의 흐름 속에서 끊임없이 갈등과 긴장을 이루며 전개되어 간다는 점에서 '강물'과 유사한 것이다. 이 점에서 시 「가는 길」은 '흐름'의 원리로서 사랑과 인생을 파악한 작품으로 이해된다.

비가온다
오누나

오는비는
올지라도 한닷새 왓스면죠치.

여드레 스무날엔
온다고 하고
초하로 삭망(朔望)이면 간다고햇지
가도가도 왕십리(往十里) 비가오네.

웬걸, 저새야
울냐거든
왕십리(往十里)건너가서 울어나다고,
비마자 나른해서 벌새가 운다.

천안(天安)에삼거리 실버들도
촉촉히저젓서 느러젓다데.
비가와도 한닷새 왓스면죠치.
구름도 산(山)마루에 걸녀서 운다.

—「왕십리」 전문

이 작품에서의 주심상은 비, 즉 물의 이미지이다. 「왕십리」라는 제목은 구체적인 지명이라기보다 관념적인 공간을 의미하는 것으로 보인다. 그것은 님과 나, 혹은 나와 세계와의 주관적인 거리를 뜻한다. 이 시도 역시 기·승·전·결의 4행 구조를 지니고 있으며, 3·4행에는 객관적 상관물이 등장한다는 점에서 「가는 길」과 유사한 구성 방식으로 되어있다. 1행에서는 "비가 온다/오누나/오는비는/올지라도/한닷새 왔으면죠치"처럼 비가 오는 모습을 지속적인 감정으로 파악하고 있다. 비가 오는 행위를 지속과 변화로서 파악함으로써 그리움을 말하고자 하는 것이다. 이 점에서 비는 너와 나의 거리를 단축시켜 주고, 그리움으로 맺어 주는 사랑의 촉매가 된다. 2연에서는 '온다'와 '간다'로서 님과 나, 혹은 너와 나를 확인해준다. "여드래 스무날엔/온다고 하고/초하로 삭망이면 간다고햇지"라는 구절 속에는 충만과 소실이라고 하는 사랑의 원리가 담겨져 있으며, 그것이 '오고', '가는' 행위로 나타난다는 것이다. 따라서, "가도가도 왕십리 비가 오네"라고 하는 구절에 의해 절망적인 거리감이 '비'에 의해 중화를 성취하게 된다. 여기에 3연에서 '새'라는 정감의 상관물이 나타난다. 그것은 우는 새이며 비를 맞아 나른해 있는 모습의 새이다. 이 점에서 '비 맞아 우는 벌새'는 퍼스나의 상관물일 수 있는 것이다. 4연에서는 다시 '실버들'이 상관물로 등장하는데, 이것도 촉촉히 젖어서 늘어져 있는 모습으로 나타난다. 이 점에서 3연의 '우는 새'와 4연의 '젖은 실버들'은 퍼스나의 감정적 상관물로서의 근원적 유사성을 지닌다. 비록 이들은 젖은 것, 슬픈 것으로서의 모습을 지니지만 비(물)에 의해 님과 나의 거리를 단축할 수 있게 되며 그리움을 간직할 수 있게 되는 것이다. 다시 말해, 비에 의해서 그리움의 단절을 어느 정도 극복할 수 있게 된 것으로 보인다. 실상 이 시에 나타나는 '왕십리', '천안삼거리' 등의 지명은 사랑의 거리감 또는 운명의 기로라는 위기의식을 지니고 있기 때문이다.

이렇게 볼 때 이 시는 비라는 그리움의 촉매를 통해서 가는 것과 오는 것으로서의 사랑이 내포한 긴장과 갈등을 화해하고자 하는 데 초점이 놓여 있는 것을 알 수 있다. 그것은 사랑의 원리이자 인생의 원리이기 때문에 이 시 역시 존재론적인 성격을 지니는 것으로 이해된다. 비라고 하는 지속과 중단, 그리고 변화의 상징을 통해서 흐름으로서의 사랑, 그리고 인생의 모습을 드러내 보고자 한 것이다.

5 한(恨)의 구조와 극복 의지

산산히 부서진이름이어!
허공중(虛空中)에 헤여진이름이어!
불너도 주인(主人)업는이름이어!
부르다가 내가 죽을이름이어!
심중(心中)에남아잇는 말한마듸는
쯧쯧내 마자하지 못하엿구나.
사랑하든 그사람이어!
사랑하든 그사람이어!

붉은해는 서산(西山)마루에 걸니웟다.
사슴이의무리도 슬피운다.
쩌러저나가안즌 산(山)우헤서
나는 그대의이름을 부르노라.

서름에겹도록 부르노라.
서름에겹도록 부르노라.
부르는소리는 빗겨가지만.
하눌과땅사이가 넘우넓구나.

선채로 이자리에 돌이되여도
부르다가 내가 죽을이름이어!
사랑하든 그사람이어!
사랑하든 그사람이어!

—「초혼」 전문

소월시에는 죽음 또는 죽음에 대한 예감이 많이 나타난다. 「찬저녁」, 「무덤」 등의 시뿐 아니라 「금잔듸」, 「하다못해 죽어달내가올나」 등 많은 시편에 죽음이 소재, 제재 또는 주제로서 다뤄지고 있는 것이다. 이 「초혼」은 죽음이 직접적으로 다뤄지고 있어서 소월의 죽음에 관한 인식을 찾아볼 수 있다.

모두 다섯 연으로 구성된 이 작품은 "사랑하든 그 사람"의 죽음을 모티브로 한다. 내용적인 면에서는 1·2연, 3·4연, 5연 등 세 단락으로 나뉜다. 첫 단락은 님의 상실에 따르는 절망감이 나타나 있다. "부서진 이름/헤여진 이름/내가 죽을이름"으로서의 님의 죽음에 대한 충격과 절망이 표출된 것이다. 둘째 단락에는 비탄과 허무감이 드러나 있고, 셋째 단락에는 안타까움과 미련이 표출되어 있다. 대략 '충격과 절망→비탄과 허무→미련과 안타까움'이라는 죽음의 발생에 따른 심리적 추이가 형성되는 것이다. 이 시에 두드러지게 나타나는 것은 비극적 세계관의 태도이다. 님이 가고 없는 세상은 신이 없는 세상이며, 우주의 멸망과도 유사한 상황인 것이다. 첫 연의 4행 모두가 비관적 탄식 부호로 이루어진 것은 이러한 퍼스나의 참담한 절망감을 반영한 것이다. '님의 죽음'은 '나의 죽음'이나 진배없는 것으로 받아들여진다. 2연에서 "심중에 남아있는 말한마듸는/끗끗내 마자하지 못하엿구나"라는 구절 속에는 살아서 다하지 못했던 정념에 대한 회한과 함께, 끝내 고백할 수 없었던 사랑에 대한 쓰라린 자책이 담겨져 있다. 3연에서는 비탄의 심정이 서산에 걸린 붉은 해와 슬피 우는 사슴이의 무리로 표상화된다. 또한 "떠러져나가안즌 산우"는 절망과 비탄이 어우러진 장소로서의 감정적 표현이다. 4연에서는 도달할 길 없는 님과 나의 거리, 또는 이승과 저승의 아득한 거리감이 표출돼 있다. "하눌과땅사이가 넘우넓구나"라는 구절이 그것이다. 5연에는 미련과 안타까움이 나타난다. "사랑하든 그 사람이여!"라는 반복적인 결구 속에는 다하지 못한 사랑과 생의 허무가 충돌함으로써 죽음에 대한 긍정이 싹트게 된다. 죽음의 필연성, 그것은 님의 것만이 아니라 나의 것으로 언젠가는 다가올, 인간의 숙명에 해당하는 것이라는 인식이 자리 잡게 되는 것이다. 죽음은 한스러운 것이지만 모든 인간에게 닥쳐올 운명적인 것임을 깨닫게 되는 지점에서 죽음을 긍정하고 마침내 허무의 초극을 이루게 되는 것으로 보인다.

이 점에서 「초혼」은 존재의 무화, 즉 무의 발생을 통해서 무의 극복을 이루는 과정을 보여준다. 표면에 짙게 나타나는 비탄과 절망의 비극적 세계 인식은 실상 죽음의 충격이 주는 심리적 외상의 표현이지만 내면에는 죽음에 대한 긍정과 초극의지가 담겨 있는 것이다. 「접동새」에는 이러한 죽음의 문제, 즉 한의 초극 과정이 잘 나타나 있다.

> 접동
> 접동
> 아우래비접동
>
> 진두(津頭)가람까에 살든누나는
> 진두강(津頭江)압마을에
> 와서웁니다
>
> 옛날, 우리나라
> 먼뒤쪽의
> 진두강(津頭江)가람까에 살든누나는
> 이붓어미싀샘에 죽엇습니다
>
> 누나라고 불너보랴
> 오오 불설워
> 싀새음에 몸이죽은 우리누나는
> 죽어서 접동새가 되엿습니다
>
> 아웁이나 남아되는 오랩동생을
> 죽어서도 못니저 참아못니저
> 야삼경(夜三更) 남다자는 밤이깁프면
> 이산(山) 저산(山) 올마가며 슬피웁니다
>
> —「접동새」 전문

이 시는 전통적인 한의 문제 혹은 죽음에 관한 인식이 제기돼 있어 주목된다. 이 시의 사연은 가난과 의붓어미 시샘에 원통하게 죽어간 누나가 죽어서 접동새가 되어 고향집 산에 와서 슬피 운다는 내용으로 되어있다. 우리의 고전설화나 고소설에서 쉽게 찾아볼 수 있는 가족구조의 모순 혹은 가난에서 비롯된 불행한 죽음에 관한 토속적, 전통적 한의 모티브와 연결돼 있는 것이다.

이 시 역시 5연 구성으로 되어 있는데, 이것은 소월 시에서 사연이 많이 담긴 시가 흔히 취하는 드라마틱한 구성 방식이다. 첫 연은 접동새의 울음소리를 의성어로 감각화함으로써 구슬픈 시적 분위기를 자아낸다. 2연에서는 배경으로서의 진두강이 제시되고 주체로서의 누나가 등장한다. 접동새 울음이 누나와 연결되고 과거 시제와 현재가 병치됨으로서 현실감을 불러일으킨다. 이러한 '접동새=누나'로의 전이는 접동새의 전통적 상징성인 애·원·한의 정감을 누나의 그것으로 전치시키는 효과를 유발한다. 3연에는 누나가 죽은 사연을 제시한다. 그것은 전처 자식과 계모와의 갈등 및 그에 따른 원통한 죽음이라는 토속적 전통적인 갈등 모티브가 중심을 이룬다. 4연에는 원통하게 죽은 누나가 죽어서 접동새가 된 사연을 말하고 있다. 이 속에는 퍼스나로서의 화자의 비통한 심정이 표출돼 있는 것이다. 접동새는 죽은 누나의 영혼의 표상이지만 그것은 어쩌면 퍼스나의 대리 자아일 수도 있기 때문에 더욱 비극성이 고조된다. 마지막 연에는 슬픔과 원통한 심정이 더욱 심화되어 나타난다. 죽은 누나가 편안히 눈감지 못한 것은 자신의 불행한 죽음에 대한 원통함도 있지만 아홉이나 남아되던 가난하고 불쌍한 오랩동생들에 대한 미련과 안타까움 때문인 것이다. 그 비통한 원한과 안타까운 미련이 고혼의 접동새로 부활하여 "죽어서도 못니저 참아못니저/야삼경 남다자는 밤이깁프면/이산저산 올마가며 슬피웁니다"라는 결구로 표출된다.

이렇게 볼 때 이 시는 '원통하게 죽음→접동새 됨→죽어서도 못 잊음→접동새로 슬피 떠돌음'이라는 사연을 통해서 '무(無)의 발생→무의 통과→무의 변화→무의 초극'이라는 심리적 메카니즘을 지닌다. 그렇다면 이 시도 죽음 또는 한의 극복과 초월이 그 핵심으로 놓임을 알 수 있다.

이렇게 볼 때 소월시는 비극적 세계관의 초극 또는 한의 극복에 중요한 모티브를 두고 있는 것으로 보인다.

6 노동의 사상과 저항의식

우리두사람은
키놉피가득자란 보리밧, 밧고랑우헤 안자서라.
일을필(畢)하고 쉬이는동안의깃븜이어.
지금 두사람의니야기에는 꼿치필때.

오오 빗나는태양(太陽)은 나려쪼이며
새무리들도 즐겁은노래, 노래불너라.
오오 은혜(恩惠)여, 사라잇는몸에는 넘치는은혜(恩惠)여,
모든은근스럽음이 우리의맘속을 차지하여라.

세계(世界)의끗튼 어듸? 자애(慈愛)의하눌은 넓게도덥혓는데,
우리두사람은 일하며, 사라잇섯서,
하눌과태양(太陽)을 바라보아라, 날마다날마다도,
새라새롭은환희(歡喜)를 지어내며, 늘 갓튼쌍우헤서.

다시한번(番) 활기(活氣)잇게 웃고나서, 우리두사람은
바람에일니우는 보리밧속으로
호믜들고 드러갓서라, 가즈란히가즈란히,
거러나아가는깃븜이어, 오오 생명(生命)의 향상(向上)이어.

—「밧고랑우헤서」 전문

이 작품에는 노동의 기쁨에 대한 환희와 찬탄이 나타나 있다. 많은 소월시가 저녁 혹은 밤이 배경으로 되어 있으며, 꽃, 새, 달, 비, 눈물, 낙엽, 무덤 등 부정적·하강적 분위기로 가득 차 있음에 비추어 이 시는 상이한 특색을 지닌다. 우선 배경부터가 '보리밭'이며, 시간은 태양이 빛나는 한낮으로 되어있다. '보리'는 우리 민족의 애환이 담긴 양식으로서 역경을 헤쳐온 끈질긴 삶의 표상으로 받아들여진다. 거칠고 억센 민중적 생명력이 담겨 있는 것이다. 또한 한낮이 배경으로 된 것은 그것이 감성이 아닌 이성, 또는 체념이 아닌 의지를 바탕으로 하고 있음을 말해 준다. 든든한 대지사상과 정오의 사상이 어울린 노동에의 의지를 드러낸 것으로 이해된다. 일하는 것에 만족, 노동에 기쁨을 느낄 수 있을 때 태양은 빛나며, 노래가 즐거울 수 있고, 살아 있음이 은혜로울 수 있는 것이다. "우리두사람은 일하며, 사라잇섯서"라는 구절 속에는 삶의 기쁨이 바로 노동의 기쁨에서 찾아진다는 확고한 신념이 담겨 있는 것으로 보인다. "늘 갓튼쨩우헤서" 하늘과 태양을 새롭게 바라보면서 일하는 기쁨, 살아 있는 기쁨을 추구하는 능동적인 자세야말로 대지에 뿌리박은 건강한 노동의 사상이 아닐 수 없다. 4연에서는 이에 대한 더욱 확고한 신념과 의지가 나타난다. "다시한번 활기잇게 웃고나서, 우리두사람은/바람에일니우는 보리밧속으로/호믜들고드러갓서라, 가즈란히 가즈란히"라는 구절 속에는 노동의 사상이 더욱 구체적으로 표출되어 있다. 건강한 노동의 탄력과 흙의 서정, 그리고 목숨의 강인한 의지가 서로 어울려 인간과 자연의 교향시를 형성하는 것이다. 따라서, "거러나아가는깃븜이어, 오오생명의향상이여"라고 하는 결구를 통해서 노동의 철학을 형성하게 된다. 노동을 통한 삶의 고양과 상승을 강조하는 이 건강한 노동의 사상, 향상의 철학이야말로 소월시에서 간과하기 쉬운 부분인 것이다. 실상 이 땅의 험난한 역사를 슬기롭게 극복해 온 힘은 이러한 강인하고 굳센 노동의 사상에 뿌리를 둔 민중적 생명력이 아닐 수 없다.

그러나, 이러한 노동에의 건강한 신념과 의지는 그 터전의 상실이라는 비극적 상황과 직면하게 된다. 식민지하 일제의 수탈에 따른 농토의 상실이 그것이다. 따라서 소월시에는 삶의 터전인 농토의 상실에 대한 강한 울분과 탄식이 표출된다.

> 나는 꿈꾸엿노라, 동무들과내가 가즈란히
> 벌까의하로일을 다맛추고
> 석양(夕陽)에 마을로 도라오는꿈을,
> 즐거히, 꿈가운데.
>
> 그러나 집일흔 내몸이어,
> 바라건대는 우리에게 우리의보섭대일 땅이 잇섯드면!
> 이처럼떠도르랴, 아츰에점을손에
> 새라새롭은탄식(歎息)을 어드면서.
>
> 동(東)이랴, 남북(南北)이랴,
> 내몸은 떠가나니, 볼지어다.
> 희망(希望)의반짝임은, 별빗치아득임은.
> 물결뿐 떠올나라, 가슴에 팔다리에.
>
> 그러나 엇지면 황송한이심정(心情)을! 날로 나날이 내입페는
> 자츳가느른길이 니어가라, 나는 나아가리라
> 한거름, 또한거름. 보이는산(山)비탈엔
> 온새벽 동무들 저저혼자…… 산경(山耕)을김매이는
>
> —「바라건대는 우리에게 우리의보섭대일땅이 잇섯더면」

이 시는 소월시 중 가장 긴 제목으로 되어있다. 또한 제목에 '우리에게', '우리의' 등 공동체의식을 강조하는 어사가 들어있어 주목된다. 소월시는 1인칭 시점, 즉 주관 시점으로 제목이나 내용이 구성된 경우가 대부분이기 때문이

다. 제목 자체가 간절한 소망을 나타내는 산문체로 되어있다는 점 또한 특이하다. 더구나 그것이 "보섭대일쌍이 잇섯더면"이라는 현실적, 실천적 노동의지와 연관되어 있다는 점은 이색적인 것이 아닐 수 없다.

이 시는 대략 기·승·전·결의 4연으로 구성되어 있다. 또한 내용의 기본 구조는 낭만적 아이러니(romantic irony)로 짜여져 있다. 낭만적 아이러니란 동경 또는 환상이 창조되었다가 그것이 급격히 붕괴됨으로써 현실의 실상을 접하게 되는 파멸 구조를 의미한다. 첫 연에서 즐거운 노동의 꿈이 환상적으로 창조되었다가 2연에서 그것이 돌발적으로 무너지고, 3·4연에서 쓰라린 현실의 모습이 제시되는 것이다. 먼저 1연에는 "나는 꿈꾸엿노라. 동무들과내가 가즈란히/벌까의하로일을 다맛추고/석양에 마을로 도라오는 쑴을"이라는 구절처럼 공동체의식에 바탕을 둔 건강한 노동에의 의지와 꿈이 표출돼 있다. 앞에서의 「밧고랑우헤서」와 유사한 노동의 철학을 담고 있는 것이다. 그러나 2연에서는 급격한 환상의 붕괴가 일어난다. "그러나 집일흔 내몸이어/바라건대는 우리에게 우리의보섭대일쌍이 잇섯드면"과 같이 현실은 그러한 꿈을 이룰 수 없는 불모의 땅, 빼앗긴 땅으로 인식되는 것이다. "집일흔내몸"과 "보섭대일쌍이 잇섯드면"이라는 구절 속에는 집과 땅을 모두 빼앗기고 떠돌아야 하는 우리의 모습에 대한 탄식과 함께 울분이 담겨 있다. 또한 이 구절 속에는 '집잃은 자', '땅 빼앗긴 자'로서의 당대 민족의 불행한 현실에 대한 시대인식과 함께 그에 대한 저항의지를 담고 있는 것으로 보인다. 이 점에서 소월시의 애상이 개인적인 상실에만 연유하는 것으로 판단하는 것은 올바른 해석이 아닐 수 있다. 「옷과 밥과 자유」 등 그의 시에는 당대의 현실에 대한 부정적 인식과 함께 그에 대한 울분과 저항의식이 산견되기 때문이다. 따라서, 3연에는 떠도는 자로서의 모습이 구체적으로 나타난다. "동이랴, 남북이랴/내몸은 떠가나"와 같이 정처 없이 떠도는 모습이 제시된 것이다. 여기에는 희망의 반짝임도 별빛의 아득임도 물결뿐이라는 부정적 현실인식이 나타나게 된다. 4연에는 이러한 절망적 상황 속에서도 "가느른 길"을 이어서 앞으로 나가고자 하는 소망이 담겨진다. 절망과 울분 속에서도 "한거름, 또한거름"나아가려는 목숨에의 의지가 표출되는 것이다. 이것은 "보이는 산비탈엔/온새벽동무들 저저혼자…… 산경을김매이는"이라는 결구를 통하여 다시 노동의 사상으로 완결된다.

이렇게 볼 때 이 시에는 소월의 다른 시에서 발견하기 어려운 현실성 또는 사실성이 선명히 드러남을 알 수 있다. 집 잃은 자, 땅 빼앗긴 자로서의 민족적 울분 속에서도 앞으로 나아가려는 향상의 의지가 노동의 철학으로 구현됨으로써 민족적 저항의지를 표출하게 된 데서 소월시의 참뜻이 드러나는 것이다.

□ 맺음말

근대문학사에서 소월만큼 행복한 시인은 그리 많은 편이 아니다. 그의 생애는 불우 속에서 끝났지만, 그의 예술은 광범위한 독자층을 형성하면서 민족의 정신, 민중의 가슴속에 살아서 이 땅 현대시의 소중한 한 원형이 되고 있기 때문이다. 소월은 근대시사 가운데 명멸해 간 수많은 시인 중에서 가장 천부적인 재질을 지닌 '시인다운 시인'에 속한다. 지금까지 소월은 '생각하는 시인'보다는 '느끼는 시인' 혹은 '가슴의 시인'으로 이해되고 평가되어 온 것이 사실이다. 그러나 소월은 앞에서 살펴본 것처럼 오히려 생각하는 시인으로서의 측면을 강하게 지니고 있음을 알 수 있다. 그의 시는 자연 발생적인 정감에 바탕을 둠으로써 한국인의 보편적 심서에 밀착하면서도, 생각하는 시로서의 존재론적 측면과 형이상학적 요소를 강하게 지님으로써 폭넓은 공감대를 형성하고 있는 것이다. 그의 시는 표면에 그리움, 슬픔, 한 등 비극적 사랑의 정감이 충만해 있으면서도 이면에는 존재에 대한 형이상적 성찰을 담고 있으며, 그 심층에는 이 땅의 험난한 역사와 현실 속에서 삶의 어려움을 참고 이겨

내고자 하는 초극의 정신이 자리잡고 있다는 점에 참뜻이 놓여진다.

무엇보다도 소월시는 서구 편향성의 초기 시단 형성 과정에 있어서 국적인 정감과 가락의 원형질을 확실하게 보여주었다는 점에서 민족시, 민중시의 소중한 전범이 된다. 이 땅 시문학의 전통에 깊이 뿌리박고 있으면서도 자신의 개성에 알맞은 시형을 발굴, 심화함으로써 자유시의 참모습을 보여 준 것이다. 특히 삶에 깊이 뿌리내리고 있으면서 예술성을 견지함으로써 시의 시다움을 실천적으로 보여주었다는 점에서 소월시는 오래도록 시사 속에 살아남아 향기를 더해 갈 것이 확실하다.

□ 연 보

1902 : 9월 7일, 평안북도 구성군 서산면 왕인동의 외가에서 출생, 백일 후 본가인 정주군 곽산면 남단동으로 이거. 본명은 정식, 소월은 필명이자 아호.

1907 : 조부가 개설한 서당에서 한문 수학.

1909 : 사립 남산학교 입학.

1915 : 남산학교를 졸업하고 오산학교 중학부에 입학, 재학중 김억을 만나 그의 지도로 시를 쓰기 시작함.

1916 : 남양 홍씨와 결혼하다.

1919 : 오산학교가 3·1만세운동의 여파로 폐교됨에 따라 소월은 졸업예정자로서 졸업장을 받음.

1920 : 시 「낭인의 봄」 외 5편을 『창조』 5호에, 「먼 후일」 외 4편을 『학생계』 1호에 발표함.

1922 : 배재고보 5학년에 편입, 이해에 『개벽』지를 통해 많은 시를 발표.

1923 : 배재고보 졸업.

1924 : 고향에서 조부의 광산일을 도움. 김동인, 김찬영, 임장화 등과 함께 <영대> 동인으로 활약함.

1925 : 시집 『진달내꼿』을 매문사에서 간행, 시론 「시혼」 발표.

1926 : 구성군 남시에서 동아일보 구성지국을 개설하여 경영함.

1928 : 「옷과 밥과 자유」 외 2편의 시를 『백치』 2호에 발표.

1934 : 고향 곽산에 돌아가 성묘한 직후인 12월 24일 오전 8시 음독자살한 시체로 발견됨.

1939 : 스승 김억에 의해 『소월시초』(박문서관)가 간행됨.

1961 : 김영삼이 쓴 『소월정전』이 성문각에서 간행.

1968 : 서울 남산에 소월시비가 세워짐.

3. 상화(尙火) 이상화(李相和)

—저항시·민중시의 활화산—

"지금은 남의 땅—빼앗긴 들에도 봄은 오는가"라고 절규하던 시인 이상화(李相和)(상화(尙火), 1901~1943), 그는 죽는 날까지 식민지의 절망적 현실 아래서 가장 용기있고 꿋꿋하게 민족혼의 불멸함을 증거하고 온몸으로 일제에 항거하던 암흑기 최대의 저항 시인의 한 사람이다.

지금까지 그에 대한 논의는 주로 「나의 침실로」와 「빼앗간 들에도 봄은 오는가」 두 편에 한정돼 온 느낌이 없지 않다. 다시 말해, 낭만시 또는 저항시라는 두 측면만을 강조하는 데 많은 노력이 기울여져 온 것이다. 물론 이것은 정당한 시각이고 바람직한 시도라고도 할 수 있다. 그러나 상화의 시에는 휴머니즘 정신이 밑바탕에 가로놓여 있음을 간과해서는 안 된다. 그의 시는 단순한 서정시 또는 투쟁적인 저항시의 측면보다는 없는 자, 빼앗긴 자, 약한 자, 착한 자들에 대해 폭넓고 깊이 있게 옹호하는 정신에 뿌리를 두고 있는 것으로 판단되기 때문이다. 그의 시는 농민, 노동자 등 빈궁한 삶에 대한 깊은 공감과 연대감을 표출함으로써 문학적 휴머니즘의 실천을 지향하고 있는 것이다. 실상 가혹한 일제의 착취와 억압 속에서 당대 이 땅의 민중들은 누구나가 다 집과 땅, 그리고 인격을 빼앗긴 빈궁자가 아닐 수 없었을 것이다.

그의 치열한 애국사상, 민족사상, 민중사상, 저항사상, 그리고 휴머니즘 사상은 사상 자체로서 생경하게 제시되지 않고 예술적 형상성을 성취하고 있다는 점에서 의미가 드러난다. 시의 시다운 품격과 위의를 잃지 않고서도 치열하고 높은 민족혼의 횃불을 어두운 암흑의 하늘 아래 치켜들 수 있었다는 점에 상화 시정신의 소중함이 빛을 더하는 것이다.

1 낭만적 에로티시즘의 정화

상화의 작품 활동은 그가 동향 친구인 현진건(玄鎭健)의 소개로 『백조(白潮)』에 가담하여 그 창간호에 「말세(末世)의 희탄(欷嘆)」을 발표하면서 시작된다. 그는 『백조』 3호(1923)에 「나의 침실(寢室)로」를 발표하여 주목을 끈 이래 작고하기 2년 전인 1941년까지 「서러운 해조(諧調)」를 마지막으로 하여 약 50여 편의 시와, 「초동(初冬)」이라는 소설, 「문단측면관」, 「문예의 시대적 변이와 작가의 의식적 태도」 등의 평론, 「파리의 밤」 등 번역 소설 및 「출가자의 유서」 등의 수필 등을 남기고 있다. 그의 작품 활동은 대략 초기에는 <백조>그룹 등과, 이후에는 카프와의 연관하에서 1920년대 약 10년간 집중적으로 전개 되었다. 생전에 시집을 발간하지 않았는데 작고 후 대구 동향 친구인 백기만(白基萬)에 의해 『상화(尙火)와 고월(古月)』(대구, 청구출판사, 1951), 그리고 김학동(金澤東)에 의해 『이상화작품집(李相和作品集)』(대구, 형설출판사, 1977) 등이 출간되었다.

이상화 시의 표기상 특징은 한글을 주로 쓰고 중요어 또는 난해어를 한자로 쓰는 당대시의 일반 조류와 대동소이하다. 띄어쓰기도 호흡률에 의해 구분하였는데, 쉼표를 많이 활용한 것이 특이하다. 형태는 매우 길고 유장한 가락의 「나의 침실로」, 「빼앗긴 들에도 봄은 오는가」 등을 제외하면 대부분이 흔히 볼 수 있는 짧은 마디의 율격형 자유시로 짜여 있다. 그리고 '목거지<회(會)>', '다랍다', '햇채' 등 잘 쓰이지 않는 고어 또는 잊혀진 말, 방언 등이 많이 사용되어 의미 판독이 어려운 경우가 가끔 발견된다.

먼저 「나의 침실로」는 상화의 시단 등장에 있어 출세작에 해당된다.

> 「마돈나」 지금은밤도, 모든목거지에, 다니노라 피곤(疲困)하야돌아가려는도다,
> 아, 너도, 먼동이트기전으로, 수밀도(水蜜桃)의네가슴에, 이슬이맷도록달려오느라.
>
> 「마돈나」 오렴으나, 네집에서눈으로 유전(遺傳)하든진주(眞珠)는, 다두고몸만오느라,
> 빨리 가자, 우리는밝음이오면, 어댄지도모르게숨는두별이어라.
>
> 「마돈나」 구석지고도어둔마음의거리에서, 나는두려워떨며기다리노라,
> 아, 어느듯첫닭이울고—뭇개가짓도다, 나의아씨여, 너도듯느냐.
>
> 「마돈나」 지난밤이새도록 내손수닥가둔침실(寢室)로, 침실(寢室)로!
> 낡은달은빠지려는데, 내귀가듯는발자욱—오, 너의것이냐?
>
> 「마돈나」 짧은심지를더우잡고, 눈물도업시하소연하는내맘의촉(燭)불을봐라,
> 양(羊)털가튼바람결에도질식(窒息)이되어, 얄푸른연긔로꺼지려는도다.
>
> 「마돈나」 오느라가자, 압산그름애가, 독갑이처럼, 발도업시이곳갓가이오도다.
> 아, 행여나, 누가볼는지—가슴이뛰누나, 나의아씨여, 너를부른다.
>
> 「마돈나」 날이새련다, 빨리오렴으나, 사원(寺院)의쇠복이, 우리를

비웃기전에,
네손이내목을안어라, 우리도이밤과가티, 오랜나라로가고말자.
「마돈나」 뉘우침과두려움의외나무다리건너잇는내침실(寢室)열이
도업느니!
아, 바람이불도다, 그와가티가볍게 오렴으나, 나의아씨여, 네가오
느냐?

「마돈나」가엽서라, 나는미치고말앗는가, 업는소리를내귀가들음은
—,
내몸에피란피—가슴의샘이, 말라버린듯, 마음과목이타려는도다.

「마돈나」 언젠들안갈수잇스랴, 갈테면, 우리가가자, 끄을려가지말고!
너는내말을밋는「마리아」—내침실(寢室)이부활(復活)의동굴(洞窟)
임을네야알년만

「마돈나」 밤이주는꿈, 우리가얽는꿈, 사람이안고궁그는목숨의꿈이
다르지안흐니,
아, 어린애가슴처럼세월(歲月)모르는나의 침실(寢室)로 가자, 아름
답고오랜거긔로.

「마돈나」 별들의웃음도흐려지려하고, 어둔밤물결도자자지려는도다,
아, 안개가살아지기전으로, 네가와야지, 나의아씨여, 너를부른다.
—「나의 침실로」 전문

"가장아름답고 오—랜것은 오죽꿈속에만잇서라(내말)"이라는 단서가 부제처럼 붙어 있는 이 작품은 상화의 초기 대표작으로 일컬어진다. 따라서, 이 시는 가장 아름답고 오랜 것으로서의 꿈, 또는 꿈속에 있을 수 있는 것이 무엇인가 하는 문제에 시의 비밀이 놓여지는 것으로 보인다. 1920년대 초의 시인들, 특히 『백조』파의 시인들에게 등록상표처럼 애용되던 '꿈'의 내용은 과연

무엇일까? 또한 꿈의 상징적 의미는 어떠한 것인가? 이러한 문제의 해명은 상화의 시 세계를 밝히는 데도 긴요한 작업이 되지만 현대시사에 있어 초기 시단의 형성 과정을 이해하는 데도 필요한 일이 아닐 수 없다.

먼저 이 시는 2행이 한 연을 구성하여 모두 12연 24행으로 이루어져 있다. 다시 이것은 3연이 한 묶음씩 묶여져 기·승·전·결 네 단락으로 나뉘어진다. 첫 단락은 '오너라', 둘째 단락은 '가자', 셋째 단락은 '오려무나', 넷째 단락은 '가자'라는 반복적인 어미를 기본으로 하여 짜여 있기 때문이다. 그리고 각 연은 '마돈나'를 어두에 반복하면서 띄어쓰기를 쉼표에 따라 구분하고 말줄임표, 감탄부호, 의문부호, 마침표 등을 활용함으로써 시의 리듬과 템포에 긴장감과 탄력감을 불어넣고 있다. 내용상으로 보아도 이 시는 대략 기·승·전·결로 나뉘는데 그 각각은 '몸→불→피→물'이라는 중심 이미지를 핵으로 하여 전개된다. 시간 배경 또한 '밤→깊은 밤→한 새벽→새벽'으로 전이하는 것으로 보인다.

이렇게 볼 때 문장의 반복과 병렬에 의한 급격한 템포의 형성, 4단 구성에 의한 점층적 전개, 그리고 밤이라는 시간 배경과 '몸→불→피→물'이라는 핵심 이미지가 상징하는 의미 내용 등은 이 시의 주제가 단순하지만은 않으리라는 점을 짐작케 해준다. 그것은 단적으로 말해서 이 시가 성충동의 개방 또는 성행위의 가상적 체험이라는 의미와 관련돼 있음을 알 수 있게 해준다.[1] 그러나 이 시는 단순한 성충동이나 성행위의 묘사 그 자체에 뜻을 두고 있는 것으로 보이지는 않는다. 그것은 오히려 그러한 것들과 관련하여 사랑의 모습을 드러내 보이고, 나아가서 사랑의 본질이 정염과 허무, 상승과 하강, 생성과 소멸, 죽음과 부활이라는 생의 근본 원리와 맞닿아 있음을 말하고자 하는 데 뜻이 있는 것으로 이해된다.

---

1) 이에 관해서는 조창환의 「환상적 관능미의 추구」라는 글이 있다. 정한모 · 김재홍, 『한국대표시평설』(문학세계사, 1983) 참조.

먼저 첫 단락인 1~3연은 '마돈나'와 '나'의 상관성에서 시작된다. 마돈나는 이태리어로 Madonna, 즉 성모 마리아를 뜻하지만 여기에서는 사랑하는 여인을 지칭하는 것으로 보아도 무방하다. 그것은 마돈나가 "수밀도의네가슴/몸만오느라"와 같이 신성 이미지가 아닌 인간적·관능적 이미지로 표상돼 있기 때문이다. 중요한 것은 마돈나와 내가 "밝음이오면, 어댄지도모르게숨는두별"로 상징화된 점이다. 그것은 밝음으로서의 사랑, 즉 정상적인 애정 관계에 기초한 사랑이 아니라는 점을 암시해 준다. 어둠 속에서만 빛나는 두 별로서의 '마돈나'와 '나'의 관계 설정은 어쩌면 사련 또는 비련의 사랑 체험에 이 시가 모티브를 두고 있다는 점을 암시해 주는지도 모른다. 실상 이 시를 쓸 무렵하여 상화는 그의 백부의 강요에 못 이겨 결혼하였는데, 이 시기에 이미 사랑하던 또 다른 여인이 있었던 사실에 비추어[2] 이 여인과의 비극적 사랑 체험이 이 시에 투영돼 있을 가능성이 충분히 인정되는 것이다. 특히 "네집에서눈으로 유전하든진주는, 다두고몸만오느라"라는 구절 속에는 인습과 도덕을 초월한 맹목적 사랑, 혹은 사랑의 초월적 가치에 대한 경도가 담겨져 있는 것으로 보인다. 어쩌면 이것은 당대 『백조』파의 연애 지상주의 혹은 탐미적, 퇴폐적, 감상적 사랑의 열정과도 무관하지 않을 것이다. 그러므로 '나'는 "구석지고도어둔마음의 거리에서, 두려워떨며기다리게"되는 것이다. 실상 이러한 시적 퍼스나의 불안과 초조감은 그것이 사련 또는 비련의 사랑 체험과 관련될 때 더욱 정서적 긴장 체계를 형성하게 되기 때문이다. 여기에서 "첫닭이울고 뭇개가짖는"이라는 환청은 바로 이러한 퍼스나의 불안 심리와 강박 관념을 표상한 것이 된다.

둘째 단락인 4~6행에서는 '오너라'가 '가자'라는 청유형 어미로 바뀐다. 특히 여기에서 환청 "낡은달은빠지려는데, 내귀가듣는발자욱—오, 너의것이냐"라는 구절이 중요한 의미를 지닌다. 이것은 마돈나가 나타나서 함께 침실

---

2) 백기만, 「상화의 시와 그 배경」(『이상화전집』, 문장사, 1982) 참조.

로 가는 모습으로서의 환각과 연결된다. 즉, 마돈나가 나타나서 시의 화자와 함께 침실을 향해 가는 듯한 환상적 동일시(fantastic identification) 현상이 '가자'라는 명령적인 청유형으로 표출되는 것이다. '오너라'의 거리감이 '가자'라는 공동청유형에 의해 해소되어, 환상 속에서 심리적 충족감을 맛보는 것으로 풀이된다. 그러나, 그것은 역시 환상속에서의 가상적 체험일 뿐이다. 퍼스나의 모습은 어디까지나 "눈물도업시하소연하는촉불"에 불과하다. 따라서, "양털가튼바람결에도질식이되어, 얄푸른연긔로 꺼지려는" 애처로운 모습일 뿐인 것이다. 특히 6연에서의 '그림자'와 '도깨비'라는 상징은 퍼스나의 불안심리와 강박 관념을 예리하게 표상한 것이 된다. "아, 행여나, 누가볼는지— 가슴이뛰누나. 나의아씨여 , 너를부른다"라는 둘째 단락의 마지막 행은 사련 또는 비극적 사랑의 체험에 따르게 마련인, 외부의 시선에 대한 두려움과 심리적 초조감 및 불안감이 뒤엉키는 데서 일어나는 본능적인 죄의식의 발현으로 이해된다. 특히 이 단락에서 문제가 되는 것은 '불'의 이미지이다. 첫 단락에서의 '몸'의 이미지 또는 사랑의 정염과 연결되면서 '불'의 이미지는 성적인 충동 또는 성욕의 이글거림으로 확대 해석된다. '촛불'에서의 불은 그 열과 수직 상승의 속성으로 인해서 성적인 달아오름, 혹은 욕망의 상승과 자연스럽게 유추될 수 있기 때문이다. 이 점에서 이 시가 성충동의 문제와 전혀 무관하지 않다는 점이 발견된다.

셋째 단락에서는 시적 사건이 절정으로 치닫게 된다. 여기에선 다시 앞에서의 '가자'가 '오렴으나'로 변주된다. 이것은 안타까운 하소연과 애원의 심정과 연관된다. 따라서 환각 또는 환상의 요소가 다시 나타난다. "날이 새기 전에", 즉 이 밤이 다하기 전에 마돈나가 오지 않으면 안 되는 것이다. 와서 "내 목을 안고/오랜나라"로 가야만 하는 것이다. "오랜나라"는 과연 무엇인가.[3)]

---

3) 조동일은 이것을 죽음의 세계로 파악한다. 조동일, 「이상화 나의 침실로의 분석과 이해」(『이상화의 서정시와 그 아름다움』, 새문사, 1981) 참조.

그것은 "뉘우침과두려움의외나무다리건너잇는내침실"과 무관한 곳이 아니다. 그렇다면 역으로 '침실'은 무엇을 통해서 이르는 곳인가. 아마도 그곳은 "뉘우침과두려움"을 넘어서서 어렵게 어렵게, 마치 외나무다리를 건너듯이, 도달할 수 있는 그러한 의미심장한 장소임에 틀림없다. 그렇다면 "뉘우침과 두려움", 그리고 '침실'이 지니는 내포적 상관관계는 어렵지 않게 유추해낼 수 있을 것이다. 그것은 사련의 죄의식 혹은 성충동이 원초적으로 내포하는 원죄의식과 연결된다. "아무도 열 사람"이 없는 외나무다리 건너의 '침실'은 이룰 수 없는 사랑에 괴로워하는 사련 또는 비련의 연인들이 뉘우침과 두려움에 쫓겨야 하는 고통스러운 밀회의 장소이자 현실의 굴레로부터 벗어날 수 있는 "아름답고 오랜" 도피의 세계에 해당한다. 그렇기 때문에 그곳은 현실에서는 쉽게 도달할 수 없는 유토피아적 성격을 지니게 된다. 9연에서 의 극도의 환각 체험과 성충동의 끓어오름이 그것을 반영한다. "「마돈나」가엽서라, 나는미치고말앗는가, 업는소리를내귀가들음은—"이라는 구절 속에는 꺼지는 않는 사랑의 정염이 담겨져 있다. 동시에 이 구절 속에는 폭발적인 성충동의 욕망이 환상체험에 의해 클라이맥스에 도달하는 과정이 제시돼 있다. 따라서 "내몸에피란피—가슴의샘이, 말라버린듯, 마음과목이타려는도다"라는 '피'와 '샘', 그리고 '갈증'의 이미지가 함께 제시되는 것이다. 피와 샘, 그리고 목마름의 이미지는 성행위의 그것과 무관하지 않다. 심리적인 불안의식과 강박관념, 그리고 원죄의식이 육체적인 성충동과 합쳐지면서 더욱 격렬한 리비도(Libido)의 분출로 폭발하게 된 것이다. 이 점에서 둘째 단락에서의 '불'의 이미지는 여기에서 '피'의 이미지로. 상승하게 됨으로써 남성적인 생명력을 고조시키게 된다.

마지막 연에서는 전체 시의 주제가 제시되면서 하강적 국면으로 접어들게 된다. 여기에서 첫 행은 중요한 의미를 지닌다. "「마돈나」 언젠들안갈수잇스랴, 갈테면, 우리가가자, 끄을려가지말고"라는 이 구절은 사랑의 운명성을 확인하는 지점에서 새롭게 성취하게 되는 능동적인 사랑의 자세에 대한 비정한 결의이며 다짐이고, 동시에 사랑의 자발성, 주체성 회복에 대한 갈망을 피력한 것으로 해석된다. 따라서, 다음 행에서 "너는내말을밋는「마리아」! 내침실이부활의동굴임을네야알년만……"이라는 절규가 가능하게 되는 것이다. 여기에서 '침실'의 의미는 더욱 구체적으로 드러난다. 그토록 도달하고자 소망하고 몸부림쳤던 영원의 장소, 뉘우침과 두려움을 넘어서 겨우 도달할 수 있을지도 모르는 신비의 장소로서의 '침실'은 "부활의 동굴"로 제시돼 있는 것이 다. "아름답고 오랜" 나라로서의 '침실'은 결국 사랑의 성행위를 통해 부활이 성취되는 재생의 터전이자 새 출발의 요람인 것이다. 특히 '부활'이 '동굴'과 은유 관계를 형성하고 있는 것은 의미심장하다. 그것은 여성 또는 모체의 자궁 이미지리와 연관된다. 다시 말해서, 성충동을 해소하는 장소이면서 원죄의식을 정죄하는 장소이고, 동시에 재생의 장소로서의 상징성을 지니는 것이다. 여기에서 꿈의 의미가 드러난다. 그것은 '밤'과 연결되고 이것은 다시 '침실'로, 또 다시 '동굴'의 이미지와 연결되는 것이다. 즉, 꿈은 사랑의 꿈이며 사랑의 행위를 통한 거듭남의 꿈, 즉 성애(性愛)를 통한 부활의 꿈인 것이다. 꿈과 사랑이 지닌 양면적 속성, 즉 생성과 소멸, 상승과 하강, 충만과 소실, 밝음과 어둠, 정염과 허무를 성충동의 해소와 사랑의 확인이라는 가상적 체험을 통해 분출시킴으로써 삶의 본질을 드러내 보이고자 한 것이다. 따라서, '침실'과 '동굴'은 "아름답고 오랜곳"으로서, 또한 "어린애처럼 세월모르는 곳"으로서, 영원한 사랑 또는 순수 불멸의 아름다운 생명에 도달하는 부활과 재생의 통과 과정(initiation)인 것이다. 실상 꿈이 영원한 사랑의 표상 또는 아름다운 사랑의 촉매라는 점은 "「마돈나」밤이주는꿈, 우리가얽는꿈, 사람이안고궁구는목숨의꿈이다르지안흐니"라는 구절에서 선명히 제시된다. 세 가지 꿈의 공통점은 그것이 사랑의 문제에 초점이 놓여진다는 사실에 있다. 사랑이야말로 모든 인류의 근원적인 꿈이며, 마지막으로 도달하려는 최후의 목표가 아닐 수 없기 때문이다. 마지막 연이 여성과 생성의 의미를 지니는 '물'의 이미지와 연결되면서 정리되는 것도 이 점에서 우연한 일은 아니다.

이렇게 볼 때 이 시는 가상적인 성행위를 통해서 성충동을 해소하면서, 사랑의 의미를 새롭게 발견하고 그 속에서 삶의 근거를 확인하여 정신의 부활을 성취하려는 노력에 바탕을 두고 있음을 알 수 있다. 실상 이러한 몸부림은 당대의 절망적 상황, 즉 일제의 질곡 속에서 해방을 갈망하는 열린 의식과 함께 억압된 윤리의식 속에서 사련 또는 비련의 모습을 겪을 수밖에 없었던 낭만파들의 강박관념과 불안 심리, 그리고 성애의 원죄의식이 서로 복합되어 나타난 자기 카타르시스 혹은 자기극복의 상징적 표출로 이해되는 것이다.

2 어둠과 울음의 현실인식

① 이 세기(世紀)을물고너흐는, 어둔밤에서
다시어둠을꿈꾸노라조우는조선의밤—
망각(忘却)뭉텅이가튼, 이밤속으론
해쌀이비초여오지도못하고
한우님의말슴이, 배부른군소리로 들리노라
나제도밤—밤에도밤—
그밤의어둠에서쓤여난, 뒤직이가튼신령은
광명(光明)의목거지란일홈도모르고
술취한장님이머—ㄴ 길을가듯
비틀거리는자욱엔, 피물이흐른다!

—「비음」 전문

② 한울을 우럴어
울기는 하여도

한울이 그리워 울음이 아니다
두발을 못뻣는 이땅이 애닯어
한울을 흘끼니
울음이 터진다
해야 웃지마라
달도 뜨지마라

—「통곡」 전문

③ 어제나오늘 보이는사람마다 숨결이막힌다.
오래간만에 맛나는반가움도업시
참외꽃가튼 얼골에 선우슴이 집을짓더라
눈보라 모라치는 겨울맛도업시
고사리가튼 주먹에 진땀물이 구비치더라
저한울에다 봉창이나뚜르랴 숨결이막힌다.

—「조선병(病)」 전문

우리는 앞에서 「나의 침실로」가 이룰 수 없는 사련의 비극적 사랑에 모티브를 둔 연애시에 속함을 살펴보았다. 이 작품으로 대표되던 초기시의 세계는 상화의 일본 체험(대략 1922~1924년 무렵) 이후에 급격한 변화를 겪게 된다. 당대 현실에 대한 뼈아픈 인식이 시의 전면에 나타나기 시작한 것이다.

먼저 시 ①에는 당대 식민지하의 절망적 현실이 '밤'으로 표상되어 나타난다. 첫 행부터 마지막 행까지 밤의 이미지가 지속적으로 나타나서 하나의 '밤의 상징 체계'를 형성하고 있다. "어둔밤/조선의밤/이밤/나제도밤/밤에도밤/어둠/장님" 등의 어사 속에는 당대의 암흑과 같은 현실이 첨예하게 제시돼 있다. 따라서, "해쌀이비초여오지도못하고/광명의목거지란일홈도모르고"라는 구절처럼 어둠밖에는 보이는 것이 없는 당대의 비참한 현실이 생생하게 그려진다. 그러므로 "한우님의말슴이 배부른군소리로 들리노라/비틀거리는자욱엔, 피물이흐른다"와 같이 울분과 분노가 끓어오르게 된다. 특히 "나제도밤—

밤에도밤"과 "피물이 흐른다"라는 두 핵심어 속에는 당대 현실의 참담함에 대한 비통과 함께 강력한 저항의지가 담겨 있는 것으로 보인다.

시 ②에도 비탄과 울분이 제시돼 있다. 하늘은 우러름의 장소도, 꿈과 희망의 표상도 아니다. 그것은 오히려 비탄과 절망 혹은 저주의 대상으로 떠오른다. "하늘을 흘끼니"라는 구절 속에는 당대 현실에 대한 참담한 절망으로부터 비롯된 분노와 저주가 담겨 있는 것이다. 이 점에서는 실로 "우리는밝음이오면, 어댄지도모르게숨는두별"로서의 사랑을 노래하던 <백조>시대의 상화로부터 코페르니쿠스적 전환이 이루어진 셈이다. 특히 "두발을 못뻣는 이땅이 애닯어"라는 구절에 담긴 국토와 주권, 그리고 자유의 상실에 대한 탄식은 상화의 예리한 현실인식을 반영한 것이 아닐 수 없다. 따라서 "해야 웃지마라/달도 뜨지마라"라는 부정적 세계관을 형성하게 되는 것이다. 상실된 조국과 박탈된 자유의 당대 현실은 해와 달이 없는 것과 마찬가지인 우주의 멸망 혹은 세계의 붕괴와 다를 바 없는 것이다.

시 ③에는 당대 현실의 숨 막히는 상황과 사람들의 비참한 모습이 제시돼 있다. 보이는 사람들은 "숨결이 막히도록" 답답한 모습이며, '참외꽃'같이 바짝 마르고 초라한 표정인 것이다. '고사리'같이 무력한 주먹에 '진땀'만 흘리는 참담한 모습일 뿐이다. 따라서, 숨막히는 현실을 초라하고 무기력하게 살아가고 있는 식민지하 동족의 비참한 현실을 개탄하고 있는 것이다.

이렇게 볼 때 이 시편들에는 당대 현실의 비참한 모습이 '밤'과 '울음'으로 표상돼 있으며, 이에 대한 울분과 적개심이 강하게 표출돼 있음을 알 수 있다. '조선의 밤'과 '조선병'으로 요약할 수 있는 상화의 이 투철한 현실인식은 당대 민족 시인들에게서 쉬 찾아보기 어려운 준열한 역사의식의 발현인 것이다.

3 망국의 한, 유랑의 민족사

아, 가도다, 가도다, 쪼처가도다
이즘속에잇는간도(間島)와요동(遼東)벌로
주린목숨움켜쥐고, 쪼처가도다
진흙을 밥으로, 햇채를마서도
마구나, 가젓드면, 단잠은얽맬것을—
사람을만든검아, 하로일즉
차라로주린목숨빼서가거라!

아, 사노라, 취해사노라
자폭(自爆)속에잇는서울과시골로
멍든목숨행여갈가, 취해사노라
어둔밤말업는돍을안고서
피울음을울드면, 셜음은풀릴것은—
사람을만든검아, 하로일즉
차라로취한목숨, 죽여바리라!

—「가장비통한기욕」 전문

'간도이민을 보고'라는 부제가 붙은 이 시에는 몇 개의 난해어가 들어있다. 첫 행의 "쪼처가도다"는 쫓겨가도다라는 피동의 의미로 쓰였고, ④행의 '햇채'는 해채(薤菜) 즉 맵고 쓴 나물을, ⑤행의 '마구'는 마구간을, ⑥행의 '검'은 신(神), 또는 조물주의 뜻으로 사용된 것으로 보인다.

먼저 이 시에는 일제의 억압과 수탈에 견디다 못해 북만주로 쫓겨가는 민족의 수난상이 그려져 있다. 한일합방 이후 일본인들의 대대적인 조선 반도에의 진출과 더불어 당대 조선인들의 만주로의 내어쫓김이 시작된 것이다. "얼음짱 깔린 강바닥을/바가지달아매고건너는밤마다 밤마다 외로이 건너는/함경도 이사꾼"(김동환, 「국경의 밤」 6)의 모습은 바로 제 땅과 고향을 잃고 또 다른 고향을 찾아서 두만강, 압록강을 건너가던 이 땅 서러운 민족의 유랑사를 제시한 것이 된다. 동척(東拓)을 내세운 일제의 무자비한 토지수탈과 그에 따른 농촌의 궁핍화 등 소작농과 유랑민이 급격히 증가했던 당시의 식민지적 상황은, 이 시의 배경을 잘 설명해 준다. 당대의 비참한 현실과 그 궁핍상은 "진흙을밥으로, 햇채를마서도"의 지경이며, 단잠을 얽을 '마구'하나 없는 모습으로 제시된다. 갈아먹을 땅은 물론 비를 피할 집 하나 없는 거지의 모습과 조금도 다를 바 없는 상황으로 당대 민족의 현실이 묘사된 것이다. 그러므로 차라리 "주린목숨빼서가거라"하는 자학과 저주를 드러내게 된다. 둘째 연에서도 마찬가지이다. 쫓겨가는 간도이민의 모습도 뼈아픈 것이지만, 이 땅에 살아남아 부질없는 목숨을 이어갈 수밖에 없는 퍼스나의 현실 역시 통탄스런 것이 아닐 수 없다.

따라서 '자폭' 속에서 "멍든 목숨"으로 살아갈 수밖에 없는 비참한 퍼스나의 모습이 적나라하게 제시된다. 취해서 살 수밖에 없는 참담한 암흑의 현실 상황은 "어둔밤말업는돍을안고서/피울음"을 우는 비통함 그 자체인 것이다. 그러므로 여기에서도 "차라로취한목숨, 죽여바리라"라는 극단적인 자학으로 시를 마무리 짓게 된다. 실상 이러한 '죽음'을 운위하는 극단적인 자학은 그것이 자학 자체로서 머무는 것이 아니라, 일제에 대한 강력한 규탄을 담고 있는 것이라는 점에서 주목하지 않을 수 없다.

이렇게 볼 때 이 시는 당대의 비참한 현실에 대한 통탄과 함께 불요불굴의 항일의지를 구상화한 것이라는 데서 의미가 놓여진다.

[4] 소외계층의 울분과 휴머니즘

① 날마다하는 남붓그런이짓을

너의들은 예사롭게 보느냐고
웃통도버슨구루마꾼이
눈붉혀뜬얼골에 땀을흘리며
안악네의압흠도 가리지안코
네거리우에서 소흉내를 낸다.

—「구루마꾼」 전문

② 네가 주는것이 무엇인가?
어린애게도 늙은이게도
즘생보담은 신령하단 사람에게
단맛뵈는 엿만이 아니다
단맛넘어 그맛을 아는맘
아모라도가젓느니 잇지말라고
큰가새로 목탁치는네가
주는것이란 엇재 엿뿐이랴!

—「엿장사」 전문

상화의 후기작에는 걸인, 노동자, 잡상인 등 빈궁한 소외계층에 대한 옹호의 시선이 두드러지게 나타난다. 이른바 무산 계급에 대한 경사가 드러나는 것이다.

시 ①은 "구루마꾼"(수레꾼, 지게꾼)의 비참한 모습을 묘사하고 있다. "웃통도버슨구루마꾼이/눈붉혀뜬얼골에 땀을흘리며"라는 구절 속에는 빈궁한 도시의, 변두리 소외계층의 울분이 담겨져 있다. 특히 "네거리우에서 소흉내물 내는" 모습 속에는 식민지 치하 피폐한 현실하에서 마치 마소처럼 혹사당하는 이 땅의 소외당한 민중의 잔영이 투영돼 있는 것이다. 이러한 소 흉내를 내는 막노동자의 처절한 모습온 바로 식민지하, 빼앗긴 자로서의 이 땅 민족의 대리자아의 표상일 수 있기 때문이다.

시 ②도 마찬가지이다. 엿장수라는 하층 막노동자를 소재로 택한 것 자체가 경사된 사회의식을 반영한 것일 수 있기 때문이다. 엿장수는 "즘생보담은 신령하단 사람"에게 단맛만을 선사하는 단순한 노동자가 아니다. 엿장수는 그의 땅과 눈물을 통해서 노동의 신성함과 삶의 소중함을 깨우쳐주는 '목탁'의 역할을 수행한다는 강조적 의미가 담겨져 있는 것이다. "단맛넘어 그맛을 아는맘"이 바로 그러한 휴머니즘 사상의 발현으로 이해된다. 굳이 이러한 상화의 빈궁자 대상의 시편을 계급의식의 고취로만 이해할 필요는 없다. 물론 상화가 이 무렵 카프에 가입하고 「무산 작가와 무산 작품」[4] 등의 평론을 발표한 것이 사실이지만, 그의 작품에서 다루어지고 있는 빈궁자의 모습은 그것이 좌경 이데올로기의 측면보다는 휴머니즘의 발현으로 이해하는 것이 옳다고 본다. 이것은 실상 만해의 소설들에서 소작인, 농민 등이 당대 조선인의 표상이며, 그들이 저항한 악덕 지주, 자본가가 일제를 상징화한 것과 대응되는 사실로 해석할 수 있기 때문이다.[5] 따라서, 상화의 시에 나타나는 소의 계층의 비참한 생활상과 그 울분은 가진 자, 착취하는 자로서의 일제에 대한 저항의식의 발현이자 민족의식 또는 민중의식의 표출로 이해하는 것이 옳을 듯하다. 실상 그의 자유분방한 기질이나 유복한 가정환경(부유한 생활환경, 형(兄) 상정(相定)장군이 혁혁한 항일 독립투사이고, 제(弟) 상백(相栢)이 저명한 사회학 교수이자 해방 후 I.O.C. 위원이 었다는 사실 등)으로 미루어 볼 때, 그 자신이 전투적인 프로 문학의 투사가 되기는 어려웠을 것이 분명하기 때문이다.

이 점에서 상화의 시에 하층 소외계층의 빈궁한 삶과 울분이 자주 등장하는 것은 오히려 항일 민족의식 내지는 민중적 휴머니즘 정신의 구현이 아닐 수 없다.

---

4) 『개벽』 65, 66, 68호, 1926.
5) 김재홍, 『한용운문학연구』, 일지사, 1982.

5 농민의 고달픔과 민중적 생명력

사람 만 다라워진*줄로 알엇더니
필경 에는 밋고 밋든 한울 까지 다라워젓다
보리 가 팔 을 버리 고 달라 다가 달라 다가
이제 는 고라진* 몸으로 목을 대자나 빠주고 섯구나!

반갑지 도 안흔 바람 만 냅다 부러
가엽게도 우리 보리 가 달증*이 든듯이 뇌랏타
풀 을 뽑너니 이장*에 손 을 대보너니 하는것도
이제 는 헛일을 하 는가 십허 맥이 풀려만 진다!

거름이야 죽을판 살판 거루어 두엇지만
비가 안왓서—원수ㅅ놈의비 가 오지안헛서
보리 는 발서 목이 말러 입에 대지도 안는다
이러케 한장 동안 만 더 간다 면
그만—그만 이다 죽을수 밧게 업는 노릇이로구나!

한울 아 한해 열두달 남의일 해주고 겨오사는 이목숨이
고라 죽으면 네맘에 씨원 할게 뭐란 말이냐
제—발 빌자! 밧헤서 갈닙소리가 나기전에
무슨 수가 나주어야 올해는 그대로 살어나 가보세!
다라운 사람놈의 세상에 몹슬팔자를 타고낫서
살도 죽도못해 잘난 이짓을 대대로 하는 줄은
한울아! 네가 말은 안해도 짐작이야 못햇것나
보리도 우리도 오장이 다 탄다 이리지 말고 비를 다고!

—「비를 다고」 전문

(*필자주 : 다라워진—다랍다, 더럽고 인색하다. 고라진—곯다. 달증—황달. 이장—이랑의 오기)

이 작품은 1928년 7월 『조선지광』에 발표된 이상화의 후기작 중의 한편이다. 여기에서 보리밭은 단순한 정물적인 풍경화의 대상이 아니다. 보리는 우리 한민족의 오랜 역사 속에서 애·원·한이 얼켜 있는 목숨의 표상인 것이다. 이 땅 수천 년의 역사를 통해 보리는 민족의 가난한 삶, 또는 민중의 억센 생명력의 상징으로 받아들여져 왔다. 이 점에서 농민의 피폐한 삶과 보리의 말라비틀어진 모습은 적절히 조응된다. 농민의 억센 생의 의지를 괴롭히는 것은 일제의 식민지 수탈만은 아니다. 오히려 가뭄이나 홍수와 같은 천재지변이 더욱 무서운 두려움의 대상이다. "사람 만 다라워진 줄로 알앗더니/필경에는 믿고 믿든 한울 까지 다라워젓다"라는 구절 속에는 사람에게 천대받던 농민이 마침내 하늘에게서도 외면당하는 듯한 한스런 원망이 애타는 몸짓으로 표출돼 있다. 한발에 시달리는 농촌의 피폐한 모습이 바로 그것이다. "고라진 몸으로 목을 대자나 빼주고 서잇는"보리들의 메마른 형상은 바로 농민들의 헐벗고 찌든 모습을 반영한 것으로 이해되기 때문이다. 더욱이 "달증이 든듯 뇌란" 보리의 모습은 식민지하에서 시달릴 대로 시달려서 마침내 숨이 넘어갈 듯한 농민들의 객관적 상관물일 수 있는 것이다. 죽을 판 살판 걸음을 거루고 풀을 뽑고 이랑을 매만져도 입에 풀칠조차 하기 어려운 실정인데도 비마저 내려 주지 않는 비통한 실정이 적나라하게 제시돼 있다. 따라서, "원수ㅅ놈의 비가 오지 안혓서"라고 죄없는 하늘을 원망하게 된다. "한해 열두달 남의일해주고 겨오사는 목숨"으로서의 소작 농민에게 있어 가뭄은 차라리 가혹한 형벌인 것이다. 따라서, 하늘에 대한 원망의 심정은 자신에 대한 비탄과 자학으로 변모하게 된다. "다라운 사람놈의 세상에 몹슬팔자를 타고낫서/살도 죽도못해 잘난 이짓을 대대로 하는"이라는 구절 속에는 메마른 이 땅의 황토 속에서 뼈빠지게 일만 하다가 늙어가고, 마침내 한 줌 흙으로 돌아가고 마는 이 땅 농민들의 가엾은 운명이 애절하게 피력돼 있다. 특히 이 시에서 주목되는 것은 이 시의 시점이 농민의 그것으로 육화돼 있다는 점이다. 당대의 프로시들이 관념적인 주제와 구호의 도식성으로 가득 찼었음에 비추어, 이 작품은 완전히 농민의 입장에서 농민의 목소리로 피폐한 농촌상과 고달픈 농민의 모습을 생생하게 드러내 주고 있다는 데 의미가 놓여진다. "보리도 우리도 오장이 다 탄다. 이리지 말고 비를 다고"라는 끝부분의 애타는 절규는 문사로서의 공허한 외침이 아니라, 농민의 육성 그 자체라는 점에서 공감을 더해 준다. 이 점에서 이 시는 민중의 입장에서, 민중의 고통과 슬픔을, 민중의 언어로서 형상화한 민중시의 소중한 전범이 된다. 이 시에서 가뭄에 목타고 가난에 허덕이는 농민의 모습은 막다른 골목으로 치달아가는 당대 농촌의 절망적 현실이면서 동시에 이 땅 식민지 치하의 극한적 상황을 제시한 것으로 해석할 수 있다.

이렇게 볼 때 이 작품은 당대 농민의 비참한 실상을 예리하게 상징화하는 가운데 이 땅의 험난한 역사와 현실극복의 저력이 바로 그러한 농민들의 끈질긴 생명력에서 비롯될 수 있음을 제시해 준 소중한 작품으로 이해된다.

6 노동사상과 저항정신의 육화

지금은 남의땅—빼앗긴들에도 봄은오는가?

나는 온몸에 해살을 밧고
푸른한울 푸른들이 맛부튼 곳으로
가름아가튼 논길을따라 꿈속을가듯 거러만간다.

입슐을다문 한울아 들아
내맘에는 내혼자온것 갓지를 안쿠나
네가끌엇느냐 누가부르드냐 답답워라 말을해다오

바람은 내귀에 속삭이며
한자욱도 섯지마라 옷자락을 흔들고
종조리는 울타리넘의 아씨가티 구름뒤에서 반갑다웃네.

고맙게 잘자란 보리밧아
간밤 자정이넘어 나리든 곱은비로
너는 삼단가튼머리를 깜앗구나 내머리조차 갑븐하다

혼자라도 갓부게나 가자
마른논을 안고도는 착한도랑이
젓먹이 달래는 노래를하고 제혼자 엇게춤만 추고가네.

나비 제비야 깝치지마라
맨드램이 들마꽃에도 인사를해야지
아주까리 기름을바른이가 지심매든 그들이라 다보고십다.

내손에 호미를 쥐여다오
살찐 젓가슴과가튼 부드러운 이 흙을
발목이 시도록 밟어도보고 조흔땀조차 흘리고십다.

강가에 나온 아해와가티
짬도 모르고 끗도업시 닷는 내혼아
무엇을찻느냐 어데로가느냐 웃어웁다 답을하려무나.

나는 온몸에 풋내를 띄고
푸른웃음 푸른설음이 어우러진사이로
다리를 절며 하로를것는다 아마도 봄신령이 접혓나보다.
그러나 지금은―들의 빼앗겨 봄조차 빼앗기겟네

―「빼앗긴들에도 봄은오는가」

이 작품은 처음 발표될 당시(『개벽』 70호, 1926. 6)에는 모두 10연 29행이었으나 『상화와 고월』(1951)에서는 다소 변형되어 10연 35행으로 되어있다. 여기에서는 발표 당시의 작품을 논의 대상으로 하기로 한다.

이 작품은 대략 의미상 네 부분으로 나누어 볼 수 있다. 첫째는 제1~3연, 둘째 제4~6연, 셋째 7,-9연, 넷째는 제10연이 그것이다.

첫째 단락은 주권 상실의 땅, 동토의 조선에 찾아오는 봄의 정경이 몽상적인 분위기로 묘사돼 있다. 여기에서 "남의 땅/빼앗긴 들"이란 역사(주권)와 국토(농토)를 상실한 식민지 상황을 고발한 것이다. 주권과 국토를 빼앗긴 식민지의 동토에 살아 있는 것은 아무것도 없을 법한데, 잊어버리고 있던 봄이 살아서 돌아오는 데 대한 환희가 나타난다. 따라서 겨울이 가고 봄이 돌아오는, 어떻게 보면 당연한 자연의 섭리가 설렘과 감동으로 다가오게 된다. "꿈속을 가듯 거러만간다"라는 구절이 바로 그러한 감정의 표현이다. 계절은 대자연의 섭리대로 때를 알아 돌아오는데, 인간사(역사, 현실)만은 반드시 그렇지 않은 데 대한 안쓰러움이 또한 표출된다. 3연이 그것이다. '하늘과 들'은 입술을 다물고 침묵으로 일관하고 있다. "입술을다문 한울아 들아/답답워라 말을 해다오"라는 구절 속에는 봄이 와도 회복될 줄 모르는 식민지하의 절망적 현실에 대한 분노와 항거가 담겨 있는 것이다. 봄이 와서 푸른 들이 상징하는 희망의 세계로 나아가지만, 얼어붙은 동토의 현실은 전혀 그렇지가 못하다. 여기에서 "내맘에는 내혼자온것 갓지를 안쿠나/네가끌엇느냐 누가부르드냐 답답워라"라는 심리적 갈등 또는 위화감이 표출될 수밖에 없다.

그러나 둘째 단락인 4·5·6연에서는 봄을 찾아 앞으로 나아가는 힘찬 모습이 제시된다. 현실은 어둡고 막혀 있지만, 희망을 갖고 앞날을 향해 혼자서라도 나아갈 수밖에 없기 때문이다. "바람은 내귀에 속삭이며/한자욱도 섯지마라 옷자락을 흔들고"라는 구절은, 가만히 있지 말고 무언가 해야 한다고 질책하는 내심의 깨우침이며 역사의 준엄한 명령을 표현한 것으로 보인다. 그럴 때 "종조리는 반갑게 웃을"수 있으며, 비록 비참한 현실이지만 마지막 자연만은 빼앗기지 않았음을 새삼 확인하게 되는 것이다. 다음 두 연이 이러한 확신의 구체적 표현이다. "고맙게 잘자란 보리밧아"라는 구절이 그 하나이다. 보리(보리밭)는 땀과 눈물로 가득 찬 한민족의 애환의 상징이며, 험난한 역사를 헤쳐온 이 땅 민중적 생명력의 표상이다. "고맙게 잘자란"이란 표현 속에는 겨울의 모진 시련 속에서도 꿋꿋하게 살아 있는 민족혼 또는 민중적 생명력에 대한 깊은 감동이 담겨져 있다. 그러므로 이에 대한 부활의 의지가 솟구치게 된다. "간밤 자정이넘어 나리든 곱은 비로/삼단가튼머리를 깜은" 보리의 청명한 모습은 바로 암흑 속에서 절망을 씻어 버리고 새로운 생명으로 부활하는 새 생명, 새 출발의 의지를 표출한 것이 된다. 탄생과 부활 그리고 정화라는 물의 원초 이미지가 여기에 작용하고 있음은 물론이다. "내머리조차 갑분하다"라는 구절은 바로 새 출발에 대한 결의와 자신감을 표현한 것으로 보인다. 따라서, 다음 연의 "혼자라도 갓부게나 가자"(필자주—갓브게 나가자의 오기로 보인다)라는 확신에 찬 새 출발이 이루어진다. 마치 "마른 논"과 같이 궁핍하고 메마른 현실 속에서 "착한 도랑"으로서 희망을 간직하며 "제혼자 엇게춤"을 추듯 힘차게 나아가고자 하는 의지가 담겨져 있는 것으로 보인다. 어쩌면 이것은 일종의 새 생명 혹은 부활에의 의지를 담은 선구자의식의 표현일 수도 있으리라.

셋째 단락에는 앞에서의 부활 의지 또는 선구자의식이 보다 큰 의미에서의 대지사상, 또는 노동의지로 육화되어 나타난다. 먼저 그것은 "아주까리 기름을바른이"와 연결된다. 민족정서 혹은 토착적인 정감과의 뿌리 깊은 유대감이다. 그러나, 퍼스나가 보고 싶은 것은 사람 그 자체가 아니다. 그들의 행위, 즉 삶의 의지가 뿌리내린 생명의 현장인 것이다. 죽어 있는 들이 아니라, 생생하게 삶의 의지인 노동행위가 물결치는, 살아 있는 땅인 것이다. 그러므로 '김매는 이'의 이미지와 연결되는 것이 자연스럽다. "내손에 호미를 쥐여다오/조혼땀조차 흘리고십다"라는 구절이 살아 있는 정신 또는 생생한 생명에의 의지가 노동의 의지로 구체화되어 나타난 이 시의 핵심 구절의 하나가 된다. 죽어 있는 땅을 살아나게 하는 것도, 빼앗긴 들을 되찾을 수 있게 하는 것도 생생한 삶의 의지에 뿌리 내린 실천적인 노동 또는 능동적인 저항을 통해서만 가능한 것이라는 깊은 깨달음이 표출된 것이다. 오랜 민족의 애환이 담겨온 국토, 모성으로서의 대지에 대한 깊은 신뢰감이 노동의 사상으로 육화되어 나타난 것이다. 비록 일시적으로 주권과 국토를 빼앗긴 것이라 하더라도 영원한 모성으로서의 대지, 즉 민족혼은 불멸한 것이라는 확실한 신념이 담겨져 있는 것이다. "살찐 젓가슴과가튼 부드러운 이 흙"은 바로 이러한 대지사상과 노동사상이 결합된 탁월한 표현으로 이해된다.

마지막 단락에는 다시 빼앗긴 들을 위태롭게 살아가는 위기의식과 함께 민족혼이 쉽게 멸하지 않으리라 하는 데 대한 확신이 드러난다. "강가에 나온 아해와가티/짬도 모르고 끗도업시 닷는 내혼", "무엇을찻느냐 어대로 가느냐"라는 구절 속에는 현실과 이념의 괴리 속에서 방황하는 자아에 대한 자조가 담겨져 있다. 그렇지만 어떤 겨울도 반드시 봄에 쫓겨갈 수밖에 없다는 대자연의 섭리에 비춰 볼 때 이 땅에 찾아온 새봄은 미래에 대한 희망을 일깨워주기에 충분하다. "온몸에 풋내를 띄고"라는 구절은 회복의 기운, 부활의 희망으로 충전된 퍼스나의 새로운 모습인 것이다. "푸른웃음 푸른설음이 어우러진사이로/다리를 절며 하로를것는다"라는 구절 속에는 새로운 부활에 대한 희망과 그렇지 못한 현실의 괴리에서 오는 절망감이 서로 교차하고 있는 봄의 들판을, 그런대로 희망과 신념을 간직하며 굳건히 대지를 딛고 서서 부활을 향해 앞으로 나아가려는 굳건한 의지가 담겨져 있는 것으로 보인다. "다리를 절며 하로를걷는" 모습 속에는 절망과 희망의 교차 속에서 시련의 현실과 운명을 이겨 나아가는 민족의 모습이 제시된 것이다. 그러므로 마지막 구절 "그러나 지금은—들을 빼앗겨 봄조차 빼앗기겻네"라는 절규가 나타난다.

'빼앗긴 들'은 빼앗긴 주권이며 국토이다. 그러나 아직 삶의 뿌리로서의 땅과 그 속에 아로새겨져 있는 민족혼은 빼앗기고 있지 않다. 그렇지만 날로 가혹해 가는 일제의 수탈과 폭압은 주권과 생존권은 물론 정신과 혼까지도 빼앗아 갈 위협으로 존재한다. 따라서, 이 구절에는 조국 상실의 절망적 현실에서 민족혼마저 뺏길 것 같은 위기의식에 대한 강력한 항거의 몸부림이 담겨 있는 것으로 이해된다.

이렇게 볼 때 이 작품은 주권과 국토를 빼앗긴 참담한 식민지 현실하에서 흔들리지 않는 대지와 변하지 않는 대자연의 섭리를 통해서 민족혼의 살아 있음과 그 불멸함을 탁월하게 형상화한 작품으로 이해된다. 당대 식민지 현실을 '남의 땅/빼앗긴 들'이 라고 직접적, 저항적으로 부르짖으면서도 대지사상과 노동사상의 아름다운 비유로 육화해서 노래한 것은 이 시를 암흑기 최대 작품의 하나로 평가하기에 손색이 없게 만들어 준다.

□ 맺음말

생전에 그 흔히들 내는 시집 한 권 남기지 못하고 유명을 달리한 상화, 그렇다면 그의 문학이 오늘날의 문학에 던져 주는 교훈은 무엇일까.

먼저 그것은 그가 바람직한 시인의 길이 어떠한 것이며, 참된 시가 어떠해야 하는가를 실천적으로 보여준 데서 드러난다. 그는 항일 민족 운동과 연관되어 여러 차례 영어의 고초를 겪은 바 있다. 그러면서도 그의 시는 설익고 생경한 이데올로기의 나열이나 전투적인 구호로 일관되어 있지 않다. 예리한 현실인식에 바탕을 둔 확고한 역사의식, 그리고 당대 사회의 구조적 모순과 부조리에 대한 치열한 응전력을 확보하고 있으면서도 이것을 예술적인 차원으로 상승시킴으로써 참된 저항시의 전범을 제시해 준 것이다. 무엇보다도 그의 시는 바람직한 민중시가 어떠해야 하는가를 웅변적으로 보여 준 데서 보다 큰 의미가 놓여진다. 그의 시는 소외계층으로서의 노동자, 농민 등 빈궁자의 고통스런 삶을 폭넓게 다루고 있다. 그러면서도 그들을 관념적으로 이해하는 위선적 포즈를 취하거나 연민 혹은 동정심에 연유한 지식인의 센티멘탈리즘을 드러내지도 않는다. 농민, 노동자의 궁핍하고 고통스런 삶을 있는 그대로 제시하고, 그들과 하나가 되어 그들의 분노와 울분을 정직하게 표출한 데서 상화시의 본령이 놓이는 것이다.

분명, 상화는 당대의 어떤 시인보다도 일제에 대해 치열한 저항의지와 대결 정신으로 살아갔으며, 이것을 탁월하게 형상화할 줄 안 훌륭한 시인의 한 사람이다. 현실을 외면하지 않으면서도 역사를 바로 꿰뚫어보는 가운데 치열한 시대정신과 따뜻한 휴머니즘 정신을 아름다운 예술혼으로 상승시킨 암흑기 최대의 민족 시인이자 민중 시인이고 저항 시인의 한 사람이었던 것이다.

□ 연 보

1901 : 음력 4월 5일 대구시 서문로 2가 12번지에서 부 이시우(李時雨)의 차남으로 출생.

1907~14 : 8세 때 부친 작고, 이후 백부 이일우의 가내에 설치한 사숙에서 공부함.

1915~18 : 경성중앙학교(현 중동)입학, 수료함.

1919 : 3·1운동 당시 백기만 등과 함께 계성학교 학생 동원과 독립선언의 선전문을 각성하여 등사하는 등의 시위행사를 준비하였으나 사전에 발각되어 주요인물이 검거되자, 상화는 서울로 피신. 이해 10월 백부의 권유로 서온순과 결혼하다.

1921 : 5월경 현진건의 소개로 박종화와 만나고 『백조』 동인이 되다.

1922 : 『백조』 창간호에 「말세의 희탄」을 발표하면서 문단에 데뷔. 프랑스에 유학할 기회를 얻기 위하여 도일하여 아테네 프랑스에서 2년간 수학, 이 시절에 함흥 출신의 유학생 유보화와 교제함.

1923 : 관동 대진재 직후 한국인 학살의 현장에서 구사일생으로 살아남.

1924 : 관동 대진재의 충격으로 프랑스 유학을 포기하고 귀국, 서울에 거처를 정하고 『백조』 동인들과 교제함.

1925 : 「빈촌의 밤」 등의 작품을 발표하고 경향파 문학에 가담함.

1926 : 「빼앗긴 들에도 봄은 오는가」를 『개벽』 70호에 발표.

1927 : 의열단 사건에 연루되어 피검됨, 또 장진홍 의사의 조선은행 대구지점 폭탄 투척사건에도 관련되어 고문과 폭행을 당하다.

1934 : 조선일보 경북 총국을 맡아서 경영하였으나 1년 만에 경영난에 봉착하여 포기함.

1937 : 당시 북경에 머물고 있던 독립투사 백씨 이상정 장군을 만나기 위해 중국으로 건너가서 3개월간 머물다가 귀국, 귀국 직후 일경에 피검되어 고초를 겪음. 이후 대구 교남학교에서 영어와 작문의 무보수 강사로 근무하는 등 교육에 관심을 기울였음.

1943 : 4월 25일 위암으로 사망.

1948 : 대구 달성공원에 상화시비가 세워짐.

1951 : 백기만에 의해 『상화와 고월』(대구 청구출판사)이 간행되다.

4. 파인(巴人) 김동환(金東煥)

—서사적 저항과 순응주의(順應主義)—

식민지 치하의 혹독한 추위와 어둠 속에서 "강이 풀리면 배가 오겠지/배가 오며는 님도 탓겠지/오늘도 강가에서 기다리다 가노라"며 봄을 갈망하던 파인(巴人) 김동환(金東煥)(1901~1950 납북), 그는 국토의 최북단인 함북 경성에서 태어나 이 땅의 현대시에 북방 정서의 강인한 맥박과 서사시의 유장한 가락을 펼쳐 보여 준 선구적 시인의 한 사람이다. 그가 현대시 사상 초유의 서사시집인 『국경의 밤』과 『승천하는 청춘』을 통해서 개인적 정감과 단시의 매너리즘에 빠져 있던 초기 시단의 수준을 한 단계 뛰어넘어 당대 상황에 대한 객관적 인식과 문학적 대응력을 보여주려 노력한 것은 값진 일이 아닐 수 없다.

그럼에도 불구하고, 그와 그의 시에 대한 논의는 아직 본격화하거나 긍정적인 방향으로 진전되지 못하고 있는 실정이다. 그 중요한 이유의 하나는 그가 일제 말기에 드러낸 친일 훼절 행위로 인해서 그의 시적 성과가 크게 폄하되는 데 기인하는 것으로 보인다. 이러한 부정적 평가는 당연한 것이 아닐 수 없다. 일제하의 빼앗긴 역사, 치욕의 식민지 시대를 살아온 우리 민족으로서, 더구나 항상 지사적 시인을 기대하는 심의 경향을 지닌 우리들로서 이러한 태도는 나무랄 만한 일이 아니기 때문이다.

그렇다고 해서, 열린 정신을 탐구하는 문학인으로서 우리가 부분과 전체의 진실을 하나로 획일화하는 것도 바람직한 일만은 아닐 것이다. 따라서 우리는 하나의 시인 혹은 작가에게서 그가 이룩한 업적은 업적대로 또한 그가 저지른 과오는 과오대로 엄격히 따져가면서, 포괄적인 평가, 총체적인 조망을 획득해야 하리라 생각한다. 그 대표적인 모순의 인물, 비극적 시인 중의 한 사람이 바로 김동환인 것이다.

① 북방 정서와 극복의지

파인(巴人)의 시단 활동은 『금성(金星)』지에 시 「적성(赤星)을 손가락질하며」(1924. 5)가 실린 데서 시작된다. 이후 그는 채 일 년도 못되어 첫 시집 『국경의 밤』(한성도서, 1925. 3. 20)을 가지고 초기 시단에 '흑마(黑馬)' 또는 '야생마(野生馬)'로 불리면서 혜성과 같이 등장하였다. 그는 이어서 같은 해 또다시 장편 서사시집 『승천(昇天)하는 청춘(靑春)』(신문학사, 1925. 12. 25)을 상재함으로써 문단에 확고부동한 위치를 구축하게 된다. 이후 그는 여러 신문사의 민완 기자로 활약하며, 『삼천리(三千里)』 등 잡지를 주재하고 카프에 가입하기도 하면서 폭넓은 사회 활동과 시단 활동을 전개하였다. 그러면서도 1950년 동란 중 납북될 때까지 3백여 편의 시(시집 『3인시가집』, 삼천리사, 1929. 10 ; 『해상화(海棠花)』, 대동아사, 1942)를 비롯하여 장편소설 『전쟁과 연애』 외에 평론, 희곡, 수필, 번역, 잡문, 논설 등 수많은 저작을 남긴 바 있다. 이 점에서 지금까지 서사시론, 민요시론, 친일문학론 등으로만 국한되어온 그에 대한 논의는 더욱 시야가 확대되어야 하리라 생각한다. 해방 후에 그가 써서 1962년에 부인 최정희(崔貞熙)에 의해 간행된 시집 『돌아온 날개』(종로서관)도 자세히 검토돼야 할 것이다.

그러면 그의 시 세계를 구체적으로 살펴보기로 한다.[1)]

① 북국(北國)에는 날마다 밤마다 눈이 내리느니
회색(灰色)하늘속으로 힌눈이 퍼부슬째마다,
눈속에 파뭇히는 하―연 북조선(北朝鮮)이 보이느니.

각금 가다가 당나귀울니는 눈보래가
한북강(漢北江)건너로 굵은 모래를 쥐여다가
치위에 얼어쩌는 백의인(白衣人)의 귀쌜을 째리느니.

춥길내 멀니서오신 손님을
부득히 만류(挽留)도 못하느니
봄이라고 개나리쏫 보려온 손님을
눈발귀에실어 곱게 남국(南國)에 돌녀보내느니.

백웅(白熊)이 울고 북랑성(北狼星)이 눈깜박일때마다
제비가는곳 그립어하는 우리네는
서로 부득켜안고 적성(赤星)을 손짜락질하며 어름벌에서 춤추느니,
모닥불에 빗최는 이방인(異邦人)의새파란 눈알을 보면서
북국(北國)은 춥어라 이치운밤에도
강(江)녁에는 밀수입마차(密輸入馬車)의 지나는소리 들니느니,
어름짱 깔니는 소리에 쇠방울소리 잠겨지면서.

오호, 힌눈이 내리느니, 보―얀 힌눈이
북새(北塞)로가는 이사(移徙)꾼 짐짝우에
말업시 함박눈이 잘도 내리느니.

―「눈이 내리느니」 전문

② 새벽마다 고요히 꿈길을 밟고와서

---

1) 이하 작품은 원본시집, 그리고 연보는 오세영, 『한국 낭만주의시 연구』(일지사, 1982) ; 이병헌, 「김동환 연구」(고려대학교 석사논문, 1984) 및 『문학사상』의 「김동환 작품 목록」(『문학사상』 30호, 문학사상사, 1975.3) 참조.

머리마테 찬물을 솨—퍼붓고는
그만 가슴을드듸면서 멀니 사라지는
북청(北靑)물장사.

물에 저즌삶이
북청(北靑)물장사를 부르면
그는 쎄걱쎄걱 소리를치며
온자최도업시 다시 사라진다.

날마다 아츰마다 기대려지는
북청(北靑)물장사.

—「북청물장사」 전문

김동환의 시가 지닌 가장 두드러진 특징은 이들이 북방적 정서를 기반으로 하고 있다는 점이다. 주요한이 '북국정서(北國情緖)'라고 표현한 바 있었던[2] 이러한 정서적 편향성은 우리 시사에서는 그리 흔하지 않았던 형질에 속한다는 점에서 관심을 끈다. 그는 실상 이 땅의 최북단인 함경북도 경성에서 나서 자란, 근대시사상 초유의 북방 시인에 해당하기 때문에 그의 시 바탕이 되는 북방적 서정이 이채로울 수밖에 없는 것이다. 특히 그의 초기 시편에는 이러한 북방적 서정이 두드러지게 나타난다.

먼저 시집 『국경의 밤』에 실린 시 ①은 이러한 북방 정서를 선명히 보여준다. 원래 「적성을 손가락질하며」라는 제목이었던 파인의 이 데뷔작(『금성』 3호, 1924. 5)은 약간의 첨삭을 거쳐 시집에 개제(改題)하여 수록된 것이다.

이 시에는 얼어붙은 두만강 부근의 눈보라치는 설원 풍경이 아스라하게 제시되어 있다. 이곳에는 "날마다 밤마다 눈이 내리느니/눈속에 파뭇히는 하—연 북조선"으로 그 풍정이 묘사된 것이다. 그러나, 이렇듯 아름다와 보이는

2) 주요한, 「김동환의 시세계」(『현대문학』 97호, 1963)

북방의 풍정은 "당나귀울니는 눈보라"와 "치위에 얼어떠는 백의인"을 통해서 삶의 어려움 또는 목숨의 험난함으로 연결된다. 따라서 이 시에는 어둠과 추위 속에서 이를 헤쳐가는 강인한 생명의지가 그 근저에 깔려있는 것으로 보인다. 셋째 연에 등장하는 봄 또는 손님, 남국의 이미지 등이 바로 이러한 생명의지의 표상이 된다. 겨울과 봄, 눈과 꽃, 북국과 남국의 대조 속에는 어둡고 추운 현실을 이겨 내려는 극복의지 또는 소생의지가 담겨 있는 것으로 이해된다. 여기에 다시 넷째 연에서의 강렬한 생의 몸부림이 제시된다. "백웅이 울고/북랑성이 눈깜박이는" 빙원에서 "서로 부득켜 안고 적성을 손까락질하며 어름벌에서 춤추는" 모습은 바로 이러한 혹독한 추위와 어둠을 참고 이겨 내려는 몸부림에 해당한다. 실상 이 연에서 그 핵심인 '적성'과 '모닥불'의 이미지는 생명의지의 강렬함 또는 극복의지의 치열함을 표상하는 것으로 이해되기 때문이다. 그러면서도 이 연에 "이방인의 새파란 눈알"과 "밀수입마차의 지나는 소리"가 제시된 것은 의미심장하다. 접경지대라는 분위기가 암시하듯, 뿌리 없이 떠도는 목숨들 사이에 엇갈리는 불안과 초조감이 팽팽하게 드러난다. 목숨의 난함과 함께 생의 험렬함이 깔려 있는 것이 사실이다. 특히 마지막 연에 "북새로 가는 이사꾼"이 제시된 것은 당대의 비참하고 궁핍한 현실을 반영한다는 점에서 중요성을 지닌다. 이것은 "아, 가도다, 가도다, 쪼처 가도다/이즘속에 잇는간도와 요동벌로/주린목숨움켜쥐고, 쪼처가도다"(「가장 비통한 기욕」)라는 이상화의 절규와도 상통하는 내용이다. 이 시에는 1920년대 식민지 치하의 궁핍한 상황에 쫓겨 조국과 민족을 잃고 유랑의 길을 떠나는 처참한 현실이 담겨져 있는 것이다. 특히 이 시는 얼음의 이미지 및 이에 대조되는 붉은 별과 모닥불의 상대적 이미지를 해서 얼어붙은 현실과 이것을 극복해 나아가려는 생의 의지를 대립시킴으로써 시적 긴장을 고조시키고 있는 것이 특징이다. "북국/북조선/강/북랑성/북새" 등 무수한 '북'의 반복에 의한 변방의식과 극한의식(極限意識)의 고조, '퍼붓다/때린다/파뭇힌다/

얼어떤다/부득켜안다/춤춘다/깔닌다'라는 강렬한 용언의 활용에 의한 대결의식의 표출은 이 시가 전체적인 면에서 어두운 현실의 비극성을 심화하고자 하는 동시에 그에 대한 극복의지에 그 핵심을 두고 있음을 말해 주는 것이 된다. 아울러 '~느니'라는 어미의 지속적인 반복은 객관 시점을 견지하면서 시 전체의 급박한 호흡에 통일성을 부여하는 역할을 수행한다. 서정시이면서도 서사시적인 호흡을 느낄 수 있게 한 것이다.

이러한 북방 정서와 극복의지는 「선구자」 「물결」 등 초기시를 관류하는 중요한 특징이 된다. 특히 "눈이 몹시퍼붓는 어느해 겨울이엇다/눈보래에우는 당나귀를잇끌고 두만강녁까지 오니/강물은 얼고 그우에 힌눈이 석자나 싸엿섯다//인적은업고, 해는 지고—/나는 몇번이고 도라서려 망설이다가/대담하게 어름장깔닌 강물우를 건넛다//올때 보니/북새로 가는 이사군들 손에/넓다란 신장로가 맨들어 노엿다/지난밤 건너는 내 외곽 길우에다—"라고 하는 시 「선구자」는 「눈이 내리느니」와 여러 가지 면에서 공통점을 지니고 있는 것이다.

한편 시 ② 「북청 물장사」도 ①시의 연장선상에 놓이는 것으로 보인다. 이 시는 시적 배경은 분명히 ①시와 다르다. 그러나 이 시 역시 (북청)이라는 '북'의 이미지를 핵심으로 하여 '물장사'라는 노동의지를 표출하고 있다는 점에서는 유사성을 지닌다. 특히 '새벽' 등의 시각적 이미지와 "쏴—퍼붓고", "삐걱삐걱 소리를치며" 등의 청각적 이미지, 그리고 "찬물", "저즌" 등의 촉감적 이미지 및 "밟고와서", "사라지는" 등의 근육감각적 이미지의 역동적 결합에 의해 생명 감각을 환기하고 있는 것은 주목할 만한 일이 아닐 수 없다. 「북청 물장사」는 가난의 현실을 극복하고자 하는 생의 의지의 표상이자 강인한 생명력의 상징에 해당하기 때문이다. 꿈의 세계에 빠져 있는 나와 새벽마다 생의 의지를 길어올리는 '북청 물장사'의 대비 속에서 역경의 현실에 대한 강한 극복의지와 함께 생명에 대한 외경감이 깃들어 있는 것으로 이해된다.

이렇게 볼 때 김동환의 초기 시편들은 대체로 추위와 어둠으로 요약되는 북방의 풍정을 배경으로 하여 현실의 비극성을 드러내면서 이에 대한 극복의지를 보여주고 있는 것을 특징으로 한다. 이 점에서 그의 시는 20년대 이 땅의 시편들이 결여하고 있던 북방적인 강인함과 매서움을 갖춤으로써 우리 시의 변경을 개척하고 확대한 의미를 지니는 것이다.

2 국경의 밤, 비극적 현실의 상징화

一.「아하, 무사(無事)히 건넛슬가.
이 한밤에 남편(男便)은
두만강(豆滿江)을 탈업시 건너슬가?

저리 국경강안(國境江岸)을 경비(警備)하는
외투(外套)쓴 거문순사(巡査)가
왔다—갓다—
오르명 내리명 분주(奔走)히 하는대
발각(發覺)도 안되고 무사(無事)히 건넛슬가?」

소곰실이 밀수출마차(密輸出馬車)를 띄워노코
밤새가며 속태이는
젊은 안낙네
물네젓든손도 맥(脈)이 풀녀저
파! 하고 붓는 어유(漁油)등장만 바라본다.
북국(北國)의 겨울밤은 차차 깁허가는대.

二. 어대서 불시에 땅밋흐로 울녀나오는듯
「어—이」하는 날카로운 소리들닌다.
저 서쪽으로 무엇이 오는 군호라도

촌민(村民)들이 넉을일코 우두두 쎨적에
처녀(妻女)만은 잽히우는 남편(男便)의 소리라고
가슴을 쓰드며 긴 한숨을 쉰다—
눈보래에 늦게내리는 영림창(營林廠) 산림(山林)실이 벌부(筏夫)
떼소리언만.

三. 마즈막가는 병자(病者)의 부르지즘가튼
애처러운 바람소리에 싸이어
어대서 「쌍」하는 소리 밤하늘을 쨋다.
뒤대여 요란한 발자취소리에
백성(百姓)들은 또 무슨변(變)이 낫다고 실색하야 숨죽일때,
이 처녀(妻女)만은 강(江)도 채 못건넌채 어더맛는 사내일이라고
문빗탈을 쓰러안고 흑흑 늦겨가며 운다—
겨울에도 한삼동(三冬), 별빗에 따라
고기잡이 어름짱 끈는 소리언만.

(……중략……)

七〇. 여러 사람들은 고요히
동무의 시체(屍體)를 갓다 무덧다.
이제는 아모것도 할수업다는드시.

七一. 거이 뭇칠째 죽은 병남(丙南)이 글배우던 서당(書堂)집노훈장(老訓長)이,
「그래두 조선(朝鮮)땅에 뭇긴다!」하고 한숨을 휘—쉰다.
여러사람은 쏘 맹자(孟子)나 통감(通鑑)을 닑는가고, 멍멍 하엿다.
청년(靑年)은 골을 돌니며
「연기(煙氣)를 피(避)하여 간다!」하엿다.

七二. 강(江)저쪽으로 점심째라고
중국군영(中國軍營)에서 나팔소리 또따따 하고 울녀들닌다.

—「국경의 밤」 부분

시집 『국경의 밤』(1925. 3. 20)에 장시 「국경의 밤」이 발표되면서, 그 서문에 김억이 이를 '장편서사시'라고 명명한 이래 이 작품은 신문학사상 최초의 서사시로 회자되어 왔다.[3] 그러나 이 작품은 "파인의 그 장르상에 있어서는 서사시가 아니라 서정시이며, 그 하위 양식에 있어서는 개인 창작의 발라드, 혹은 그에 유사한 서술적 서정시라고 보아야 한다."[4]라는 오세영의 주장에서 보듯이 서사시라는 장르 규정 자체에 대한 반론이 제기되기 시작하였다. 김용직은 근대 문학의 차원에서 볼 때 「국경의 밤」이 서사시의 요건을 충분히 갖추고 있을 뿐 아니라, 이미 그 효시는 유춘섭의 「소녀의 죽음」(『금성』 2호, 1924)에서 찾아볼 수 있음을 지적한 바 있다.[5] 아울러 조남현[6]과 염무웅[7]도 「국경의 밤」이 대체로 서사시의 요건을 지니고 있기 때문에 서사시로 불러 무방하다고 주장한 바 있다.

저자는 한국의 근대 서사시의 요건을, ① 서사적 구조를 지니고 있을 것, ② 역사적 사실과 연관, 대응될 것, ③ 사회적 기능을 지니고 있을 것, ④ 집단의식을 바탕으로 하고 있을 것, ⑤ 당대 현실과 암유적 관계를 지닐 것, ⑥ 노래체의 율문으로 짜여질 것, ⑦ 길이가 비교적 길어야 할 것[8] 등으로 제시하고, 「국경의 밤」이 이러한 요건을 충족시키고 있음에 비추어 충분히 서사시로서 성립된다는 점을 논의한 바 있다. 따라서 핵심 문제는 이 작품이 서구적 개념의 서사시로서 그 요건을 얼마나 갖추고 있는가 하는 데 달려있는 것이 아니라, 그것이 얼마나 서사시적 구성과 형상력을 성취하고 있는가 여부에 있으며, 따라서 그 점에 더 논의가 집중돼야 하리라 생 각한다. 서구적 개념의

---

3) 백철, 『신문학사조사』(민중서관, 1957) ; 김우종, 「어두운 역사의 서사시」 ; 홍기삼, 「서사시의 실제와 가능성」 (이상 『문학사상』 30호, 앞의 책) 등
4) 오세영, 「국경의 밤과 서사시 문제」(『국어국문학』 75호, 1977)
5) 김용직, 『한국근대시사』(새문사, 1982)
6) 조남현, 「김동환의 서사시에 대한 연구」(『인문과학논총』, 건국대 인문과학연구소, 1982)
7) 염무웅, 「서사시의 가능성과 문제점」(『한국문학의 현단계』, 창작과비평사, 1982)
8) 김재홍, 「한국근대서사시와 역사적 대응력」(『문예중앙』 가을호, 1985)

준거틀은 하나의 참고 사항이 될지언정 이 땅의 서사시 논의에 있어 절대적인 규범이 될 수는 없기 때문이다.

실상 「국경의 밤」은 그것이 성공적인 작품인가 하는 데는 의문 사항이 없지 않지만, 당대의 서정시 주류의 시단에 신선한 충격과 자극을 불러일으킨 선구적인 근대 서사시에 해당한다는 점은 의심할 여지가 없는 사실이다. 또한 지금까지 「국경의 밤」은 그러한 서사시냐 아니냐 하는 원칙론적 논란으로 인해 작품의 의미에 관한 본격적인 논의는 정작 뒷전으로 밀려나 있었다 해도 과언이 아니다.

「국경의 밤」은 모두 3부 72장 980여 행으로 짜인 장형 서사시라 할 수 있다. 이 작품의 배경은 두만강변 S촌이며, 중심인물은 순이와 그의 남편 병남, 그리고 순이를 지난날 사랑했던 한 청년 등 세 사람이다. 재가승의 딸 순이는 "언문 아는 선비"인 이 청년과 그 옛날 사랑을 언약했었지만, 재가승은 재가승끼리 결혼해야 한다는 이들 여진족 후예들의 율법에 따라 순이는 이 동네 존위집으로 시집갔고, 청년도 마을을 떠나 버렸다. 그러던 차 두 남녀는 헤어진 후 10년 가까이 세월이 흐른 어느 눈 오는 날 밤에 재회하게 된다. 그날 밤은 마침 순이의 남편 병남이 소금실이 밀수차 국경을 넘어간 때라서 순이는 초조와 불안에 싸여 잠 못 이루던 때였다. 앞의 인용시 부분이 이 무렵 국경의 밤 풍경을 묘사한 것이다. 오래전 상심하여 이 마을을 떠났던 이 청년은 순이를 찾아와 사랑을 다시 호소하지만, 순이는 끝내 거절하고 만다. 여기에서 그 옛날의 이야기로 돌아가서 사건이 펼쳐지고, 두 남녀의 대화가 이어지는 것으로 스토리가 전개된다. 그러던 차 날이 밝고, 간밤에 국경을 넘어갔던 순이의 남편 병남이 총 맞은 시체가 되어 돌아와서 고향 마을에 묻힌다는 비극적인 내용인 것이다.

이렇게 볼 때 이 작품은 '남편을 기다림→남편이 죽어서 돌아옴'이라는 현실적인 비극을 바탕으로 하여, 그 속에 '옛날 사랑의 비극→옛 애인과의 재회와 갈등'이라는 이야기를 내포하고 있음을 알 수 있다. 다시 말해서, 현실적인 비극으로서의 남편의 죽음을 외화로 하고, 그 안에 이룰 수 없었던 사랑의 비극과 그 갈등을 내화로서 담고 있는 비극의 중층구조로 짜여 있는 것이다. 이러한 비극의 이중 구조적인 짜임새는 이 작품의 비극성을 더욱 심화해 주는 효과적인 장치로서의 의미를 지닌다. 따라서 이 작품은 청춘남녀의 비극적 사랑을 낭만적으로 묘파한 작품으로 이해되기 십상이다. 그러나 이 작품을 자세히 들여다보면 이 작품의 비극성이 사랑의 비극 그 자체에서 파생되고 있는 것이 아니라, 식민지 치하 국경 지방의 변두리 계층의 불안한 현실과 소외된 삶에 연유하고 있음을 발견하게 된다. 과거에 있었던 순이와 청년 사이의 비극적 사랑 얘기는 순이와 남편이 처한 현실적 삶의 고통과 그 비극적 결말에 긴장감과 비애감을 불어넣기 위한 방법적 장치일 수 있다.[9] 이 점에서 순이와 청년과의 사랑 얘기는 에피소드에 해당하며, 이 작품의 핵심은 순이와 병남의 고난으로 가득찬 불안한 삶의 묘파이자 당대의 비극적 현실 상황의 제시에 놓이는 것으로 이해된다. 두만강가 변두리에서 밀수로 생계를 유지하다가 어느날 혹한 속에 갑자기 총에 맞아 죽어간 병남과, 사랑하는 사람과 신분의 차이로 헤어지고, 몇 년 후 다시 남편마저 비운에 잃어버리고 마는 순이의 모습 속에는, 일제에게 나라와 땅을 빼앗겨 버리고 간도로 쫓겨가거나 어이없는 죽음을 당하기 일쑤이던 당대 식민지 조선 백성의 비참하고 덧없는 삶의 모습이 날카롭게 반영되어 있는 것이다.

이 점에서 이 작품에는 파인의 예리한 현실인식과 강렬한 민족의식이 상징화되어 있다고 볼 수 있다. 특히 결말 부분에서 "그래두 조선땅에 묫긴다"라는 구절은 이러한 현실인식과 민족의식을 요약적으로 제시한 것이 된다. 조선 땅에 묻힌다는 사실만으로서도 당대 망국민, 유랑민으로서의 조선인에게는 행복한 일이 아닐 수 없기 때문이다. 당대인의 가슴속에 '조선땅', '조선말'

9) 김재홍, 앞의 책.

은 바로 살아 있는 조선심의 표현이며, 동시에 민족혼의 상징으로 받아들여졌기 때문이다. 또한 "연기를 피하여 간다"라는 구절은 당대 현실이 질식할 것 같은 절망과 암흑의 연기 속과 같은 상황임을 암유한 것이 된다. 물론 이 정도의 상징화된 현실비판은 순응주의의 발현이라 비판할 수 있으며, 당대 시인들의 일반적 경향이던 허무, 도피, 패배적 정서와 동일한 맥락으로 파악할 수도 있다. 실상 '죽음'이라는 어느 면 안이한 결말 처리는 당대 현실을 보다 철저하게 인식하고 그에 치열하게 맞서지 못했다는 증거일 수도 있기 때문이다.

한편 「국경의 밤」에서 사랑하던 두 남녀가 결혼하지 못한 원인이 재가승과 평민이라는 신분의 차이 때문이라는 점을 중시해서 본다면 이 작품은 신분의 해방 또는 봉건적 윤리에 대한 반항을 시도한 것으로 해석할 수도 있다. 또한 평화롭던 여진 부락이 불행해진 원인이 윤관의 여진 정벌에서부터 비롯된다는 점을 음미해보면 이민족 간의 갈등 문제가 야기되며, 이것은 일제 식민지 침탈에 대한 비판을 암유한 것으로 이해되기도 한다. 어쩌면 이것은 약소 민족의 해방이라는 문제가 제기된 것인지도 모른다. 실상 작품 가운데 '일본말'에 대한 거부감이 나타나고, 조선땅에 대한 본능적 애착이 표출된 것은 이러한 작가의식의 반영일 수 있기 때문이다.

아울러 변두리 지방민 혹은 빈한한 소외계층의 비참한 생활상에 초점을 맞춰본다면 이 작품은 이른바 민중해방 또는 계급해방의 뜻을 담고 있다고 풀이할 수도 있을 것이다. 실상 이 점은 파인 자신이 카프 진영에 참여 내지는 동조한 사실들과 무관하지 않다. 이렇게 본다면, 이 작품은 일제하 이 땅 저항정신의 주요한 맥락인 반봉건적 인간해방의식, 사회적인 계급해방의식, 그리고 민족해방의식[10] 등이 암유적으로 표출된 것으로 해석할 수도 있을 것이다. 또한 이 점에서 「국경의 밤」은 비극적인 사랑이 야기를 표층구조로 하여

10) 정창렬, 「백성의식·평민의식·민중의식」(『한국민중론』, 한국신학연구소, 1984)

부정적인 현실인식을 드러내고, 그 중층적 비극의 구성을 통해서 민족혼 내지는 민중 정신을 강조하고자 하는 심층적 의미를 담고 있는 것으로 판단된다. 바로 이 점이 「국경의 밤」이라는 서사시가 쓰여질 수밖에 없던 당대적 이유가 된다. 짤막한 서정시 양식으로는 당대 식민지 현실의 고통과 그에 대한 저항의지를 충분히 형상화할 수 없기 때문에 포괄적 장르인 서사양식을 취할 수밖에 없던 것으로 이해된다는 말이다.

따라서, 중층구조의 비극적 사랑 얘기를 통해서 상실과 수난으로 점철되던 당대 민족 현실의 비참한 모습을 암유하게 된 것이다. 순이가 겪은 고난과 비운의 과정은 그대로 당대 이 땅 민중의 고난에 찬 현실의 반영이 자 민족의 운명에 해당하는 것으로 이해된다는 점에서 특히 그러하다. 물론 이 작품이 낭송을 전제로 하지 않았다든지, 이야기 전개에 작위성과 미숙성이 노출되었다든지, 영웅이나 신의 이야기를 결여하고 있다든지, 서정성이 두드러지는 대목이 많다든지, 혹은 파란만장한 사건과 스케일을 보여주고 있지 못하다든지 하는 점 등에서 이 시가 완성된 의미의 서사시로 보기는 어려울지 모른다. 그러나, 이 작품이 서정시 내지는 단시가 주류를 이루던 20년대 시단에 있어서, 수난의 시대에 고통받는 민중의 비극을 서사적 구조를 통해서 객관적 시각을 견지하여 비교적 큰 스케일로 묘파한 것은 중요한 일이 아닐 수 없다. 마치 이것은 한용운이 당대를 '님이 침묵하는 시대'로 파악하여 '님과의 이별→고통과 슬픔→희망과 기다림→님과의 만남'이라는 연작시적 구성으로써 사랑의 철학을 완성하여 식민지 치하의 비극을 차원 높게 극복하려던 것과 깊이 연관된다. 다만 김동환은 당대의 비극적 상황을 비극성 그 자체로서 파악함으로써 빼앗긴 시대의 비극성을 강조하는 평면적 차원에 머물고 만 것이 두드러지는 취약점이라 할 수 있다. 「국경의 밤」은 '겨울'과 '밤'으로서의 비관적 현실인식을 극명히 제시한 데 참뜻이 놓여진다.

3 암흑시대의 서사적 저항

[一]① 소낙비 퍼붓는 한밤중에
남의집 색시를 엎어가는 장사패가치
가을은 이한밤에 전원(田園)에달녀드러
한여름의 영화에 불질너노코는
자최조차 고요히가는 한해를 거더안고서
멀니 멀니 강남땅으로 내닷는다
마치 남편을 파뭇고 도라지는 과부의 거름과가치
이리빗틀 저리빗틀 애끗는 노래에 광란(狂亂)하면서
더구나 그노래가락이 한번 젊은이가슴에 부드치면
꾀꼬리 다라난뒤 수양버들가지가치 것잡을것업서 울건만
쏘갈퀴진 그손길이 한번 숩풀에 부드치면
병선(兵燹)에 걸닌 마을가치 모든 나무닙새가 진저리치고 쎄구을 건만
그뿐인가 바다가에 목욕하던 여름구름조차 쒸여이러나
하늘한끗에 파뭇긴 산악(山岳)을 분주히 파 내노코는
십이성좌(十二星座)에 참배가렴인가, 힌구름 속에 사라저버리는데
가을은 이줄이나 알고가는가 아—

(중략)

[七]⑦ 동이 터오른다.
먼 동이 북한산(北漢山) 산영루(山映樓)를 꿈길가치 히멀금하게 비체며 차츰차츰 터 오른다—
서울장안의 온갖 생명을 춤추게 하느라고 저먼동이
인간들도 세계(世界)의 향연(饗宴)에 나갈 채림을하게하느라저새벽이들의 눈압헤는
사다리가 보인다 쌍우에 쑤리박은 기다란 사다리가
사다리아래에는 고기가보인다 엉뎅이살점 너분다리살점 두개골

오장륙부가 도살장(屠殺場)고깐가치 쏙느러져
몃만(萬)개 몇십만근(十萬斤)이 우글우글 싸여저서 쓸코잇다
그우에 이고기를밋발로 하고구름에벗친 사다리가 보인다
둘은 거룩하고 깨긋하고 성(聖)스러운 마음에눌니여
「아하, 사다리가 보이노나
넷날의력사 넷날의문명을 드리고선 사다리가우리의과거(過去), 조선(朝鮮)의 과거(過去)를 드뒨
하늘 한끗으로 버티여선 것이 보인다」

「동무여! 새벽이밝어온다
새세계로 세인간으로 잇끄려올니는 저사다리드디고서
하늘로 오르자 저푸른 새벽하늘로 오르자」

「몃만년을 두고 몃천만인류들이 경영하던 일이
몃억 몃천만의 생령을히생하면서 싸지쑤미던일이
이제 이르럿단다 승천(昇天)하는 사다리 밟고저리로오르자!」

어대서「만세!」하는 우렁찬소리 들닌다
청년은「거룩한사랑을 쌩이쌔아서 안가는 그런 곳을 갑시다」
색시는「부엌간까지 비체주는 태양(太陽)잇는 곳을 짜라갑시다」

긴세월이 흘넛다—습지야(習志野)—그날밤—마을저녁—앗기시구문밧
천추만세에 사실을 국다란 쓸날로싹여둘 모든과거(過去)가

두깁붐에 써는 몸이
천주교당고대(天主教堂高臺)에서 하늘을 바라 포도도 흔들 때
옷자락은 전세계(全世界)에 신호(信號)를보내드시
넙펄 넙펄 거린다—
그소리 온하늘과 쌍우에 고요히 고요히 드러찬다
—「승천하는청춘」 부분

이 서사시는 『국경의 밤』이 발간된 9개월 뒤인 1925년 12월에 간행된 작품이다. 전 7부 61절로 구성된 이 두 번째 서사시집으로 말미암아 파인은 신문학사에서 독보적인 서사시인으로의 확고한 위치를 차지하게 된다. 이 작품은 전체적인 길이나 배경면에 있어서는 『국경의 밤』보다 크고 넓지만, 그 내용상에 있어서는 유사한 면이 많다. 우선 사랑하는 두 남녀가 결혼하지 못하며, 여자가 다른 사람과 결혼하고, 끝내 죽음이라는 비극적 결말에 이른다는 줄거리가 대동소이하다. 또한 남녀 간의 비극적 사랑을 외화(外話)로 하고, 그 속에 만족스럽지 못한 현실의 파행성 내지는 비극성을 내화(內話)로 담고 있다는 구성 방식이 특히 그러하다. 또한 전체적인 사건의 전 개 과정은 길고 복잡하지만, 실제적인 시간 배경이 밤에서 시작하여 아침에 종결된다는 점에서도 크게 다를 바 없는 것이다. 이렇게 본다면 두 작품이 내포하고 있는 심층 의미나 작가의 의도하는 바가 서로 암묵의 상관관계를 지니고 있다는 점을 쉽게 짐작할 수 있다.

그런데 이 『승천하는 청춘』은 시집 전체가 한 편의 서사시로만 엮여져 있고 『국경의 밤』보다 진일보한 면모를 지니고 있는 것이 확실하다. 물론 이 작품이 내포하고 있는 구성상의 허점이나 내용상의 오류, 그리고 현실의식의 피상성 및 감상의 과도한 노출 등은 무시하기 어려운 단점으로 지적할 수 있을 것이다. 그렇지만 당대의 현실적 제약으로 말미암아 쉬 다루기 어려웠던 관동 대진재(1923. 9. 1)와 조선인 이재민 수용소의 참상을 제시했다는 점만으로도 서사시의 중요 요건인 역사적, 사회적 사건과의 대응력을 보여준다는 점에서 중요한 의미를 지닐 수 있다고 생각한다. 이것은 파인의 서정시가 한국 근대시의 부족한 요소이던 북방 정서와 그 강인한 생명력을 일깨워 준 것과 함께 그의 서사시가 역사적 대응 방식을 나름대로 추구하려 시도했다는 점에서 특히 의미를 지니는 것이기 때문이다. 그리고 이 작품의 남주인공이 이른바 자아와 세계와의 대결을 소극적으로나마 시도한다든지, 여주인공 역시 「국경의 밤」에서와는 달리 고난에 찬 삶의 길을 능동적으로 실천해 가는 것 따위는 긍정적인 평가를 받을 수 있을 것이다.

그렇다면 이 작품이 근본적으로 의도한 것은 무엇이겠는가. 아마도 그것은 파인이 당대 식민지 현실의 불모성과 비극성을 날카롭게 비판하고자 한 것으로 요약할 수 있을 것이다. 이 작품을 관류하는 핵심 상징인 '공동묘지'와 '수용소'를 생각해 보면 우리는 이 점을 쉽게 납득할 수 있다. "모든 것이 관속일갓다"라는 표현(『승천하는청춘』, 89쪽)이나 "산 송장"(상동, 97쪽.)으로 표상되는 수용소의 참상은 실상 당대 식민지 치하 백성이나 그 현실의 비참함을 제시한 것에 다름아니기 때문이다. 어쩌면 '습지야이재민수용소(習志野罹災民收容所)'라는 서사시의 배경 자체가 당대 조선이라는 식민지 현실을 암유한 것인지도 모른다. 이 시의 전체적 배경인 시구문 공동묘지나 이 습지야 이재민 수용소와 마찬가지로 당대 식민지 치하 조선은 하나의 거대한 공동묘지, 또는 수용소로 비유될 수 있는 것이기 때문이다. "「우리네는 감옥에 가거나, 도적이 되거나, 거지가되거나, 죽으나할 밧게/그런데 나는 넷재 길을 취할나네!」/하는 한마듸 말을 남기고는/그의옵바는 피를 입에문채 영원히이 세상으로떠낫다(상동, 96쪽)"라는 구절은 바로 당대의 참혹한 현실에서 궁지에 몰린 조선인의 절박한 모습을 반영한 것으로 이해할 수 있는 것이다.

실제로 이 작품이 끊임없는 좌절과 상실, 이별과 죽음의 연속으로 짜여진 것은 이러한 뿌리 깊은 비관적 현실인식을 드러내는 것으로 풀이된다. 이 작품이 "십리도 넘게 물결지어 넘은/수백의 청총이어, 수천의 돌 비석이어"(상동, 7쪽)라는 시구문 밖 공동묘지로부터 시작되는 것부터가 비극적 세계관의 강렬한 반영이 아닐 수 없다. 묘지로부터 배경이 2년 전으로 돌아가서 수용소로 이동하는 것도 이와 무관치 않다. 이 수용소는 "이마에 뚜렷한 낙인을밧은 이/불꼬치에 낫반댁을 왼통 까슬려 흑도가치된 이/엇던이는 팔을못쓰고 엇던이는 다리를 절느며/모다싸홈터로 도라온 폐병가치 집일코 떠도는" 곳이며,

"도살장속가치 비린냄새 피썩는 냄새 옷땀냄새에 코가 저리는"(상동, 35쪽) 비참한 지옥의 상황인 것이다.

여기에 폐병 3기인 한 청년과 그의 오누이가 등장한다. 또한 '컴패(커뮤니스트)'인 청년의 친구 한 사람이 등장하여 처녀와 사랑을 속삭인다. 그러나 병든 오빠는 끝내 비참하게 죽어 버리고, 사랑하며 몸까지 허락한 이 청년도 불온분자로 지목되어 체포되어 가고 만다. 오빠도 잃고, 애인도 잃고, 유학마저 포기한 이 처녀는 오빠의 유골을 안고 고국으로 돌아온다. 고향에서 여인은 소학교 교사로 일하게 된다. 그녀는 애인이 죽은 줄만 알고는 여자로서의 한계, 본능적 애욕, 실연의 상처를 치유하려는 이기적 타산 등으로 말미암아 동료 교사와 결혼한다. 이러한 행복도 잠시뿐, 회의와 좌절이 찾아오고 설상가상으로 결혼한지 넉 달 만에 아이를 낳게 됨으로써 파경에 처하고 만다. 이에 서울로 와서 직공, 침모 등으로 전전하며, 홀로 아이를 키우면서 지하운동에 종사하는 옛 애인(아이 아버지)을 돕고자 한다. 그러던 중 아이가 돌연히 죽자 절망한 나머지 아이를 공동묘지에 묻고는 자살을 기도한다. 그때 옛 연인이 나타나고, 두 사람이 세상의 온갖 허위와 모순 및 추악함을 개탄하면서 함께 투신자살하는 결말로 맺어지는 것이다.

이렇게 볼 때 이 작품은 처음부터 끝까지 '묘지', '수용소' 또는 '겨울', '밤'과 같은 어두운 상황 속에서, '유학 실패→오빠 죽음→애인 상실→이혼→아이 죽음→동반 자살'이라는 끝없는 이별과 상실 및 죽음이라는 비극적 사건 전개를 담고 있음을 알 수 있다. 이것은 『국경의 밤』이 '변두리 빈민'과 '겨울밤'이라는 배경에서 실연과 남편의 죽음이라는 비극의 중층구조로 짜여진 것과 비슷하면서도 그보다 훨씬 비극적 사건과 상황이 중첩되었다는 특징을 지닌다. 따라서, 이러한 연속되는 비극의 다층적 전개 구조는 당대 현실의 비극성을 강조하는 것과 함께 그러한 비관적 현실인식이 마침내 비극적 세계관을 형성하게 하는 촉매가 된다. 자살이라는 어느 면 작위이면서도 어처구니없는 결말은 이러한 비극적 세계관의 요약적 제시일 수도 있을 것이다. 무엇보다도 이 작품에서 두드러지게 제시하고자 한 것은 당대 궁핍한 현실의 모습이다. '감옥, 도적, 거지, 죽음'을 선택할 수밖에 없는 막다른 상황으로 당대 현실이 파악된 것이다. 더구나 현실은 그녀에게서 "처음 그에게 유학의 길을 빼앗고/그다음 사랑하는 골육의 옵바를 빼앗고 그리고 또부족해서 목숨가튼 애인까지 다려갓다/이러케 청춘의 애착을 모조리 글거갈때/뒤에는 사막뿐, 어웁고 찬 빙산뿐/전세계는 무정의화신으로 보였다!"라는 구절에서 보듯 이 모든 것을 빼앗아만 감으로써 '사막'과 '빙산'으로 받아들여지게 된다. 이것도 역시 당대 현실에 대한 비판적 수용이자 암유에 해당하는 것으로 이해된다. 특히 결혼의 자유가 "조선 사람에게 허락된 오직 한가지 자유스러운 행복"(상동, 119쪽)이라는 구절은 불평등과 부자유로 가득찬 식민지 현실을 날카롭게 비판한 것이 아닐 수 없다.

또한 마지막 결구에서 죽음으로써 "새세계/새인간/푸른 새벽하늘/태양(太陽)"에 도달하고자 몸부림친 것은 당대의 숨 막힐 듯한 모순의 상황과 부조리한 사회 현실에 대한 저항의 의미를 지닌다. 이러한 동반자살 행위는 허황하게 미화된 것이고 또한 유치하기까지 한 감상적 현실도피 행위라고 해석할 수밖에 없다. 그러나, 이러한 작위적이고 허황한 결말 자체가 모든 것을 다 빼앗겨 가고 있는 당대 현실에서의 위기의식의 반영으로 생각한다면 납득할 수도 있을 것이다. 어쩌면 이것은 "지금은 남의 땅―빼앗긴 들에도 봄은오는가?/그러나 지금은―들을 빼앗겨 봄조차 빼앗기겄네"라고 절규하던 이상화의 현실인식과 유사한 것이기 때문이다. 이것은 "은어 또는 반어를 교묘히 쓰고 완곡한 표현으로 일제의 검열을 피할 수밖에 없던 당대 상황"[11]하에서 상업 출판사를 통해 시집이 발행될 때 취할 수밖에 없는 문학적 저항의 한계점일 수밖에 없었을 것이다. 이 점에서 『승천하는 청춘』은 『국경의 밤』에서의

11) 강동진, 『일제의 한국침략정책사』(한길사, 1980)266-267쪽.

비관적 현실인식이 더욱 심화되고 그에 대한 비판의식이 예각화된 작품으로 이해된다. 실상 다음 두 편의 짤막한 서정시는 이러한 파인의 날카로운 현실인식을 직접적으로 반영하고 있다.

① 펜을 던젓다!
아츰부터 동무하던 펜을던젓다
그리고 의론하엿다 엇더케하면 익일가고
주먹은 탁자(卓子)를 부쉿다. 격정(激情)은 불ㅅ길을 일켰다
그리고 부르지젓다 여러슨 유태교인이되자고
「눈은 눈으로 잇발은 잇발로!」 하는—

—「파업」 전문

② 우리옵바는 서울로 공부갓네
첫해에는 편지한장
둘재해엔 떼무든 옷한벌
셋재해엔 부세한장 왔네.

우리옵바는 서울가서
한해는 공부,
한해는 징역,
그리고는 무덤에 갓다오.

—「우리 옵바」 전문

시 ①에서의 강렬한 저항의식은 당대의 사회 구조의 모순과 그것을 야기한 식민지 사회체제에 대한 도전으로 이해할 수 있다. "펜을 던젓다/주먹은 탁자를 부쉿다/그리고 부르지젓다/눈은 눈으로 잇발은 잇발로"라는 구절은 당대 식민지 상황의 구조적 모순에 대한 강력한 비판과 저항의 실천의지를 담고 있는 것으로 풀이되기 때문이다. 시 ②에는 당대 식민지 상황과 그 체제에 희생돼 가는 불행한 세태를 풍자적으로 비판하고 야유하는 뜻이 담겨져 있다.

'공부→징역→무덤'이라는 점층적 전개는 마치 『승천하는 청춘』의 비극을 상징적으로 요약한 듯하다.

이처럼 비교적 초기 시편에 해당하는 서사시 『승천하는 청춘』과 일련의 서정시들은 당대 식민지 체제의 비극성을 드러내는 동시에 그에 대한 암유적 비판을 전개하고 부분적으로나마 직접적 저항을 시도한 데서 소중한 의미가 놓여진다. 당대 식민지 상황을 비극적 인식으로 심화하면서 서사적 구조를 통해 그 구조적 모순을 비판하고 극복하려 노력한 시인이 초기 시단에서 그리 흔하지는 않았기 때문이다.

4 민요시 운동과 민족의식

① 천―리 천―리 삼천리에
그립든 동무가 모와든다.
  아리랑 아리랑 아라리요
  아리랑 고개를 어서 넘자,

서울―장안엔 술집도만타
불평―품은이 느는게지
  아리랑 아리랑 아라리요
  아리랑 고개를 어서 넘자,

꼿치―안폇다 죽은나물가
쑤리는 사랑네 꼿피겟지.
  아리랑 아리랑 아라리요
  아리랑 고개를 어서 넘자,

약산―동대의 진달내꼿도

한폭이 먼저피면 따라피네.
  아리랑 아리랑 아라리요
  아리랑 고개를 어서 넘자,

삼각산 넘나드는 청제비봐라
정성만 잇스면 어딀못넘어.
  아리랑 아리랑 아라리요
  아리랑 고개를 어서 넘자,

—「아리랑고개」 전문

② 짓는다, 짓는다, 경복궁짓는다. 몃천년사자구 경복궁짓나 못살면 거미가 줄안치고 살리 랄랄라, 랄랄라, 경복궁짓네

썩는다, 썩는다, 곡식단 썩는다. 부모처자먹일 곡식단 썩는다 썩어두백성게라 내모른다네 랄랄라, 랄랄라, 경복궁짓네

사람이 못나서 백성질하나 사람이 조하서 이대역 치루나몸에 밧는매 돌이라도 울리라, 랄랄라, 랄랄라 매못이겨짓네.

지어—노흐면 누구가 사나 북악이낫다고 소슨궁궐 어느분게실건가 담장이 천길이니 원성인들 들리리 대궐이 하갑흐니 세상이보여지랴 랄랄라 랄랄라 그래도경복궁짓네

헐린다, 헐린다, 경복궁헐린다 짓밟히든 자최가 헐려를간다. 지은지 몇해에 이터가 헐리나 한오백년간것두 긔적이랄가 랄랄라 랄랄라, 이궁궐헐리네

갈것이 가는데 누구가울랴 이집지은이는 썩한개 못먹엇네 마른쑥 마당에 차고 까치가 울드니 이집이가네 랄랄라, 랄랄라, 헐리어가네.

—「경복궁 타령」 전문

한편 파인은 서사시의 창작에 의한 현실적, 사회적 대응력의 탐구와는 다른 각도에서 전통적인 민요 가락에 바탕을 둔 민요시를 창작하기도 한다. 『국경의 밤』, 『승천하는 청춘』 등의 서사시 및 현실비판적인 서정시편들이 다분히 초기 시단 형성 과정에 있어서 서구적 현대시의 감수성과 기법에 영향을 받았던 데 비해 이들 민요시들은 전통지향성과 그 창조적 계승의 노력을 보여준다.[12] 파인이 민요시를 쓰게 된 동기는 어느 면 단순한 것으로 이해된다. 그것은 서사시를 관류하던 '변두리 인생들'(『국경의 밤』), 혹은 '억눌리고 갇힌 인생들'(『승천하는 청춘』)에 대한 집중적인 관심과 애정의 자연스런 분출이다. 다만 그 표출양식이 외래적인 감수성과 기법에 대한 한계성의 인식 내지는 내 것, 전통적인 것의 소중함에 대한 자각으로 말미암아 민요시적인 방향으로 나아가게 된 것이 특징이다. 물론 기본적인 면에서 기자라는 직업을 가진 저널리스트 시인으로서의 파인이 당대를 풍미하던 프로 문학에 민감한 반응을 보이지 않을 수 없었던 것도 중요한 이유가 될 것이다. 그러나, 그의 민요시 지향을 단순히 시세에 민감한 그의 기질 또는 성향만으로 단정하는 것은 반드시 온당한 지적이라고는 할 수 없다. 그의 시는 초기부터 후기까지 그가 살고 있는 향토에 대한 애정, 또는 한국적 삶의 방식에 대한 관심을 지속하고 있는 것이 한 방증이 될 것이다. 앞에서 인용한 시가 그 한 예증이 된다.

먼저 시 ①은 우리 민족이 가장 애창하는 대표적 민요 「아리랑」을 소재로 하고 있다. 「아리랑」은 시대와 장소에 따라 갖가지 양식과 유형으로 불리면서 그 시대 그 지방 사람들의 삶의 애환을 표출하여 왔다. 가히 민족적 공감대를 형성하고 있는 대표적인 민중의 노래라 할 수 있는 것이다. 이 시에서는 파인의 시인의식이 그대로 드러난다. 그것은 대체로 현실에 대한 불만과 회의의 표출이며, 그에 대한 극복의지의 발현이라 할 수 있다. 이 시의 형식은 원

12) 민요시에 관한 주요 논의는 오세영의 『한국낭만주의시연구』(일지사, 1982)와 박경수의 「1920년대 민요시론과 그 시사적 성격」(한국정신문화연구원, 석사학위논문, 1981) 등이 있다.

래 「아리랑」의 기본 특성, 즉 3·3·4(3·3·5)의 자수율을 바탕으로 세 구가 한 행을 이루고 다시 6구 2행을 한 연으로 하는 분장식 구성을 취하며, 각 연의 말미에 다시 6구 2행의 후렴을 덧붙이는 방식[13]을 그대로 계승하고 있다. 내용 또한 사랑, 이별, 향락, 풍자, 저항, 애국, 허무라고 하는 「아리랑」의 일반적 주제와 연관된다. 특히 이 가운데 풍자, 저항, 허무의식 등이 이 시와 직접 관련된다고 할 수 있겠다.

첫 연은 '삼천리 강산, 그리운 동무'와 같이 국토애 또는 민족애를 소박하게 노래한다. 둘째 연은 "서울—장안엔 술집도만타/불평—품은이 느는게지" 처럼 현실에 대한 불만과 비판을 간접적, 암시적으로 표출한다. 파인의 비관적 현실인식과 비판의식이 노정된 것으로 볼 수 있다. 셋째 연에는 '꽃나무, 뿌리'의 비유로서 현실의 불모성을 드러내는 동시에 그 근원적 생명력(뿌리)이 굳건히 살아 있음을 강조한다. "뿌리는 사랏네 솟피겟지"라는 구절은 이러한 근원적 생명력, 즉 민족적, 민중적 생명력이 살아 있음을 의미한다. 넷째 연에는 이 민족적 생명력이 "약산—동대의 진달내솟"으로, 민중적 생명력이 "한폭이 먼저피면 따라피데"라는 구절로 구체화되어 있 다. 마지막 연에는 후렴구와 맞물리는 내용이 제시된다. 다시 말해서, "아리랑 아리랑 아라리요/아리랑 고개를 어서넘자"라는 반복적인 후렴구는 끝 연 "삼각산 넘나드는 청제비봐라/정성만 잇스면 어딀못넘어"라는 결구 와 연결되어 현실의 어려움에 대한 강렬한 극복의지를 표출한다는 점이다.

아리랑 고개란 흔히 현실의 수난 혹은 운명의 고비를 상징한다는 점에서 이것을 "넘자"라든지 "정성만 잇스면 어될 못넘어"라는 표현들은 이러한 고비에 처해 그것들을 능동적으로 극복해 나아가자는 뜻이 담겨 있는 것으로 이해된다. 특히 넷째 연의 진달래꽃 "한폭이 먼저피면 싸라피데"라는 구절에서 개인의 자각이 민중의 자각으로 집단화, 역동화되는 가운데 이 민족이 처

13) 임동권, 『한국민요연구』(선명문화사, 1974)

한 수난의 현실이 극복될 수 있다는 깨달음을 드러낸 것은 소중한 일이 아닐 수 없다. 이렇게 볼 때 이 시는 우리 민족의 끈질긴 생명력의 전통적 표상인 「아리랑」에 기대어 당대 수난의 현실을 이겨나가 보자는 파인의 열린 의지를 반영한 것으로 이해된다.

시 ②도 마찬가지이다. 경복궁 중건 공사를 알레고리로 하여 지배자들의 횡포와 군림을 고발하면서 그에 시달리는 민초, 민중들의 분노와 울분을 강력히 표출한다. 원래 경복궁 타령은 경기민요의 하나로서 대원군의 경복 궁 중건 사업으로 인해 희생된 백성들의 수난과 고통, 그리고 그에 대한 비판 야유를 풍자적으로 노래한 것이다. 따라서 이 시에서도 전통적인 민요가락을 바탕으로 지배층의 군림에 대한 비판, 조선조 왕실의 무능에 대한 고발, 백성 수탈에 대한 분노 등을 노래하고 있다. "썩는다, 썩는다. 곡식단 썩는다. 부모 처자먹일 곡식단 썩는다 썩어두백성게라 내모른다네"라든지, "몸에 밧는매 돌이라도 울리라," 혹은 "담장이 천길이니 원성인들 들리리"라는 구절 등에는 억압과 수탈에 시달림은 물론 생존권마저도 위협당하는 민중들의 분노를 표출하고 있는 것이다. 이렇게 본다면 이 작품은 봉건 왕조에 대한 비판과 함께 비관적 현실에 대한 분노를 표출함으로써 인권의식에 대한 자각과 민중의식의 고양을 강조한 작품으로 이해된다. 특히 이러한 비판과 고발이 서구적, 외래적 양식이 아닌 전통적, 민요적 가락으로 제기됐다는 점은 중요한 의미를 지닌다. 어쩌면 이것은 파인의 민족의식, 민중의식이 비록 식민지 치하를 지배하던 외래적 감수성에 촉발되었음에도 불구하고 그 원류와 밑바탕은 역시 주체적, 자생적인 것에 뿌리를 두고 있는 것으로 판단된다는 점에서 그러하다.

특히 전통시 중에서도 파인이 유독 민요시를 강조한 것은 간과할 수 없는 중요성을 내포한다. 물론 파인이 우리의 고전문학을 피상적으로 이해했을 뿐더러 민요시에 대한 생각도 비교적 단순했던 것은 분명한 사실이다.[14] 파인은 "시조는 대체로 유한계급의 예술이고 민요는 금일의 프로레타리아 전신인 피치자군의 예술이라 함을 깨닫게 된다.[15]라는 등 비교적 단순하게 시조와 민요를 대립적으로 갈라놓는 우를 범한 것이다. 그럼에도 불구하고 그의 이러한 주장과 함께 민요시 운동이 의미를 갖는 것은, 이것들이 문학이란 민중의 편에 서서 역사와 현실을 제대로 파악하고 올바른 방향으로 나아가게 하는 사회적, 역사적 기능을 가져야 한다는 점에 대한 확실한 인식을 제시하기 때문이다. 따라서 그는 시가 "누구던지 닑고 노래 부를 수 있게 간결하고 그 대신 리듬은 어디까지나 격월하고 시상도 방분하고 선이 굵고 색이 순"[16] 해야 한다는 주장을 펼치게 되는 것이다.

여하튼 이러한 민요시에 대한 주장과 실천은 문학이 문사들의 전유물인 것처럼 인식되어 전개돼 가던 초기 시단 형성 과정에서, 그것도 자신의 고답적이고 비교적 스케일이 큰 서사시의 창작 이후에 대두되었다는 점에서 소중한 뜻을 담고 있다. 비록 그의 민요시 운동이 프로 문학의 이념에 동조 또는 영합한 듯한 혐의를 불러일으키는 것이 사실이라 하더라도, 그의 민요시 창작과 민요시론 개진은 당대의 시단 상황이나 파인 자신의 시적 발전 과정을 위해서 필요하면서도 타당한 작업이 아닐 수 없다. 3·1운동 이후 일제하의 궁핍한 상황에서 '민요시 운동'이 포괄적으로 상징하는 민족의식의 확립, 민중의식의 고양 등은 당대, 즉 빼앗긴 시대에 있어 가장 긴절한 민족적 명제이자 핵심적인 시대정신에 해당하는 것으로 판단되기 때문이다.

---

14) 오세영, 앞의 책.
15) 김동환, 「조선 민요의 특질과 기 장래」(『조선지광』 82호, 1929)
16) 「문사방문기 : 파인 김동환 씨」(『조선문단』 19호, 1927)

5 봄 지향성과 위장된 순응주의

① 一. 봄이오면 산에들에 진달래피네
진달래꼿 피는곳에 내맘도펴,
건너마을 젊은처자(處子) 꼿짜러오거든
꼿만말고 이마음도 함께짜가주

二. 봄이오면 하늘우에 종달새우네
종달새 우는곳에 내맘도우러,
나물캐기 아가씨야 저소리듯거든
새만말고 내소리도 함께드러주.

三. 나는야 봄이 오면 그대그립어
종달새 되어서 말부친다오,
나는야 봄이오면 그대그립어
절달래 꼿되어 우서본다오.

—「봄이 오면」 전문

② 1. 산(山)너머 남촌(南村)에는
누가살길래
해마다 봄바람이
남(南)으로오데.

꽃피는 사월(四月)이면
진달내향긔
밀익는 오월(五月)이면
보릿내음새.

어느 것 한가진들

실어안오리
남촌(南村)서 남풍(南風)불제
나는 좋테나.

2. 산(山)너머 남촌(南村)에는
누가살길내
저하늘 저빛갈이
저리고을가.

금잔듸 너른벌엔
호랑나비떼
버들밭 실개천엔
종달새 노래.

어느것 한가진들
들여안오리
남촌(南村)서 남풍(南風)불제
나는 좋테나.

3. 산(山)너머 남촌(南村)에는
배나부섯고
그나무 아레에는
각씨섯다기.

그리운 생각에
재에 오르니
구름에 가리어
자최안뵈나.

끈었다 이어오는
가는노래

바람을 타고서
고요히들니데

—「산너머 남촌에는」 전문

시 ①은 20년대에, 시 ②는 30년대에 각각 발표된 작품이면서도 똑같이 봄에 대한 갈망과 그 기쁨을 노래하고 있다. 그만큼 '봄'은 파인에게 있어 상징적인 의미를 지니는 것으로 이해된다. 또한 파인의 이 봄노래들에는 곡이 부쳐져서 오늘날에도 일반 대중에게까지 폭넓게 애창되고 있다.

먼저 ①시는 1928년 1월 『조선일보』에 발표된 작품으로서, 3음보의 가벼운 리듬을 바탕으로 하여 봄의 환희와 그에 대한 기다림을 노래하고 있다. 첫 연은 진달래가 피는 것과 젊은 처녀를 대비하면서 지향 없는 봄의 설레임을 표출한다. 둘째 연은 첫 연과 같은 규칙적 리듬을 반복하면서 종달새 우는 것과 나물 캐는 아가씨를 등장시켜 새봄의 환희를 피력하고 있다. 셋째 연은 앞의 두 연에서의 진달래, 종달새라는 오브제를 통합하면서 님에 대한 그리움을 하소연한다. 3음보의 일정한 자수율, 즉 4·4·5조를 기본으로 세 연이 각각 대칭적인 균형을 이루면서 가장 보편적인 봄의 소재들을 배열함으로써 부드러우면서도 밝은 봄의 정서를 효과적으로 환기하고 있는 것이다.

②시도 그 기본 율조와 분위기는 ①과 마찬가지이다. 여기에 등장하는 오브제는 남촌, 남풍, 봄바람, 진달래 향기, 꽃, 보리 냄새, 금잔디, 호랑나비, 종달새, 각시 등 끄리쉐에 속하는 평범한 것들뿐이다. 그리고 가락도 3음보를 기본으로 한 6행씩 모두 3연 구성으로 짜여서 규칙적이면서도 음악적인 느낌을 자연스럽게 불러일으킨다. 특히 이 시는 파인의 초기시 「눈이 내리느니」에서 등장했던 '남쪽', '봄'의 이미지가 구체화, 집중화됐다는 점에서 관심을 끈다. 이 시에서 핵심 이미지에 해당하는 남풍, 즉 봄바람은 그 부드러움과 파동성으로 인해서 그리움 또는 사랑을 표상하는 것으로 해석된다. 그러면서도 그것은 "산너머 남촌"이라는 남쪽 지향성을 표출하고 있는데, 이것은 "그리

운 생각에 재에 오르니/구름에 가리어 자최 안뵈나"와 같이 파인 특유의 비관적 현실인식을 담고 있는 것이 특징이다.

그렇다면 파인의 시세계를 관류하는 중요한 특질인 남쪽 지향성, 또는 봄 갈망 현상은 무슨 의미를 지닐 것인가. 아마도 이러한 정서적 지향성은 개인적인 면에서 파인이 비교적 추운 날씨가 많은 북방지역에서 나고 성장한 데서 비롯된 생리적 반작용일 수 있을지 모른다. 그러나, 이보다 더 중요한 것은 『국경의 밤』과 『승천하는 청춘』 등 그의 대표작이 겨울 또는 밤이라는 상징적 배경을 취하고 있으며, 이것이 비관적 현실인식 내지는 동토의식의 반영이었다는 점에서 볼 때, 그의 시에서 두드러지는 '남쪽', '봄' 지향성은 당대 식민지 상황을 벗어나서 역사의 봄을 맞이하고 싶다는 소망의 한 표출 혹은 부활의지의 반영으로 볼 수 있다는 점이다. 파인은 당대 식민지 현실을 어둠과 추위로 받아들이는 이른바 동토의식을 지니고 있었기 때문에 자연히 밝음 또는 따뜻함의 표상인 봄을 갈망하고 추구하게 된 것이다. 실상 『승천하는 청춘』의 주제가 공포스런 어둠과 추위를 벗어나서 밝음과 따뜻함의 봄나라, 즉 민족사의 봄을 맞이하고자 하는 열린 소망을 담고 있는 것으로 해석된다는 점이 이의 한 방증이 된다.

그러나 그의 30년대 들어서서의 봄 지향성은 그것이 치열한 현실의식 또는 역사에의 지평으로 확대되거나 깊이 있는 상징성을 획득하지 못한 것으로 판단된다는 점에서 아쉬운 일이 아닐 수 없다. 그의 시 세계는 30년대 후반에 들어서서 현저히 소극적 순응주의 또는 현실추수적인 자기기만에 떨어지고 만다. 그 결과 그는 차츰 친일노선으로 빠져들어 가게 되고 만다. 마침내 그는 '내선일체'와 '지원병정신철저' 따위를 『삼천리』 지의 편집 방침으로 정하고[17] 조선문인보국회의 간부 등을 역임하면서 각종 평론을 통하여 황도문학(皇道文學)이라는 훼절의 늪으로 깊이 빠져들어간 것이다. 특히 "만리의 파도

17) 김동환, 「조선 신체제와 오인(吾人)의 긴장」(『삼천리』,1940. 12)

를 헤쳐나가는/백만장병 황군압헤 적이 잇스랴/자랑하는 미영의 동양함대도/삽시간에 부서져 물거품되었네(「비율빈하늘우에 일장기」)" 혹은 "일본이여 일본이여 나의 조국 일본이여/어머니여 어머니여 아세아의 어머니 일본이여"(「총일억자루 나아간다」) 등의 시에서 보듯이 역사에 치욕스러운 작품을 남기게 된다. 물론 파인의 이러한 친일행위에 대한 설득력 있는 해명[18]이 있었고, 실제 시집 『해당화』(대동아사, 1942)에 민족주의적인 색채가 두드러지는 시가 없는 것은 아니지만, 그렇다고 해서 그의 친일행위가 정당화되거나 합리화될 수 없는 것이다. 또한 해방 후에 지난날 과오를 반성하면서 깊이 자숙하는 내용으로 시집 『돌아온 날개』(종로서관, 1962. 이 책은 파인이 원래 지형까지 떠놨던 것을 부인 최정희 여사가 파인의 납북 후에 출간했다), 수필집 『꽃피는 한반도』(숭문사, 1952) 등을 상재하게 된 바 있었던 것도 사실이다. 그렇지만 이러한 과오가 결정적으로 파인 자신의 진정한 역사의식 결여 또는 민족의식, 항일의식 등이 신념화되거나 사상화되지 못한 데서 비롯된 것이라는 점에서는 부정적인 비판을 받을 수밖에 없다. 그가 1920년대 초기 시단에 신문학 초유의 서사시집을 간행함으로써 우리 시의 장형화에 크게 기여하였고, 사회적, 역사적 대응력을 획득하는 데 부분적으로나마 공헌한 것은 과소평가하기 어려운 업적에 속한다. 실상 이러한 시사적 기여에도 불구하고 그의 이러한 친일 훼절행위가 그의 업적을 크게 깎아내릴 수밖에 없다는 것은 냉엄한 사실이다.

이 점에서 파인은 그 누구보다도 중요한 선구적 시인이면서도 또한 그 누구보다도 불행한 시인으로 남아있을 수밖에 없을 것이 확실하다.

18) 박계주, 「납치된 '국경의 밤'의 시인」(『자유문학』 65호, 자유문학사, 1963) 참조.

□ 맺음말

분명히 파인은 이 땅 초기 시단 형성 과정에서 선구적 시인 혹은 수재형 시인에 속한다. 그는 항상 앞서가는 시대의식과 예민한 현실의식으로 험난한 역사의 물굽이와 생애사의 고비를 적절하게 헤쳐올 수 있었다. 특히 당대 일류의 신문 기자이자 천부적 시인으로서 그가 지닌 선도적인 지식과 풍부한 감수성은 그로 하여금 선민의식과 우월의식에 쉽게 빠져들게 만들었던 것으로 보인다. 바로 이 점이 파인에 대한 부정적 평가를 이끌어내는 요인으로 작용한다고 볼 수 있다.

우리는 신문학사에서 그 개척자인 육당을 비롯해서, 파인과 『삼인시가집』을 낸 춘원과 요한 등 당대의 선구적 지식인 혹은 수재형 문인들을 많이 발견할 수 있다. 그러나 이들의 대다수는 그들이 남긴 업적의 중요성에도 불구하고 시세에 민감한 그들의 처세, 특히 일제말의 친일행위 등으로 말미암아 비판적인 평가를 받아올 수밖에 없었던 것이 사실이다. 그렇다면 그렇게 될 수밖에 없던 이유는 과연 어디에 있을 것인가. 특히 파인의 경우는 어떠한가. 아마도 이것은 그들이 선민의식에 사로잡힌 선구적인 지식인 또는 수재의식에 들떠 있던 일본 유학생이었다는 사실과 무관하지 않을 것이다. 그들이 당대 인텔리로서 가질 수밖에 없었던 이러한 선민의식과 우월의식은 당대의 궁핍하고 낙후된 식민지 현실과 부딪치면서 위선적인 계몽의식 또는 감상적인 허위의식으로 굴절해 가는 것이 당연한 귀결일지도 모르기 때문이다. 다시 말해서, 파인은 그가 선구적인 민족의식과 민중의식에 대한 뚜렷한 자각을 갖고 있었음에도 불구하고, 그것이 당대의 사회적, 역사적 모순과 부조리에 대한 근원적이면서도 투철한 통찰력과 역사인식에서 우러나온 것이 되지 못했다는 점에서 그의 인간적 모순과 문학적 비극이 파생한 것으로 받아들여진다. 그가 견지해 온 나름대로의 현실인식과 민족의식, 민중의식은 그 이념적 당위성에도 불구하고 그것들이 다분히 관념적, 피상적, 감상적 수준에 머물러 있었기 때문에 당대 식민 통치의 절망적인 벽에 부딪쳐 위장된 순응주의로 굴절될 수밖에 없었던 것으로 판단되기 때문이다. 다시 말해서, 파인의 현실인식과 저항정신이 투철한 역사의식에 확고하게 뿌리내리지 못했을 뿐만 아니라 일관성 있는 신념이나 깊이 있는 사상으로 심화, 확대되지 못한 데서 파인의 비극성이 드러난다는 말이다.

이것은 어쩌면 시대의 한 한계점이자 개인의 한계점인지도 모른다. 그러나 우리가 적어도 어려운 시대, 수난의 역사 속에서 기대하는 바람직한 시인은 그러한 시대의 한계와 개인의 절망을 뛰어넘으려는 보다 치열하고 매서운 정신, 크고 높은 사상, 끝까지 굴하지 않는 지절의 실천자인 것이다. 분명히 김동환은 근대시사상 서사시의 개척자라는 점 하나만으로도 간과할 수 없는 중요성을 지닌 대형 시인에 속한다. 그러나 그에게서 느낄 수밖에 없는 단절감과 공허감으로 인해서, 우리는 보다 크고 높은 신념과 사상 및 정신의 일관성을 갖춘 미래의 새 시인을 기다리는 것이다.

□ 연 보

1901 : 9월 27일(호적 기재) 함경북도 경성군 오촌면 수송동에서 부 김석구(金錫龜)의 3남으로 출생.

1916 : 경성보통학교 졸업 후 서울 중동중학교 입학.

1921 : 중동중학을 졸업하고 도일하여 동경 동양대학 영문과 입학.

1923 : 관동 대진재로 인하여 학업을 중단하고 귀국. 경성에 있는 누님댁에서 체류.

1924 : 함북 나남의 『북선일일보』 기자로 일함, 이해 5월 『금성』 3호에 「적성을 손꾸락질하며」를 발표하면서 문단에 데뷔.

1925 : 시집 『국경의 밤』(한성도서)과 『승천하는 청춘』(신문학사)을 3월과 12월에 각각 발간함.

1926 : 신원혜와 결혼(후에 이혼함).

1927 : 동아일보사에서 조선일보사로 직장을 옮김.

1929 : 조선일보 기자직을 사임하고, 종합월간지 『삼천리』를 창간, 이때 여기자로 일하던 소설가 최정희와 알게 되어 납북전까지 부부생활. 10월에 이광수, 주요한과 함께 공동시집 『삼인 시가집』(삼천리사) 발간.

1938 : 문예지 『삼천리 문학』을 발간.

1940 : 친일 평론 「전승과 문화의 융성」(매일신보, 7월 6일자) 발표, 이후 시와 평론 및 강연을 통하여, 그리고 총력연맹, 임전대책협의회 등과 같은 단체의 간부직을 역임하면서 친일행위를 함.

1942 : 시집 『해당화』(대동아사—삼천리사의 후신) 발간.

1949 : 반민특위가 구성되어 공민권이 박탈되자 '삼천리사 경영중 본의 아니게 친일했음'을 자수하다.

1950 : 6·25동란중 납북.

1962 : 부인 최정희에 의해 해방 직후부터 6·25 직전까지의 작품을 모은 시집 『돌아온 날개』(종로서관) 발간.

5. 심훈(沈熏)

—저항의식과 예언자적 지성—

"그날이 오면 그날이 오면은/나는 밤하늘에 날으는 까마귀와 같이/종로의 인경을 머리로 드리받아 울리오리다/두개골은 깨어져 산산조각이 나도/기뻐서 죽사오매 오히려 무슨 한이 남으오리까"라고 절규하던 시인 심훈(沈熏)(본명 대섭(大燮), 1901.10.23~1936.9.16), 그는 어두운 식민지 하늘 아래에서 그 어느 시인보다도 온몸으로 항일 저항운동을 펼치고 시적으로 실천하려 노력한 선구적 시인이었다.

그는 서른여섯이라는 짧은 생애를 이 땅의 개척적인 영화예술인으로서, 민족혼을 형상화한 「상록수」의 소설가로서, 아울러 시집 『그날이 오면』의 혁혁한 저항 시인으로서 굵고 짧게 살다간 개성적인 인물이다. 특히 그는 천부적인 예술가 기질과 열혈적인 혁명가 기질을 함께 지님으로써 고통스러우면서도 보람 있는 인생을 구가하다 간 자유인의 면모를 지닌다.

지금까지 그에 대한 논의는 대부분 소설가로서의 측면에 비중이 놓여져 왔다. 다행히 근년에 들어 그의 시에 대한 관심이 고조되었음에도 불구하고 대부분의 논의가 생애에 맞춰 시를 논의함으로써 기계적인 단순성의 차원에 머물고 말았다. 따라서 본고에서는 그의 시를 종합적인 각도에서 살펴보고자 한다.

1 객수(客愁)와 향수(鄕愁)

심훈의 시작(詩作) 연대는 대략 1919년부터 1936년 작고하기까지에 걸쳐 있다. 즉, 3·1운동 후 중국에 건너간 직후인 1919년 12월에 「북경(北京)의 걸인(乞人)」·「고루(鼓樓)의 삼경(三更)」 등에서 시작되어 1936년 8월 「오오 조선(朝鮮)의 남아(男兒)여」(백림(伯林)마라톤에 우승한 손(孫)·남(南) 양군(兩君)에게)를 쓰기까지 약 17년간에 걸쳐 전개된다. 그런데 특기할 것은 그의 시집 『그날이 오면』이 "1933년에 간행될 예정이었으나 "1933년 제1집을 발간하려고 당시 왜정에 검열을 신청하였다가 반 이상이나 삭제의 적인이 찍혀 퇴출되어 뜻을 이루지 못하였던"(『그날이 오면』 발간사) 것을 해방 후인 1949년에 유족들에 의해 한성도서주식회사에서 시집으로 출판되었다는 점이다. 그리고, 매 시편마다 말미에 탈고 일자가 기록되어 있다는 점도 유의할 만하다. 심훈은 생전에 시인으로서 행세한 바가 별로 없다. "나는 쓰기를 위해서 시를 써 본 적이 없습니다. 더구나 시인이 되려는 생각도 해 보지 아니하였읍니다. 다만 닫다가 미칠 듯이 파도치는 정열에 마음이 부다끼면 죄수가 손톱 끝으로 감방의 벽을 긁어 낙서하듯 한 것이 그럭저럭 근백수나 되기에 한 곳에 묶어 보다가 이 보잘것없는 시가집이 이루어진 것입니다."[1]라는 고백이 있듯이 심훈은 예술가로서보다도 우국지사로서 시를 쓰고자 한 측면이 강하다. 다시 말해서, 쓰기 위해 쓰는 예술적인 성향의 시가 아니라 혼과 의식을 드러내기 위해 쓴 '혈서'로서의 의미를 지닌다. 그만큼 그의 시는 전문적인 시단 시인들이 결여하고 있는 생생하고 탄력 있는 정신의 솟구침이 드러나는 특징을 지닌다. 그러면 구체적으로 시의 세계를 살펴보자.

① 오늘 밤도 뻐꾹새는 자꾸만 운다

1) 『심훈전집』 7권. 『그날이 오면』(한성도서, 1954) 머리말 씀. 이하 시 인용은 이 책을 참조했음.

깊은 산속 빈 골짜기에서
울려나오는 애처러운 소리에
애끓는 눈물은 베개를 또 적시었다.

나는 빼꾹새에게 물어 보았다
「밤은 깊어 다른 새는 다 깃들였는데
너는 무엇이 설기에 피나게 우느냐」라고
빼국새는 내게 도로 묻는다.
「밤은 깊어 사람들은 다 꿈을 꾸는데
당신은 왜 울며 밤을 밝히오」라고

아 사람의 속 모르는 날짐승이
나의 가슴 아픈 줄을 제 어찌 알까
고국은 멀고 먼데 임은 병들었다니
참아 그가 못잊어 잠 못드는줄
더구나 남의 나라 빼꾹새가 제 어찌 알까.

—「빼꾹새가 운다」 전문

② 항성(杭城)의 밤저녁은 개가 짖어 깊어가네
비단짜는 오희(吳姬)는 어이 날밤 새우는고
뉘라서 나그네 근심을 올올이 엮어주리

—「항성의 밤」 전문

③ 운연(雲烟)이 잦아진 골에 독경(讀經)소리 그윽ㅎ고나
예 와서 고려태자(高麗太子) 무슨 도(道)를 닦았던고
그래도 내집인 양하여 두번 세번 찾았네

—「고려사」 전문

심훈의 시는 나그네의 애수와 고국에의 향수를 노래하는 데서 시작된다. 그는 1919년 3·1독립운동에 참여하였다가 체포되어 약 4개월가량 쓰라린 영

어생활을 겪은 바 있다. 이해 가을 그는 집행유예로 풀려나서 망명 차 유학의 길에 오른다. 이후 그는 약 2년간 중국 항주의 지강대학에 적을 두고는 석오(石吾) 이동녕(李東寧), 성재(省齋) 이시녕(李始寧) 선생 등 독립운동가들의 곁에서 우국지정을 다스리게 된다.

> 항주(杭州)는 나의 제이(第二)의 고향(故鄕)이다. 미면약관(未免弱冠)의 가장 로맨틱하던 시절(時節)은 이개성상(二個星霜)이나 서자호(西子湖)와 전당강변(錢塘江邊)에 핍류(핍류(逼留))하였다. 벌써 십년(十年)이나 되는 옛날이 언만 그 명미(명미(明眉))한 산천(山川)이 몽매간(夢寐間)에도 잊히지 않고 그곳의 단려(단려(端麗))한 풍물(風物)이 달콤한 애상(哀傷)과 함께 지금도 머릿속에 채를 잡고 있다. 더구나 그때 유배(流配)나 당한듯이 호반(湖畔)에 소요(逍遙)하시던 석오(石吾), 성재(省齋) 두분 선생(先生)님과 고생(苦生)을 같이 하며 허심탄회(虛心坦懷)로 교유(交遊)하던 엄일파(嚴一波), 염온동(廉溫東), 정진국(鄭鎭國)등(等) 제우(諸友)가 몹시 그립다. 유랑민(流浪民)의 신세(身勢)—, 부유(부유(浮蝣))와 같은지라 한번 동서(東西)로 흩어진 뒤에는 안신(안신(雁信))조차 바꾸지 못하니 면면(綿綿)한 정회(情懷)가 절계(節季)를 따라 간절(懇切)하다.
>
> —「항주유기」

인용문에서 보듯이 심훈은 20세 안팎의 소중한 시기에 이국땅에서 유랑민과도 같은 덧없는 생활을 영위했음을 알 수 있다. 이미 감옥에서의 쓰라린 영어체험을 겪은 바 있는 그로서 이러한 이국에서의 망명생활은 인생에 대한 깊은 비애와 탄식을 불러일으켰을 것이 분명하다. 따라서 시 ①에서처럼 객수의 애상에 젖어 들게 된다. 밤에 우는 뻐꾹새 소리는 유랑민의 비애를 북돋워줄 뿐만 아니라 내심에 잠재해 있던 뿌리 깊은 향수를 일깨워 주게 마련이다. "오늘 밤도 뻐꾹새는 자꾸만 운다/깊은 산속 빈 골짜기에서/울려 나오는 애처로운 소리에/애끓는 눈물은 베개를 또 적시었다"라는 구절에서 볼 수 있듯이 객수의 애상이 짙게 드러남을 알 수 있다. 그리고 이 뻐꾸기는 시의 화자인 '나'의 객관적 상관물로서 나타난다. 둘째 연에서 "너는 무엇이 설기에 피나게 우느냐"라는 나의 물음과 "당신은 왜 울며 밤을 밝히오"라는 뻐꾸기의 반문은 사실상 근원적 동일성을 지니기 때문이다. 셋째 연에는 이러한 비탄과 애상의 원인이 구체적으로 드러난다. 그것은 "고국은 멀고 먼데 임은 병들었다니/참아 그가 못잊어 잠 못드는줄"이라는 구절에서 알 수 있듯이 망향의 정에서 비롯되며 사미인의 심사에 기인한다. 수만리 타향에 식민지인 고국과 아내를 두고 떠나와서 홀로 밤을 지새며 비통해하는 시인의 모습이 드러나는 것이다. 그만큼 이 시는 시와 시인의 일치를 엿볼 수 있게 하는 작품에 해당한다. 특히 마지막 "더구나 남의 나라 뻐꾹새가 제 어찌 알까"라는 결구에는 이국생활에 결코 동화될 수 없는 이방감이 담겨져 있다. 이러한 객수와 망향에서 비롯된 애상은 「겨울밤에 내리는 비」, 「전당강상에서」, 「기적」 등 이 시기의 대다수 작품의 주조를 이룬다.

한편 「항주유기」 편에는 시 ②와 비슷한 내용의 시조가 10여 수 발견된다. 대체로 이 시조들은 이방의 애수가 짙게 깔려있는 것이 특징이다. 「항성의 밤」에는 "항성의 밤저녁/비단짜는 오희/나그네 근심" 등처럼 이국의 정조가 아련하게 노출되어 있다. 「고려사」에는 '고려'라는 이름만으로도 위안받을 수밖에 없는 이국생활에서의 외로움과 함께 향수가 짙게 드러나 있다. "그래도 내집인 양하여 두번 세번 찾았네"라는 구절 속에는 그 옛날 신라의 최치원이 당에 유학했던 시절에 그랬던 것처럼 쓰라린 객수와 애틋한 향수가 뒤섞여 있는 것이다.

이처럼 심훈시의 출발점인 「항주유기」에는 이국생활에서의 쓸쓸함을 노래하는 가운데 망향의 그리움이 애상적으로 묘사되어 있다. 그러면서도 항주에서는 비교적 정착된 생활을 한 때문인지 시의 내용과 형식에 있어서 구조적인 안정감을 보여주는 것이 특징이다.

2 망명의 비애와 민족의 재발견

① 나에게 무엇을 비는가?
푸른옷 입은 린방(隣邦)의 걸인(乞人)이여
숨도 크게 못쉬고 쫓겨오는 내 행색(行色)을 보라,
선불 맞은 어린 짐승이 광야를 헤매는 꼴 같지 않으냐.
정양문(正陽門) 문루(文樓) 위에 아침 햇살을 받아
펄펄 날리는 오색기(五色期)를 치어다보라.
네 몸은 비록 헐벗고 굶주렸어도
저 깃발 그늘에서 자라나지 않았는가?

거리거리 병영(兵營)의 유량(嚠喨)한 나팔(喇叭) 소리!
내 평생(平生)엔 한번도 못들어 보던 소리로구나
호동(胡桐) 속에서 채상(菜商)의 웨치는 굵다란 목청
너희는 마음껏 소리 질러보고 살아 왔구나.

저 깃발은 바랬어도 대중화(大中華)의 자랑이 남고
너의 동족(同族)은 늙었어도 「잠든 사자(獅子)」의 위엄(威嚴)이 떨치거니
저다지도 허리를 굽혀 구구(區區)히 무엇을 비는고
천년(千年)이나 만년(萬年)이나 따로 살아온 백성(百姓)이어늘—

때 묻은 너의 남루(襤褸)와 바꾸어 준다면
눈물에 젖은 단거리 주의(周衣)라도 벗어 주지 않으랴
마디마디 사무친 원한을 나눠준다면
살이라도 저며서 길바닥에 뿌려주지 않으랴
오오 푸른옷 입은 북국(北國)의 걸인(乞人)이어!

—「북경의 걸인」 전문

② 달밤에 현해탄(玄海灘)을 건느며

갑판(甲板)위에서 바다를 내려다보니
몇해 전 이 바다 어복(御腹)에 생목숨을 던진
청춘남녀(青春男女)의 얼굴이 환등(幻燈)같이 떠오른다.
값비싼 오뇌(懊惱)에 백랍(白蠟)같이 창백(蒼白)한 인테리의 얼굴
허영(虛榮)에 찌들은 여성예술가(女流藝術家)의 풀어헤친 머리털,
서로 얼싸안고 물우에서 소용도리를 한다.

바다우에 바람이 일고 물결은 거칠어진다.
우국지사(憂國之士)의 한숨은 저 바람에 몇번이나 스치고
그들의 불타는 가슴 속에서 졸아붙는 눈물은
몇번이나 비에 섞여 이 바다에 뿌렸던가
그 동안에 얼마나 수(數) 많은 물건너 사람들은
「인생도처유청산(人生到處有青山)」을 부르며 새땅으로 건너 왔던가.

갑판(甲板)위에 섰자니 시름이 겨워
선실(船室)로 내려가니 「만연도항(漫然渡航)」의 백의군(白衣群)이다.
발가락을 억지로 째어 다비를 꾀고
상투 잘른 자리에 벙거지를 뒤집어쓴 꼴
먹다가 버린 벤또밥을 엉금엉금 기어다니며
강아지처럼 핥아먹는 어린것들!

동포(同胞)의 꼴을 똑바루 볼 수 없어
다시금 갑판(甲板)위로 뛰어 올라서
물속에 시선(視線)을 잠그고 맥(脈)없이 섰자니
달빛에 명경(明鏡)같은 현해탄(玄海灘) 우에
조선(朝鮮)의 얼굴이 떠오른다!
너무나 또렷하게 조선(朝鮮)의 얼굴이 떠오른다.
눈 둘곳없이 마음 붙일곳 없이
이슥도록 하늘의 별수(數)만 세노라.

—「현해탄」 전문

심훈은 두 차례의 외국 체험의 기회를 가진 바 있다. 그 하나는 1919년 말부터 23년 초 귀국하기까지 중국에서 유학차 망명생활을 한 것이며, 다른 하나는 27년 봄 영화공부를 목적으로 도일하여 '일활'촬영소에 6개월가량 머문 일이다. 여기에서 그가 일본 체험에 앞서 중국 체험을 가졌던 것, 그것도 2년여를 북경·남경·상해·항주 등을 표랑하면서 독립운동가들 곁을 기웃거리며 학창 생활을 이끌어간 것은 중요한 의미를 갖는다. 신문학 초창기 이후 많은 문학인, 지식인들이 식민지 종주국인 일본에 유학하여 그 풍속과 제도에 길들여지는 일면을 지닐 수밖에 없었던 데 비하여, 심훈의 중국행은 정신사적인 면에서 단재(丹齋)나 백범(白凡), 육사(陸史)의 경우와 맥락을 같이하는 것으로 판단되기 때문이다. 더구나 이 중국행의 계기가 된 것이 심훈의 3·1운동 참여와 그에 따른 영어 체험 및 경성 제1고보 퇴학에 연유한다는 점에 비춰본다면 그의 중국행은 당연한 일일 수밖에 없다. 따라서 그의 시에는 망명객으로서의 울분과 비탄, 그리고 원한이 짙게 깔려 있다.

먼저 ①시에는 이국땅 중국에서 느낄 수밖에 없는 식민지 치하 백성으로서의 민족적 열패감과 함께 그에 대한 분노가 표출되어 있다. "세기미명동에 초췌한 행색으로 정양문 차참에 내리니 걸개의 떼 에워싸며 한 분의 동패를 빌거늘 달리는 황포 차상에서 수행을 읊다"라는 설명이 첨가되어 있는 이 시는 쫓기는 자로서의 불안의식과 함께 민족의식을 드러내고 있다.

먼저 첫 연에는 쫓기는 자로서의 불안과 초조가 선명하게 나타난다. 이국땅에서 처음 대면하게 되는 걸인에게서 오히려 자신의 초라한 모습을 발견하게 되는 아이러니가 제시된 것이다. "숨도 크게 못 쉬고 쫓겨오는 내 행색을 보라/선불맞은 어린 짐승이 광야를 헤매는 꼴 같지 않으냐"라는 구절 속에는 3·1운동 후 조국을 떠나 이국땅으로 쫓겨올 수밖에 없는 비참한 상황이 제시된 것과 아울러 중국의 걸인보다도 못해 보이는 초라한 민족적 자아발견의 모습이 묘사되어 있다. 둘째 연에는 오히려 걸인의 모습이 부러운 것으로 나타난다. "아침 햇발/펄펄 날리는 오색기"가 상징하듯 당당한 주권국가인 중국의 국민에 대한 부러움이 "네 몸은 비록 헐벗고 굶주렸어도/저 깃발 그늘에서 자라나지 않았는가"라는 구절로 구체화되는 것이다. 셋째 연에서 이러한 부러움은 열패감으로 연결된다. 거리거리 들려오는 "유랑한 나팔소리"와 "채상의 웨치는 굵다란 목청"에도 위축되고 짓눌려 버리고 만다. "너희는 마음껏 소리 질러보고 살아왔구나"라는 구절 속에는 약소국민으로 살아오다가 마침내 식민지 백성으로 전락하고만 동족의 초라하고 왜소한 모습에 대한 재인식의 뜻이 담겨져 있다. 중국의 걸인이 주권국가의 국민이라는 사실 하나만으로도 식민지 치하에서 망명온 인텔리겐챠로 하여금 자기발견과 민족의식의 자각을 이끌어내는 아이러니컬한 계기가 된 것이다. 아울러 여기에는 식민지 치하의 조국에서 망명온 지식인으로서의 자괴감과 자학의 심정이 담겨져 있는 것으로 보인다. 넷째 연에는 '대중화'와 '걸인' 사이에 아이러니가 드러난다. 어울리지 않는 그 모습이 오히려 망명온 식민지 지식인에게는 비애로서 다가오는 것이다. 마지막 연에는 이러한 비애와 열패감이 강한 울분과 적개심으로 분출된다. 동냥을 애걸하는 중국인 거지를 바라보면서 새삼 망국의 한과 그에 따른 항일 적개심이 고개를 드는 것이다. "마디마디 사무친 원한을 나눠준다면/살이라도 저며서 길바닥에 뿌려주지 않으랴"라는 결구 속에는 이국땅에서 새삼 북받쳐오르는 조국의 식민지 현실에 대해 분노와 함께 항일 저항의식이 담겨져 있다. 특히 "살이라도 저며서"라는 과장적인 구절은 뒷날 「그날이 오면」에서 "드는 칼로 이몸의 가죽이라도 벗겨서/커다란 북을 만들어 둘쳐메고는"이라는 구절에서 볼 수 있듯이 일제의 식민통치에 대한 강력한 분노와 항거를 제기한 것이다. 이것은 주권을 빼앗기고 "숨도 크게 못쉬고" 노예처럼 억눌리며 살아가는 전조선 민중의 민족적 원한의 표현이자 항일의지의 구상화에 해당한다.

이처럼 이 시는 3·1운동 후에 중국으로 망명온 한 젊은 지식인을 통해 나라

잃은 민족의 울분과 항일민족의식을 드러내고자 한 데서 의미를 지닌다. 중국으로 독립운동차 망명한 애국지사들의 저항시가 다수 발견됨[2]에도 불구하고 그들이 남긴 '현장시'들은 찾아보기 쉽지 않다는 점에서 이 시의 의미가 드러난다. 실상 시 「상해의 밤」에도 이러한 망명객의 비통한 심사가 표출되어 있다. "어제도 오늘도 산란한 혁명의 꿈자리/용솟음치는 붉은 피 뿌릴 곳을 찾는/「까오리」(고려) 망명객의 심사를 뉘라서 알고"라는 구절 속에는 젊은 혈기에서 우러난 과장벽이 다소 엿보이지만 그러한 울분과 비통의 심정만큼은 충분히 공감할 수 있는 것이 된다. 젊은 날 중국에서의 망명 체험은 이후 심훈시에서 한 이념적 지주가 된다.

시 ②는 ①보다 여러 해 후인 1926년 2월 현해탄을 건너면서 쓴 시이지만 역시 민족적인 울분과 저항의식이 드러난다. 네 연으로 짜인 이 시는 각 연마다 다른 소재를 취하고 있는 것이 특징이다. 먼저 첫 연에서는 "현 해탄에서 어복에 생목숨을 던진 청춘남녀", 즉 비련의 주인공인 인기 여성 가수 윤심덕과 미남 인텔리 김우진의 투신 정사 사건을 이야기하면서 온갖 애환을 간직한 채 무심하게 출렁이는 현해탄의 모습을 제시한다. 달밤에 현해탄을 건너면서 떠올리는 이 비련의 정사사건은 오히려 로맨틱한 정감을 불러일으키기도 하지만, 한편으로는 이 땅 개화과정에서의 한 모순과 아픔을 반영하는 것이기도 하다. 둘째 연에서 바다는 바람과 물결이 거친 모습으로 표현된다. 이것은 우국지사의 분노와 한을 표상한다. "우국지사의 한숨은 저 바람에 몇번이나 스치고/그들의 불타는 가슴 속에서/졸아붙는 눈물은/몇번이나 비에 섞여 이 바다에 뿌렸던가"라는 구절에는 독립투사들의 분노와 눈물이 시인 자신의 그것과 오우버랩되어 있는 것이다. '바다·바람·물결'과 '한숨·눈물·비'의 대응을 통해서 애국지사들의 응어리진 한을 효과적으로 형상화한 것이다. 셋째 연에서는 시점이 선실 내로 이동된다. 바다라는 상징 공간에서 선실이라

---

2) 임영택, 「항일민족시」(『한국문학사의 시각』, 창작과비평사, 1984) 참조.

는 현실 공간으로 이행됨으로써 시에 현실감을 북돋운다. 거기에는 "발가락을 억지로 째어 다비를 꾀고/상투 잘른 자리에 벙거지를 뒤집어쓴 꼴"의 백의 군들, 즉 동포의 모습이 놓여져 있다. 이러한 초라한 모습의 동포들은 "먹다가 버린 벤또밥을 엉금엉금 기어다니며/강아지처럼 핥아먹는 어린것들!"이라는 구절에서 볼 수 있듯이 거지의 비참한 행색과 다름없다. 훗날 "물려줄 것이라고 「선인」 밖에 없구나"(「토막생각」)라고 탄식하던 시인의 민족적인 자아발견에 해당한다 할 것이다. 마치 거지와 다를 바 없이 빈궁과 억압에 허덕이는 동족의 처참한 모습에 또다시 분노와 울분을 터뜨리게 된다.

시인이 중국에서 만났던 걸인은 구걸을 하더라도 주권국가의 국민이라는 자부심을 가질 수 있었건만, 현해탄 선상에서 만난 동포들은 나라도 없고 먹을 밥과 입을 옷조차 없는 비참함 그 자체이기 때문이다. 여기에서 새삼 식민치하 지식인의 한계가 드러난다. 그것은 "동포의 꼴을 똑바루 볼 수 없어/물속에 시선을 잠그고 맥없이 섰자니"라고 하는 비참한 현실로부터의 외면이다. 이에 다시 시점이 바다로 이동하는 체념적인 모습을 띠게 된다. 실상 이 구절에는 무기력한 시인 자신에 대한 절망과 탄식이 담겨져 있다. 여기에서 다시 "달빛에 명경같은 현해탄 우에/조선의 얼굴이 떠오른다/너무나 또렷하게 조선의 얼굴이 떠오른다"라고 하는 객관화에 의한 자기극복의 의지가 드러나게 된다. 이 '조선의 얼굴' 속에는 비통함과 참담함으로 얼룩져 있는 민족의 모습을 발견하는 데서 오는 고통과 그 울분을 이겨내려는 의지가 담겨져 있다. 그 빈곤과 기아에 허덕이는 동포의 모습은 바로 민족의 얼굴이자 시인 자신의 자화상에 해당하는 것이다. 이렇게 마지막 연에는 어쩔 수 없이 시인 자신도 그러한 비참한 조선의 얼굴 중에 하나임을 절감하는 민족적 자아 확인의 고뇌가 담겨져 있다. 특히 "눈 둘곳없이 마음 붙일 곳 없이/이슥도록 하늘의 별수만 세노라"라는 결구 속에는 "한 발 재겨 디딜 곳조차 없는, 절박한 현해탄 배 위에서 민족적인 분노와 울분을 삭이며 운명을 감내하려는 허전하고 쓸쓸한 시인의 심사가 반영되어 있는 것으로 보인다. 바로 이 점에서 첫 연에서의 죽음이 모티브와 둘째 연에서 우국지사의 모티브, 그리고 셋째 연에서 비참한 동족의 실상인식이 결합됨으로써 이 시가 민족의식의 확인과 그 고양에 목표를 두고 있음을 확인할 수 있게 해준다.

따라서 이 시는 식민지 시대의 수난과 욕됨, 그리고 분노와 한(恨)의 표상으로서의 '현해탄'을 통해서 민족의식의 확립과 항일저항의식을 드러내고자 한 것으로 이해된다. 이처럼 중국과 일본 체험은 시인으로 하여금 조국상실의 비애와 민족의 모습을 재발견하게 되는 계기로서의 의미를 지닌다.

3 불모의 상황과 비관적 현실인식

① 밤 깊은 밤
바람이 뒤설레며
문풍지가 운다.
방 텅비인 방안에는
등잔불의 기름 조는 소리뿐…

쥐가 천장을 모조리 써는데
어둠은 아직도 창밖을 지키고
내 마음은 무거운 근심에 짓눌려
깊이 모를 연못 속에서 자맥질한다.

아아, 기나긴 겨울 밤에
가늘게 떨며 흐느끼는
고달픈 영혼의 울음소리…
별 없는 하늘 밑에 들어줄 사람 없구나!

—「밤」 전문

② 오오 잘 있거라! 저주(咀呪)받은 도시(都市)여
「폼베이」 같이 폭삭 파묻히지도 못하고,
지진(地震)때 동경(東京)처럼 활활 타보지도 못하는
꺼풀만 남은 도시(都市)여, 나의 서울이여!

성벽(城壁)은 토막이 나고 문루(門樓)는 헐려
「해태」 조차 주인(主人)잃은 궁전(宮殿)을 지키지 못하여
반천년(半千年)이나 네 품속에 자라난 백성들은
산(山)으로 기어오르고 두더지처럼 토막(土幕)속을 파고들거니
이제 젊은 사람까지 등을 밀려 너를 버리고 가는구나!

남산(南山)아 잘 있거라, 한강(漢江)아 너도 잘 있거라
너희만은 옛모양을 길이길이 지켜다오!
그러나 이 길이 영원(永遠)히 돌아오지 못하는 길이겠느냐
내 눈물이 마지막 너를 조상(吊喪)하는 눈물이겠느냐
오오 빈사(瀕死)의 도시(都市), 나의 서울이여!

—「잘있거라 나의 서울이여」 전문

시집 『그날이 오면』 전체의 서시로 제시되어 있는 시 ①에는 당대 식민지 상황에 대한 비관적 인식이 담겨져 있다.

우선 제목인 「밤」부터가 상징적이다.

"깊은 밤/기나긴 겨울 밤"이라는 상징적인 배경은 시집 전체의 암담하고 절망적인 분위기를 암시한다. 세 연으로 짜인 이 시는 먼저 첫 연에서 어두운 밤의 풍경이 서경적으로 제시된다. "밤 깊은 밤/바람이 설레이며/문풍지가 운다"라고 하는 을씨년스런 겨울밤의 풍정이 묘사된 것이다. 아울러 여기에는 "텅비인 방"과 같이 부재의 현실인식을 내포한다. 둘째 연에는 이러한 어둡고 적막한 외면 풍경이 강박관념과 불안의식으로 내면화한다. "쥐가 천장을 모

조리 써는데/어둠은 아직도 창밖을 지키고"라는 구절 속에는 강박관념과 불안의식을 담고 있는 것으로 보인다. 특히 "내 마음은 무거운 근심에 짓눌려/깊이 모를 연못 속에서 자맥질한다"라는 구절을 통하여 당대 불모의 상황을 살아가는 불안의식과 절망감을 구체적으로 제시한다. 이러한 불안의식과 절망감은 당대인들의 일반적인 심리상태에 해당한다고 할 수 있을 것이다. 셋째 연에는 외면 풍경의 불모성이 심리의 절망감에서 오는 비탄이 드러나 있다. 그것은 먼저 기나긴 겨울밤을 살아갈 수밖에 없는 현실적 삶의 비극성에 대한 탄식이다. "기나긴 겨울밤/떨며 흐느끼는/고달픈 영혼의 울음소리" 속에는 당대의 불모적 상황에 대한 고통스런 신음과 탄식이 담겨져 있다. 아울러 "별없는 하늘 밑에 들어줄 사람 없구나!"라는 결구를 통해서 비관적 현실인식과 절망적 세계관을 심화하게 되는 것이다. 실상 이 시에 등장하는 '깊은 밤·겨울 밤' 이외에도 "텅비인/조는/무거운/깊이 모를/기나긴/흐느끼는/고달프/없구나"와 같은 부정어사의 지속적인 사용을 통해서 식민지하의 불모상황에 대한 비관적 현실인식을 예각화하게 됨은 물론이다.

아울러 이러한 '깊은 밤·겨울밤'이라는 상징어는 한용운이나 이상화의 사회의식 및 현실의식과 연결되며, 김동환의 '무덤·공동묘지' 등의 폐허의식과도 상관관계를 갖는다는 점에서 당대의 비관적 현실인식 또는 비극적 세계관을 드러내는 핵심적인 표상이 된다. 따라서 이 「밤」 시가 시집 전체의 '서시'로서 제시되게 된 까닭이 있는 것이다.

시 ②는 이러한 불모의 상황에 대한 비관적 인식을 구체적으로 제시한다. 우선 "잘 있거라 나의 서울이여"라는 제목부터가 시사적이다. 죽어가는 것에 대한 고별사 또는 몌별사(袂別詞)의 뜻을 내포하기 때문이다.

역시 세 연으로 짜인 이 시는 첫 연에서 서울에 대한 풍정묘사로부터 시작된다. 그것은 '저주받은 도시/꺼풀만 남은 도시'로서의 서울이다. 더구나 이것은 "폭삭 파묻히지도 못하고/활활 타보지도 못하는"과 같이 부정어사로 일관돼 있다. 이 점에서 첫 연에는 '서울'로 표상되는 당대 식민지하의 조국 또는 현실 상황에 대한 절망과 자학의 심정을 담고 있는 것으로 보인다. 이러한 불모의 도시를 떠날 수밖에 없는 상황 자체가 더 비극적인 것임은 두말할 나위가 없을 것이다. 둘째 연에는 이러한 불모의 상황, 폐허의 상황이 더 구체적으로 제시되어 있다. 그것은 토막나고 헐린 '성벽'이고 '문루'이며, '주인 잃은 궁전'과 같이 허물어져가는 역사이자 수탈당한 현실상황이다. 그리고 더 비극적인 사실은 "해태조차 주인잃은 궁전을 지키지 못하여"라는 구절에서 보듯이 주권과 역사를 스스로의 힘으로 지키지 못한 데 대한 자괴와 자학이 드러난다는 점이다. 그렇기 때문에 "반천년이나 네 품속에 자라난 백성들은/산으로 기어오르고 두더쥐처럼 토막 속을 파고들거니"처럼 주권과 역사를 박탈당하고 드디어는 생존권마저 위협당하는 '쫓기는' 민족의 비참한 모습이 제시된다. 바로 이것이 젊은 사람으로서의 시의 화자이며, 시인 자신이 "등을 밀려" 서울을 버리고 쫓겨갈 수밖에 없는 사정에 해당하며, 이들이 "바가지쪽 걸머지고 집 떠난 형제"(「나의 강산이여」)이며 "놈들에게 쫓겨나 만주땅에서 총맞아 죽은 몇 천명 동포"(「풀밭에 누워서」)로서 유랑민화해 가는 모습인 것이다. 실상 이 점은 이상화의 "아, 가도다, 가도다, 쫓아가도다/잊음 속에 있는 간도와 요동벌로/주린 목숨 움켜쥐고, 쫓아가도다"(「가장 비통한 기욕」)라는 구절과도 대응된다.[3] 셋째 연에는 다시 고별과 당부의 의미가 담겨진다. 이러한 폐허와 상실의 서울을 떠나는 비참한 심정이 "남산아 잘있거라. 한강아 너도 잘있거라/너희만은 옛 모양을 길이길이 지켜다오!"로서 제시된 것이다. 이것은 마치 병자호란 때 "가노라 삼각산아 다시보자 한강수야/고국산천을 떠나고자 하랴마는 시절이 하 수상하니 올동 말동하여라"라고 탄식하며 청국으로 끌려가던 김상헌의 비통한 심정과 조금도 다를 바 없다. 그러

3) 일제하에서 만주로의 이민은 약 150만 명에 이른다고 한다. (국사편찬위원회, 『한국사』 권22(탐구당, 1978)335-337쪽.)

나 중요한 것은 이 시가 절망 그 자체로 끝맺고 있지 않다는 점이다. 빈사의 도시 서울, 폐허의 도시 서울이란 주권과 역사를 빼앗기고 일제의 착취와 수탈에 시달려 껍질만 남은 당대 조국의 상황을 암유한 것이 분명하지만, 아직도 그것은 '나의 서울'로서 언젠가는 다시 돌아올 것이며 또 와야만 하는 영원한 조국인 것이다. "너희만은 옛모양을 길이길 이 지켜다오!/그러나 이 길이 영원히 돌아오지 못하는 길이겠느냐/내 눈물이 마지막 너를 조상하는 눈물이겠느냐"라는 결구 부분이 이러한 국권 회복에의 꿈과 신념을 안타깝게 표출한 것으로 해석되기 때문이다.

이렇게 볼 때 이 시는 주권과 역사를 빼앗기고 생존권마저 위협당하는 민족의 비참한 현실을 부정적·비관적으로 묘파하는 가운데 그에 대한 울분과 탄식을 제시한 것으로 이해된다.

이처럼 심훈의 시에는 당대 식민지 현실의 불모상황에 대한 비관적 인식이 짙게 깔려 있음을 알 수 있다. 그것은 물론 국권상실에서 원천적으로 기인하며 궁핍한 시대 상황에 직접적으로 맞닿아 있다. 당대 조선은 "화장터의 새벽과 같이 쓸쓸한" 곳이며, 따라서 "마음 약한 젊은 사람에게 술을 먹이는"(「조선은 술을 먹인다」) 비참한 운명에 처해 있다고 하는 비극적 현실인식 위에 놓인 것이다.

4 유형의 땅, 죽음의 시대

① 이게 자네의 얼굴인가?
여보게 박군(朴君) 이게 정말 자네의 얼굴인가?

알콜병에 담거논 죽은 사람의 얼굴처럼
말르다 못해 해면(海綿) 같이 부풀어 오른 두 빰

두개골(頭蓋骨)이 드러나도록 바싹 말라버린 머리털
아아 이것이 과연(果然) 자네의 얼굴이던가?

쇠사슬에 네 몸이 얽히기 전(前)까지도
사나이다운 검붉은 육색(肉色)에
양미간(兩眉間)에는 가까이 못할 위엄(威嚴)이 떠돌았고
침묵(沈默)에 잠긴 입은 한번 벌이면
사람을 끌어다리는 매력(魅力)이 있었더니라.

사년(四年) 동안이나 같은 책상에서
벤또 반찬을 다투던 한사람의 박(朴)은
교수대(絞首臺)곁에서 목숨을 생(生)으로 말리고 있고
C사(社)에 마주 앉아 붓을 잡을 때
황소처럼 튼튼하던 한 사람의 박(朴)은
모진 매에 장자(腸子)가 꿰어져 까마귀밥이 되었거니.

이제 또 한사람의 박(朴)은
음습(陰濕)한 비바람이 스며드는 상해(上海)의 깊은 밤
어느 지하실(地下室)에서 함께 주먹을 부르쥐던 이 박군(朴君)은
눈을 뜬 채 등골을 뽑히고 나서
산송장이 되어 옥문(獄門)을 나섰구나.

박(朴)아 박군(朴君)아 ××아
사랑하는 네 아내가 너의 잔해(殘骸)를 안았다
아직도 목숨이 붙어있는 동지(同志)들이 네 손을 잡는다
잇발을 앙물고 하늘을 저주(咀呪)하듯
모로 흘긴 저 눈동자
오! 나는 너의 표정(表情)을 읽을 수 있다.

오냐 박군(朴君)아
눈은 눈을 빼어서 갚고

이는 이를 뽑아서 갚아주마!
너와 같이 모든 ×을 잊을 때까지
우리들의 심장(心臟)의 고동(鼓動)이 끊질 때까지

—「박군의 얼굴」 전문

② 궂은 비 줄줄이 내리는 황혼(黃昏)의 거리를
우리들은 동지(同志)의 관(棺)을 메고 나간다.
만장(輓章)도 명정(銘旌)도 세우지 못하고
수의(襚衣)조차 못입힌 시체(屍體)를 어깨에 얹고
엊그제 떼메어 내오던 옥문(獄門)을 지나
철벅철벅 말없이 무학재를 넘는다.

비는 퍼붓듯 쏟아지고 날은 더욱 저물어
가등(街燈)은 귀화(鬼火)같이 껌벅이는데
동지(同志)들은 옷을 벗어 관위에 덮는다.
평생(平生)을 헐벗던 알몸이 추울상 싶어
얇다란 널조각에 비가 새들지나 않을까하여
단거리 옷을 벗어 겹겹이 덮어준다.
…이하(以下) 육행략(六行略)(원문대로…필자주)
동지(同志)들은 여전(如前)히 입술을 깨물고
고개를 숙인채 저벅저벅 걸어간다.
친척(親戚)도 애인(愛人)도 따르는 이 없어도
저승길까지 지긋지긋 미행이 붙어서
적가(吊歌)도 부르지 못하는 산 송장들은
관(棺)을 메고 철벅철벅 무학재를 넘는다.

—「만가」 전문

앞에서 우리는 심훈의 시에 식민지의 불모적 상황에 대한 비관적 인식이 질게 깔려 있음을 살펴보았다. 그런데 그의 시에는 비관적 현실인식에서 한 걸음 더 나아가 당대를 죽음의 시대로 파악하는 강인한 투쟁의 면모가 엿보여서 주목된다. 각양각색의 방식으로 언론을 통제하고 가혹한 수탈과 억압을 일삼던 당대에 있어서 식민지 상황을 유형의 땅, 죽음의 시대로 파악하여 노력한 것은 예삿일이 아닌 것으로 판단되기 때문이다. 대부분의 전문시인들의 시가 비유와 상징으로서 조국 상실의 아픔을 개탄하고 민족혼을 강조하는 데 힘을 기울인 것에 비해 본다면 이러한 심훈의 저항적 기개의 발현은 독보적인 의미를 지닌다.

먼저 ①시는 제목부터가 특이하다. 「박군의 얼굴」이란 제목은 평상적인 제명법과 달리 인명과 인체를 직접 대상으로 한다는 점에서 상징성을 지닌다. 이 시에는 세 사람의 박군이 등장하는데 이들은 각기 다른 사람이면서도 근원적인 동일성을 지닌다. 한 사람은 "죽은 사람의 얼굴처럼/두개골이 드러나도록 바싹 말라버린 머리털"을 지닌 채 "교수대밑에서 목숨을 생으로 말리고 있는" 수형생활 중의 박군이며, 또 한 사람은 "모진 매에 창자가 꿰어져 까마귀밥이 된" 옥사한 박군이다. 나머지 한 사람은 상해 망명의 투쟁 끝에 붙잡혀 "눈을 뜬채 등골을 뽑히고 나서/산송장이 된 채 옥문을 나선" 독립투사 박군이다. 이들은 각기 다른 사람으로서 각개의 사연을 지님에도 불구하고, 이들은 다 같이 독립투사로서 투옥되어 온갖 수난과 고초 끝에 죽거나 불구가 되어 풀려난다는 공통점을 지닌다. 이렇게 본다면 이러한 비참한 박군들의 모습은 바로 일제에 항거하다가 체포되어 온갖 고문과 시련 끝에 죽어간 이 땅 독립투사들의 비장한 모습을 표상하는 동시에 식민지하에서 수탈당하고 박해당함으로써 마침내 '산송장'으로 전락한 당대 민족 모두의 대리 자아에 해당한다고 할 수 있다. 실상 당대에 있어서는 일부 친일 어용군상들을 제외한 이 땅의 모든 민중이 이러한 '까마귀밥'이자 '산송장'에 진배없었기 때문이다.

따라서 이 시에는 울분과 적개심으로 가득 찬 저항의식이 강력하게 분출된다. 죽어서도 "잇발을 앙물고 하늘을 저주하듯/모로 흘긴 눈동자"처럼 분노와 원한을 품게 되며, 마침내 "오냐 박군아/눈은 눈을 빼어서 갚고/이는 이를 뽑아서 갚아 주마!"라고 하는 충천한 저항의식을 드러내게 되는 것이다. 독립투쟁 끝에 비참하게 '까마귀밥'이 되거나 '산송장'이 된 친구들의 모습 속에서 피 끓는 항일저항의식과 투쟁의식을 뜨겁게 확인하는 것이다. 아울러 죽음을 넘어서 "우리들의 심장의 고동이 끊길 때까지" 이러한 억울한 죽음을 복수하고 말겠다는 비장한 복수의지의 결의를 다짐하게 되는 것이다.

시 ②에는 더욱 암울하고 비참한 모습이 제시된다. 감옥에서 모진 악형과 고문 끝에 죽어 나온 항일 독립투사의 장송을 테마로 한 이 시는 당대 식민지 치하의 참담하고 비통스런 모습이 구체화되어 나타난다. 1927년 9월 에 쓰인 것으로 기록된 이 작품은 실상 주권과 역사를 빼앗기고 패망해 버린 조국과 민족에 대한 적사이자 만가에 해당한다고 할 수 있다. "비는 퍼붓듯 쏟아지고/날은 저문" 시간이란 바로 멸망해 가는 조국과 민족의 모습을 상징적으로 제시한 것일 수 있기 때문이다. "만장도 명정도 세우지 못하고/수의조차 못입힌 시체"의 모습 속에는 이민족에게 어이없이 국권을 박상당하고 죽음의 시대를 고통스럽게 헤쳐가는 '산송장'으로서의 민족의 원한과 분노에 찬 모습이 새겨져 있는 것으로 해석된다. 특히 마지막 연에서 "저승길까지 지긋지긋 미행이 붙어"라는 구절이야말로 죽어서도 자유롭지 못한 식민지 시대의 한스럽고 절망적인 삶의 모습을 고발한 것이자 일제에 대한 적개심을 드러낸 것으로 풀이된다. 아울러 "적가도 부르지 못하는 산송장들은/관을 메고 철벅철벅 무학재를 넘는다"라는 결구는 혹독한 감시체제하에서 '산송장'이 되어 하루하루를 고통으로 부지해 가는 당대 현실에 대한 통렬한 비판을 제기하면서 아울러 식민지 지배체제에 대한 강력한 항거의지를 표출한 것에 해당한다.

이 시가 당대 식민지 현실을 거대한 수형의 땅, 죽음의 시대로 파악하고 그 속에서의 삶을 수형생활 내지 산송장의 생활로서 제시한 것은 탁월한 저항의식의 발현이 아닐 수 없다. 실상 이것은 이해에 심훈 자신이 "수형 생활에서 풀려나 어쩔 수 없는 상황에서 악인을 죽이고 다시 투옥되는 기구한 한 사나이의 비참한 운명을 그린" 영화 「먼동이 틀 때」를 원작·각색·주연·감독한 사실[4]과도 무관하지 않을 것이다. 이 영화의 원제목이 「어둠에서 어둠으로」이었으나 일제당국의 검열에 의해 제목을 바꾼 것에 서도 짐작할 수 있듯이, 심훈은 영화에서도 당대의 상황을 '어둠', '죽음', '감옥' 등으로 상징화한 것으로 해석되기 때문이다.

이렇게 볼 때 심훈에게 있어 식민지 현실이란 유형의 땅, 죽음의 시대로 파악될 수밖에 없었으며, 바로 이러한 심훈의 날카로운 현실인식과 뜨거운 저항의식이 구체적이면서도 생생하게 분출되었다는 점에서 그의 발군의 시정신이 크게 돋보이는 것으로 판단된다.

5 상황시와 비극적 황홀

큰 길에 넘치는 백의(白衣)의 물결 속에서 울음 소리 일어난다.
총검(銃劍)이 번득이고 군병(軍兵)의 말굽소리 소란(騷亂)한 곳에
분격(憤激)한 무리는 몰리며 짓밟히며
따에 엎디어 마지막 비명을 지른다
땅을 뚜드리며 또 하늘을 우러러
외오치는 소리 느껴 우는 소리 구소(九霄)에 사모친다.

검은 「댕기」드린 소녀(少女)여
눈송이 같이 소복(素服)입은 소년(少年)이여
그 무엇이 너희의 작은 가슴을
안타깝게도 설음에 떨게 하더냐

4) <먼동이 틀 때>(1927.10.26)는 계림영화사를 통해 출품되었다. (국학자료원, 『한국영화총서』(한국영화진흥조합, 1972)146쪽.)

그 뉘라서 저다지도 뜨거운 눈물을
어여쁜 너희의 두눈으로 짜내라 하더냐?

가지마다 신록(新綠)의 아지랑이가 피어오르고
종달새 시내를 따르는 즐거운 봄날에
어찌하여 너희는 벌써 기쁨의 노래를 잊어버렸는가?
천진(天眞)한 너희의 행복(幸福)마저 참아 어떤 사람이 빼앗아 가던가?

할아버지여! 할머니여!
오직 무덤 속의 안식(安息) 밖에 희망(希望)이 끊진 노인(老人)네여!
조팝에 주름잡힌 얼굴은 누르렀고 세고(世苦)에 등은 굽었거늘
장자(腸子)를 쥐어 짜며 애통(哀痛)하시는 양은 참아 뵙기 어렵소이다.

그치시지요 그만 눈물을 걷으시지요
당신네의 쇠잔(衰殘)한 백골(白骨)이나마 편안히 묻히고저 하던 이땅은
남의 「호미」가 샅샅이 파헤친지 이미 오래어늘
지금에 피나게 우신들 한번 간 옛날이
다시 돌아올 줄 아십니까?

해마다 봄마다 새 주인(主人)은
인정전(仁政殿) 「벚꽃」 그늘에 잔치를 베풀고
이화(梨花)의 휘장(徽章)은 낡은 수레에 붙어
티끌만 날리는 폐허(廢墟)를 굴러 다녀도
일후(日後)란 뉘 있어 길이 설어나 하랴마는…

오오 쫓겨가는 무리여
쓰러져버린 한낱 우상(偶像) 앞에 무릎을 꿇지 말라!
덧없는 인생(人生) 죽고야 마는 것이 우리의 숙명(宿命)이어니!
한 사람의 돌아오지 못함을 굳이 설어 하지 말라.

그러나 오오 그러나

철천(徹天)의 한(恨)을 품은 청상(靑孀)의 설움이로되
이웃집 제단(祭壇)조차 무너져 하소연할 곳 없으니
목매쳐 울고저 하나 눈물마저 말라붙은
억색(抑塞)한 가슴을 이 한날에 뚜드리며 울자
이마로 흙을 비비며 눈으로 피를 뿜으며—

—「통곡 속에서」 전문

이 시는 사실상 항일 저항의 시위현장을 직접적으로 묘사한 극히 드문 예의 한 작품이다. 우리는 일제하에서 3·1운동이나 6·10만세 사건, 광주학생사건 등 민족적인 저항운동을 여러 차례 전개하였음에도 불구하고 당대에 시로서 그러한 광경이나 상황 또는 이념을 노래한 작품이 거의 발견 되지 않는 실정이다. 따라서 시위현장의 모습이 생생하게 드러나면서 당대 현실의 비극성을 묘파했다는 점에서 이 시의 의미가 드러난다.

이 시는 1930년 4월 29일에 쓰인 시로 기록되어 있다. 이 점에서 미루어 본다면 1929년 11월 3일 광주 일원에서 시작되어 다음 해까지 전국적으로 확산되어간 광주학생사건을 소재로 한 것이라는 점을 확인할 수 있다. 다시 말해서, 악랄한 일제 식민통치의 그늘 아래서 당대 사회의 구조적 불합리와 모순, 그리고 그에 따른 민족적인 차별에 항거하여 학생들이 분연히 궐기한 거국적인 저항운동이 이 시의 배경이자 제재이고 주제이다.

따라서 첫 연부터 시위현장을 직접적으로 묘사한 현장시 또는 상황시의 성격을 지닌다. "큰길에 넘치는 백의의 물결 속에서 울음소리 일어난다/총검이 번득이고 군병의 말굽소리 소란한 곳에/분격한 무리는 몰리며 짓밟히며/땅에 엎디어 마지막 비명을 지른다/땅을 뚜드리며 또 하늘을 우러러/외오치는 소리 느껴우는 소리 구소에 사모친다"라고 하는 첫 연은 그대로 광주학생들의 시위 모습을 묘파한 것이면서 동시에 3·1운동 당시의 격노한 조선 민중의 거족적인 시위 상황을 회상적으로 재현한 것으로 보인다. 그만큼 사실적이면서

도 구체적으로 일제하에서의 시위 상황의 묘사가 제시된 데서 이 첫 연의 생동감이 드러난다.

그러므로 다음 연에서는 이 시의 배경이 학생들을 중심으로 한 저항운동이라는 점을 강조하게 된다. "댕기드린 소녀"와 "소복입은 소년" 들이 설움에 떨며 뜨거운 눈물을 짜내는 것이 그러하며, "천진한 너희의 행복마저 참아 어떤 사람이 빼앗아 가던가"에서처럼 행복을 빼앗아 가버린 사람에 대한 저주와 분노를 드러내고 있다는 점이 그러하다. 눈물을 강요하고 행복을 빼앗아간 '누구'나 '어떤 사람'이란 바로 폭력적인 일제 지배자를 의미하는 것이 자명하다. 따라서 이러한 상황에선 남녀노소 없이 모두가 불행하고 비극적이게 마련이다. 할아버지, 할머니는 오로지 "무덤속의 안식밖에 희망이 끊진" 모습으로 받아들여지며, "조팝에 주름잡힌 얼굴은 누르렀고 세고에 등은 굽은" 형상으로서 당대 민족의 가련한 모습이 묘사된다. 실상 여기에서 일제의 악랄한 식민통치와 가혹한 수탈에 대한 분노가 치솟게 된다. "쇠잔한 백골이나마 편안히 묻히고저 하던 이땅은/남의 「호미」가 샅샅이 파헤친지 이미 오래어늘"이라는 구절처럼 동척을 앞잡이로 한 일제의 식민착취를 통렬하게 고발하고 있는 것이다.[5] 이러한 지배자 일본과 피지배자 한민족의 대조적인 모습은 다음 연에서 구체적으로 제시된다. '새 주인'으로서 일제는 해마다 남의 나라 궁전인 인정전 '벚꽃' 그늘에서 잔치를 베푸는 데 반해서 피지배자인 당대 조선 민족은 '쫓겨나는 무리'로서 '피나게 울'뿐인 것이다. 그러므로 새삼 분노와 결의가 충천하게 되다. "무릎을 꿇지 말라!/우리의 숙명이어니!/설어하지 말라"라고 하는 단호한 명령과 굳센 결의를 표명하게 되며, 아울러 "억색한 이 가슴을 이 한날(한낮의 오식인 듯…필자주)에 뚜드리며 울자/이마로 흙을 비비며 눈으로 피를 뿜으며"와 같이 분노와 적개심을 강하게 분출하게 되

5) 홍이섭은 이에 관해 「30년대 초의 농촌과 심훈문학」에서 자세히 논하고 있다. 홍이섭, 『창작과 비평』, 1972 가을호.

는 것이다.

이렇게 볼 때 이 시는 '어떤 사람/남의 호미/새주인'이 뜻하는 침탈자·착취자·지배자로서의 일본제국주의에 대한 울분과 항거를 담고 있음을 알 수 있다. 이 시는 광주학생사건의 현장에서 벌어진 민족의 노호와 분격, 비통과 고난, 원한과 저주를 생동감있게 묘파하는 가운데 일제의 무자비한 테러리즘을 날카롭게 고발한 특이한 작품인 것이다. 항일 저항운동의 격렬한 시위현장을 사실적으로 제시하면서도 그것이 단순한 상황시·구호시에 떨어지지 않도록 투철한 현실인식과 민족의식을 확고하게 제시한 데서 이 시의 소중한 의미가 놓여진다. 일찍이 소년 시절에 3·1운동의 시위현장에 능동적으로 참여했던 심훈이 다시금 그로부터 10년 후에 광주학생사건을 충격적으로 접한 후 새삼 민족적인 분노에 치를 떨었을 것이라는 점은 쉽게 추측할 수 있는 일이다. 이처럼 3·1운동 시위현장의 모습을 그로부터 10년 후에 일어난 광주학생 시위상황과 결합하여 한 폭의 장엄한 항일 저항 민족화를 완성한 점에서 이 시의 시사적 위치가 드러난다.

바로 이 지점에서 항일 저항시의 한 극점이자 기념비적인 작품인 「그날이 오면」(1930. 3. 1)이 쓰이게 된다.

> 그날이 오면 그날이 오면은
> 삼각산(三角山)이 일어나 더덩실 춤이라도 추고
> 한강(漢江)물이 뒤집혀 용솟음칠 그날이
> 이목숨이 끊지기 전에 와주기만 하량이면,
> 나는 밤하늘에 날으는 까마귀와 같이
> 종로(鍾路)의 인경(人磬)을 머리로 드리받아 울리오리다.
> 두개골(頭蓋骨)은 깨어져 산산(散散)조각이 나도
> 기뻐서 죽사오매 오히려 무슨 한(恨)이 남으오리까
>
> 그날이 와서 오오. 그날이 와서

육조(六曹)앞 넓은 길을 울며 뛰며 딩굴어도
그래도 넘치는 기쁨에 기쁨에 가슴이 미어질 듯하거든
드는 칼로 이몸의 가죽이라도 벗겨서
커다란 북고(鼓)을 만들어 둘처메고는
여러분의 행렬(行列)에 앞장을 서오리다.
우렁찬 그 소리를 한번이라도 듣기만 하면
그 자리에 꺼꾸러져도 눈을 감겠소이다.

—「그날이 오면」 전문

우리는 이 작품이 3·1운동이 일어난 지 꼭 11년 후에, 그것도 3·1운동 다음으로 가장 폭발적인 민족적 저항운동인 광주학생사건을 겪은 얼마 후에 쓰였다는 점에 주목하지 않을 수 없다. 3·1운동은 심훈의 생애사에 있어서 어떤 의미를 갖는가? 그것은 가정적으로 비교적 유족하고 체질적으로 로맨티시스트이며 일류학교 학생이던 심훈으로 하여금 고통스런 감옥 체험을 겪게 하고, 그로 말미암아 퇴학당하여 중국으로 망명하게 함으로써 그의 생애를 불연속적인 것으로 이끌어 가게 만든 운명적인 모멘트가 된 바 있다. 아울러 천성적으로 예술가 기질을 타고난 그가 혁명적인 열정으로 염군사(焰群社)에 가담하게 하고, 다시 카프(K.A.P.F.)의 맹원으로 참여하게 하는 모순의 원천이 되기도 한 것이 사실이다. 이처럼 3·1운동으로 인해 불연속적인 삶을 살아가게 됐던 심훈으로서 온갖 현실의 수난과 시련을 겪을 즈음 다시 목도하게 된 광주학생사건과 그 전국적인 확산은 마침내 심훈으로 하여금 장엄한 저항혼의 불길을 타오르게 만든 것이다.

오늘이 우리 단족(檀族)에 전천년(前千年) 후만대(後萬代)에 기념할 삼월이일(三月一日)! 우리 민족(民族)이 (자주민)自主民임과 우리 나라가 독립국(獨立國)임을 세계만방(世界萬邦)에 선언하며 무궁화 삼천리(三千里)가 일시(一時)에 분기열광(憤起熱狂)하여 뒤끓던 날!

> 오오— 삼월이일(三月一日)이여! 사천삼백오십이년(四千三百五十二年)의 삼월이일(三月一日)이여! 이 어수선한 틈을 뚫고 세월은 잊지도 않고 거룩한 삼월이일(三月一日)은 이 근역(槿域)을 찾아오도다. 신성한 삼월이일(三月一日)은 찾아오도다.
>
> 오! 우리의 조령(祖靈)이시여, 원수의 칼에 피를 흘린 수만(數萬)의 동포여, 옥중에 신음하는 형제(兄弟)여, 천팔백칩십육년(千八百七十六年) 칠월사일(七月四日) 필라델피아 독립각(獨立閣)에서 울려나오던 종소리가 우리 백두산(白頭山) 위에는 없으리이까? 아! 붓을 들매 손이 떨리고 눈물이 앞을 가리는도다!
>
> —『심훈전집』(제3권, 600쪽.)

1920년 3월 1일의 회상기로 기록되어 있는 이 인용문에서 보듯이 3·1 운동은 심훈에게 있어 신성감과 황홀감이 교차하는 민족사와 생애사에 있어서의 최대 사건에 해당한다. "붓을 들매 손이 떨리고 눈물이 앞을 가릴" 정도로 경건한 감격과 뜨거운 환희가 솟아나게 하는 생명의 근원적 충격이자 생의 운명적 소용돌이로서의 의미를 지니는 것이다. 바로 이러한 신성에 가까운 충격과 감동이 오랫동안 내재해 있다가 광주학생사건에 촉발되어 활화산으로 솟아오르게 된 것이 바로 이 「그날이 오면」인 것이다.

따라서 이 시에는 정상적인 논리나 이성을 뛰어넘는 초월적인 상황과 사건이 제시된다. 첫 연의 "그날이 오면 그날이 오면은/삼각산이 일어나 더덩실 춤이라도 추고/한강물이 뒤집혀 용솟음칠 그날"과 같이 그날이 오면 산천초목까지도 감격과 환희로 들끓을 것 같은 환각이 제시된다. 아울러 이 지점에서 죽음의 초극이 일어나게 된다. "이 목숨이 끊지기 전에 와주기만 하면/나는 밤하늘에 날으는 까마귀와 같이/종로의 인경을 머리로 드리받아 울리 오리다/두개골은 깨어져 산산조각이 나도 기뻐서 죽사오매 오히려 무슨 한이 남으오리까"라고 하는 구절 속에는 죽음을 넘어선 지점에서 비로소 성취될 수 있는 비극적 황홀의 신성체험이 담겨져 있는 것으로 보인다. 그만큼 국권

상실의 절망이 참담한 것이었으며, 식민지하의 삶이 고통스런 것이었음을 말해 주는 것이 된다. 실상 우리는 앞에서 심훈이 당대의 절망적 상황을 '죽음의 시대'로 파악하고, 그 속에서의 삶을 '산송장'으로 인식하고 있었음을 살펴본 바 있음에 비추어, 죽음이란 혹은 죽음을 넘어선다는 일은 '그날'이 와서 맛보게 되는 환희에 비한다면 대수로운 일이 아닐 수도 있다는 점을 깨닫게 된다. 그날이 감격적이고 환희로울 수 있는 것은 바로 이러한 무수한 죽음을 넘어서서 비로소 그것이 성취되는 것이며, 또 될 수 있기 때문임이 분명하다. 그렇다면 그날이란 무엇인가? 일찍이 바우라(C. M. Bowra)는 정치와 시를 논하는 자리에서 다음과 같이 말한 바 있다.

> 그에게 있어 중요한 것은 설사 멀었다 해도 감격적인 미래가 환기하는 자주적이며 숭고한 기분이다. …(중략)…그가 예견하는 것은 한국의 해방이며 국토와 국민 모두가 쇠사슬에서 풀려나는 일이다. …(중략)… 미래를 예상한다는 일은 격렬한 기쁨에 그를 젖게 하고 그는 이것을 육체의 구속을 깨뜨리고 나올 만큼 강렬한 환희로서 표현한다. 그가 말하려는 것은 우리들에게 주지의 사실— 견딜 수 없을 만큼 숨이 넘어갈 듯한 환희와 황홀의 순간이 있을 것이라는 그 사실이다.[6]

그의 적절한 지적에서처럼, '그날'이란 온갖 민족적인 수난과 저항 끝에 죽음을 넘어서서 마침내 획득하게 되는 광복의 그날이며 독립의 그날을 의미한다. 그리고 그것은 겨울이 모질고 길수록 봄의 생명력과 그 환희가 아름답고 눈부신 것처럼 죽음의 시대를 넘어선 곳에서 다가온 것이기에 더욱 감동적이고 환희로울 수밖에 없는 것이다. 그렇기 때문에 "인경을 머리로 드리받아 울리오리다"라는 불가능에 가까운 환각체험이 현실적으로 아무렇지도 않게 받아들여질 수 있다. '그날'이란 죽음을 넘어서라도 꼭 와야 할 민족의 지상명제

6) C. M. Bowra, 『시(詩)와 정치(政治)』(김남일 역, 전예원, 1983)155-156쪽.

일 수밖에 없다는 당위적 깨달음과, 꼭 오고야 말리라는 전민족적인 신념이 이러한 논리적 모순과 초논리를 오히려 자연스러운 것으로 수긍하게 만드는 것이다. 이것은 뒷 연에서 더욱 강렬하게 표출된다. "그래도 넘치는 기쁨에 가슴이 미어질 듯하거든/드는 칼로 이몸의 가죽이라도 벗겨서/커다란 북을 만들어 들쳐 메고서는/여러분의 행렬에 앞장을 서오리다"라고 하는 구절이 그것이다. 실상 '몸의 가죽을 벗겨서 북을 만든다'라는 충격적인 표현은 정상적인 논리의 차원에서는 전혀 불가능한 일이다. 더구나 '그것을 들쳐메고 행렬의 앞장에 선다'라고 하는 것은 말도 되지 않는 일, 즉 언어도단에 속한다. 그럼에도 그렇게 하겠다는 것은 무엇을 말하고자 하는 것인가. 광복의 환희가 그만큼 크고 감동적일 것이라는 의미일 뿐이겠는가. 아니면 그러한 기다림이 애절하고 절박하다는 것을 강조하는 말이겠는가. 물론 이 두 가지는 다 옳은 말이다. 그러나 이것을 뒤집어 보면 그날이 오기 전, 즉 식민지 치하에서 '산송장'으로서 죽음의 시대를 살아가고 있는 당대의 삶이 얼마나 고통스럽고 절망적인가를 역설적으로 강조하는 뜻이 예리하게 담겨져 있는 것으로 해석할 수 있다. 실상 이 시가 자학적인 요소를 내포하고 있는 사실도 그날이 쉽게 다가올 수 없는 머나먼 미래의 일 또는 환각적인 것으로 예감하는 데서 연유한지도 모른다.

김윤식은 이에 관해서 다음과 같이 말하고 있다.

> 육체의 파괴를 전제로 하여 비로소 상정되는 이 황홀경이 매저키즘적인 요인을 머금고 있음은 오히려 당연하다. 황홀경의 환각은 순간적인 존재 초월성에서 달성되기 때문이다. 한 순간에 달성되는 환각이기에 존재를 초월할 만큼 강렬한 힘이 작용되어야 하며, 한 순간에 달성되는 환각이기에 다음 순간엔 사라지는 운명에 있는 환각이기도 하다.[7]

7) 김윤식, 「황홀경의 환각과 역사성」(『황홀경의 사상』, 홍성사, 1983)106-107쪽.

이러한 진술은 이 시가 그만큼 절박한 상황과 이념적 당위성에서 쓰였다는 점을 강조하는 것으로 해석할 수 있다. 당대 현실의 상황이 그만큼 절망적인 것이기 때문에 이로부터의 강렬한 초극의지가 바로 황홀경의 환각으로 형상화된 것으로서 파악하고자 한 점에서 김윤식의 해석이 적절한 것으로 받아들여진다. 아울러 이 작품을 "이러매 눈감아 생각해 볼밖에/겨울은 강철로된 무지갠가 보다"라는 이육사의 작품과 연결시켜 해석하려 한 시도[8]도 흥미로운 일로 이해된다. 이미 앞에서 지적한 것처럼 심훈의 시는 사회의식과 무의식의 면에서는 한용운과 이상화, 그리고 중국형 지식인이라는 점에서는 후대의 이육사와 암묵의 상관관계를 내포하고 있는 것으로 파악되기 때문이다.

이렇게 볼 때 이 시의 강렬성은 바로 현실 극복의지의 가열함을 반영한 것이며, 동시에 절망의 상황에서 자기 초극을 성취함으로써 열린 삶을 향해 나아가려는 심훈의 예언자적 지성의 면모를 반영한 것으로 해석할 수 있 다. 이러한 가열한 현실 극복의지와 열린 삶을 향한 자기초극의 의지가 때마침 분연히 솟구쳐 오른 광주학생사건을 접하면서 3·1운동의 그것과 섬광적으로 연결된 데서 바로 이 「그날이 오면」이 쓰이게 된 것이다. 따라서 이 시가 불러일으키는 비장미와 숭고미는 바로 일제하의 절망적인 상황하에서 목숨을 걸고 활화산처럼 일어선 민족혼과 저항의식이 구체적인 현장성을 확보하고, 이것이 미래의 역사적 비전을 성취한 데서 우러나 온 것으로 판단된다. 이 「그날이 오면」이야말로 당대의 현실적 구체성이 이념적 환각성과 섬광적으로 결합함으로써 심훈의 저항의식과 역사의식이 비극적 황홀로 상승되면서 총체적 조망을 획득할 수 있게 한 항일 저항시의 기념비적 작품인 것이다.

---

8) 최동호, 「심훈시의 전개와 시대적 상황의 인식」(『식민지시대의 시인연구』, 시인사, 1985) 참조.

6 국토애와 조국사상, 민족사상

① 높은 곳에 올라 이땅을 굽어 보니
큰 봉우리와 작은 뫼뿌리의 어여쁨이여, 아지랑이 속으로 시선(視線)이 녹아드는 곳까지 오똑오똑 솟았다가는 굽이쳐 달리는 그 산(山)줄기 네 품에 안겨 딩굴고 싶도록 아름답고나.
소나무 감송감송 목멱(木覓)의 등어리는
젖 물고 어루만지던 어머니의 허리와 같고 삼각산(三角山)은 적(敵)의 앞에 뽑아든 칼끝처럼 한번만 찌르면 먹장구름 쏟아질 듯이
아직도 네 기상(氣象)이 늠름(凜凜)하구나.

에워싼 것이 바다로되 물결이 성내지 않고 샘과 시내로 가늘게 수(繡) 놓았건만 그 물이 맑고 그 바다 푸르러서,
한목음 마시면 한백년(限百年)이나 수(壽)를 할 듯 퐁퐁퐁 솟아서는 넘쳐넘쳐 흐르는구나.

할아버지 주무시는 저 산기슭에
할미꽃이 졸고 뻑꾹새는 울어예네
사랑하는 그대여, 당신도 돌아만 가면 저 언덕위에 편안히 묻어드리고
그 발치에 나도 누워 깊은 설음 잊으오리다.

바가지 쪽 걸머지고 집 떠난 형제(兄弟),
거칠은 벌판에 강냉이 이삭을 줍는 자매(姉妹)여,
부디부디 백골(白骨)이나마 이 흙속에 돌아와 묻히소서,
오오 바라다볼쑤록 아름다운 나의 강산이여!
—「나의 강산이여」 전문

② 가을날 풀밭에 누워서
우러러보는 조선의 하늘은

어쩌면 저다지도 맑고 푸르고 높을까요?
닦아 논 거울인들 저보다 더 깨끗하오리까.

바라면 바라볼쑤록
천리(千里) 만리(萬里) 생각이 아득하여
구름장을 타고 같이 떠도는 내 마음은,
애달프고 심란스럽기 비길 데 없소이다.
오늘도 만주(滿洲) 벌에서는 몇 천명(千名)이나 우리 동포(同胞)가
놈들에게 쫓겨나 모진 악형(惡刑)까지 당하고
몇 십명(十名)씩 묶여서 총(銃)을 맞고 거꾸러졌다는 소식(消息)!

거짓말이외다. 아무리 생각하여도 거짓말 같사외다.
고국(故國)의 하늘은 저다지도 맑고 푸르고 무심(無心)하거늘
같은 하늘 밑에서 그런 비극(悲劇)이 있었을 것 같지는 않소이다.

안땅에서 고생하는 사람들은 상팔자지요.
철창 속에서라도 이 맑은 공기(空氣)를 호흡(呼吸)하고
이 명랑(明朗)한 햇발을 쬐어 볼 수나 있지 않습니까?

논두렁에 버티고 선 허자비처럼
찢어진 옷 걸치고 남의 농사(農事)에 손톱발톱 달리다가
풍년(豊年)든 벌판에서 총(銃)을 맞고 그 흙에 피를 흘리다니…

미처날듯이 심란한 마음 걷잡을 길 없어서
다시금 우러르니 높고 맑고 새파란 가을 하늘이외다
분(憤)한 생각 내뿜으면 저 하늘이 새빨갛게 물이 들듯하외다.

—「풀밭에 누워서」 전문

심훈의 시에서 간과할 수 없는 것은 그의 시에 국토애에 바탕을 둔 조국사상 또는 흙의 사상이 짙게 깔려 있다는 점이다. 그의 시에는 민족혼 내지 조국

사상의 등가물로서 국토애와 향토애가 중요하게 자리잡고 있다. 그리고 이 경우에도 현실비판의식이 침투되어 있다는 사실은 쉽게 알 수 있는 일이다.

먼저 시 ①에는 국토에 대한 샤머니즘적인 애정이 드러나 있다. 다섯 연으로 구성된 이 시의 앞 세 연이 모두 국토의 아름다움과 그 생명력에 대한 찬양과 흠모로 짜여 있다. 먼저 첫 연에서는 "큰 봉오리와 작은 뫼뿌리의 어여쁨이여/네 품에 안겨 딩굴고 싶도록 아름답고나"와 같이 국토의 아름다움에 대한 혈연적 애정을 고백한다. 둘째 연도 "소나무 감송감송 목멱의 등어리는/젖물고 어루만지던 어머니의 허리와 같고 삼각산은 적의 앞에 뽑아든 칼끝처럼/아직도 네 기상이 늠름하구나"처럼 국토에 대한 본능적 애정과 그 늠름한 기상을 흠모하고 있다. 셋째 연도 "그 물이 맑고 그 바다 푸르러서/한백년이나 수를 할듯 퐁퐁퐁 솟아서는 넘쳐넘쳐 흐르는구나"와 같이 국토의 청수명미한 풍정과 그 생명력을 예찬하는 것이다. 따라서 이 시에서 국토애는 거의 신앙적인 면모로 상승되어 있음을 알 수 있다. 그러면서도 여기에 샤머니즘적인 흙의 사상 내지 조국사상이 표출된다. "할아버지 주무시는 저 산기슭에/사랑하는 그대여, 당신도 돌 아만 가면 저 언덕 위에 편안히 묻어 드리고/그 발치에 나도 누워 깊은 설음 잊으오리다"라는 구절 속에는 조상 대대로 수만 년 살아온 이 땅이 우리에게 영원한 삶의 터전이자 정신의 고향이면서, 언젠가는 돌아가야 할 육신의 고향이라고 하는 조국사상 또는 흙의 사상이 담겨져 있는 것으로 보인다. 특히 마지막 연에는 이러한 조국사상이 당대 현실에 대한 날카로운 비판과 연결되어 있어 관심을 끈다. "바가지 쪽 걸머지고 집 떠난 형제/거칠은 벌판에 이삭을 줍는 자매여/부디부디 백골이나마 이 흙속에 돌아와 묻히소서/오오 바라다볼쑤록 아름다운 나의 강산이어"라는 마지막 연에는 아름답고 수려한 이 땅의 모습과 대비되는 현실상황의 불모성과 비극성이 심화되어 나타난다. 뒤집어 말하면, 국권상실과 식민통치의 지속적인 수탈에도 불구하고 국토애로 표상되는 민족혼과 조국사상은 영원하리라는 확신이 제시되어 있는 것이다.

시 ②도 마찬가지이다. 조선의 하늘은 맑고 푸르르기만 한데 "오늘도 만주벌에서는 몇 천명이나 우리 동포가/놈들에게 쫓겨나 모진 악형까지 당하고/몇 십명씩 묶여서 총을 맞고 꺼꾸러졌다는 소식"처럼 아름다운 조국 강산과 대비되어 왜적에게 유린되어 온갖 비극적인 일들이 자행되는 당대 현실의 참상이 예리하게 강조되어 있다. 만주동포들의 수난과 참경도 기실 주권상실과 땅 빼앗김, 즉 조국과 국토상실로부터 기인한다는 점에서 볼 때 이 시가 민족혼의 상징으로서의 국토애와 조국사상을 드러내고자 한 것임을 알 수 있다. 아울러 이 시에는 비록 감옥에 있더라도 조국에 사는 건이 행복하다는 깨달음이 피력되어 있어서 주목된다. 이것은 다시 "논두렁에 버티고 선 허자비처럼/찢어진 옷 걸치고 남의 농사에 손톱발톱 달리다가/풍년든 벌판에서 총을 맞고 그 흙에 피를 흘리다니"처럼 온갖 착취와 수탈에 시달리면서 뼈빠지게 남의 농사를 지어주고도, 총맞아 죽고마는 민족의 비참한 운명과 현실에 대한 탄식과 함께 그렇게 만든 장본인인 일제에 대한 강력한 분노와 적개심으로 연결된다. "분한 생각 내뿜으면 저 하늘이 새빨갛게 물이 들듯하외다"라는 결구 속에는 국토와 민족혼을 짓밟고 민중의 생명력을 억압하는 일제에 대한 뜨거운 항거의지가 표출되어 있다.

이렇게 본다면 심훈의 시에서 국토애와 향토애는 바로 조국사상 내지 민족사상의 발현임을 알 수 있다. 실상 그의 시에 「명사십리」, 「송도원」, 「총석정」 등 명승고적 예찬과 함께 「필경」 등의 흙의 사상이 제시된 것도 실상은 이러한 조국사상과 민족사상에서 우러난 조국애 또는 민족애의 표현인 것이다. 이 점에서 우리는 이상화가 "지금은 남의 땅—빼앗긴 들에도 봄은 오는가/그러나 지금은—들을 빼앗겨 봄조차 빼앗기겠네"라고 절규한 참뜻을 이해할 수 있게 된다. 이 시에서도 국토에 대한 샤머니즘적인 애정과 흙의 사상이 드러나며, 이것이 바로 조국사상과 민족사상의 결정임을 확인할 수 있기 때문이다. 실상 30년대 이후 작고하기까지 그가 낙향하여 흙속에 묻혀 살면서, 「영원의 미소」(1933), 「상록수」(1935) 등을 집필한 것도 이러한 조국사상과 민족애의 표현임은 두말할 나위가 없을 것이다. 바로 이 점에서 민족시인 애국시인으로서의 심훈의 면모가 크게 고양될 수 있음 또한 사실이다.

7 민중적 생명력과 예언자적 지성

① 동무여,
봄의 서곡(序曲)을 아뢰라.
심금(心琴)엔 먼지 앉고 줄은 낡았으나마
그줄이 가닥 가닥 끊어지도록
새봄의 해조(諧調)를 뜯으라!

그대의 가슴이 찢어질듯 아픈 줄이야 말아니한들 누가 모르랴
그러나 그 아픔은 묵은 설음이
엉기어 붙은 영혼(靈魂)의 동통(疼痛)이 아니요
입술을 깨물며 새로운 우리의 봄을
빚어 내려는 창조(創造)의 고통(苦痛)이다.

진달래 동산에 새 소리 들리거든
너도 나도 즐거이 노래 부르자
범나비 쌍쌍이 날아 들거든
우리도 덩달아 어깨춤 추자.
밤낮으로 탄식(嘆息)만 한다고 우리 봄은 저절로 굴러 들지 않으리니—
그대와 나, 개미 떼처럼
한데 뭉쳐 꾸준하게 부지런하게
땀을 흘리며 폐허(廢墟)를 지키고
또 굽히지 말고 싸우며 나가자.

우리의 역사(歷史)는 눈물에 미끄러져
뒷걸음 치지 않으리니—

동무여,
봄의 서곡(序曲)을 아뢰라
심금(心琴)엔 먼지 앉고 줄은 낡았으나마
그 줄이 가닥가닥 끊어지도록
닥쳐올 새봄의 해조(諧調)를 뜯으라.

—「봄의 서곡」 전문

② 지난 겨울 눈밤에 얼어 죽은줄 알았던 늙은 거지가
쓰레기통 곁에 살아 앉았네.
허리를 펴며 먼산(山)을 바라보는 저눈초리!
우묵하게 들어간 그 눈동자 속에도
봄이 비최는구나 봄빛이 떠도는구나.

원망스러워도 정(情)든 고토(故土)에 찾아드는 봄을
한번이라도 저 눈으로 보고 싶어서
무쇠도 얼어붙는, 그 치운 겨울에 잇발을 앙물고 살아왔구나
죽지만 않으면 팔다리 뻗어볼 시절이 올 것을
점(占)쳐 아는 늙은 거지여 그대는 이땅의 선지자(先知者)로다.

사랑하는 젊은 벗이여,
그대의 눈에 미지근한 눈물을 걷우라!
그대의 가슴을 헤치고 헛된 탄식(嘆息)의 뿌리를 뽑아 버리라!
저 늙은 거지도 기를 쓰고 살아 왔거늘
아아, 어찌하여 그대들은 믿지 않는가?

—「거리의 봄」 전문

마지막으로 한 가지 더 살펴볼 것은 심훈의 시에 미래지향의 역사의식 또

는 예언자적 지성의 면모가 드러난다는 점이다. 그의 시에서 당대 식민지 현실은 '깊은 밤/겨울 밤' 등으로 표상되어 왔고 '유형의 땅/죽음의 시대'로 인식되고 있었음은 앞에서 살펴본 바 있다. 그러나 그의 시에는 밤으로부터 새벽과 아침, 겨울로부터 봄, 그리고 영어에서 해방, 죽음에서 부활에 이르고자 하는 끈질긴 노력과 의지가 지속적으로 분출되고 있다. 겨울의 아픔은 새로운 봄을 창조하기 위한 시련이며, 죽음은 새로운 탄생과 부활을 성취하기 위한 통과과정이라고 하는 미래지향의 역사의식이 작용하고 있는 것이다. 그리고 이러한 봄과 부활의 성취는 "밤낮으로 탄식만 한다고 우리봄은 저절로 굴러들지 않으리니—/그대와 나, 개미떼처럼/한데 뭉쳐 꾸준하게 부지런하게/땀을 흘리며 폐허를 지키고/또 굽히지 말고 싸우며 나가자"라는 구절처럼 공동체의식과 노동의식이 역동적으로 결집되는 데서 추진력을 확보할 수 있다는 민중적 신념을 표출한다.

역사의 전개 또한 수동적·소극적으로서가 아니라 능동적 주체적인 노력과 투쟁 속에서 비로소 바람직한 방향으로 나아갈 수 있다는 확실한 미래지향적 역사의식을 드러내고 있는 것이다. 수난의 상황, 역경의 현실에서 '최후의 일인까지 최후의 일각까지' 그 극복을 위해서 투쟁하고 헌신할 때 광복과 부활의 봄이 다가오리라는 투쟁적 지성과 함께 예언자적 지성이 발현되고 있다는 데서 심훈시의 생동감이 드러난다.

시 ①에는 이러한 것이 더욱 심화되어 나타난다. 그것은 마치 아무것도 가진 것 없는 거지에게도 희망의 봄이 오고야 말 듯이 주권 잃은 국가, 패망한 민족에게도 생명의 봄이 기필코 다가오리라는 확신에 해당한다. 겨울이 가면 봄이 오는 것이 대자연의 법칙이듯이 언젠가는 겨울로서의 이 식민통치가 종식되고 봄으로서의 조국광복이 오고야 말리라는 역사의 법칙에 대한 예언적 확신이 제시된 것이다. 그것은 만물의 법칙이자 역사의 당위에 해당하리만큼 운명적이면서도 신앙적인 면모를 지닌다. "그 봄도 우리의 봄도, 눈앞에 오고야 말 것을"이라는 결구 속에는 역사의 봄이 머지않아 이 땅에 도래하리라는 신앙적 확신과 예언이 담겨져 있는 것이다.

실상 이러한 신앙적 확신과 예언적 기대가 깊고 강렬한 것이기 때문에 「그 날이 오면」에서의 충격과 감동이 크고 깊을 수밖에 없음은 자명한 이치이다. 심훈의 이러한 역사법칙에 대한 확신과 예언자적 지성의 발현은 그 의 문학적 출발점인 3·1운동 직후의 영어체험에서 촉발되어 졌던 것임은 물론이다.

> 어머님!
> 우리가 천번 만번 기도를 올리기로서니 굳게 닫힌 옥문이 저절로 열려질 이는 없겠지요. 우리가 아무리 목을 놓고 울며 부르짖어도 크나큰 소원이 하루아침에 이루어질 이도 없겠지요. 그러나 마음을 합하는 것처럼 큰 힘은 없습니다. 한데 뭉쳐 행동을 같이하는 것처럼 무서운 것은 없습니다. 우리들은 언제나 그 큰 힘을 믿고 있습니다.
> 생사를 같이 할 것을 누구나 맹서하고 있으니까요…그러길래 나어린 저까지도 이러한 고초를 그다지 괴로워하여 하소연해 본 적이 없습니다.
>
> 어머님!
> 어머님께서는 조금도 저를 위하여 근심하지 마십시오. 지금 조선에는 우리 어머님 같으신 어머니가 몇 천(千)분이요, 또 몇 만(萬)분이나 계시지 않습니까? 그리고 어머님께서도 이땅에 이슬을 받고 자라나신 공로많고 소중한 따님의 한분이시고 저는 어머님보다도 더 크신 어머님을 위하여 한몸을 바치려는 영광스러운 이땅의 사나이외다.
>
> —「어머님께」 부분 (「전집」 제7권, 11-12쪽.)

이것은 1919년 3월 1일 독립운동 협의로 투옥되어 모진 고생을 겪으면서 심훈이 감옥에서 어머님께 올린 글월의 한 부분이다. 19세 어린 나이에 옥중에서 쓴 글임에도 불구하고 조국과 민족에 대한 신앙적 애정과 함께 민중적인 열정이 담겨져 있어 주목된다. 바로 「그날이 오면」에서 '그날'이란 "마음을 합하여 한데 뭉쳐 몸바치려는" 데서 "굳게 닫힌 옥문이 저절로 열리는" 것처럼 자연스러우면서도 필연적으로 다가오게 마련이다.

이렇게 볼 때 현실에 대한 절망과 고통이 심하면 심할수록 '그날'에 대한 신념과 기다림이 깊고 확실한 것으로 자리 잡을 수밖에 없으며, 바로 이 점에서 심훈의 미래지향의 역사의식이 견고함을 확인할 수 있는 것이다. 밤이 가면 밝음이 오고 겨울이 깊으면 봄이 아름다운 것은 역사의 법칙이자 만상의 원리에 해당할 것이 분명하다.

□ 맺음말

지금까지 심훈은 소설가로서의 위치가 높이 평가됨으로써 시인으로서의 진가와 중요성은 상대적으로 경시돼 온 것이 사실이다. 그러나 심훈의 시들은 그것이 일제하에서 쓰였지만 일제 당국의 거부로 인해 시집 발간이 이루어지지 못했다는 사실만으로도 식민지 시대 시의 일반적인 한계를 뛰어넘고 있는 것으로 판단된다. 그의 시는 식민통치의 근원적 모순과 구조적 폭력에 대항하여 식민지 당대를 죽음의 시대로 매도하는 등 참된 민족정신과 저항정신을 보여주었다. 그의 시는 당대의 사회 현실과 체험적으로 부딪치면서 팽팽한 긴장을 유지하면서도 그것을 역사의식과 민족사상으로 고양시킨 데서 소중한 의미를 지닌다. 따라서 그의 시는 현실성·사회성·역사성·민중성을 함께 포괄하는 특징을 지닌다.

물론 그의 시는 몇 가지 점에서 부족한 점을 내포하고 있는 것이 사실이다. 대체로 표현과 형태면에서 다듬어져 있지 않고, 구조적인 안정감을 결여하고 있으며, 동어 반복이 많다는 점 등이 그것이다. 그러나 그의 시는 이러한 예술성을 논의하는 그 너머의 정신사적 차원에 존재한다. 어쩌면 그의 시는 지금까지 예술적인 측면이나 문단사의 측면을 강조하고 선입견에 지배되어온 감이 없지 않은 기존 문학사에 대해 반성을 요구하는지도 모른다.

그의 시는 정신사적 측면에서는 단재를 비롯한 중국형 독립운동가들에 맥락이 닿아 있으며, 투사적인 면을 지니면서도 예술가로서의 품성을 강하게 지니고 있다는 점에서는 만해나 상화와 연결된다. 또한 그의 시가 전투적 지성과 예언자적 지성을 발현하고 있다는 점에서는 30년대 후반 육사의 시로 연결됨으로써 이 땅 저항시사에 우뚝한 봉우리로서 자리한다.

무엇보다도 그의 시는 이 땅 역사와 민족이 어려움에 처했을 때마다 시가 지닌 비장미와 숭고미, 그리고 예언자적 민족혼으로 인해서 싱싱한 감동을 심어 줄 것이라는 점에서 소중한 의미를 지닐 것이 분명하다.

□ 연 보

1901 : 10월 23일 서울 노량진에서 부 심상정(沈相廷)의 3남 1녀 중 막내로 출생. 본명은 대섭(大燮).

1915 : 서울 교동보통학교를 졸업하고 경성 제일고등보통학교 입학

1917 : 왕족인 전주 이씨(후일 심훈이 해탄(海嘆)이란 이름을 지어 줌)와 결혼(1924년에 이혼).

1919 : 경성제일고보 4학년 재학 당시 3·1운동에 가담, 3월 5일 헌병대에 체포되어 투옥됨. 7월에 집행유예로 출옥.

1920 : 유학의 길을 떠남. 북경, 남경, 상해를 거쳐 항주에 이르러 지강대학 수학.

1923 : 귀국, 최승일, 안석주 등과 함께 극문회 조직.

1924 : 동아일보 기자로 입사.

1926 : '철필구락부사건'으로 동아일보 사직. 영화소설 「탈춤」 동아일보에 연재.

1927 : 도일, 경도 일활촬영소에서 촌전실감독에게 영화제작을 배움. 6개월 만에 귀국. 「먼동이 틀 제」를 각색, 감독, 주연하여 단성사에서 개봉, 흥행에는 성공하였으나 계급의식이 결여되었다고 해서 임화 등 카프측에서 맹렬히 비판.

1930 : 「동방의 애인」을 조선일보에 연재하였으나 일제의 검열에 의해 중단됨. 시 「그날이 오면」을 이 해에 썼다고 함. 안정옥과 재혼.

1931 : 평론 「우리 민중은 어떠한 영화를 요구하는가」 발표.

1932 : 충남 당진군 송악면 부곡리로 낙향.

1933 : 시집 『그날이 오면』을 출간하려 하였으나 일제의 검열로 출간불가라는 붉은 도장 찍혀 퇴출됨. 당진 본가에서 장편 「영원의 미소」를 집필, 조선중앙일보에 연재.

1935 : 장편 「상록수」가 동아일보 창간 15주년 기념 현상모집에 당선, 연재됨.

1936 : 「상록수」를 영화화하려고 계획했으나 일제의 방해로 실패, 한성도서에서 『상록수』를 간행하려고 일하던 도중 장티푸스에 걸려 대학병원에 입원하였으나, 9월 16일 36세를 일기로 급서.

1949 : 시집 『그날이 오면』이 한성도서에서 간행됨.

1951 : 『심훈전집』 전 7권이 한성도서에서 간행됨.

6. 영랑(永郞) 김윤식(金允植)

—예술시의 한 선구자—

"달빛으로 눈물을 말릴가보다"라고 노래하던 시인 영랑(永郞) 김윤식(金允植)(1903~1950), 그는 지용과 함께 '시의 시다움'을 실천하기 위해 심혈을 기울인 선구적 시인의 한 사람이다. 그는 용아(龍兒) 박용철(朴龍喆)과 더불어 『시문학』지를 창간, 주재함으로써 1930년대 이 땅의 서정시 운동을 본격화하였다. 그는 시의 본도가 서정에 놓여야 하며, 그것은 언어의 섬세한 조탁에 의해 미학적 수준으로 상승돼야 함을 강조하였다. 특히 그는 "아름다움은 영원한 즐거움"(A thing of beauty is a joy forever)이라는 키츠(J. Keats)의 말을 음미하면서 사라져가는 우리의 고유어를 발굴하고 향토어인 전라 방언을 널리 사용함은 물론 독창적인 조어를 활용하는 등 국어의 심미적 가치를 개발하는 데 주력하였다. 지용에게서 특징적으로 볼 수 있었던 언어의 심미적 가치에 대한 섬세한 인식은 영랑에 이르러 본격적인 작품상의 실천을 보게 된 것이다. 영랑에게서의 이러한 서정에 대한 재인식과 시어의 미적 구조성에 대한 재발견은 이 땅의 시를 생경한 관념이나 도식적인 이데올로기의 수준에서 예술적인 차원으로 상승시키는 데 결정적인 계기를 마련한 것으로 이해된다. 무엇보다도 그의 시는 시인의 주관 세계를 애매모호한 비유와 상징적 상관물, 그리고 감각적인 분위기와 미묘한 뉘앙스 및 음악적 하모니를 통해서 형상화함으로써 안서와 상아탑 등이 시도했던 상징시 실험을 본격화했다는 점에서 의미가 놓여진다.

지금까지 영랑시에 대한 논의는 대부분 운율이나 형태에 집중되어 왔다. 또한 내용에 관한 것도 「모란이 피기까지는」 등 한 두 작품에 국한되어 온 것이 사실이다. 영랑시가 언어미학이나 구조적인 면에서 특징을 지닌 것이 분명하지만 영랑시의 참뜻은 보다 내용적인 깊이를 탐구하는 데서 찾아질 수 있으리라 본다. 그의 시는 표면적인 형식구조의 아름다움 속에 존재론적인 깊은 고뇌와 비탄을 담고 있는 것으로 이해되기 때문이다. 근대시사에서 영랑만큼 형식과 내용의 행복한 일치를 보여주는 시인은 그리 많지 않은 것으로 판단된다는 점에서 더욱 그러하다.

1 '밤'과 비관적 세계인식

영랑은 1930년 『시문학』지에 「동백닙에 빗나는 마음」 외 13편의 시를 발표함으로써 시단에 등장하였 다. 이후 1950년 전란 중에 서울 거리에서 포탄의 파편에 맞아 작고하기까지 모두 86편의 작품을 남겨 놓았다. 그의 시집으로는 『영랑시집』(시문학사, 1935)과 『영랑시선』(중앙문화사, 1949) 두 권이 있는데, 『영랑시집』은 작품 제목이 없이 53편의 작품에다 일련번호만 붙여 놓았으며 『영랑시선』은 『영랑시집』의 작품에 17편을 더하고 제목을 새로 달아서 모두 70편을 수록하고 있다.[1)]

『영랑시집』의 표기 체계는 판본에 따라 차이가 많다. 그러나 대략 띄어쓰기에 있어서는 3음보 내지 4음보격을 기준으로 해서 띄어 씀으로써 일정한 리듬의 흐름을 형성하려 노력하였다. 특히 그의 시는 리듬을 살리기 위해서 시인 나름대로의 조어 및 어형 변화를 시도하는 등 유려한 음악성 형성에 주

1) 정숙희, 「영랑시집의 판본연구」(『관악어문연구』 9집, 서울대국문과, 1985)

의를 기울인 흔적이 역력하다. 또한 구두점은 『시집』, 『시선』 모두에 거의 사용하고 있지 않는데, 이것은 시의 가락을 열어 놓음으로써 음악적인 흐름을 지속시키고자 하는 의도에서 비롯된 것으로 보인다.

그러면 실제 작품을 통해 시 세계의 특징을 살펴보기로 한다.

① 님두시고 가는길의 애끈한 마음이여
한숨쉬면 꺼질듯한 조매로운 꿈길이여
이밤은 캄캄한 어느뉘 시골인가
이슬가치 고힌눈물을 손끗으로 깨치나니

② 좁은길가에 무덤이 하나
이슬에 저지우며 밤을 새인다
나는 사라져 저별이 되오리
뫼아래 누어서 희마한 별을

③ 밤ㅅ사람 그립고야
말업시 거러가는 밤ㅅ사람 그립고야
보름넘은 달그리매 마음아이 서어로아
오랜밤을 나도혼자 밤ㅅ사람 그립고야

④ 문허진 성터에 바람이 세나니
가을은 쓸쓸한 맛 뿐이구려
히끗히끗 산국화 나붓기면서
가을은 애닯다 소색이느뇨

위 작품들은 각각 「님두시고」, 「좁은 길가에」, 「밤ㅅ사람 그립고야」, 「문허진 성터에」라는 제목이 붙은 「사행소곡」 중의 한 편들이다. 『시문학』지에 실린 이 작품들은 영랑 초기시의 특징을 잘 보여준다. 대체로 한 행은 4음보격으로 구성되어 있으며, 그것은 기·승·전·결 4행으로 시 한 편을 이룬다는 점이다. 그리고 이 4행은 다시 전·후 각 2행씩 나뉘어 의미상의 단락을 이룬다. 이 점에서는 이 시편들이 전통 가사와 시조의 음보격과 관련되며, 형태상으로는 한시의 그것과 대응됨을 알 수 있다. 무엇보다도 인용 시편들은 내용 면에서 공통점을 지닌다. 그것은 '밤'으로서의 세계인식이 드러난다는 점이다. 그리고 이 밤은 부정적, 하강적 시어들과 연결되어 있다는 점에 특징이 있다.

①에서의 핵심은 "님두시고 가는길의 애끈한 마음"이지만, 이것이 표상된 것은 '밤'과 '눈물'의 이미지를 통해서이다. 님의 상실 자체가 문제라기보다는 그것이 남겨준 비극적 현실에 대한 절망적 인식이 더 고통스럽게 다가오는 것이다. "한숨/눈물"이 환기하는 부정적 정서는 "꺼질듯한/캄캄한"이라는 절망적 시어와 연결됨으로써 퍼스나의 비관적 현실인식을 심화해 준다. 이러한 비관적 현실인식이 '밤'의 이미지로 응결된 것으로 보인다. ②의 경우에도 밤의 이미지가 나타난다. 이것은 무덤의 이미지와 연결되어 더욱 부정적인 정감을 북돋워 준다. 더구나 "이슬" 및 "희미한 별"과 어울림으로써 생의 허무감 또는 무상감을 환기해주기도 한다. "나는 사라져 저 별이 되오리"라는 구절은 이러한 무상감의 한 반영이 된다. ③에서도 마찬가지이다. "밤ㅅ사람"과 "오랜밤"이 이 시의 핵심이다. 사람에 대한 인식이 "밤ㅅ사람"으로 표상된 것은 절망적, 부정적 세계인식이 극단적인 표상으로 제시된 것이다. "말업시 걸어가는 밤ㅅ사람"은 이승이 아닌 저승의 '님'이지만, 이것은 동시에 퍼스나의 대리자아일 수도 있는 것이다. "서어로아/그립고야"의 감정 대응은 정리되지 않은 불안한 심리상태를 반영한 것으로 이해된다. ④에서는 인생무상의 정감이 더욱 고조되어 나타난다. "문허진성터/바람/산국화/가을"의 이미지들이 서로 어울려 세상의 허무함 또는 인생의 무상함을 드러내 주는 것이다. 역시 여기에서의 정서적 기저는 '쓸쓸함'과 '애달픔'으로 요약할 수 있다.

이렇게 볼 때 이 네 편의 4행시들은 님의 상실을 모티브로 하여 비관적이고 부정적인 현실인식을 제시해 준 것으로 이해된다. 그리고 이것은 물론 주관적인 정감의 유로임에 분명하지만, 동시에 영랑의 시대 인식과도 무관하지만은 않은 것으로 보인다. 이미 이전에 영랑은 10대에 상처라는 비통한 일을 겪었던바, 이것이 이 시편들의 직접적인 모티브가 되었으며, 아울러 17세 나던 해인 1919년에는 독립운동 혐의로 체포되어 대구 형무소에서 고초를 겪기도 했었기 때문이다. 이러한 개인적 비탄과 사회적 고통의 체험이야말로 영랑의 비관적 세계인식 또는 인생무상의 정감을 심화시킬 수밖에 없었던 것으로 이해된다. 이러한 초기시의 비관적 세계인식은 이후의 시를 관류하는 정서의 중요한 형질이 된다.

2 흐름의 시학 또는 낙하의 상상력

① 내마음의 어딘듯 한편에 끗없는
강물이 흐르네
도처오르는 아츰날빛이 빤질한
은결을 도도네
가슴엔듯 눈엔듯 또 피ㅅ줄엔듯
마음이 도른도른 숨어있는곳
내마음의 어딘듯 한편에 끗없는
강물이 흐르네

—「동백닙에 빛나는 마음」 전문

② 물보면 흐르고
별보면 또렷한
마음이 어이면 늙으뇨

흰날에 한숨만
끝업시 떠돌든

시절이 가엽고 멀어라

안쓰런 눈물에안껴
흐튼님 싸힌곳에 빗방울드듯
늣김은 후줄근히 흘러흘러가것만
그밤을 홀히안즈면
무심코 야윈볼도 만저보느니
시들고 못피인꽃 어서떠러지거라

—「물보면 흐르고」 전문

내가슴속에 가늘한 내음
애끈히 떠도는 내음
저녁해 고요히 지는제
머ㄴ 산(山) 허리에 슬리는 보랏빛

오! 그수심뜬 보랏빛
내가 일흔 마음의 그림자
한이틀 정녈에 뚝뚝 떠러진 모란의
깃든 향취가 이가슴노코 갓슬줄이야

얼결에 여흰봄 흐르는 마음
헛되이 차즈랴 허덕이는날
뻘우에 철석 개ㅅ물이 노이듯
얼컥니—는 훗근한 내음

아! 훗근한 내음 내키다마는
서어한 가슴에 그늘이 도나니
수심뜨고 애끈하고 고요하기
산(山)허리에 슬니는 저녁 보랏빛

—「가늘한내음」 전문

영랑 시의 또 다른 특징의 하나는 그것이 흐름의 시학 또는 낙하의 상상력에 기초를 두고 있다는 점이다. 영랑의 시가 '내 마음'의 세계에 바탕을 두고 있음은 여러 평론가가 적절하게 지적한 바 있다.2)

그러나 중요한 것은 영랑시의 특성이 '내 마음' 자체에 있는 것이 아니라, 그것이 흐르는 것 또는 떨어지는 것으로서의 유동성을 지닌다는 점에서 찾아져야 하리라 생각한다. 영랑시에 나타나는 정감의 양태는 정지적이고 정관적인 것이 아니라 유동적, 가변적인 동태성을 지니기 때문이다. 이것을 우리는 '흐름의 시학' 또는 '낙하의 상상력'이라 부를 수 있을 것이다. 인용시에서 볼 때 우선 나타나는 특징은 이 시들이 '마음=흐름'으로 구상적인 인식을 보여주고 있다는 점이다. 이것은 마음이라는 추상적 관념이 '강물/물/개울' 등과 같이 구상적인 흐름의 양태로 비유됨으로써 역동성을 획득하게 됨을 의미한다. 마음은 단순한 존재(être)가 아니라 가변적인 당위성(faire)을 지니는 것으로 인식되는 것이다.

먼저 ①시에는 마음이 강물로 비유됨으로써 감각적인 구상성을 획득하게 된다. 내 마음은 '강물의 흐름/아츰날빗의 은결'과 같이 감각적으로 시상화되어 마음의 형상을 구체화하는 것이다. 또한 "가슴엔듯 눈엔듯 또 피ㅅ줄엔듯/마음이 도른도른 숨어잇는 곳"과 같이 구상과 추상을 결합하여 시의 감각성을 북돋는다. 이러한 '마음=강물=은결=가슴=눈=핏줄'이라는 시상의 전개는 마음속에 담긴 설움과 그리움 같은 서정적 정감을 확대하고 심화하는 역할을 수행하는 것으로 보인다. 이것은 어쩌면 소월이 시 「풀따기」에서 그리움(마음)을 자라나는 '풀'과 흘러가는 '냇물'로 비유함으로써, 그 흘러감 속에서 그리움과 외로움을 이겨내려 한 것과 비교될 수 있을 것이다. 영랑은 마음속에 끊임없이 일어나는 외로움과 그리움을 흘러가는 강물로서 인식하여 그 흐름 속에 삶의 모습을 투영하려 한 것으로 이해되기 때문이다.

---

2) 정한모, 「김영랑론」(『현대시론』, 보성문화사, 1985)

②시에도 흐름의 상상력이 나타난다. 여기에서는 "물보면 흐르고/별보면 또렷한/마음이 어이면 늙으뇨"와 같이 '물=흐름', '마음=늙음'이라는 유추 관계가 성립된다. 다시 말해 마음이 흐름으로서의 시간성을 지니며, 그것은 늙음이라는 운명적 사실과 연결된다는 점이다. 따라서 '한숨/눈물'과 같은 부정적인 시어가 나타나게 된다. 이런 부정적 시어는 다시 '늙음/떠돌음/가엾음/안쓰러움/후줄근함/야윔/떠러짐' 등의 하강적 시어들과 결합되어 비관적인 세계관을 형성한다. 여기에서 이러한 부정적 시어와 하강적 정감을 관류하는 것이 바로 흐름의 이미지이며 그 바탕이 바로 낙하의 상상력인 것이다. 흐름으로서의 마음과 떨어짐으로서의 세계상은 영랑 자신의 불안한 실존과 덧없는 인생을 비유적으로 드러낸 것이 된다.

③에는 흐름의 이미지와 낙하의 상상력이 더욱 구체적으로 나타난다. 마음은 역시 '흐르는 것'으로 비유되는데, 이것은 다시 "가늘한 내음/슬리는 보랏빛/떠러진 모란의 깃든 향취/훗근한 내음/서어한 가슴" 등과 같은 감각적 의미 영역으로 확대됨으로써 구상성을 확보하게 된다. 더욱이 이 마음은 '떠도는/슬리는/일흔/떠러진/여흰/헛되히/서어한/수심뜬/애끈한' 등의 하강적인 시어들과 결합됨으로써 어둡고 비관적인 색조를 심화하게 된다. 이러한 어둡고 비관적인 정감은 역시 소월의 그것과 서로 통하는 바가 없지 않다. 이 흐름의 이미지와 하강적 상상력에 의한 비관적 세계인식은 소월의 시집『진달래꽃』을 관류하는 정감의 특질로 볼 수도 있기 때문이다. '흐름'과 '떨어짐'으로서의 마음에 대한 비유적 인식은 바로 인간의 시간적 존재성과 그것의 허망성에 대한 영랑의 깨달음을 반영한 것으로 이해된다는 점에서 중요성이 놓인다.

3 하늘지향성의 의미

① 어덕에 바로누어
아슬한 푸른하날 뜻업시 바래다가
나는 이젓습네 눈물도는 노래를
그하날 아슬하야 너무도 아슬하야

이몸이 서러운줄 어덕이야 아시련만
마음의 가는우슴 한때라도 업드라냐
아슬한 하날아래 귀여운맘 질기운맘
내눈은 감기엿대 감기엿대

—「어덕에 바로누어」 전문

② 내옛날 온꿈이 모조리 실리어간
하날갓 닷는데 깃븜이 사신가

고요히 사라지는 구름을 바래자
헛되나 마음가는 그곳 뿐이라

눈물을 삼키며 깃븜을 찾노란다
허공은 저리도 한업시 푸르름을

업듸여 눈물로 따우에 색이자
하날갓 닷는데 깃븜이 사신다

—「하날갓 다은데」 전문

③ 돌담에 소색이는 햇발가치
풀아래 우슴짓는 샘물가치
내마음 고요히 고흔봄 길우에

오날하로 하날을 우러르고싶다

새악시볼에 떠오는 붓그럼가치
시(詩)의가슴을 살프시 젓는 물결가치
보드레한 에메랄드 얄게 흐르는
실비단 하날을 바라보고 싶다

—「내마음 고요히 고흔봄 길우에」 전문

영랑의 시에서 또한 주목할 것은 '물'과 '하늘'의 이미지가 많이 나타난다는 점이다. 그의 현실인식이 대개 '밤', '어둠', '무덤' 등의 부정적, 비관적인 것과 연관되어 있음은 앞에서 이미 살펴본 바이다. 이러한 부정적, 비관적 현실인식 또는 허무의 세계관은 특히 '하늘'의 이미지와 연관됨으로써 새로운 세계상과 접하게 된다. 이른바 지상의 척도가 천상의 척도로 이행되는 것이다.

①의 시에서 "어덕"(언덕에서 ㄴ의 탈락으로 부드러운 느낌을 더해 준다.)과 '하늘'의 대조가 그것이다. "어덕에 바로누어/아슬한 푸른하날 뜻업시 바래다가"라는 구절은 지상과 천상의 대응을 나타낸다. 지상은 육신이 놓여 살아가는 터전이지만, 그곳은 "눈물도는 노래"를 부르게 하는 고통과 허망의 장소이다. 인간은 육신을 지니기 때문에 거기에서 연유하는 생·로·병·사 등 온갖 인간 조건에 시달리고 지배당할 수밖에 없는 것이다. 따라서 지상으로서의 "어덕"은 이 몸이 서러운 줄 아는 정감의 객관적 상관물로 이해된다. 지상에서의 온갖 서러움과 고통은 하늘을 바라보는 행위 속에서 '눈물'로서의 물의 이미지에 씻겨 투명하게 정화된다. 그러므로 하늘은 눈물과 서러움을 넘어서 "귀여운맘/질기운맘"에 도달케 해주는 이상적인 공간에 해당한다. 육신의 무게를 거슬러올라가 정신의 투명화에 이르게 하는 촉매이자 이념의 공간으로서 하늘이 위치하게 되는 것이다.

②시에서도 하늘과 땅은 서로 대조되어 나타난다. 땅은 눈물로 가득 찬 고

통과 서러움의 장소이며, 하늘은 푸른 꿈이 떠도는 기쁨의 공간이다. 하늘은 이 세상의 온갖 고통이 사라지고 꿈과 기쁨이 충만한 동경과 이상의 세계로서 표상된 것이다. "업디여 눈물로 따우에 색이자/하날갓 닷는데 깃븜이 사신다"라는 결구 속에는 영원의 장소로서의 하늘, 이상향으로서의 하늘에 대한 지향이 담겨져 있는 것으로 보인다. 실상 지상에서 온갖 고통과 절망을 겪을 수밖에 없는 육신의 인간이 기대할 수 있는 것은 열려진 공간으로서의 자유의 하늘 이외에 아무것도 없기 때문이다.

시 ③의 경우에는 하늘에 대한 지향이 보다 구체적으로 나타난다. 이 시는 영랑의 시 가운데 많지 않은, 밝은 시의 한 전범이 된다. 우선 시 전체에서 유성음의 활용이 두드러진다. 'ㄴ, ㄹ, ㅇ, ㅁ'음과 모음 등 유성음의 활용은 시 전체를 부드러운 율감과 해조에 휩싸이게 만든다. "돌담/햇발/풀/우슴/샘물/마음/고흔봄/오날/새악시볼/붓그럼/시의가슴/물결/보드레한/에메랄드/실비단/하날" 등의 시어들은 그 의미 자체의 맑고 밝은 뉘앙스가 유성음의 유려한 부드러움과 공명현상을 일으킴으로써 아름다운 음악미를 형성해 준다. 이른바 의미와 가락과 형태의 자연스러우면서도 완벽한 어울림에 의해 한국적 상징시의 육화된 한 전범을 이루어 낸 것이다. 또한 두운(돌/풀, 내마음/오날하로, 새악시불/시의가슴, 보드레한/실비단)과 요운(소색이는/우슴짓는, 떠오는/젓는), 그리고 각운(햇발가치/샘물가치/붓그럼가치/물결가치, 우러르고십다)의 정교한 배열은 시의 음악성을 고조시키고 형태적 안정감을 줌은 물론 의미의 결집력을 강화시키는 역할을 한다. 여기서도 '하늘'의 이미지는 시의 중요 심상을 이룬다. 그러나, 여기에서는 지상의 척도와 천상의 질서가 어긋나지 않는 화해와 교감의 모습을 보여주는 것이 특징이다. 실상 이 시가 아름다운 율격장치를 지니고 있는 것도 이 시에서의 하늘과 땅의 화해와 교감을 노래하기 위한 자연스런 장치가 아닐 수 없다. 그러면서도 "우러르고 십다/바라보고 십다"라는 하늘의 질서에 대한 동경과 갈망을 표출하는 것은 앞의 시들과 다름이 없다.

이처럼 영랑의 시에는 대지적인 질서를 벗어나고자 하는 갈망과 기대가 나타나고 있음을 알 수 있다. 고통과 절망을 안겨 주는 대지에서의 인간적 삶이 바랄 수 있는 것은 열려진 세계로서의 하늘에 대한 동경일 수밖에 없다. 하늘은 육신의 무게가 가벼워지고 온갖 정신의 질곡에서 자유로워짐으로써 지상의 굴레로부터 벗어나 정신의 투명함을 획득할 수 있는 이데아의 공간인 것이다. 이러한 하늘에의 지향과 동경은 달, 별 등의 천체적 이미저리와 연결되기도 한다. 영랑의 시에는 하늘 이외에도. 여러 천체적 이미저리, 특히 별의 이미지가 지속적, 반복적으로 나타나고 있는데 이것은 맑고 밝은 세계에의 지향성을 표출하고 있기 때문이다. 이러한 천체적 이미지들은 지상에서의 좌절과 절망에 기인하며, 그렇기 때문에 윤동주의 그것들과 연관된다는 점에서 의미를 지니는 것으로 이해된다.

4 언어미학과 탐미주의

① 황홀한 달빛
바다는 은(銀)장
천지는 꿈인양
이리 고요하다.

불르면 내려올듯
정든 달은
맑고 은은한노래
울려날듯

저 은(銀)장우에

떠러진단들
달이야 설마
깨여질나고

떠러져보라
저달 어서 떠러저라
그홀란스럼
아름다운 텬동 지동

후젓한 삼경(三更)
산우에 홀히
꿈꾸는 바다
깨울수 없다

—「황홀한 달빛」 전문

②「오—매 단풍들것네」
장광에 골불은 감닙 날러오아
누이는 놀란듯이 치어다보며
「오—매 단풍들것네」

추석이 내일모레 기둘니리
바람이 자지어서 걱정이리
누이의 마음아 나를보아라
「오—매 단풍들것네」

—「누이의 마음아 나를보아라」 전문

영랑 시의 또 다른 특징의 하나는 섬세한 언어 구사와 다양한 감각의 활용에 의해 탐미주의적 경향이 드러난다는 점이다. 영랑의 시가 슬픔이나 눈물 등의 비관적 정감으로 가득 차 있다는 것은 이미 살펴본 사실이다. 흔히 비애의 율조와 '탁기(濁氣)'라고도 불리는 이러한 비극적 정조는 그것이 대부분 어둡고 절망적인 것으로 나타나지만, 때로는 아름다운 미감으로 표출되기도 한다. 이것은 주로 방언의 활용과 감각어의 구사 등 언어미학적인 장치에 의해 얻어지는 심미적 긴장체계를 일컫는다. 영랑 시에서의 비관적 정감과 부정적 이미지들은 향토적인 소재와 감각적인 언어를 통해서 건강하고 아름다운 구조미를 형성하게 되는 것이다.

시 ①에는 탐미적인 서정이 표출되어 있다. 제재는 달빛이다. 첫 연에는 달빛의 모습이 "바다는 은장/천지는 이리 고요하다"와 같이 시각과 청각 이미지를 결합함으로써 공감각적인 심상으로 조형된다. 둘째 연에서는 "불르면 내려올듯/정뜬 달"과 같이 관념화되어 나타난다. 아울러 달빛이라는 시각적 이미지가 "맑고 은은한 노래/울려날듯"이라는 청각 심상과 어울려서 달밤의 고즈넉한 분위기를 고조시킨다. 셋째 연에서는 시각과 청각이 다시 어우러지면서 달빛의 은은한 풍정을 시상화한다. 넷째 연에서는 달을 동태적 이미지로 파악하여 시적 심상의 유연성, 탄력성을 획득한다. '떠러짐/혼란스럼/천동지동'등의 동태적 이미저리는 달의 정지적 이미지를 역동화하는 데서 오는 미적 긴장감을 불러일으키게 된다. 마지막 연에서는 "후젓한 삼경/산우에 홀히/꿈꾸는 바다" 등과 같이 고요함의 분위기를 다시 형성함으로써 정지미를 환기하게 된다.

이렇게 볼 때 이 시는 시각, 청각, 촉각 등의 공감각적 활용과 역동적, 정지적 이미저리의 교차, 그리고 2음보 가락의 율동적 쾌미음을 탄력 있게 조화시킴으로써 달밤의 고즈넉한 분위기와 달빛의 아름다운 풍정을 효과적으로 묘사하고 있는 것이다. 특히 "정뜬/후젓한/홀히" 등의 조어와 "불르면/깨여질나고/산우에" 등의 전라도 방언의 활용은 달밤의 향토적인 심미감을 고조시켜주는 것으로 이해된다. 관념을 가능한 한 배제하고 감각과 리듬, 그리고 이미지만으로 달밤의 풍정을 아름답게 형상화했다는 점에서 이 시는 이미지즘의 한 반영이 될 수도 있을 것이다.

②시의 경우에도 마찬가지이다. 이 시에는 가을의 인상이 몇 개의 이미지와 감각, 그리고 리듬의식으로 묘사된 것으로 보인다. 무엇보다도 이 시는 "오—매 단풍들것네"라는 전라 방언의 리드미컬한 구사가 독특한 청각 영상(l'image acoustique)을 형성한 데서 특징이 놓여진다. 시작, 중간, 끝에 세 번이나 반복되는 이 특이한 가락의 방언 구문은 "오—매"라는 감탄어사, "단풍"의 시각적 이미지, 그리고 "들것네"라는 방언 어미가 환기하는 특이한 뉘앙스를 함께 결합함으로써 가을의 이미지를 효과적으로 조형하고 있는 것이다. 여기에다가 "장광"과 "골불은 감닙", "추석", "바람"과 "누이"의 이미지를 중첩시킴으로써 가을의 싱숭생숭한 설렘의 정조를 섬세하게 투영할 수 있게 된 것이나. 더구나 "들것네/날러오아/치어다 보며/기둘니리/자지어서"라는 방언 어미들이 자연스럽게 교차됨으로써 향토적 서정의 미감을 북돋우는 것으로 이해된다. 가히 감각과 이미지, 그리고 리듬의 유려한 결합이 빚어내는 언어 미학의 성취라고도 할 수 있으리라. 이 점에서 영랑은 지용과 함께 이 땅 시사에서 언어의 미학적 가치에 섬세하게 주목함으로써 시의 시다움, 즉 예술로서의 시를 실천적으로 보여 준 선구적 시인으로 판단되는 것이다.

5 생의 재발견 또는 존재론의 시

모란이 피기까지는
나는 아즉 나의봄을 기둘리고 잇슬테요
모란이 뚝뚝 떠러져버린날
나는 비로소 봄을여흰 서름에 잠길테요
오월(五月) 어느날 그하로 무덥든날
떠러져누은 꼿닙마져 시드러버리고는
천지에 모란은 자최도 업서지고

빼처오르든 내보람 서운케 문허졌느니
모란이 지고말면 그뿐 내 한해는 다가고말아
삼백(三百)예순날 하냥 섭섭해 우옵내다
모란이 피기까지는
나는 아즉 기둘리고잇슬테요 찬란한슬픔의 봄을

—「모란이 피기까지는」 전문

흔히 이 시는 영랑의 대표작으로 인정되어 인구에 널리 회자되고 있다. 일찍이 지용은 "모란을 이처럼 향수한 시가 있었던지 모르겠다. 영랑은 마침내 찬란한 비애와 황홀한 적막의 면류관을 으리으리하게 쓰고 시도(詩道)의 승당(昇堂)에 입실한 것이니 그의 조선어의 운용과 수사에 있어서는 기술적으로 완벽임에 틀림없다"라고 평하여 영랑이 이 시에 이르러 탁월한 문학적 표현을 성취하였음을 강조한 바 있다. 이외에도 박두진, 서정주, 김현승, 정한모 등 많은 평자들이 이 시를 우리의 서정과 언어가 도달한 높은 성과로 이해함으로써 이 시가 영랑시의 한 정점임을 강조하였다. 특히 근자에 이르러 이 시를 '극복의지가 숨어 있는 시'[3]로, 또한 '인생시'[4]로 해석하여 이 시에 대한 시야를 확대하였다.

이 시의 형식은 대략 2행연 구성을 취하고 있지만 내용 면에서는 4행연으로 짜여 있다. 다시 말해, 영랑 시의 기본 형태인 4행을 기본으로 하여 이것을 세 번 반복함으로써 기·서·결이라는 3연 12행 형태를 유지하고 있는 것이다. 이러한 행과 연의 구성은 이 시의 내용과도 유기적인 상관관계를 지닌다. 이 시의 구문법은 2행이 한 단위로 짜여지는데, 그것은 '～까지는/～ㄹ테요' '～날/리고는' 등과 같이 '조건절/주절'의 2행으로 구성된다. 이 2행 단위는 다시 병렬 또는 대조에 의해 4행으로 확대됨으로써 한 연을 이루게 되는 것이다.

---

3) 양주용, 「모란이 피기까지는」(『한국 현대시 작품론』, 문장, 1981) 참조.
4) 이인복, 「「모란이 피기까지는」의 구조적 분석」(『한국대표시평설』, 문학세계사, 1983) 참조.

첫 연은 1행 "모란이"부터 4행 "잠길테요"까지이다. 이 연은 형식 면에서도 '모란이~/나는~테요'라는 반복 구문의 대조 형식으로 짜여져 있다. 내용 면에서는 "피기까지는/아즉/봄을기둘리고"와 "떠러져버린날/비로소/봄을여흰"이 각각 대응된다. 피어남과 떨어짐, 또는 기다림과 여읨이 서로 대조됨으로써 개화와 낙화라는 꽃에서의 생명적 원리가 인간적인 정감으로 연결되는 것이다. 모란의 피어남은 머지않아 그것이 떨어져 버리고 말 것이라는 숙명성을 예감케 해준다는 점에서 비극성을 내포한다. 더구나 모란은 외면상 부귀와 풍요의 꽃이라는 상징성을 지니기 때문에 그것의 떨어짐은 비극미를 더할 수밖에 없다. 여기에서 생의 원리에 대한 깨달음이 나타난다. 그것은 인생의 모순성에 대한 새삼스런 자각이며, 그것의 숙명성에 대한 또 다른 발견이다. 꽃이 피었다가 떨어져 가는 모습은 바로 인생에서 그와 유사한 모습을 예감케 해주며, 이것은 다시 모든 존재의 원리에 해당하는 것일 수밖에 없다는 깨달음으로 연결되는 것이다. 따라서 이러한 생명의 모순성과 그 숙명성 속에서 인간은 끝없는 설움과 기다림을 겪으며, 견디며 살아갈 수밖에 없는 것이라는 생의 발견이 깃들여 있는 것이다. 다시 말해 이 연에는 소멸과 생성, 생성과 소멸이라는 존재의 원리와 함께 서러움과 기다림으로서의 생의 원상에 대한 섬세한 투시가 제시되어 있는 것으로 보인다.

둘째 연은 5행 "오월 어느날"부터 8행 "문허졌느니"까지이다. 여기에는 가상적인 현실이 제시된다. 그것은 모란의 낙화와 소멸이다. "떠러져누은/시드러버리고는/자최도업서지고/서운케 문허졌느니"라는 하강적, 부정적 시어 속에는 생의 비극성에 대한 깊은 절망과 탄식이 깃들어 있다. 낙화와 소멸이 지금 눈앞에 당장 나타나는 것이 아니라 해도 그것은 머지않아 다가올 모란의 숙명이며 필연적 결과인 것이다. 시의 퍼스나는 모란의 화려한 개화 속에서 낙화의 모습을 동시에 투시함으로써 새삼 생의 모순성·양면성을 체득하게 된다. 이 점에서는 모든 생명 있는 것들은 근본적인 면에서 비극적인 존재성을 지닌다. 그것은 일회적 존재성이며 단독자로서의 생의 모습이자 원리인 것이다. 모란이 떨어지는 것은 "오월 어느날 그하로 무덥든 날"이라는 가상적 시간이지만, 이것은 눈앞에 언제나 현존하는 실제의 모습으로 받아들여진다. 이렇게 볼 때 이 연에는 생명의 모순성 또는 숙명적 비극성에 대한 깊은 탄식이 담겨져 있는 것으로 이해된다. 어쩌면 이것은 영랑의 비극적 세계관 또는 숙명적 인생관을 반영한 것일는지도 모른다.

셋째 연에는 다시 생의 양면성에 대한 심화된 인식이 드러난다. 형식 면에서 이 마지막 연은 첫 연과 대응된다. 첫 연의 네 행이 2행씩 도치되어 마지막 연에 반복되는 것이다. 이 끝 연은 "모란이 지고말면/섭섭해 우옵내다"와 "모란이 피기까지는/기둘리고잇슬테요"의 대응으로 구성되어 있다. 모란의 '피어남→떨어짐'이라는 첫 연의 사건이 여기에선 '떨어짐'으로부터 '피어남'에 대한 기다림으로 전이 도치되어 있는 것이다. 이러한 '개화→낙화→개화'로의 전이는 '희망→낙망→희망'이라는 간단없는 생의 변모 과정을 반영한 것이기도 하다. 모든 생명있는 것들은 이러한 '피어남'이라는 생성과 소멸, 소멸과 생성의 원리 위에 놓여질 수밖에 없기 때문이다. 따라서 마지막 행 "나는 아즉 기둘리고잇슬테요 찰란한슬픔의 봄을"이라는 구절 속에는 밝은 것과 어두운 것, 상승과 하강, 생성과 소멸이라는 존재의 원리를 긍정하며 살아가야 하는 생의 모습이 구체적으로 담겨져 있는 것으로 이해된다. 특히 "찰란한 슬픔의 봄을"이라는 핵심 구절은 인생의 모순되는 두 측면과 그것의 숙명적 비극성에 대한 무시와 깨달음을 담고 있다는 점에서 의미를 지닌다. 개화와 낙화를 포괄하고 있는 봄의 모습은 이별과 만남, 소멸과 생성, 하강과 상승 등의 원리로 이어지는 생의 모습과 다를 바 없는 것이다. 이 점에서 "찬란한 슬픔의 봄"이라는 핵심 구절은 봄의 아이러니를 표출한 것이면서, 동시에 인생의 아이러니를 반영한 것이 된다. 이것은 또한 지용의 "외롭고 황홀한 심사"(「유리창」)로서의 감성과 이성의 부딪침이 빚어내는 아이러니와도 유사한 것이다.

이렇게 볼 때 이 시 「모란이 피기까지는」은 생의 모순성과 숙명적 비극성을 '모란이 피고 지는 모습'을 통해서 투시함으로써 존재의 원리 또는 생의 모습을 새롭게 발견하고자 하는 존재론의 시로서 이해할 수 있다. 열다섯 어린 나이에 결혼하여 일 년 만에 상처함으로써 일찍이 생의 쓰리고 아픈 맛을 겪었던 영랑으로서는 봄날 화려하게 피어난 꽃을 보면서 죽음을 예감하고 생의 모순성 또는 숙명적 비극성을 새삼 절감할 수밖에 없었을 것이기 때문이다. 이 점에서 이 시를 단순히 '보람의 기다림' 또는 '생명의 승화'라는 단선적 틀로 이해하려는 기존 관점의 한계가 지적될 수 있다.

이 시는 오히려 생의 양면성 또는 모순성을 투시함으로써 생의 비극성을 초극하려는 데 그 목표를 두고 있는 것으로 이해되기 때문이다. 따라서 이 시는 단순한 서정시가 아니라 존재의 초월과 상승을 갈망하는 존재론의 시로 볼 수 있는 것이다. 또한 이 점에서 이 시는 소월의 시와 연결될 수 있는 것으로 이해된다. 「모란이 피기까지는」에서의 낙화를 통한 생의 의미에 대한 재발견은 바로 「산유화」나 「진달래꽃」에서의 그것과 근원적 유사성을 지니기 때문이다.

6 저항의식과 순결 의지

① 내 가슴에 독(毒)을 찬지 오래로다
아직 아무도 해(害)한 일 없는 새로 뽑은 독(毒)
벗은 그무서운 독(毒) 그만 흩어버리라 한다
나는 그 독(毒)이 벗도 선뜻 해(害)할지 모른다 위협하고,

독(毒) 안 차고 살어도 머지않어 너 나 마주 가버리면
누억천만(屢億千萬) 세대(世代)가 그 뒤로 잠잣고 흘러가고

나중에 땅덩이 모지라져 모래알이 될것임을
「허무(虛無)한듸!」 독(毒)은 차서 무엇 하느냐고?

아! 내 세상에 태어났음을 원망않고 보낸
어느 하루가 있었던가, 「허무(虛無)한듸!」, 허나
앞뒤로 덤비는 이리 승냥이 바야흐로 내 마음을 노리매
내 산체 짐승의 밥이되어 찢기우고 할퀴우라 네맡긴 신세임을

나는 독(毒)을 품고 선선히 가리라,
마금날 내 깨끗한 마음 건지기 위하야.

—「독을 차고」 전문

② 생전에 이다지 외로운사람
어이해 뫼아래 비(碑)돌세우오
초조론 길손의 한숨이라도
헤여진 고총에 자조떠오리
날마다 외롭다 가고말사람
그레도 뫼아래 비(碑)돌세우리
「외롭건 내곁에 쉬시다가라」
한(恨)되는 한마듸 삭이실난가

—「묘비명」 전문

이 두 편의 후기 시에는 영랑의 삶에 대한 인식과 태도가 선명히 드러나 있다. 그것은 허무와 한으로서의 인생관이다. 그의 후기 시에는 죽음에 대한 인식이 끈질기게 자리잡고 있는 것이 사실이다.[5] 그러나 중요한 것은 죽음에 대한 인식 그 자체가 아니다. 이러한 죽음에 대한 인식은 상대적으로 살아 있음에 대한 끊임없는 자기 성찰과 자기 확인 과정의 가열함을 의미하는 것일 수 있기 때문이다. 어차피 인생이란 한스러운 것이고 또한 허무한 것이 사실

5) 김학동, 『모란이 피기까지는』, 문학세계사, 1981.

이라 해도, 목숨 붙이고 살아가는 한은 그 자체에 충실해야 하며 최선을 다해야 하는 것이다.

시 ①에서 생에 최선을 다하는 행위가 바로 독을 차는 행위로 나타난다. 이 시에는 일제말의 험난하고 궁핍한 현실과 그 속에서 부질없이 살아가는 자신의 삶에 대한 비탄과 울분이 나타나 있다. 독이라는 상징이 바로 그것이다. 독은 남을 해칠 수도 있지만 동시에 자신의 생명에 치명적일 수도 있는 모순되는 양극성을 지닌다. 이러한 독을 차고 세상을 살아간다는 것은 자기 나름대로 신념과 대항의식을 가지고 독하게 살아가겠다는 비장한 결의를 표출한 것이 된다. 그저 그렇게 살아갈 수도 있는 허무한 한 세상, "허무한듸!" 한탄하면서 살아갈 수밖에 없는 현실이지만, 기왕 주어진 목숨에 충실히 한다는 것은 스스로의 가치체계 또는 신념을 확보하는 길뿐이다. 그것은 죽음을 각오하면서 치열하게 살아가려는 몸부림을 통해 얻어지며, 이것이 바로 독을 차고 살아가는 길인 것이다. 어쩌면 이것은 "앞뒤로 덤비는 이리 승냥이"들이 들끓는 것으로 표상되는 일제말의 온갖 탄압 속에서 지조를 지키며 인간답게 살아가고자 하는 시인의 순결 의지를 드러낸 것인지도 모른다. 이 독을 차는 비장한 행위, 즉 죽음을 각오하고 절조를 지키며 순결하게 살아가려는 결연한 의지만이 "마금날 내 깨끗한 마음을 건지게" 해 줄 수 있기 때문이다. "아! 내 세상에 태어났음을 원망않고 보낸/어느 하루가 있었던가, 「허무한듸!」"라고 절규하는 퍼스나의 모습 속에는 한과 허무로서의 인생에 대한 뼈아픈 탄식이 깃들어 있다. 아울러 "이리"와 '승냥이'들이 판치는 일제말의 참담한 현실에 대한 적개심이 담겨져 있는 것이다. 이 점에서 이 시는 영랑의 후기 시들이 사회 현실에 대한 날카로운 인식과 저항의식과 연관되고 있음을 알 수 있게 해준다. "독을 차는" 행위는 일제에 대한 적극적인 저항의지를 표상하는 동시에 고통스런 현실을 이겨나가고자 하는 순결의지와 자기 초극의 정신을 반영한 것으로 이해되기 때문이다.

②의 시에도 허망하고 외로운 인생에서 신념의 푯대를 세우려는 안간힘이 표출되어 있다. 묘지에 "비돌"을 세우려는 행위가 바로 그것이다. "비돌"을 세우려는 것도 독을 차는 행위와 마찬가지로 불안하고 허무한 인생에서 신념과 존재 의미를 확보하려는 안간힘을 의미한다. 한숨 속에서 한스런 생애를 살다가 죽어서 비돌에 비로소 새겨지는 "외롭건 내곁에 쉬시다 가시라"라는 한마디 묘비명 속에는 인생의 무상함에 대한 탄식과 함께 현실의 어려움에 대한 초극의지가 담겨져 있는 것으로 이해되기 때문이다. 이렇게 볼 때 '독을 차는 행위'와 '비돌을 세우는 행위'는 다 함께 허무한 인생에 대한 회의와 현실에 대한 저항의지를 담고 있으며, 동시에 끊임없이 엄습하는 죽음의 공포를 극복하려는 초극의지를 표출하고 있음을 알 수 있다. 특히 현실에 대한 저항의식과 죽음에 대한 초극의지는 해방 후에 이르러서는 「감격 8·15」, 「겨레의 새해」, 「바다로 가자」, 「새벽의 처형장」 등의 시에서 적극적인 현실 참여 정신으로 변모되어 나타난다. "사십년동안의 불다름에도 얼은 남은 겨레로다/사년쯤의 싸움이사 우리는 백년도 불가살이/이젠 벌써 시비를 따질때가 아니로다/쓸어진 동지의 죽엄을 밟고 넘어서 오직 전진할 뿐"(「감격 8·15」에서)과 같이 현실에 대한 관심과 의욕이 시의 전면에 용솟음치는 것이다. 그러나 이 무렵의 시는 견고한 미학적 구조로서 영랑 시의 본령과는 크게 벗어남으로써 예술적인 수준에는 미치지 못했던 것으로 판단된다. 이후에 영랑이 관계와 인연을 맺고 또한 정치에 투신하려 했던 것도 이러한 예술적 실패와 무관하지는 않았을 것으로 이해된다.

□ 맺음말

영랑의 시는 순수 서정시의 영역에 속하는 것이 분명하다. 그의 많은 시가 의미를 크게 강조하거나 관념에 비중을 두기보다는 언어의 미적 구조와 음악성에 치중한다는 점에서는 순수시라고 볼 수 있으며, '내 마음'이라는 주관적 감정의 표출에 몰두한다는 점에서는 서정시에 가깝기 때문이다. 그러나 이미 살펴본 것처럼 영랑의 시는 순수서정의 세계에만 함몰되어 있는 것은 아니다. 그의 시에는 상징시로서의 면모와 이미지즘의 측면이 드러나며, 또한 존재론적인 생의 인식이 발견되기도 하는 것이다. 무엇보다도 그의 시에 비관적인 현실인식과 부정적인 세계관이 일관되게 흐른다는 것은 중요한 점이 아닐 수 없다. 다만 그러한 것들이 보다 적극적 투쟁적으로 강조되어 나타나지 않을 뿐이며, 이것조차 언어미학적인 섬세한 배려가 시의 표면에 두드러지게 나타나기 때문에 상대적으로 약화돼 보일 뿐인 것이다. 그러나 그의 시를 좀 더 자세히 들여다보면, 그의 시야말로 시의 의미와 가락, 그리고 형식이 유기적으로 잘 통합됨으로써 현실인식이 미의식으로 탁월하게 상승된 예술시의 한 모델이 되고 있음을 우리는 발견하게 된다.

그의 시가 당대 현실의 참상과 민중들의 고통스런 삶을 직접적으로 표출하고 있지 않다고 해서 부정적인 평가를 내리는 것은 온당한 일이 되지 못한다. 오히려 영랑이 시종일관 견지한 비관적 현실인식과 부정적인 세계관, 그리고 그것을 형상화하기 위한 언어미학에의 끈질긴 집념은 당대 일제의 포악한 파시즘에 시인이 대처할 수 있는 효과적인 예술적 응전 방식이 아닐 수 없다는 점에서 고무적인 일로 판단된다. 그가 보여 준 한국의 정동적 서정과 가락에 대한 뜨거운 애정, 향토적 정감의 소중함에 대한 재발견의 노력, 그리고 그에 따른 한국어의 시적 가치와 그 예술적 가능성에 대한 깊이 있는 신뢰와 실천적 탐구야말로 바람직한 시인의 사명 완수일 수 있기 때문이다. 국권 상실의 어려운 시대에 처해 시인이 민족정신을 수호하고 민족어의 완성을 위해 피나는 노력을 경주하는 것은 그 존재 의미와 가치를 선명히 드러낼 수 있는 중요한 작업이 되기 때문이다.

□ 연 보

1903 : 1월 16일 전남 강진군 남성리에서 지주인 김종호(金鍾湖)의 장남으로 출생. 본명은 윤식(允植) 유년기에는 향리에서 한문 수학.

1915 : 강진보통학교 졸업.

1916 : 김해 김씨와 결혼, 서울로 올라와 기독교 청년회관에서 영어를 공부함.

1917 : 휘문의숙 입학. 김씨부인 사망.

1919 : 강진에서 학생운동을 모의하다 일경에 체포되어 대구 형무소에 수감되어 6개월간 복역.

1920 : 도일하여 청산학원 중학부에 입학, 아나키스트 박열, 시인 박용철 등과 교유함.

1922 : 1921년 귀국하였다가 재도일, 청산학원 영문과에 입학.

1923 : 관동 대진재로 학업을 중단하고 귀국.

1925 : 개성 태생의 김귀련과 재혼.

1930 : 박용철·정지용 등과 함께 동인지 『시문학』을 간행, 그 창간호에 시 「동백닙에 빗나는 마음」, 「어덕에 바로 누워」 등을 발표함.

1934 : 박용철이 주간한 『문학』지에 「모란이 피기까지는」, 「4행소곡」 등의 시편을 발표함.

1935 : 첫 시집 『영랑시집』을 시문학사에서 간행.

1945 : 해방 후 대한독립촉성회 단장 역임.

1948 : 5·10 초대 민의원 선거에 출마했으나 낙선.

1949 : 공보처 출판국장 취임. 서정주가 편집한 『영랑시선』이 중앙문화사에서 간행됨.

1950 : 6·25 동란이 발발하자 미처 피난을 못한 영랑은 서울에 은신해 있었으나 서울 수복 직전 시가전 때 날아온 유탄으로 복부상을 입고 9월 29일 사망함.

1970 : 전남 광주공원에 영랑시비가 세워짐.

7. 이산(怡山) 김광섭(金光燮)

—지성시의 선구, 사회시의 한 전범—

"사랑과 평화의 새 비둘기는/이제 산도 잃고 사람도 잃고/사랑과 평화의 사상까지/낳지 못하는 쫓기는 새가 되었다"라고 현대문명의 그늘을 비판하면서 참된 인간성의 회복을 부르짖던 이산(怡山) 김광섭(金光燮)(1905.9.22~1977.5.23), 그는 일찍이 식민지하의 어두운 현실을 밤으로 비유하면서 민족애와 사회정의의 실현을 실천적으로 강조한 선구적 시인이었다. 함북 경성의 어대진읍, 국토의 최북단에서 태어난 그는 1928년 해외 문학연구회에 가담한 이래 1935년 『시원』지에 시 「고독」을 발표하면서 본격적으로 작품 활동을 전개하기 시작하였다. 그는 일제하의 비관적인 현실인식을 관념적인 시풍으로 노래하다가, 일제 말기인 1941년에는 민족의식 고취 혐의를 받아 체포되어 3년 8개월이라는 결코 짧지 않은 세월을 감옥에서 보내게 된다. 이러한 쓰라린 영어의 체험은 이후의 그의 시로 하여금 현실성과 사회성을 획득하게 하는 데 결정적으로 작용하게 된 것으로 이해된다.

해방 이후에 그는 의욕적인 사회참여와 더불어 상승적 이미지의 많은 시편들을 발표하기에 이른다. 그러나 60년대 중반 그에게 불어닥친 병마의 시련은 그의 시 세계를 또다시 변모시키게 된다. 죽음과의 격투 끝에 회생한 그는 단독자로서의 생, 일회적 인생으로서의 인간존재에 대한 의미를 재발견하려 노력하는 동시에 사회와 역사에 대한 뜨거운 응시의 시선을 던지기 시작한다.

지금까지 김광섭은 흔히 민족시인 또는 애국시인이라는 이름으로 불리어 왔다. 실상 시인 김광섭은 독립 투쟁과 민족운동으로 말미암아 일제 치하에서 영어생활을 겪은 바 있는, 많지 않은 이 땅 애국시인 중의 한 사람임에 분명하다.

그러나 이러한 선입견의 과도한 작용은 그의 시를 올바로 파악하는 데 장애 요인이 될 것이 사실이다. 따라서 본고에서는 이러한 레텔을 미리 붙이지 않고 시대적인 순서에 따라 김광섭 시의 변모를 살펴보고자 한다.

1 부정적 현실인식과 관념적 저항

이산 김광섭은 시 「고독」을 『시원』 2호(1935. 1)에 발표한 이래 1977년 작고하기까지 약 40년간 수많은 시를 의욕적으로 발표하였다. 그는 시집만 하더라도 제1시집 『동경』(1938, 대동인쇄소), 제2시집 『마음』(1949, 중앙문화협회), 제3시집 『해바라기』(1957, 자유문학가협회), 제4시집 『성북동 비둘기』(1969, 범우사), 제5시집 『반응』(1971, 문예출판사)을 상재하였고 『김광섭시전집』(1974, 일지사), 시선집 『겨울날』(1975, 창작과비평사) 및 자전 문집 『나의 옥중기』(1976, 창작과비평사) 등을 간행한 바 있다. 그는 또한 와세다대학 영문과 졸업 논문으로 「사회 극작가로서의 Galsworthy 연구」를 쓴 이후로, 시작을 발표하는 틈틈이 「현대시에 대한 관견」 등의 평론을 발표하는 등 활발한 문필활동을 전개하였다.

그의 시에 나타나는 표기상의 특징은 비교적 관념어가 많이 사용되고 있으며, 그것들이 대부분 한자어로 표기되어 있다는 점이다. 그러나 후기시에 오면서 한자어가 많이 줄고 한글을 애용하는 경향을 보여준다. 아마도 이러한 사실은 그의 시가 초기에는 비교적 관념성이 두드러지는데 비해 후기시에 이를수록 평이한 의사 전달에 주안점을 두고 있는 것과 무관하지 않은 것으로 보인다.

그러면 먼저 그의 초기시의 특성을 살펴보기로 한다.

① 내
하나의 생존자(生存者)로 태여나서 여기 누워잇나니
한간(間) 무덤 그넘어는 무한(無限)한 기류(氣流)의 파동(波動)도 이서
바다 깁흔 그곳 어느 고요한 바위아래

내
고단한 고기와도 갓다.

맑은성(性) 아름다운꿈은 잠들다.
그립은 세계(世界)의 단편(斷片)은 아즐타.

오랜 세기(世紀)의 지층(知層)(지층(地層)의 오기로 보임:필자주)만
이 나를 이끌고 잇다.

신경(神經)도 업는 밤
시계(時計)야 기이(奇異)타.
너마저 자려무나.

―「고독」 전문

② 온갓 시화(詞華)들이
무언(無言)한 고아(孤兒)가되야
꿈이되고 슬픔이되다.

무엇이 나를 불러서
바람에 따라 가는길
별조차 떠러진밤

무거운 꿈갓흔 어둠속에
하나의 뚜렷한 형상(形象)이
나의 만상(萬象)에 깃드리다.

—「동경」 전문

첫 시집 『동경』에는 유난히 밤의 이미지가 많이 등장한다. 제목 자체부터 「밤」, 「달밤」 등을 비롯하여 「송별」, 「꽃 지고 그늘지는 날」, 「황혼」, 「공막」, 「우수」, 「푸른하늘의 전락」, 「고민의 풍토지」 등 어둡고 우울한 하강적인 시어가 주조를 이루고 있다. 실제 시의 내용에 있어서도 '아니다/없다/못한다/무너지다/사라지다/떨어지다' 등의 부정적 용언들이 무수히 반복됨으로써, 비관적인 현실인식을 드러내 준다. 또한 이 시집에는 '고독/윤리/신화/영원/무한/불안/신비/비애/고민/만상/권태/부정' 등 헤아릴 수 없이 많은 관념어들이 다양하게 나타나고 있다. 이러한 관념적인 성향은 흔히 이산 시의 중요한 약점[1])으로 지적되는 것이 일반적이다. 그렇지만 그의 시를 자세히 읽어 보면 그러한 관념어들이 대부분 부정적·하강적·비관적 색조를 지니고 있다는 점을 발견할 수 있다. 다시 말해서, 그의 시에 동원된 무수한 관념어들은 관념의 제시 그 자체에 목표를 두었다기보다도 시인이 말하고자 하는 핵심을 내밀스럽게 은폐시키려는 의도를 내포하고 있는 것으로 해석된다는 점이다. 앞에 인용한 초기의 두 대표작에서 이러한 사실은 쉽게 드러난다.

먼저 ①시에서 말하고자 하는 것은 현실에 대한 부정적 인식이며 비관적 태도이다. 여기에서 현실은 '밤'과 '무덤'으로 상징화되고 있으며, 현실 속의 나는 깊은 잠에 빠져 있는 무기력한 모습으로 묘사되고 있다. 다시 말해서, 바람직한 현실, 이상적인 세계와 시적 자아와의 사이에는 넓고 깊은 단절이 가

1) 염무웅, 「김광섭론」(『민중시대의 문학』, 창작과비평사, 1979)180쪽 ; 신경림, 「김광섭론」(『창작과 비평』 가을호, 1975) 참조.

로놓여 있는 것이다. 특히 "한간 무덤", "신경도 업는 밤"으로 인식되는 현실은 부정되고 극복되어야 할 대상으로 다가오는 것으로 보인다. 바로 이러한 부정적인 현실인식 또는 불연속적 세계인식이 마침내 "신경도 업는 밤/시계야, 기이타/너마저 자려무나"라고 하는 저항적, 거부적 자세를 유발하게 된다. 따라서 이 시는 모호하고 막연한 관념의 유희를 보여주었다기보다는 부정적 현실인식에서 비롯된 비판적, 저항적 시정신을 은폐하기 위해 모호한 관념어로 교묘하게 위장망을 쳐놓은 작품으로 해석할 수 있다. 바로 이 점에서 『동경』의 세계가 펼쳐진다.

시 「동경」에도 현실이 '밤'과 '어둠'으로 상징화되는 것은 마찬가지이다. 그만큼 비관적 현실인식 또는 불연속적 세계관이 자리잡고 있다는 말이다. 특히 "무언한/떠러진/무거운"이라는 부정적 관형어나 "고아/슬픔/바람/밤/어둠" 등의 비관적 시어들은 이러한 비관적, 부정적 현실인식을 선명히 반영한 것이 된다. 따라서 꿈의 세계, 소망의 세계, 동경의 세계를 갈망하고 지향하는 것이다. 이 시에서 핵심이 되는 것은 마지막 연이다. "무거운 꿈갓흔 어둠속에/하나의 뚜렷한 형상이/나의 만상에 깃드리다"라는 구절이 바로 그것이다. 여기에서 문제가 되는 것은 "어둠속에/만상에" 깃들이는 "뚜렷한 형상"이 무엇을 의미하는 것인가 하는 점이다. 이 "뚜렷한 형상"이란 현실의 어둠을 뚫고 일어서려는 극복의지의 구상이자 현실 타개의 꿈이 아닌가 생각된다.

이 시의 제목이 「동경」이고, 시집의 제목이 『동경』인 것은 바로 이러한 현실극복의 의지 또는 꿈이 이 시집 전체의 주제가 되는 것으로 이해되기 때문이다. 또한 한 평론가가 적절하게 지적한 것처럼 "하나의 뚜렷한 형상"이란 "시대의 어둠에 가로막혀 있어서 쉽사리 만날 수는 없지만 몸과 마음으로 분명히 느낄 수 있는 어떤 것, 말하자면 식민 정책의 강권에 유린되어 숨을 죽이고 있는 민족이나 조국 같은 것"[2]으로 해석할 수 있기 때문이다. 실상 시집

---

2) 황광수, 「현실과 관념의 변증법」(『김광섭』, 지식산업사, 1981)209쪽.

『동경』의 근저에 현실이 표상하는 어둠과 무거움으로부터 푸른 하늘을 향해 날아오르려는 상승의 의지와 초극에의 꿈이 지속적으로 또 폭넓게 깔려 있다는 것도 그의 시가 관념의 유희에 목표를 둔 것이 아니라는 점을 말해 주는 것으로 이해된다.

그의 초기시가 지닌 약점은 그것이 관념을 다루었기 때문이 아니라 그것들이 집중되는 핵심 뼈대가 탄력과 긴장을 결여하고 있기 때문인 것으로 판단된다. 다시 말해서, 관념이 성숙되지 못한 것과 집중도가 부족한 데서 이산 초기시의 단점이 놓인다는 점이다.

[2] 옥중 시와 해방의 노래

① 나는야 간다
나의 사랑하는
나라를 잃어버리고
깊은 산 뫼ㅅ골속에
숨어서 우는
작은새와도 같이

나는야 간다
푸른 하늘을
눈물로 적시며
아지 못하는
어둠 속으로
나는야 간다.

—「이별의 노래」 전문

② 나는 이천이백이십삼번(二千二百二十三番)

죄인(罪人)의 옷을 걸치고
가슴에 패를 차고
이름 높은 서대문형무소(西大門刑務所)
제삼동(第三棟) 육십이호실(六十二號室)
북편(北便) 독방(獨房)에 홀로 앉어
「네가 광섭이냐」고
혼자말로 물어 보았다

삼년(三年)하고도 팔개월(八個月)
일천삼백여일(一千三百餘日)
그어느 하로도 빠짐없이
나는 시간(時間)을 헤이고 손곱으면서
똥통과 세수대야와 걸레
젓가락과 양재기로 더부러
추기나는 어두운방(房)
널판 위에서 살어왔다.

여름이 길고 날이 무더우면
나는 바다를 부르고 산(山)을 그리며
파김치같이 추근한마음
지치고 울분(鬱憤)한 한숨에
불을 질르고 나도 타고 싶었다

겨울 긴긴밤 추위에 몰려
등이 시리고 허리도 꼬부라지면
나는 슬픔보다도 주림보다도
뒷머리칼이 하나씩 하나씩
서리같이 세여짐을 느꼈다

나는 지금 광섭이로 살고있으나
나는 지금 잃은것도 모르고

나는 지금 얻은것도 모르고 살뿐이다
그러나 푸른 하늘아래로 거닐다가도
아지 못할 어둠이 무득 달려들어
내게는 이보다도 더 암담한일은 없다.

그리하야 어느듯 눈시울이 추근해지면
어데서 오는 눈물인지는 몰라도
나의 눈물은 이제 드듸어
사랑보다도 운명(運命)에 속하게되였다

인권(人權)이 유린(蹂躪)되고 자유(自由)가 처벌(處罰)된
이 어둠의 보상(報償)으로
일본(日本)아 너는 물러갔느냐
나는 너의나라를 주어도 싫다

—「벌」 전문

이산에게 있어 영어체험은 다소 관념적이던 그의 시풍을 변화시키는 중요한 계기가 된다. 제2시집『마음』의 세계가 그에 해당한다. 1949년 12월 발간된 시집『마음』에는 일제하에서 겪은 쓰라린 옥고 체험이 적나라하게 드러나 있다. 그는 일제 말엽인 1941년 2월 21일부터 1944년 9월까지 그가 재직하던 중동학교의 학생들에게 민족사상을 고취하였다는 죄목으로 약 3년 8개월 동안 옥고를 치르게 됐던 것이다. "단기 4274년 서기로는 1941년 2월 21일 새벽꿈도 깨기 전 이른 아침 운니동 46번지의 1호 나의 집에는 일제의 주구 고등경찰들이 뛰어들어, 부엌과 안방과 침실에는 어느듯, 일본제국의 진영이 삼엄하게 버러지자 소스라쳐 깨인 나에게는 형언할 수 없는 민족의 비애가 가슴속에서 북바쳐 오르는 것이었다"(시집『마음』 발문에서)라는 시인 자신의 술회가 있듯이 옥고의 쓰라린 체험은 이산의 생애와 시 세계에 커다란 변화를 초래하게 된 것이다. 따라서 시집『마음』에는「옥수」,「옥창에 기대여」,

「독방육이호의 겨울」 등 많은 옥중시가 등장한다.

먼저 인용한 ①시는 종로 경찰서 유치장에서 만 백 일간 구명생활을 하다가 1941년 5월 31일 서대문 형무소로 가기 직전 벽에 새긴 시라 한다(상동, 『마음』 발문). 그만큼 답답하고 비통한 심정이 애절하게 표출되어 있다. 앞 연에는 나라를 잃은 비통한 심정과 함께 쓰라린 수형생활에 대한 한탄이 제시되어 있다. 뒤 연에는 푸른 하늘과 어둠을 대조시키는 가운데 자유에 대한 갈망을 드러내는 한편 영어 생활에 대한 괴로움을 피력하고 있다. 굳이 '서대문 형무소 행'이라는 부제를 고려하지 않더라도 고통과 눈물로 얼룩진 영어 체험이 구체적으로 제시되어 있으므로 옥중시임을 쉬 알 수 있다.

시 ②에는 옥중에서의 참담한 고통과 쓰라린 신산이 보다 사실적으로 묘사되어 있다. 이 시의 핵심은 고통스런 감옥 생활 그 자체라기보다는 그렇게 만든 간악한 힘, 즉 일본의 식민통치에 대한 울분과 적개심의 분출에 놓여진다. "지치고 울분한 한숨에/불을 질르고 나도 타고 싶었다"라는 구절 속에는 민족적인 울분과 함께 항일 적개심이 강렬하게 용솟음치고 있는 것이다. 아울러 세상은 "암담한 어둠"으로 받아들여지며, 인생은 "머리칼이 세어지듯" 한으로 인식되는 것이다. 그러므로 "나의 눈물은 이제 드듸어/사랑보다도 운명에 속하게 되였다"라고 하는 절망에 빠져들게 된다. 그러나 이러한 참담한 분노와 한, 그리고 목숨을 건 저항과 적개심이 있었기 때문에 마침내 일본은 패망하여 물러가게 된다. "인권이 유린되고 자유가 처벌된/이 어둠의 보상으로/일본아 너는 물러갔느냐/나는 너의 나라를 주어도 싫다"라고 하는 절규 속에는 오랜 세월 동안 짓밟히던 민족의 주권과 인권에 대한 소중한 자각이 담겨져 있는 동시에 일본에 대한 몸서리쳐지는 적개심이 되살아나고 있는 것이다.

그가 오랜 어둠 속에서 고대하던 "행여 백조가 오는날"(「마음」)로서의 해방은 마침내 이산으로 하여금 해방의 노래를 부르게 한다. "압박과 유린과 희생에 무친 36년/피를 흘리며 신음하며/자유를 찾으며 해방을 원하며/우리들은 얼마나/움직이는 세기의 파동 속에/뛰어 들려 하였든가/또한/어데서 하고 싶은 일을 하고/어데서 읽고 싶은 글을 읽고/어데서 가고 싶은 길을 갈 수 있었든가//어데로 가나 나라 없는 백성/어데로 가나 일흠없는 사람/아지못할 무거운 죄와 벌/조선은 속박과 눈물의 땅/피와 땀에 추근히 저저서/대지는 빛을 잃고/우리들은 폐허에 누운/헐버슨 손님에 지나지 않았다//아 한많고/원많은 곳에서 홀로 살지던/일본제국주의/한민족을 잡아 피를 짜며/악령을 불러 무장하고/세계의 관을 얻으랴던 일본제국주의/오늘 우리들은/그대의 머리 우에/황혼의 만가를 보내나니……(하략)……"라고 하는 승리의 노래를 부르게 된 것이다. 일제하의 겨울과 밤이 길고 모질었던 만큼 봄과 밝음은 더욱 광휘로운 것이 아닐 수 없었다. 특히 이산에게 있어 해방은 새로운 인생의 시작이나 다름없는 것이었다. 따라서 「독립의 길」, 「나의 사랑하는 나라」, 「민족의 제전」, 「새노라!」 등 새 조국 건설에의 힘찬 환호를 외치게 된다.

실상 이러한 점은 이산의 시로 하여금 구호적이고 추상적이게 만든 부정적 요인이 아닐 수 없으며, 이 점에서 이 시기의 시들은 메시지 전달이라는 보편적 특성을 지니는 것이다. 이처럼 시집 『마음』의 시기는 옥중체험과 광복체험을 양축으로 한 고통과 환희의 양면성 표출에 그 핵심이 놓여진다.

3 향일성 또는 상승의지

바람결보다 더 부드러운 은빛 날리는
가을하늘 현란한 광채(光彩)가 흘러
양양한 대기(大氣)에 바다의 무늬가 인다

한 마음에 담을 수 없는 천지(天地)의 감동(感動) 속에
찬연히 피어난 백일(白日)의 환상(幻想)을 따라

달음치는 하루의 분방(奔放)한 정념(情念)에 헌신(獻身)된 모습

생(生)의 근원(根源)을 향한 아폴로의 호탕한 눈동자같이
황색(黃色) 꽃잎 금빛 가루로 겹겹이 단장한
아 의욕(意慾)의 씨 원광(圓光)에 묻히듯 향기(香氣)에 익어가니

한 줄기로 지향(志向)한 높다란 꼭대기의 환희(歡喜)에서
순간마다 이룩하는 태양(太陽)의 축복(祝福)을 받는 자(者)
늠름한 잎사귀들 경이(驚異)를 담아 들고 찬양한다

—「해바라기」 전문

제3시집 『해바라기』는 이산이 군정청 공보국장을 거쳐 이승만 대통령의 공보비서관을 역임하고, 문총최고위원 겸 세계일보의 사장 일을 보던 시기인 1957년 12월에 발간되었다. 그만큼 의욕적인 삶의 의지를 보여주는 것이 특징이다. 실상 이 무렵은 해방 직후의 혼란과 정부 수립의 어수선한 분위기가 가시고, 또한 동족상잔의 참극인 6·25의 폭풍도 스쳐간 후 재건의 기운이 사회 전반에 감돌던 시기이기도 하였다. 문단적인 면에서도 『현대문학』, 『사상계』 등의 잡지가 발간되면서 많은 동인지들이 등장하여 가히 전후 문단의 르네상스 시기에 접어들던 무렵이었다. 시집 『해바라기』는 서문, 발문 등이 일체 없이 모두 33편의 시만이 수록되어 있다.

앞에 인용한 시 「해바라기」는 그 대표적인 작품에 해당한다. 먼저 이 시는 제목부터가 건강하고 밝은 것이 특징이다. 「해바라기」라는 제목은 지난날 그의 초기시에 두드러지던 어둠과 밤, 겨울 등의 어둡고 음울한 색조와는 전혀 다른 것이 아닐 수 없다. 네 연으로 짜여진 이 시는 관형어 면에서만 보더라도 밝고 싱싱한 이미지로 가득 차 있다. '부드러운/찬란한/양양한/호탕한/분방한/높다란/늠름한' 등과 같이 긍정적이면서도 밝은 색조를 띠는 것이다. 체언에 있어서도 '해바라기/은빛/가을하늘/바다/천지/백일/정념/아폴로/눈동자/황색/

원광/금빛/꼭대기/태양/축복/경이' 등의 시어처럼 남성적이면서도 향일성을 보여주는 상승적 내용으로 되어있다. 또한 용언에 있어서도 "은빛 날리는/무늬가 인다/향기에 익어가니/담아들고 찬양한다"라는 구절에서 볼 수 있듯이 역동적인 생명력의 분출을 감지할 수 있게 해준다. 아울러 전체적인 시상의 전개에 있어서는 비교적 탄력 있는 상징과 은유를 활용함으로써 형상의 견고성을 확보하고 있는 것이다.

이렇게 볼 때 이 시는 해바라기라는 상징을 통해서 생명력의 분출과 상승의 의지를 표출한 작품으로 이해된다. 전후의 폐허를 딛고 일어서서 생명의 근원에 도달하려는 강렬한 생의 의지가 향일성으로 표상된 것이다. 실상 시집『해바라기』의 많은 시편에는 상승의지 또는 생명력의 분출이 두드러진다. "이리로 오라 나의 사랑하는 사람아/저달이 유난히 빛나면서/고인듯이 흐르는 푸른 강위에/자욱한 빛이 꿈처럼 풀려 오른다//문을 열고 너는 내 가슴에 불을 켜라//우리는 이루어 새것을 열리라"(「사랑」)에서 볼 수 있듯이 건강하고 싱싱한 삶에의 향성 또는 생명력의 솟구침이 발견되는 것이다. 시집『해바라기』에서의 이러한 생명력과 상승의지의 솟구침은 50년대의 많은 시들이 어둡고 우울한 페시미즘에서 크게 벗어나고 있지 못하였던 사실에 비추어 본다면 분명 이채로운 일이 아닐 수 없다. 그만큼 시인 이산에게 있어 50년대는 생의 상승기에 해당하는 것으로 이해된다.

그는 이 시기에 한국자유문학가협회 위원장, 세계 작가회의 한국 대표, 전국 문화단체 총연합회 상임최고위원, 한국 펜클럽본부 부위원장 등의 직책을 역임하는 한편 서울시 문화상을 수상하고 예술원의 추천위원에 피선되는 등 화려한 경력을 쌓아가게 되는 것이다. 그의 이러한 활발하고 정력적인 사회활동은 시에 있어서 그대로 반영될 수밖에 없었을 것이 분명하다. 일제 치하에서의 모진 감옥 체험과 해방 후의 격심한 혼란, 그리고 6·25 전란의 소용돌이를 거쳐서 마침내 생애와 시의 절정에 이르게 된 것이 바로『해바라기』의 세계인 것이다. 그러나 이러한 상승의 기류도 잠시, 그에게는 크나큰 운명의 시련이 닥치게 된다. 60년대 중반에 겪은 『자유문학』지의 폐간 등 일련의 충격과 그에 말미암은 뇌일혈의 강타가 바로 그것이다.

4 생명감각과 생의 재발견

여명(黎明)의 종이 울린다.
새벽별이 반짝이고 사람들이 같이 산다
닭이 운다 개가 짖는다
오는 사람이 있고 가는 사람이 있다

오는 사람이 내게로 오고
가는 사람이 내게서 간다

아픔에 하늘이 무너졌다
깨진 하늘이 아물 때에도
가슴에 뼈가 서지 못해서
푸른 빛은 장마에
넘쳐 흐르는 흐린 강물 위에 떠서 황야에 갔다

나는 무너지는 뚝에 혼자 섰다
기슭에는 채송화가 무데기로 피어서
생(生)의 감각(感覺)을 흔들어 주었다.

—「생의 감각」 전문

60년대 중반에 이르러 이산의 시 세계는 또다시 크게 변모한다. 이러한 변모의 동기는 그동안의 많은 평자들이 주목해 왔듯이 그의 갑작스런 뇌일혈

발병에 기인한다.

"12년 전이지요. 그해, 그러니까 65년 4월입니다. 서울 운동장에 좋아하지도 않는 야구 구경을 처음 갔다가 쓰러졌어요. 뇌일혈이었습니다. 눈 뜨고 보니 메디컬 센터에 누워 있더군요. 꼭 한 주일 동안 의식을 잃은 채 누워 있었어요. 담당의사도 가망없는 것으로 보았고 가족들도 각오하고 있었답니다. 다행히 석 달 만에 퇴원을 했어요. 나로선 제2의 인생이 시작된 셈이지요. 늘 앓으면서, 양식을 기르는 그런 생활이지요."[3] 이러한 이산 자신의 술회처럼 뇌일혈의 발병과 그에 대한 투병 생활은 그의 인생관과 시작 태도에 있어 중요한 전환을 가져오게 된 것이 분명하다.

인용 작품 「생의 감각」은 그가 발병 후 1년여 만에 썼다고 하는바, 그의 재기작으로서의 의미를 지닌다. 먼저 이 시에는 세계와 사물에 대한 새로운 감각적 인식의 태도가 두드러진다. 우선 시간 배경부터가 '여명'으로 되어있는데, 이것은 밤으로부터 아침으로 연결되는 과도적 시간에 해당한다. 밤이 표상하는 어둠 또는 절망으로부터 아침이 뜻하는 밝음 또는 희망으로의 전이를 상징하는 것이다. 여기에서 삶 또는 살아 있음에 대한 인지는 감각적인 것으로부터 시작된다. '종이 울린다/새벽별이 반짝인다/닭이 운다/개가 짖는다'라는 청각과 시각의 박진감 있는 연결은 생명의 부활을 감각적으로 환기하기에 충분하다. 동시에 이 첫 연에는 "사람들이 같이 산다/오는 사람이 있고 가는 사람이 있다"라는 구절처럼 인간의 삶이 공동체적인 데서 그 구체성을 확인할 수 있으며, 동시에 '오는 것'과 '가는 것'에 그 존재 원리를 두고 있다는 철학적인 깨달음이 담겨져 있는 것으로 보인다. 무엇보다도 둘째 연에는 세계의 중심, 우주의 중심으로서의 나에 대한 존재론적 인식이 들어 있어서 주목된다. "오는 사람이 내게로 오고/가는 사람이 내게서 간다"라는 구절 속에는

---

3) 김광섭, 「詩는 技巧 아닌 마음으로 써야」(조선일보사문화부 편, 『産室의 對話』, 평민사, 1978)195쪽.

내가 존재함으로써 세계가 비로소 의미를 지닐 수 있으며, 세계는 나의 표상으로서 그 우주의 중심에 내가 놓여 있다는 확실한 깨달음이 제시되어 있는 것이다. 인간의 삶은 공동체적인 데서 서로의 의미가 상대적으로 드러나지만, 그 궁극적 의미는 개체로서의 생명 감각 또는 생의 발견으로부터 시작되고 완성된다는 깨달음인 것이다. 이러한 생명에 대한 감각과 존재의 원리에 대한 확실하면서도 구체적인 인식이 죽음을 넘어선 지점에서 비로소 체득되어 형성화되어 있다는 점에서 이 시의 의미가 드러난다.

셋째 연에서는 절망적인 투병체험이 직서되어 있다. "아픔에 하늘이 무너졌다/깨진 하늘이 아물 때에도/가슴에 뼈가 서지 못해서/푸른 빛은 장마에/넘쳐흐르는 흐린 강물 위에 떠서 황야에 갔다"라는 구절이 그것이다. "깨진 하늘/장마/흐린 강물"로 표상되는 병고의 체험과 '무너짐/깨짐'으로 인식되는 절망체험은 삶의 의미에 대한 근본적인 반성과 함께 깨달음을 불러일으키는 중요한 계기가 된다. 더구나 그것이 목숨을 건 투병체험일 때 그러한 반성과 깨달음은 더욱 격렬하고 절실한 것일 수밖에 없기 때문이다. 마지막 넷째 연에는 다시 절망의 끝에서 일어서려는 극복의지와 함께 살아 있음에 대한 강렬한 생명의식이 드러난다. "무너지는 뚝에 혼자 서 있는" 나의 모습은 절망과 맞서려 안간힘을 쓰는 인간 모두의 외롭고 초라한 모습에 대한 자아발견의 몸짓에 해당한다. 동시에 홀로 이 땅에 '던져진 존재'(geworfenheit)로서 살다가 홀로 죽어갈 수밖에 없는 숙명적인 단독자로서의 인간 실존에 대한 확인인 것이다. 다만 '살아 있음'의 시간이란 "채송화가 무데기로 피어서/생의 감각을 흔들어주는" 것을 느끼고, 그것을 통해서 살아 있음을 스스로 확인하는 '순간의 연속'에 불과한 것이다. 특히 이 마지막 구절에는 길고 긴 투병생활, 그 절망적인 병고의 체험 속에서 문득 발견하게 된 소생과 부활에의 꿈이 선명하게 제시되어 있다는 점에서 의미를 지닌다.

이렇게 볼 때 이 시는 고통과 절망으로 이어진 투병체험 속에서 새롭게 발견하게 된 목숨 또는 생명의 의미와 인간존재의 소중함에 대한 인식을 서정적으로 형상화한 성공적인 작품에 해당함을 알 수 있다.

「생의 감각」에서의 이러한 생의 의미에 대한 새로운 발견과 인간에 대한 존재론적 깨달음은 다음 시에서 더욱 선명하게 드러난다.

> 저렇게 많은 중에서
> 별 하나가 나를 내려다본다
> 이렇게 많은 사람 중에서
> 그 별 하나를 쳐다본다
>
> 밤이 깊을수록
> 별은 밝음 속에 사라지고
> 나는 어둠 속에 사라진다
>
> 이렇게 정다운
> 너 하나 나 하나는
> 어디서 무엇이 되어
> 다시 만나랴
>
> —「저녁에」 전문

「생의 감각」 이후 약 2년 후인 1969년에 발표된 이 작품은 인간의 존재성에 관한 내밀하고 깊이 있는 성찰을 보여준다. 우선 「저녁에」라는 제목부터가 많은 것을 암시한다. 「생의 감각」에서 여명으로서의 시간 배경이 다시 밤으로 전이된 것이다. 다시 말해서, 고통스럽고 절망적이던 「생의 감각」에서의 '밤'의 이미지가 이 시에선 안식과 외로움의 시간, 즉 평화의 이미지로 변모되어 있다는 점이다.

하루의 분주하고 고단한 일상에서 돌아온 저녁 시간, 안식과 평화의 마음 속에서 인생에 대한 새로운 깨달음이 자리 잡기 시작한다. 이러한 안식의 시간에 반짝이기 시작하는 하늘의 별들은 인간에게 지향 없는 외로움과 그리움을 불러일으키게 마련이다. 밤하늘에 빛나는 별들의 밝음과는 상대적으로 인간의 마음은 고뇌와 어둠으로 물들어 가는 것이다. 어둠 속에서 비로소 빛나는 별들의 밝음과 그에 대조되는 인간현실의 어려움과 그 어둠은 "저렇게 많은 중에서 별 하나"와 "이렇게 많은 사람 중에서 나 하나"의 대응을 통해서 단독자로서의 인간적 고절감을 심화해 준다. 어쩌면 이 구절 속에는 어둠 속에 빛나는 별빛의 밝음으로 인해서 인간세계의 온갖 불의와 부정의 어둠을 정화하고 싶다는 시인 자신의 애달픈 갈망이 담겨져 있는지도 모른다. 특히 이 시에서 백미 중의 하나는 '밝음 속에 사라지는 별'과 '어둠 속에 사라지는 나'를 대조시킨 데서 드러난다. 여기에는 '별'이 표상하는 자연사와 '내'가 표상하는 인간사와의 영원한 거리감이 표출되어 있는 것으로 해석되기 때문이다. 별이 밤하늘의 어둠 속에서 더욱 그 밝음을 더해 가듯이, 인간의 삶 역시 역경과 시련을 헤쳐 나아가는 데서 비로소 참된 빛과 가치를 획득해 갈 수 있다는 소중한 깨달음을 담고 있는 것으로 이해되기 때문이다. 그러면서도 별과 나의 거리는 그대로 영원히 하나가 될 수 없는 인간관계의 단절성 또는 고절성을 드러낸 것으로 이해된다. 아울러 수많은 인간들로 둘러싸여 살아가면서도 영원히 혼자일 수밖에 없는 인간의 숙명성 또는 '군중 속의 고독'을 반영한 것일 수도 있다.

이러한 단독자로서의 숙명적인 고절감은 마침내 "이렇게 정다운/너 하나 나 하나는/어디서 무엇이 되어/다시 만나랴"라고 하는 구절을 통해서 일회적 인생(einigen leben)으로서의 존재론적 생의 인식으로 연결된다. 인간들은 이 세상에 '무수한 별 중에서 별 하나', 즉 단독자로 세계 위에 던져져서 무수한 만남을 겪으며 공동체의 일원으로 살아가지만, 결국에는 자기만의 길을 가다가 홀로 죽어가는 일회적 존재에 불과하다는 생의 본질에 관한 깊은 투시가 깃들여 있는 것이다. "어디서 무엇이 되어/다시 만나랴"라고 하는 구절 속에는, 언젠가는 헤어져야 하리라는 운명인식과 함께 살아 있는 한 언젠가는 만날 수 있을 것이며 설사 죽는다 하더라도 저 세상 어디에선가는 꼭 만날 것이라는 아련한 기대와 안타까운 소망을 담고 있는 것이다. 아울러 이것은 존재가 현상적인 소멸과 생성을 되풀이 하지만, 그 본질로서의 불성은 영원한 것이어서 영원한 소멸도 영원한 생성도 없이 인과 연이 하나로 귀일된다고 하는 불교적인 역설을 반영한 것일 수도 있다. 실상 이 시가 수화(樹話) 김환기(金煥基) 화백의 그림 「언제 어디서 무엇이 되어 다시 만나랴」로서 형상화되어 다시 성공을 거둔 것도 생에 대한 깊이 있는 단독자의식과 일회적 존재의식이 인연설이라고 하는 동양적 삶의 철학으로 통합되고 고양되었기 때문인 것으로 풀이된다. 어둠 속에 홀로 빛나다가 밝음이 다가오면 사라지는 별의 외로운 모습은 바로 온갖 어둠을 헤쳐가며 살아가다가 홀로 죽어가는 인간의 숙명적인 고독과 운명성을 상징한다. 이렇게 볼 때 이 시에서 별과 나, 어둠과 밝음의 대조는 바로 영혼과 육신, 현실과 이상, 그리고 생과 사의 갈등 속에서 전개될 수밖에 없는 인간의 숙명적 비극성을 표출한 것이 분명하다.

바로 이 점에서 이 시는 「생의 감각」에서의 생명에 대한 깊이 있는 인식과 삶의 재발견이 이념적 형상을 획득한 작품으로 이해된다. 아울러 물질문명에 밀려나서 점차로 인간적인 따뜻함과 진솔함을 상실해 가는 현대인의 외로운 자화상을 성공적으로 그려준 작품으로 판단된다.

5 문명 비판과 휴머니즘에의 지향

성북동 산에 번지가 새로 생기면서
본래 살던 성북동 비둘기만이 번지가 없어졌다
새벽부터 돌깨는 산울림에 떨다가 가슴에 금이 갔다

그래도 성북동 비둘기는
하느님의 광장같은 새파란 아침하늘에
성북동 주민에게 축복의 메시지나 전하듯
성북동 하늘을 한바퀴 휘돈다

성북동 메마른 골짜기에는
조용히 앉아 콩알하나 찍어먹을
널찍한 마당은커녕 가는 데마다
채석장 포성이 메아리쳐서
피난하듯 지붕에 올라앉아
아침 구공탄 굴뚝 연기에서 향수를 느끼다가
산 1번지 채석장에 도루가서
금방 따낸 돌 온기(溫氣)에 입을 닦는다

예전에는 사람을 성자(聖者)처럼 보고
사람 가까이
사람과 같이 사랑하고
사람과 같이 평화를 즐기던
사랑과 평화의 새 비둘기는
이제 산도 잃고 사람도 잃고
사랑과 평화의 사상까지
낳지 못하는 쫓기는 새가 되었다

—「성북동 비둘기」 전문

흔히 이산의 대표작으로 일컬어지는 이 시는 발병 후인 1968년에 발표(『월간문학』 11월호)되었으며, 동명의 시집에 표제작(1969, 범우사)이 되었다. 그만큼 이산의 시 세계에 있어 중요한 의미를 지닌다고 할 수 있다. 같은 시집에 수록되었던 「생의 감각」이나 「저녁에」 등이 생명의식과 인간의 존재성에 대한 내밀한 성찰을 보여 준 것과는 달리 이 「성북동 비둘기」는 현실과 문명에 대한 날카로운 비판을 제기하고 있다는 점이 특이하다.

다시 말해서, 사회적 존재, 현실적 존재로서의 인간현실에 대한 문명비판적 태도를 표출하고 있다는 말이다. 이것은 물론 60년대 후반부터 이 땅에 급격히 대두되기 시작한 산업화의 병폐와 부조리 문제와 연결된다는 점에서 의미를 지닌다.

이 시는 제목부터 특징적이다. 「성북동 비둘기」란 '성북동'과 '비둘기'의 합성어이다. 즉, 성북동이란 사람들이 사는 지역의 인위적 명칭이며, 비둘기란 자연사의 한 상징이다. 이 둘의 결합은 그것 자체가 이미 인간사와 자연사의 대응이 이 시의 모티브가 됨을 제시한 것으로 이해된다.[4)]

세 연으로 구성된 이 시는 먼저 비둘기의 모습에 초점이 맞춰진다. 첫 연에는 인간들의 침입으로 인해 그 터전을 잃어버린 비둘기의 안쓰러운 모습이 제시된다. "성북동 산에 번지가 새로 생기면서/본래 살던 성북동 비둘기만이 번지가 없어졌다"라는 첫 구절은 '번지'가 표상하는 인간사의 확장에 의해 '비둘기'의 자연사가 훼손됐다는 점을 제시한다. 인간에 의한 자연의 파괴와 훼손이 시사된 것이다. 번지가 없어진 비둘기, 즉 자연사로서의 삶의 터전을 상실한 비둘기는 "새벽부터 돌깨는 산울림에 떨다가/가슴에 금이 갔다"처럼 상처받은 삶, 또는 뿌리뽑힌 삶의 모습을 지니게 된다. 특히 여기에서 "그래도 성북동 비둘기는/하느님의 광장 같은 새파란 아침 하늘에/성북동 주민에게 축복의 메시지나 전하듯/성북동 하늘을 한바퀴 휘돈다"라는 구절은 인간에게 삶의 터전을 빼앗기고서도 그것을 받아들일 수밖에 없는 비둘기의 삭막한 심정을 통해서 자연상실의 비애를 풍자한 것으로 보인다는 점에서 관심을 끈다.

둘째 연에는 이러한 문명에 의한 자연 파괴가 더욱 구체화되어 나타난다.

---

4) 한계전은 이 성북동 비둘기를 "상실한 사랑과 평화의 상징물"로 파악한다. 정한모, 『한국대표시평설』(문학세계사, 1983)150쪽.

즉, 성북동 골짜기는 이미 콩알 하나 찍어 먹을 아늑한 장소가 없는 메마른 곳일 뿐만 아니라 "채석장 포성"이 메아리치는 공포스런 위험의 장소로 변모해 있는 것이다. 삶의 터전을 빼앗겼다는 소극적 의미에서 한 걸음 더 나아가서 성북동은 "돌깨는 산울림"과 "채석장 포성"으로 인해 목숨마저 위협받는 살벌한 장소로 전락해 있는 것이다. 따라서 "피난하듯 지붕에 올라앉아/아침 구공탄 굴뚝 연기에서 향수를 느끼다가"와 같이 목숨의 아이러니, 또는 삶의 문명적 아이러니를 표출하게 된다. 아울러 "산 1번지 채석장에 도루 가서/금방 따낸 돌 온기에 입을 닦는다"라는 역설을 가능케 한다. 실상 이러한 아이러니와 역설 속에는 이미 따뜻함과 평안함을 상실해 가고 있는 현대인의 불안한 실존이 투영되어 있는 것으로 보인다. 채석장의 "금방 따낸 돌 온기에 입을 닦는" 비둘기의 모습은 철근 콘크리트, 대리석, 유리, 비닐, 석유 등 온갖 광물성에 둘러싸여 질식할 듯 살아가는 현대인들이 따뜻한 인간미 또는 체온의 그리움을 갈망하는 모습과 다를 바 없기 때문이다. 따라서 이 둘째 연은 자연상실이 인간상실로 전이하는 과정이 역설적으로 제시된 연에 해당한다.

셋째 연에는 비둘기와 인간의 모습이 하나로 오버랩되면서 현대 문명에 대한 위기의식이 강렬하게 표출된다. 즉, 본래 비둘기는 자연사의 상징이면서 동시에 인간 가까이서 인간과 함께 호흡을 같이하던 사랑과 평화의 상징이었지만, 현대의 비둘기는 자연도 잃고 인간과도 멀어진 분열된 자아의 표상으로 제시된다. 비둘기는 이미 자연도 빼앗기고 인간마저도 상실하여, "사랑과 평화의 사상까지 낳지 못하는" 불임의 새, 기계새로 전락하고 만 것이다. 이렇게 본다면 자연과 인간을 잃고 마침내 쫓기는 새로 전락한 비둘기의 모습은 실상 현대인의 불안한 실존의 모습과 조금도 다를 바 없음을 알 수 있게 된다. 성북동 비둘기가 표상하는 자연 상실과 인간성 상실의 모습은 바로 그를 스스로가 창조해 낸 물질문명 앞에서 자연을 훼손당하고 인간성마저 박탈당해 가는 현대인의 아이러니컬한 모습을 상징한 것이기 때문이다. 따라서 이 시는 물질문명과 상업주의의 급속한 대두 속에서 광물인간, 기계인간으로 전락해 가는 현대인의 비극을 풍자한 문명 비판시에 해당한다.

그러나 중요한 것은 이 시의 목표가 현대문명에 대한 야유나 인간상실 현상에 대한 비판 그 자체에 머물러 있지 않다는 점이다. 오히려 이 시는 이러한 인간상실의 시대에 있어서 사랑의 철학, 평화의 사상이 얼마나 소중한 것인가 하는 데 대한 깊은 깨달음을 제시한다는 점에서 그 소중한 의미가 드러난다. 온갖 인간 경시풍조와 부조리 만연의 시대에 인간의 존엄성을 어떻게 회복하고, 사랑과 평화의 사상을 실천해 나아갈 것인가를 「성북동 비둘기」를 통해서 역설적으로 제시한 것이다.

이산의 이러한 문명비판 정신은 70년대의 시들에서 더욱 본격적으로 나타난다.

> 번영이 버린 물
> 바다에 흘러 들어
> 고기 병신되어
> 벌레가 된 것을
> 어미가 물어다 먹인
> 새끼 제비가 죽은 것을 보고 놀라
> 갑자기 눈이 어두운 어미 제비도
> 전봇줄에 앉아 울다가
> 떨어져 죽었다
> 참새에게는 쌀을 주고
> 제비에겐 벌레를 준
> 하늘을 원망하여
> 바다는 고요했고
> 새는 곡했다
> 늦가을 강남 갈 제비도 없고
> 삼월 삼짇날 강남서 올 제비도 없으니

놀부 흥부는 제비 잘 사는 나라로 이민이나 가시지

—「번영의 폐수」 전문

이 시에는 급격한 산업화 또는 졸속한 근대화에 따른 자연파괴와 생태계 오염에 대한 심각한 우려와 항의가 제기되어 있어 주목을 끈다. 실상 60년대 말부터 이 땅에 몰아치기 시작한 급격한 산업화의 열풍은 여러 가지 면에서 부정적인 징후를 드러내기 시작한 것이 사실이다. 무엇보다도 그것은 각종 산업공해에 의한 자연의 오염이며 생태계의 파괴로 나타났다. 변변한 처리 시설 하나 없이 그대로 버려진 수많은 공장의 폐기물과 폐수들은 자연 속으로 흘러들어서 자연계를 급속히 오염시키고, 마침내는 생태계를 변화시키기에 이른 것이다. 이 시에서는 이러한 폐수가 유발한 자연의 오염과 생태계 파괴가 얼마나 무서운 것인가를 생생하게 제시해 준다. 즉 이 시는 '폐수→고기가 병신되어 죽음→이것을 먹은 새끼 제비가 죽음→어미 제비도 죽음→오고 갈 제비 없어짐'이라는 이야기의 전개를 통해서 급격한 산업화에 따른 생태계의 파괴 현상을 날카롭게 비판하고 있는 것이다. 특히 이 시는 이러한 산업화에 따른 생태계 질서의 파괴가 인간에게 얼마나 심각한 위협이 되는가를 제시하는 것과 더불어 "놀부 흥부는 제비 잘 사는 나라로 이민이나 가시지"라는 구절에서 볼 수 있듯이 주체성을 몰각하고 부유하는 외세 추종주의자 또는 도피성 이민족에 대한 야유를 퍼붓고 있어 주목된다. 어쩌면 이것은 70년대 이 땅의 현실 이 당면한 두 가지 핵심적인 문제, 즉 급격한 산업화에 따른 공해 및 인간성의 상실 문제, 그리고 유신 추진 등 정치적 혼란에 따른 인권탄압 및 각종 부조리 현상의 대두에 대한 비판정신에 뿌리를 두고 있는 것으로 보인다. 특히 「성북동 비둘기」에서 제시된 바 있었던 자연파괴와 인간상실의 모티브가 이 시에서도 그대로 이어진 것이다.

이처럼 이산의 후기 시에는 산업화 시대에 있어서의 각종 사회적 모순과 부조리에 대한 날카로운 풍자와 야유 및 그 위기감이 제시된 것이 중요한 특징이다. 이것은 물론 현대 문명의 급격한 비대화에 따른 인간 상실 또는 인간 소외현상에 대한 강력한 비판과 항거의 구체적인 표현이다. 그렇지만 이러한 비판과 항의의 이면에는 실상 오늘날에 있어 인간회복의 명제. 즉 사랑의 철학, 평화의 사상이 얼마나 소중한 것인가에 대한 강력한 외침이 담겨 있다는 점을 간과해서는 안 될 것이다.

6 분단 극복 의지와 평화 사상

① 얼마만에
드디어 자유가 온 것을
해방이라 해서
천지의 사방에
춤을 추었다

사방 산들도 다같이
하늘을 밀어올려

높은 나라 깨끗이 서려니
시와 노래 무진하려니
영원하라 밤새 마신 술

묶였다가 풀려나
시간에 대어 왔건만
벌써 사상이란 놈이 들어와
싸움 싸우기 어언 30년

한 민족이 두 국민 되어
다시 먹게 된 설븐 나이
해방 서른 살

밤새 마신 술맛은
어디 가고……
로마 건국같은 난공사

—「해방 30년」 전문

② 집을 떠났다가
백악관에 들러
국민들에게
나라를 위한 일을
어떻게 한다는 것을 일러 주다가
임기가 되니

옛친구들과 이야기하고 싶어
고향가는 길이다

나는 아기를 제일 좋아한다
나는 아기들에게서 새것을 배운다

—「대통령 트루만」 전문

70년대에 들어서면서 이산의 시적 관심은 사회와 현실에 집중되는 경향을 보여주었다. 71년 12월에 펴낸 제5시집 『반응』(문예출판사, 1971)에는, 아예 '사회시집'이라는 부제가 붙어 있을 정도로 사회, 현실에 관한 관심이 대두되었다. 불편한 육신에도 불구하고 급격한 산업화 추진과 무리한 유신 추진이 몰고 온 각종 사회의 구조적 모순과 부조리에 분노의 눈길을 보냈던 것이다. "와우아파트 한 채가 무너지자/다른 아파트가/나두나두 하면서/부들부들 떠는 바람에/시민들이 놀라서/삽시간에 서울이 없어졌다/슬프다 슬프다/시민 아파트에 깔려/먼저 죽은 원혼들이여"(「와우아파트」)라는 시에서 보듯이 졸속한 근대화의 그늘에서 소외당하는 인권에 대한 강력한 분노를 표출하고 있는 것이다.

그의 이러한 사회의 구조적 모순과 부조리에 대한 분노와 비판은 차츰 70년대 이 땅의 정치현실에 대한 비판의 양상을 지니게 된다. 이산의 이러한 정치현실에 대한 관심은 주로 분단현실에 대한 통탄이며, 그에 대한 극 복의지의 표출로서 나타난다. 아울러 70년대 이 땅에서 가장 긴절한 명제이던 민주화 추진에 대한 간절한 소망의 피력으로 집약할 수 있다.

먼저 ①시에는 분단의 비극과 아픔이 생생하게 제시되어 있다. 이 시의 전반부는 해방 당시의 기쁨과 환희가, 후반부에는 분단 30년의 비극과 슬픔이 각각 표출되어 있다. 먼저 전반부는 일제의 질곡으로부터 벗어난 해방이 얼마나 거족적인 환희였으며, 희망의 솟구침이었는가를 보여준다. "사방 산들도 다같이/하늘을 밀어 올려"라는 과장법에서도 볼 수 있듯이 일제하 강점에서 풀려난 기쁨은 더할 나위 없이 크고 희망찬 것이었다. 따라서 "영원하라 밤새 마신 술"은 새 조국 건설의 축배와 같은 의미를 지닌다. 그러나 그로부터 30년은 민족분열과 국토분단의 뼈아픈 시련의 연속이었던 것으로 받아들여진다. "벌써 사상이란 놈이 들어와/싸움 싸우기 어언 30년"이나 "한 민족이 두 국민 되어/다시 먹게 된 설븐 나이/해방 서른 살" 등의 구절 속에는 좌, 우로 분열되고, 다시 남북으로 분단된 이 땅의 비극을 통탄하는 내용이 담겨져 있다. 아울러 "밤새 마신 술맛은/어디 가고……/로마 건국같은 난공사"라는 결구 속에는 이 땅 해방 30년 동안의 최대 비극이 분단현실로부터 기인하고 있음을 제시함과 아울러 이의 극복이 민족의 지상 명제임을 강조하는 뜻이 내포되어 있는 것이다. 실상 이러한 결구 속에는 역사의 허망함에 대한 깊은 절망감과 함께 배신감이 자리잡고 있다는 점도 간과할 수 없는 사실이다.

이러한 분단의 비극에 대한 아픔과 통일에의 염원은 「경우회 묘지비명」, 「통일의 움직임」, 「고향」, 「금강산」, 「제야의 일곡」, 「죽어서」 등 수많은 70년대의 시편들에 지속적으로 나타나는 테마이다. 실상 일제하에서 3년 8개월이라는 결코 짧지 않은 세월을 감옥에서 보낸 독립투사로서의 이산이 해방된 이후 분단의 장벽이 날로 높아만 가는 현실에서 역사에 대한 깊은 배신감과 좌절감을 느꼈을 것이라는 것은 쉬 짐작할 수 있는 일이다.

특히 시 ②에는 70년대 이후 이 땅의 핵심과제 중의 하나인 민주화에 대한 열망이 표출되어 있어 관심을 끈다. 이 시의 핵심이 되는 것은 주권재민사상과 평화사상으로 요약할 수 있다. 아울러 평화적인 정권 교체에 대 한 갈망이며, 그렇지 못한 70년대 당대 현실에 대한 탄식이다. "집을 떠났다가/백악관에 들러/국민들에게/나라를 위한 일을/어떻게 한다는 것을 일러 주다가/임기가 되니//옛 친구들과 이야기 하고 싶어/고향가는 길이다"라고 하는 평범한 트루만 대통령의 모습 속에는 민주주의가 질서의 존중이며 평화의 애호 정신에서 비롯된다는 점을 강조하는 뜻이 담겨져 있다. 아울러 평화로운 정권 교체야말로 가장 아름다운 민주주의 질서의 실현이라는 깨달음이 제시된 것이다. 여기에서 "나는 아기를 제일 좋아한다/나는 아기들에서 새것을 배운다"라는 결구를 통해서 순수와 평화의 정신이야말로 민주주의 정신에 있어 그 요체가 됨을 강조한 것이 된다.

한동안 이승만 대통령의 공보비서관으로 근무한 적이 있는 이산으로서 4·19 등 그 후의 비극적인 역사 전개 과정을 지켜보면서 과연 어떠한 것을 깨달았겠는가. 아마도 그것은 장기 집권이 유발하는 구조적 모순과 부조리에 대한 혐오이자 평화적인 정권 교체에 의한 진정한 민주주의 실현에 대한 애타는 염원이었을 것이 분명하다. 바로 이러한 해방 이후 되풀이된 역사적 비극에 대한 탄식과 비애가 이산으로 하여금 또다시 현실에 대한 관심을 고조시키는 계기가 된 것으로 해석된다.

이렇게 볼 때 이산은 70년대 이 땅의 현실이 당면한 제반 모순과 문제점을 정확하게 파악하고 있었으며 그것을 용기 있게 드러낼 줄 안 많지 않은, 용기 있는 원로 시인의 한 사람이다. 특히 그가 이 땅의 제반 모순과 부조리가 조국 분단과 민족분열에 원천적으로 기인하며, 이의 극복이야말로 가장 긴절한 민족사적 과제임을 제시한 것은 실로 소중한 일이 아닐 수 없다. 자유와 평등, 사랑과 평화의 사상에 바탕을 둔 진정한 민주주의의 실현이야말로 이 땅에서 앞으로도 지속적으로 실천돼야 할 민족사적 명제에 해당하기 때문이다.

□ 맺음말

그렇다면 김광섭의 시가 지닌 장점은 과연 무엇이며, 그 한계점은 어디에 있을 것인가. 무엇보다도 김광섭의 시는 인생의 고통과 정면으로 맞닥뜨림으로써 삶의 본질에 보다 생생하게 근접하고 있다는 점에서 의미를 지닌다. 그러한 본질에의 근접의 하나는 식민지하의 고통스런 영어체험을 통해서 비로소 눈뜨게 된 사회적, 역사적 인간의 발견이라는 측면을 의미하며, 또 다른 하나는 목숨을 건 투병체험에서 마침내 확득하게 된 생명의지의 소중함에 대한 깨달음이자 생의 의미에 대한 재발견의 노력을 일컫는다. 그의 시는 이러한 외환과 내우의 직접적인 체험과 그 극복과정을 통해서 생의 본질에 한 걸음씩 접근해 감으로써 보다 성숙한 인간이해를 획득하게 되고, 마침내 세계와의 당당한 대결 정신을 확보하게 된 것으로 보인다. 그의 시가 견지한 이러한 생생한 삶의 인식과 사회와의 팽팽한 긴장력은 분명히 해방 이후의 현대시사에서 독보적인 우월성이 아닐 수 없다.

그의 시가 지니고 있는 한 결점은 그의 시가 몇몇 유형의 상투성에 안주하는 경향을 보인다는 점이다. 대가의 시란 폭넓은 다양성을 펼쳐 보이면서도 궁극적인 면에서 심도 있는 정신의 일관성을 천착해 가는 것을 이상으로 한다. 이산의 시는 신념과 의지가 앞선 나머지 육화된 표현을 성취하지 못하는 경우가 종종 발견된다. 그 결과 정신의 유형화가 빚어내는 지적 매너리즘에 함몰되는 경우가 없지 않은 것이다. 아울러 한 비평가가 지적했듯이 후기 이산 시의 정신적 극복과정이 자신의 능동적인 깨달음에서 비롯된 것이 아니라 와병이라는 외발적 요인에 기인한 점[5])도 아쉬운 점으로 지적될 수 있다.

그럼에도 불구하고 이산의 시는 해방 이후 이 땅에 있어서 최대의 과제가 급격한 산업화가 야기하는 사회의 구조적 모순과 부조리의 극복 문제이며, 아울러 분단의 극복과 함께 자유와 평등의 실현에 의한 평화의 정착 실현에 놓여진다는 점을 극명하게 제시했다는 점에서 중요한 의미를 지닌다. 분명히 이산은 아름다운 가락의 서정시인도 아니며, 빼어난 예술시인이라 부르기도 어렵다. 다만 그의 시는 험난한 역사와 맞서 그 부정과 불의에 용기 있게 부딪치면서 그 고통과 아픔, 분노와 슬픔을 정직하게 드러내려 노력했다는 점에서 감동을 던져 준다. 그의 실천적인 시 정신과 일관성있는 시혼이야말로 이 땅 지성시의 한 선구로서 또한 사회시의 한 전범으로서 오래도록 빛을 더해 갈 것이 확실하다.

---

5) 염무웅, 앞의 책 182쪽.

□ 연 보

1905 : 9월 22일 함경북도 경성군 어대진에서 부 김인준(金寅濬)의 장남으로 출생.
1911 : 한약방을 경영하던 조부의 사망으로 가세가 기울자 북간도 두도구로 이주.
1912 : 1년 만에 귀향. 향리 서당에서 한문 수학.
1915 : 경성공립보통학교 3학년으로 편입.
1919 : 이순학과 결혼.
1920 : 서울중앙고보 입학, 2학기 때 중동학교로 편입, 중동학교 졸업(1924) 후 도일.
1924 : 와세다대학 제2고등학원 영문과 입학. 『해외문학』 동인에 가담.
1927 : 동 학원 조선인 동창회지인 『알』 지에 시 「모기장」 발표.
1929 : 동 학원 졸업. 와세다대학 영문과 입학.
1932 : 와세다대학 졸업.
1933 : 귀국하여 중동학교 영어교사로 부임, 극예술연구회에 가담하여 활약함.
1935 : 『시원』 에 「고독」 을 발표.
1937 : 『조광』 지에 「동경」 등의 작품을 발표함.
1938 : 제1시집 『동경』(1938) 발간, 이후 제2시집 『마음』(1949), 제3시집 『해바라기』 (1957), 제4시집 『성북동 비둘기』(1969), 제5시집 『반응』(1971), 『김광섭시 전집』(1974) 발간.
1941 : 중동학교 강의 중 반일 사상 고취 혐의로 일경에 체포되다.
1944 : 만 3년 8개월 만에 출옥.
1945 : 해방 직후 민족주의 진영 문인들과 중앙문화협회 설립.
1947 : 전국문화단체 총연합회 출판부장, 민중일보 편집국장 역임.
1948~51 : 이승만 대통령 공보비서관 역임.
1952 : 경희대 교수로 부임.
1956 : 『자유문학』 지를 창간하여 발행인이 됨.
1958 : 세계일보 사장 취임. 역시집 『서정 시집』(보리스 파스테르나크 지음) 발간.
1964 : 『자유문학』 지 운영난으로 휴간하자, 정신적 타격으로 고혈압 증세를 보임.
1965 : 서울운동장에서 야구경기 관전 중 뇌출혈로 졸도, 메디컬센터에 입원.
1977 : 뇌졸중 후유증으로 사망.

8. 청마(青馬) 유치환(柳致環)

—모순의 시학 · 극복의 시학—

"내 죽으면 한 개 바위가 되리라"하고 절규하던 시인 청마(青馬) 유치환(柳致環)(1908~1967), 그는 1930년대 벽두에 등장하여 끊임없이 생명의 원상을 탐구하고 그 모순을 극복하기 위하여 치열하게 노력하던 성실한 시인의 한 사람이다. 그는 여성적인 호흡과 서정적인 가락에 젖어 들었던 당대의 시풍에서 벗어나 생의 모순과 비극적 현실에 의연히 맞서는 당당한 자세를 보여주었다. 아울러 그는 당대 시의 또 다른 한 흐름이던 모더니즘의 감각 편향성이나 기교주의에도 반발하여 건강한 원시적 생명력에의 귀환 또는 견고한 초인에의 길을 지향함으로써 생의 초극을 성취하고자 노력하였다.

그의 시는 흔히 인생파, 생명파, 비창파, 비정파 등의 범주에 묶어져서, 이해되어 왔다. 그러나 아직도 그의 시가 지니고 있는 참뜻은 제대로 밝혀져 있지 않은 것으로 보인다. 무려 40년 가까운 시력의 과정에서 쓰이고 발간된 시와 시집을 그렇게 단순한 명명으로 재단해 버리는 것은 위험한 일이 아닐 수 없기 때문이다. 그의 시는 일제 말엽과 해방공간, 6·25, 4·19, 5·16 등의 험난한 역사의 소용돌이 속에서 나름대로 치열한 문학적 응전을 보여 준 것으로 이해된다는 점에서 좀 더 체계적이고 사려 깊은 탐구가 필요한 것으로 판단된다. 무엇보다도 그의 시가 지니고 있는 생철학적인 의미가 해명되어야 할 것이며, 또한 시정신과 시의식의 문제가 구명되어야 할 것이다. 그의 시는 험난한 시대에 시인이 취할 수 있던 존재론적 저항을 보여줌으로써 생의 초월과 극복을 지향하고 있다는 점에서 지속적으로 연구될 필요성이 있기 때문이다.

1 생의 모순과 극복의 정신

청마는 1931년 영랑, 용아가 주재하던 『문예월간』지에 시 「정적」을 발표함으로써 시단에 등장하였다. 이후 1967년 부산 거리에서 윤화로 숨지기까지 40년 가까이 시작 활동을 전개하면서 품격 높은 수많은 작품을 발표하였다. 시집만 하더라도 『청마시(』(1939)에서 시작하여 『생명의 서』(1947), 『울릉도』(1948), 『청령일기』(1949), 『보병과 더불어』(1951), 『예루살렘의 닭』(1953), 『청마시집』(1954), 『제구시집』(1957), 『뜨거운 노래는 땅에 묻는다』(1960), 『미류나무와 남풍』(1964) 등의 시집과, 시선집으로 『유치환시선』(1958), 『동방의 느티』(1959), 『파도야 어쩌란 말이냐』(1965) 등 무려 10여 권에 이른다. 해방 전의 시인으로는 1960년대까지에 있어서 가장 많은 작품(시집)을 발표하였으며, 그 내용 또한 다양하면서도 전체적인 일관성을 지닌다는 점에서 이 땅 초유의 대형시인 또는 대가시인으로서의 풍모를 지니고 있는 것이다. 그의 시와 시집은 1930년대부터 발표되었지만, 해방 후에 작가 자신이 각종 시선집 등에 수록하면서 손을 본 것이 많기 때문에 판본 및 표기체계 면에서는 문제될 것이 별반 없는 것으로 보인다. 따라서 인용시는 현재의 맞춤법에 맞추어 표기하되 특수하게 의도된 것으로 보일 때만 원문표기를 살리도록 한다.

이것은 소리 없는 아우성.
저 푸른 해원(海原)을 향(向)하여 흔드는

영원(永遠)한 노스탈자의 손수건.
순정(純情)은 물결같이 바람에 나부끼고
오로지 맑고 곧은 이념(理念)의 표(標)ㅅ대 끝에
애수(哀愁)는 백로(白鷺)처럼 날개를 펴다.
아아 누구던가.
이렇게 슬프고도 애달픈 마음을
맨 처음 공중에 달 줄을 안 그는.

—「기ㅅ발」 전문

이 작품은 고등학교 「국어」 교과서에도 실린 바 있었던 청마의 초기작이자 대표작에 속한다. 흔히 이 시는 "인간성의 한 상징"(이상섭), 또는 "인간 본성과 인간존재의 리얼리티를 보여주는 작품"(김준오) 등으로 이해되어 온 바 있다.

이 작품의 구성은 기·서·결 세 단락으로 이루어져 있으며, 주로 메타포에 의해 전개된다. 첫 단락은 3행까지로서 은유로 짜여 있다. 다시 첫 행은 "이것은 소리 없는 아우성"이라는 모순어법(oxymoron)으로 표상되어 있다. 모순어법이란 "소리없는/아우성"과 같이 서로 모순되는 사실의 결합을 통해서 아이러니를 유발시키는 수사법을 달한다. 아우성은 여러 사람이 기세를 올리거나 악을 쓸 때 지르는 고함소리임에도 불구하고 이것에 "소리 없는"이라는 모순 형용이 붙음으로써 청각 영상은 없어지고 의미 형상만이 남게 된다. 즉, '깃발=소리 없는 아우성'이라는 모순어법의 은유로 인해서 깃발의 나부끼는 모습이 청각이 아닌 시각으로 표상되며, 그렇기 때문에 상식적인 것 이상의 격렬한 그 무엇이 담겨져 있음을 감지하게 해준다. 깃발의 나부낌은 그 속에 격렬한 몸부림 또는 갈등을 담고 있으며, 그것은 무언가 모순되는 사실에서 비롯되는 것이라는 점이 암시되어 있는 것이다. 이 첫 행은 다음 두 행에 의해 부가적 의미를 지니게 된다. 깃발의 모습이 "노스탈자의 손수건"으로 은유화되어 있는 것이다. 여기에서 노스탈자(nostalgia)는 그리움을 뜻한다. 그것은 물론 과거 또는 고향에 대한 그리움의 뜻을 담고 있지만, 동시에 "푸른 해원"이 표상하는 미래 또는 미지에 대한 동경으로서의 그리움의 의미를 함께 지니고 있다. 역시 양면성을 지니고 있는 것이다. 이 점에서 깃발은 소리 없는 아우성이며 노스탈쟈의 손수건이라는 이중 은유를 통해서 그것이 모순되는 두 속성을 함께 내포하고 있음을 제시하게 된다. 이 첫 단락에서는 깃발의 전체적 의미가 포괄적으로 상징화되면서 모순어법의 은유로 형상화하게 된 것이다.

둘째 단락은 다음의 3행이다. 여기에서는 가운데 행을 중심으로 앞, 뒤 한 행이 덧붙여져 있는 모습으로 짜여 있다. 다시 말해서 "맑고 곧은 이념의 표ㅅ대"를 축으로 하여 "순정은 물결같이 바람에 나부끼고"와 "애수는 백로처럼 날개를 펴다"가 결합되어 깃발의 형상이 보다 규칙적으로 묘사되어 있다. 즉, 깃발은 이념의 푯대로서의 '깃대'와 순정과 애수의 나부낌이라는 '기폭'으로 구성되어 있는 것이다. 바로 이 점에서 깃발의 이중 구조 또는 모순의 아이러니가 드러나게 된다. 깃발은 깃대로 고정되어 있지만 동시에 바람의 방향에 따라 기폭이 휘날리는 양면성 또는 모순성을 지니고 있는 것이다. 이것은 바로 운명에 묶여 있으면서도 끊임없이 자유를 갈망하는 인간의 모습이며, 동시에 이성법칙에 따라야 하면서도 어쩔 수 없이 감성의 소용돌이에 뒤채이게 마련인 인생행로를 반영한 것으로 풀이된다. 또한 육신과 영혼, 현실과 이상, 애욕과 순정 등의 갈등으로 이어지는 삶의 모습과 다를 바 없는 것이다. 바로 이 점에서 첫 단락에서 포괄적으로 암시한 "소리 없는 아우성"의 본 모습이 드러나게 된다. 그것은 깃발이 깃대에 묶여 있으면서도 또 다른 세계를 향하여 기폭을 흔드는 모습과, 운명과 자유, 이성과 감성, 현실과 이상, 정신과 육체 등이 빚어내는 갈등에 뒤채이는 인생의 모습을 대비함으로써 생의 모순성 또는 양면성을 드러내고자 한 것이다. 소리 없는 아우성으로서 휘날리는 깃발의 모습은 온갖 갈등과 모순을 겪으면서 살아가는 인간의 모습과 다를 바 없는 것이다.

그런데 여기에서 드러나는 생의 모순성 또는 양면성은 바로 사랑의 그것과 연결된다는 점에서 의미를 지닌다 하겠다. 순정이 물결로 비유되어 바람에 나부끼는 모습이나 애수가 백로로 비유되어 날개를 펴는 모습은 다 같이 파동성과 부드러움이라는 비유적 속성으로 인해서 그것이 사랑의 정감과 연관되어 있다는 점을 쉽게 짐작할 수 있게 해준다. 다시 말해서 소리 없는 아우성으로 표상되는 깃발의 몸부림은 바로 정염과 허무, 애욕과 순정, 육체와 영혼의 갈등에 뒤채이는 사랑의 아이러니이며, 동시에 현실과 이상, 감성과 이성, 운명과 자유라는 모순의 갈등 속에서 이어지는 생의 아이러니를 드러낸 것이라는 점이다.

셋째 단락은 마지막 세 행인데, 여기에서는 그러한 갈등과 모순에 대한 탄식이 드러나 있다. "아아 누구던가/이렇게 슬프고도 애달픈 마음을/맨 처음 공중에 달 줄을 안 그는"이라는 결구 속에는 사랑의 아이러니와 인생의 아이러니를 어쩔 수 없이 긍정할 수밖에 없다는 데 대한 깨달음과 함께 그에 대한 탄식이 담겨져 있는 것이다. "아아 누구던가"라는 도치된 영탄법 속에는 사랑의 괴로움과 생의 괴로움이 불러일으키는 갈등과 몸부림이 짙게 투영되어 있는 것이다. 따라서 이 셋째 단락은 이 시의 전체 인상을 비애와 탄식의 정조로써 마무리 지으면서 설의법으로 열어 놓음으로써 다시 여운을 지속시키게 된다.

이렇게 본다면 이 「깃발」은 깃발의 양면성 또는 모순성을 통해서 사랑의 그것과 인생의 그러함을 제시하고자 한 것으로 이해된다. 다시 말해서 깃발의 현상(휘날림 = 아우성)과 본질(양면성, 모순성)을 통해서 사랑과 인생의 현상성(갈등과 몸부림)과 본질적 측면(양면성, 모순성)을 드러내고자 한 것이다. 이 점에서 시 「깃발」은 청마시의 출발점이 바로 이러한 사랑의 괴로움 또는 생의 아이러니에 대한 탄식과 그 극복의지에서 비롯되고 있음을 선명히 제시해주는, 청마시의 원형이 된다.

2 향일성 또는 우주적 생명력

나의 가는 곳
어디나 백일(白日)이 없을소냐.
머언 미개(未開)ㅅ적 유풍(遺風)을 그대로
성신(星辰)과 더불어 잠자고

비와 바람을 더불어 근심하고
나의 생명(生命)과
생명(生命)에 속(屬)한 것을 열애(熱愛)하되
삼가 애련(愛憐)에 빠지지 않음은

—「그는 치욕임일네라」 전문

나의 원수와
원수에게 아첨하는 자(者)에겐
가장 옳은 증오(憎惡)를 예비하였나니.

마지막 우럴은 태양(太陽)이
두 동공(瞳孔)에 해바라기처럼 박힌 채로
내 어느 불의(不意)에 즘생처럼 무찔리기로

오오 나의 세상의 거룩한 일월(日月)에
또한 무슨 회한(悔恨)인들 남길소냐.

—「일월」 전문

이 작품도 시집 『청마시』에 수록되어 있는 초기작에 속한다. 이 작품은 일찍이 김종길이 청마의 "대가적 풍격"을 논한 바 있던 바로 그 작품인바, 대체로 이 논점은 애련을 치욕으로 여기는 비정의 태도에 기인하는 것으로 보인다.[1] 그렇다면 이 비정의 태도가 지향하는 것은 무엇이겠는가? 아마도 그것은 생의 초극이라는 문제로 요약할 수 있을 것이다. 앞에서 우리는 청마의 시가 기본적인 면에서 생의 양면성 또는 모순성에 대한 깨달음과 탄식에 기초를 두고 있다는 점을 살펴본 바 있다.

따라서 이 「일월」에서는 생의 모순성을 인정하고 그에 대한 초극을 지향하고 있는 것으로 보인다. 그것은 먼저 우주적 상상력으로 나타난다. "머언 미개ㅅ적 유풍을 그대로/성신과 더불어 잠자고//비와 바람을 더불어 근심하고"라는 구절은 열린 세계에 대한 지향, 즉 우주적인 상상력에 이 시의 바탕이 놓여 있음을 말해 준다. 이것은 갈등과 고뇌로 가득 찬 인간 내면의 세계, 즉 닫힌 세계로부터 벗어나고자 하는 열망에서 비롯된 자연스런 지향점이다. 따라서 괴로움으로부터의 도피가 아니라, 그것과의 대결을 꾀하게 된다. "생명과/생명에 속한 것을 열애하되/삼가 애련에 빠지지 않음"이 그것이다. 애련에 빠지는 것은 치욕이기 때문에 애련의 초극이 가장 커다란 명제가 되는 것이다. 이 애련을 초극할 수 있게 하는 중요한 한 힘이 일월성신이라고 하는 우주적 감응력에서 비롯되는 것이다. 일월성신, 즉 우주와 맞서는 당당한 힘과 의지에 대해 "열애하되 애련에 빠지지 않을 수 있는" 에네르기가 생성되는 것이다. 아울러 이러한 생의 모순성과 부조리함에 대한 초극을 인간적인 그 모든 것과의 맞섬에 의해 성취하고자 한다. "원수와/원수에게 아첨하는 자에겐/가장 옳은 증오를 예비"하는 행위가 바로 그것이다. 여기에서 원수는 생의 원상으로서의 모순과 부조리는 물론 인간의 인간다운 삶을 저해하는 모든 요인들을 함께 표상하는 것이 된다. 이러한 것들을 외면하거나 그들로부터 도피하지 않고 정당히 맞섬으로써 생명의 초극 또는 인간성의 회복을 도모하고자 하는 것이다.

여기에서 또한 향일성의 건강한 대결 정신이 드러나게 된다. "마지막 우럴

---

1) 김윤식, 「청마론」(『한국현대시론비판』, 일지사, 1982)73쪽.

은 태양이/두 동공에 해바라기처럼 박힌 채로/내 어느 불의에 즘생처럼 무찔리기로"라는 구절이 바로 그것이다. 이 구절 속에는 자아와 세계 사이의 건강한 대결 정신이 표출되어 있다. 모순과 부조리, 비애와 탄식으로 가득 찬 세계에 대한 강력한 저항의지와 대결 정신이 제시된 것이다. 특히 이 구절에서 "태양/해바라기"의 대응은 이 시가 근원적인 면에서 해의 상상력(solar imagination)에 뿌리를 두고 있음을 말해 준다. 우리 시가와 원형질이 비애의 정조, 즉 달의 상상력(lunar imagination)에 크게 의지하고 있다는 점에 비추어 본다면 청마의 이 시가 보여주는 향일성, 즉 해의 상상력은 소중한 특질이 아닐 수 없다. 실상 청마가 피하는 것도 궁극적인 면에서는 이러한 비관적 인생관, 또는 비극적 세계관의 극복일는지도 모르며, 그렇기 때문에 더욱더 밝고 건강한 것, 또는 굳세고 정정당당한 대결 정신을 드러내게 되는 것이다. "백일/미개/생명/열애/치욕/원수/증오/태양/즘생/회한" 및 "우러르다/박히다/무찔리다" 등의 강렬한 시어 구사와 'ㄹ소냐/ㄹ네라/하였나니/리기로/ㄹ소냐' 등의 어미 활용, 그리고 '어디나/삼가/가장/마지막' 등의 절대부사 습용 등은 시 전체의 분위기를 남성적, 대결적인 것으로 만들어 준다. 이 점에서 이 시는 생의 모순성과 비극성을 우주적 상상력과 대지적 대결 정신을 통해 극복하려 시도한 작품으로 이해된다.

하늘의 무궁함을 노래하지 말라. 인류(人類)로 하여금 영원히 머리에서 벗을 수 없이 눌러 씌운, 밑도 끝도 없이 넓고 큰 저 허공(虛空)으로서, 푸른 산맥(山脈)과 검은 삼림(森林)의 레—스의 그 변죽을 꾸밈이 없이 보아라. 자유로이 오고 가는 구름의, 아침과 저녁 봄 가을 여름 겨울의 때따라 천차만별한 빛갈과 형태의 나타남이 없어 보아라. 또한 밤이 있어 푸른 달의 차고 이즒과 억조 성좌(星座)의 휘황찬란함이 더불어 찾아 오는, 우리가 눈감고 죽음의 망각(忘却)의 한 토막을 즐기어 잠들 수 있는 그 밤의 덕이 없어 보아라. 저 희멀건 허공(虛空)이야말로, 수유(須臾)한 목숨의 죄업(罪業)을 냉혹히 응시(凝視) 고문

(拷問)하는 "때"의 유령(幽靈)인 허공(虛空)이야말로, 그 아래에서의
칠십년(七十年)은 죽음보다 가혹하고 긴 형벌(刑罰)일지니—

—「하늘」 전문

이 시는 시집 『예루살렘의 닭』(1953, 산호장)에 수록되어 있는 것이지만, 역시 청마의 우주적 상상력을 극명하게 드러낸 한 예가 된다. 이 시는 하늘의 광대무변함과 영원무궁함을 제시하는 가운데 이러한 우주와의 교감을 통해 생의 왜소함과 허무함을 극복하고자 하는 초극의지를 담고 있어 주목된다. 먼저 이 시는 하늘의 광대무변함을 제시한다. 하늘은 "밑도 끝도 없이 넓고 큰 허공"으로 묘사되어 있다. 하늘의 무내무외한 공간성이 제시된 것이다. 다음에는 "자유로이 오고 가는" 구름의 천변만화와 함께 '봄·가을·여름·겨울'의 순환을 통해서 무시무종으로서의 하늘의 영원한 시간성을 드러낸다. 그 다음에는 "푸른 달의 차고 이즮과 억조 성좌의 휘황찬란함이 더불어 찾아오는" 밤과 낮의 교차를 통해서 음양으로 이루어지는 우주만물의 원리를 제시하고 있는 것이다. 이러한 무내무외, 무시부종, 그리고 음양의 순환으로 이루어지는 우주의 질서와 원리에 비추어 볼 때 "목숨의 죄업"에 허덕이며 몇 십 년의 "수유한 목숨"을 살아가는 인생은 덧없고 허망한 것이 아닐 수 없다. 어쩌면 그것은 가혹하고 긴 고문이며 형벌로서 인생을 인식하는 태도가 담겨 있는지도 모른다.

이 점에서 이 시는 인간의 수유한 목숨으로서의 한계성과 가혹하고 긴 형벌로서의 운명성을 제시한 것으로 이해된다. 그러나 여기에서 말하고자 하는 것은 인간의 한계성과 운명성 그 자체가 아니니다. 오히려 그것은 그러한 한계성과 운명성을 우주적인 광대무변함과 영원무궁함을 통해서 초월하고 극복하고자 하는 열린 의지를 담고 있다는 점에서 참뜻을 지니는 것으로 보인다. 인간을 인간 내부의 닫힌 세계 속에서가 아닌, 보다 열려진 세 계 또는 우주의 커다란 움직임 속에서 파악함으로써 생의 초극을 지향하는 것이다. 이 점에서 이 시는 동양적인 세계관, 특히 노장사상에 뿌리를 두고 있는지도 모른다.

생의 모순성과 운명성, 즉 인간의 한계성을 우주적 상상력으로 치환, 상승시킴으로써 초극하고자 하기 때문이다.

3 북만 체험과 힘의 의지

십이월(十二月)의 북만(北滿) 눈도 안 오고
오직 만물(萬物)을 가각(苛刻)하는 흑룡강(黑龍江) 말라 빠진 바람에 헐벗은
이 적은 가성(街城) 네거리에
비적(匪賊)의 머리 두 개 높이 내걸려있나니.
그 검푸른 얼굴은 말라 소년(少年)같이 적고
반쯤 뜬 눈은
먼 한천(寒天)에 모호(模糊)히 저물은 삭북(朔北)의 산하(山河)를 바라고 있도다.
너희 죽어 율(律)의 처단(處斷)의 어떠함을 알았느뇨.
이는 사악(四惡)이 아니라
질서(秩序)를 보전(保全)하려면 인명(人命)도 계구(鷄狗)와 같을 수 있도다.
혹은 너의 삶은 즉시
나의 죽음의 위협(威脅)을 의미(意味)함이었으리니
힘으로써 힘을 제(除)함은 또한
먼 원시(原始)에서 이어 온 피의 법도(法度)로다.
내 이 각박(刻薄)한 거리를 가며
다시금 생명(生命)의 험렬(險烈)함과 그 결의(決意)를 깨닫노니
끝내 다스릴 수 없던 무뢰(無賴)한 넋이여 명목(瞑目)하라!
아아 이 불모(不毛)한 사변(思辨)의 풍경(風景) 위에 하늘이여 은혜(恩惠)하여 눈이라도 함빡 내리고 지고.

—「수」 전문

1928년 청마는 연희전문을 중퇴하고 일본으로 건너가서 아나키스트들과 교유하면서 사상적인 갈등과 방황을 겪는다. 그러다가 귀국한 후 『문예월간』을 통해서 문단에 데뷔하고, 평양, 부산, 통영 등을 전전하면서 삶의 길을 찾지만 끝내 그 어느 곳에도 정착할 수 없었다. 여기에서 1940년 만주로의 탈출이 감행된다. 청마는 만주의 광막한 벌판에서 농장 관리인으로 일하면서 「광야에 와서」, 「절명지」, 「수」 등을 쓰게 되는 것이다.

이 시 「수」는 제목부터가 특이하다. 여기에서의 「수」는 '가성 네거리에 내걸려 있는 비적의 머리', 즉 효수당한 머리를 뜻한다. 이것을 한자어 한 음절, 즉 「수」라고 표제함으로써 강렬한 인상을 부각시키는 것이다. 이 점부터가 이 시의 내용이 만만치 않으리라는 점을 말해 주는 것이 된다. 이 작품은 크게 보아 "바라고 있도다"까지의 7행, "피의 법도로다"까지의 그다음 7행 및 나머지 네 행의 세 단락으로 나눌 수 있다. 먼저 첫 단락은 이 시의 배경과 모티브를 제시한다. 12월의 북만, 흑룡강가의 어느 작은 거리가 그 배경인데, 이 배경 자체가 삭막하고 을씨년스럽기만 하다. "12월/북만/눈도 안 오고/말라 빠진 바람/헐벗은" 등의 시어들이 춥고 어두운 빈방의 풍경을 제시해 준다. 여기에다가 "이 적은 가성 네거리에/비적의 머리 두 개 높이 내걸려 있나니/그 검푸른 얼굴은 말라 소년 같이 적고/반쯤 뜬 눈은/먼 한천에 모호히 저물은 삭북(朔北)의 산하(山河)를 바라고 있도다"와 같이 살벌한 상황 제시에 의해 극적 긴장감과 전율감을 조성하게 된다. 특히 "검푸른 얼굴/반쯤 뜬 눈"이라는 현재법은 마치 비적의 머리가 살아 있는 듯이 묘사됨으로써 시적 리얼리티를 북돋우게 되는 것이다.

다음 단락에는 비적들의 죽음을 제시하는 의미와 그 깨달음이 제시되어 있다. 비적들이 효수당한 원인은 율법의 깨뜨림이며, 그에 따른 처단인 것이다. 이 율법은 바로 광막하고 살벌한 광야에서 질서를 보전하기 위해서 만들어진 어쩔 수 없는 사회적 구속이며 인위적 장치에 해당한다. 실상 살인과 방화 및 약탈 등을 일삼는 비적들의 발호는 바로 선량한 사람들의 피해와 수난을 의미하기 때문이다. "혹은 너의 삶은 즉시/나의 죽음의 위협을 의미함이었으리니" 속에는 북만에서의 목숨의 험렬함이 요약적으로 제시되어 있다. 따라서 "힘으로써 힘을 제할" 수밖에 없는, 평야에서의 "피의 법도"에 대한 강렬한 깨달음을 표출하게 된다. 내가 살기 위해서는 적을 죽일 수밖에 없다는 대결의 원리, 피의 법도가 생생하게 제시됨으로써 삶의 어려움 혹은 목숨의 험렬함을 강조하게 되는 것이다. 이 점에서 위기의식과 운명의식이 팽팽하게 긴장을 이루는 데 이 단락의 특징이 놓여진다.

마지막 단락에는 다시 첫 단락 및 둘째 단락이 연결되면서 시의 주제를 선명히 부각시키게 된다. 그것은 생명의 허무함과 험렬함을 자각하는 것이며, 동시에 그러한 것들을 뛰어넘고자 하는 초극의지가 발현됨을 의미한다. 그러면서도 "끝내 다스릴 수 없던 무뢰한 넋이여 명목하라!"라는 구절에서 보듯이 죽은 자의 영혼을 애도하면서 삶의 외경심을 새삼 느끼게 되는 것이다. 다시 말해서 비적의 죽음을 통해서 삶의 허망함과 험렬함을 깨닫는 것과 동시에 살아 있음에 대한 엄숙한 자각을 통해서 비장한 생의 의지를 성취하게 된다는 점이다. 바로 이 지점에서 결의 또는 의지를 통한 절망 또는 비애의 차단이라는 유치환 시정신의 구조적 특질이 드러난다. 실상 삭막한 북만의 풍경과 살벌한 약육강식의 상황은 처절한 절망과 비애를 불러일으키는 것이 아닐 수 없다. 그러나 이러한 절망과 비애에 사로잡히는 것은 생의 포기가 아닐 수 없다. 따라서 절망과 비애를 극복하는 것이 가장 긴요한 일이 된다. 바로 이러한 절망과 비애의 극복은 주어진 상황을 인정하고 그 속에서 대결의 원리를 발견하여 새로운 삶에의 결의와 의지를 마련함으로써 비로소 성취되는 것이다.

이러한 대결의 정신과 힘의 의지는 이 시의 구조를 통하여 지속적으로 나타난다. 먼저 그것은 "수/북만/흑룡강/한천/삭북/처단/율/사악/인명/위협/죽음/힘/피" 등의 강렬한 시어를 통해 드러난다. 또한 "오직/높이/끝내/함빡" 등의 부사어와 "검푸른/각박한/헐벗은/무뢰한/불모한" 등의 관형어를 통해서도 표출된다. 아울러 "안오고/없던" 등의 부정 종지법과, "있나니/있도다/알았느뇨/로다/노니/하라/고지고" 등의 명령형 또는 의고형 종지법에 의해 장중한 문체 인상을 던져 주는 것이다. 따라서 시 전체가 현실의 절망적인 모습과 그에 대한 비탄을 드러내는 동시에 시어의 강렬성과 문체의 견고성으로써 그러한 비극성을 극복하고자 하는 지속적인 결의와 의지를 담게 되는 것이다. 현실 또는 생의 비극성을 절망감과 비애로써 심화하되, 그러한 것들을 생에의 의지와 결의로써 파괴함으로써 현실의 극복과 생의 초월을 가능케 하는 것이다.

바로 이 점에서 이 시 「수」는 힘의 의지가 비애를 차단하고 파괴함으로써 자기극복의 모티브를 마련한 대표적인 한 예가 된다.

4 생명의 원상과 위버멘쉬에의 길

나의 지식(知識)이 독(毒)한 회의(懷疑)를 구(救)하지 못하고
내 또한 삶의 애증(愛憎)을 다 짐지지 못하여
병(病)든 나무처럼 생명(生命)이 부대낄 때
저 머나먼 아라비아(亞剌比亞)의 사막(沙漠)으로 나는 가자.

거기는 한 번 뜬 백일(白日)이 불사신(不死神)같이 작열(灼熱)하고
일체(一切)가 모래 속에 사멸(死滅)한 영겁(永劫)의 허적(虛寂)에
오직 아라—의 신(神)만이
밤마다 고민(苦悶)하고 방황(彷徨)하는 열사(熱沙)의 끝.

그 열렬(烈烈)한 고독(孤獨) 가운데
옷자락을 나부끼고 호올로 서면
운명(運命)처럼 반드시 「나」와 대면(對面)케 될지니.

하여 「나」란 나의 생명(生命)이란
그 원시(原始)의 본연(本然)한 자태(姿態)를 배우지 못하거든
차라리 나는 어느 사구(沙丘)도에 회한(悔恨) 없는 백골(白骨)을 쪼이리라.

—「생명의 서」 1 전문

이 작품은 청마를 세칭 인생파 또는 생명파라고 부르게 만드는 직접적인 계기가 된 작품이다. 즉 동명의 시집 『생명의 서』의 표제시인 것이다. 이 시는 무엇보다도 한자를 많이 사용하고 있다는 특징을 지닌다. 그것은 이 시가 관념편향성 내지는 주제의 무거움을 담고 있다는 사실과 무관하지 않다. 또한 한자의 과다한 사용은 내용이나 주제를 강조하는 경우에는 예외 없이 나타나는 청마시의 일반적인 특징이기도 하다. 이 시는 제목부터가 「생명의 서」로 되어 있는바, 이것은 이 시가 고백록, 참회록, 비망록 또는 에피타프의 성격을 담고 있는 일종의 '생명 백서'에 해당함을 말해 주는 것이 된다. 그만큼 무겁고 심각한 내용을 담고 있기 때문에 한자 관념어를 사용하지 않을 수 없었던 것으로 풀이된다.

이 시는 세 단락으로 나뉘어져 있어 내용을 파악하기가 어렵지 않다. 먼저 첫 단락은 현실에서의 절망감 또는 삶에의 짙은 회의를 담고 있다. "지식이 독한 회의를 구하지 못하고/삶의 애증을 다 짐지지 못하여/병든 나무처럼 생명이 부대낄 때"라는 구절이 그것이다. 여기에는 "회의/애증/병든 나무/생명이 부대낄 때" 등의 하강적 시어가 연결됨으로써 이 시가 삶에 대한 회의 또는 절망에 그 모티브를 두고 있음을 알 수 있게 해준다. 아울러 '못하고/못하여'가 연속됨으로써 이 시가 부정적인 현실인식에 깊이 연관되어 있음도 알게 해준다. 따라서 아라비아 사막으로 탈출하고자 하는 것이다. 문제는 탈출해 가는 곳이 사막이라는 점에 있다. 대체로 우리 시에서는 과거 지향성 내지는 고향 지향성으로서 정신적인 도피처 또는 안식처가 추구되어왔음에 비추

어 사막으로의 탈출은 분명히 의외적인 것이 아닐 수 없기 때문이다. 이 점에서 「생명의 서」는 종래 시의 관습과는 무언가 색다른 지향성을 내포하고 있는 것으로 이해된다. 두 번째 단락에서는 아라비아사막이 묘사되고 있다. 그곳은 "백일이 불사신같이 작열하고/일체가 모래 속에 사멸한 영겁의 허적에/오직 아라—의 신만이/밤마다 고민하고 방황하는 열사의 끝"으로 인식되는 것이다. 다시 말해서 삶의 막다른 골목 또는 한계 상황이 설정됨으로써 위기의식 또는 절망감을 고조시킨다는 점이다. '신조차도 고민하고 방황한다'라는 구절은 시의 퍼스나의 정신적 고민과 절망감이 그만큼 크고 깊다는 뜻이 되는 동시에 그것을 뛰어넘고자 하는 대결 정신 또는 극복의지도 그에 만만치 않다는 점을 말해준다. 또한 여기서도 '백일/불사신/작열/사멸/열사/끝' 등의 강렬한 명사와 '일체/오직' 등의 단정적인 부사어 및 '열사의 끝'과 같은 명사형 종지 처리가 시적 치열성을 심화해 준다. 아마도 이것은 고뇌와 절망의 극단화를 통해 부정적인 현실의 타개 또는 절망적인 삶의 극복이라는 이열치열의 방법적 지향을 담고 있는 것으로 보인다.

세 번째 단락은 생명의 원상에 대한 탐구와 그 극복의지가 더욱 선명하게 드러난다. 그것은 먼저 생명의 원상으로서의 고독과의 대면이다. 인생은 단독자로서 이 세상에 내어던져진 존재이다. 따라서 단독자로서의 삶을 살다가 마침내 단독자로서 죽어가는 고독한 실존인 것이다. 이 점에서 인간은 철저하게 고독할 수밖에 없으며, 그렇기 때문에 고독은 삶을 심화시키고 완성시키는 촉매 역할을 하게 된다. 그 '열렬한 허적과 고독' 가운데 인간은 홀로 설 수밖에 없는 것이다. 그러므로 인간은 또한 운명적이다. 다시 말해서 인간은 언젠가는 흙으로 돌아갈 숙명의 존재이며 허무의 존재인 것이다. 이렇게 본다면 고독과 허무는 인간의 운명적 조건이며 본질에 해당하는 것이 아닐 수 없다. 그렇다면 산다는 것은 무엇인가. 온갖 모순과 부조리로 가득 찬 삶, 또는 온갖 애증과 허위로 뒤범벅이 된 인생이 나아가는 길은 어떠한 방향인가.

여기에서 인간이 할 수 있는 일은 또한 무엇인가. 이러한 많은 문제들에 부딪쳐서 인간은 무수한 고뇌와 절망을 겪는다. 이 고뇌와 절망이 치열할수록 삶은 넓이와 깊이를 더하는 것이 아닐 수 없다. 바로 이 점에서 이 시가 부딪친 것은 인간 조건으로서의 고독과 허무의 극복이라는 커다란 문제인 것이다. 그러기 위해서 '열사의 끝'인 사막으로 탈출을 시도하지만, 여기에서도 최후로 문제가 되는 것은 자기 자신과의 대결이다. 즉 최후의 적은 인간에게 있어 자신의 내부에 자리잡고 있으며, 그렇기 때문에 자기발견과 자기극복의 명제가 지고지난의 과제가 되는 것이다. 여기에서 "원시의 본연한 자태"를 배운다는 것은 바로 이러한 자아의 원상을 발견하고 그에 대한 극복의 명제를 찾아내는 일로 요약된다. 이것을 우리는 정신적인 자기극복의 길, 또는 위버멘쉬(Übermensch)에의 길이라고 부를 수도 있을 것이다. 니이체에 의하면 위버멘쉬란 우리가 태어나 성장하고 살아가고 있는 이편의 세계, 즉 대지(Erde)에 뿌리를 박고 자력에 의한 자기극복을 통하여 이루어지는 현실적인 이상이며 목표에 해당한다. 다시 말해서 위버멘쉬는 어떤 초자연적, 초현실적 존재가 아니라 이 땅에서 태어나 성장하고 있는 인간이 자력에 의해 도달할 수 있는 하나의 이상적인 인간의 모습이며, 그렇기 때문에 과거와 현실의 속박에서 벗어나 꾸준한 자기극복을 통하여 정신의 상승을 성취하려는 몸부림인 것이다. 또한 그것은 확정되고 고정된 목표를 겨냥하고 있는 것이 아니기 때문에 자기극복의 노력이 끊임없이 계속돼야 한다는 것이다.[2)]

청마가 「생명의 서」에서 사막으로 탈출하여 고독과 허무를 발견하는 가운데 자신의 운명과 마주쳐서 그토록 배우고자 하던 "원시의 본연의 자태"란 바로 이러한 끊임없는 자기발견과 극복의 노력을 통해서 마침내 정신적인 상승에 도달하고자 하는 위버멘쉬에의 길이며 그에 대한 지향과 갈망으로 이해된다. 「생명의 서」라고 제목을 붙인 이유가 여기에서 어느 정도 드러난다. 그것

---

2) 정동호, 「위버멘쉬는 누구인가」(『니이체 연구』, 탐구당, 1983) 참조.

은 현실에서 좌절을 겪고 또한 생의 근원적 모순성에 절망한 젊은 날의 영혼이 이루어 낸 '참담한 생의 고백록'이며, 앞날을 향한 '삶의 각서'로서의 의미를 지니는 것이다. 다만 '못하거든 ~ 하리라'라는 가정법과 미래의지가 이 시로 하여금 그것이 현실(현재)에 뿌리박지 못한 공허한 외침 또는 공소한 관념의 유희로 떨어지고 만 것 같은 혐의를 불식하기 어렵게 만든다는 점이 이 시의 큰 약점이다. 그럼에도 불구하고 이 시는 의지가 비애를 차단하고 파괴함으로써 보다 적극적인 현실극복 내지는 삶에의 의지를 구상화할 수 있었다는 점에서 의미가 놓여진다. 30년대 말의 포악한 일제 파시즘의 수탈 상황에서 절망을 통해서 절망을 극복하려는 적극적 의지를 보여주었다는 점에서 이 시의 참뜻이 드러나는 것이다.

5 광물적 상상력 또는 견고에의 집념

내 죽으면 한 개 바위가 되리라.
아예 애련(愛憐)에 물들지 않고
희노(喜怒)에 움직이지 않고
비와 바람에 깎이는 대로
억년(億年) 비정(非情)의 함묵(緘默)에
안으로 안으로만 채찍질하여
드디어 생명(生命)도 망각(忘却)하고
흐르는 구름
머언 원뢰(遠雷)
꿈 꾸어도 노래 하지 않고
두 쪽으로 깨뜨려져도
소리하지 않는 바위가 되리라.

—「바위」 전문

이 작품은 청마의 작품 가운데에서 가장 뛰어난 절창으로 꼽힌다. 그것은 이 작품이 극도의 절제와 극기의 노력을 통해서 마침내 비장미를 성취하고 있기 때문으로 풀이된다. 대체로 이 시는 기·승·전·결 네 단락으로 짜인 것으로 보인다. 우선 제목부터가 바위와 같이 광물적인 이미지로 되어 있는바, 이것은 굳고 단단한 의지 또는 견고에의 집념을 표상한다.

첫 단락은 3행까지인데, 여기에는 "내 죽으면 한 개 바위가 되리라"하는 다짐 또는 결의가 담겨져 있다. 특히 첫 구절 "죽으면"이라는 시어 속에는 비장한 각오가 표출되어 있다는 점에서 이 시에서 주제의 심각성을 암시해 준다. 아울러 "바위가 되리라"하는 구절에는 비정에의 의지 또는 견고에의 집념이 강하게 표출되어 있다. '죽음'과 '바위'의 대응 속에는 또한 인생의 유한성이 자연물의 영원성과 대조됨으로 해서 영원에의 갈망을 담고 있는 것으로 이해된다. 바위가 되고자 하는 것은 애련과 회로에서 벗어나서 자유로워지고자 하는 데 참뜻이 놓여진다. 그렇기 때문에 "물들지 않고/움직이지 않고"와 같이 부정 종지를 통해서 인간적 정감의 배제와 극기의 노력을 기울이게 된다. 실상 이것은 시의 퍼스나가 인간적인 애련과 희로의 정감에서 쉬 벗어나고 있지 못하는 데서 오는 갈등의 반작용에 해당한다. 다음 단락은 "채찍질하여"까지의 세 행인데, 그 속에는 바위의 형상이 묘사되어 있다. 바위는 비바람에 깎이면서도 비정으로 함묵하는 견고에의 의지의 표상이다. 그것은 또한 일체의 형식적인 것, 또는 외부적인 것들을 차단하고 내부로 침잠하는 의지의 결정 작용을 의미한다. 다시 말해서 '비와 바람에 깎이우고/안으로 안으로만 채찍질하는' 바위의 형상은 바로 온갖 시련과 간난, 그리고 감정의 소용돌이를 내밀하게 극복하려는 시인의 매서운 극기의 자세를 표상한 것이라는 점이다. 이것은 어쩌면 목적론적인 외계관으로부터 자신을 해방시키려는 굳은 의지가 담겨 있는 것으로서 극단적인 허무주의가 도달한 한 극점일 수도 있다. 또한 부단한 자기극복의 노력을 통해서 정신적인 성취를 획득하려는 위버멘쉬의 구상화일 수도 있는 것이다. 아울러 「생명의 서」가 내포한 관념적 미망, 또는 공허한 울림으로서의 약점을 지양하여 새롭게 도달한 이상적인 가치의 표상으로 해석할 수도 있는 것이다.

그러므로 세 번째 단락에서처럼 "드디어 생명도 망각하고" 마침내 "흐르는 구름/머언 원뢰"로서의 우주적인 교감을 성취하게 된다. 애련과 희로에 사로잡혀 삶의 미망에서 벗어나지 못하던 생명이 부단하고 처절한 인내와 극복의 과정을 통해서 드디어 "원시의 본연한 자태"에 이르게 된 것이다. 이른바 인간의 척도, 지상의 척도가 천상의 척도 또는 우주적 질서로 상승됨으로써 이상적인 생명의 한 표준, 즉 위버멘쉬에 근접하게 된 것이다. 네 번째 단락은 다시 첫 단락을 뒤집어 놓은 형식 구조를 지니고 있다. 즉 "바위가 되리라/물들지 않고/움직이지 않고"라는 첫 단락의 구성이 마지막 단락에서 "노래하지 않고/소리하지 않는 바위가 되리라"와 같이 도치되어 있는 것이다. 이것은 재삼 인간적 정감의 연약함을 극복하고 견고에의 집념과 의지를 적극적으로 구현하려는 열린 정신을 강조한 것이 된다. 아울러 마지막까지도 의지를 통해서 비애를 차단하고 파괴함으로써 삶의 모순성과 운명적 비극성을 초극하려는 안간힘을 표출하고 있는 것이다. 이 점에서 이 시는 특히 청마시의 구조적 특질과 정신적 지향을 선명히 응축하고 있는 작품으로 이해된다.

특히 이 시는 끈질긴 생명 의지가 우주적인 상상력에 의해 극복과 초월을 어느 정도 성취하고 있다는 점에서 청마시의 높은 품격을 제시해 준 것으로 판단된다. 이 시는 어느 면에서 「깃발」에서의 생의 모순을 극복하려는 몸부림과, 「일월」에서의 우주적 상상력에 바탕을 둔 대결 정신이 첨예하게 부딪침으로써 이루어진 청마 시 정신의 한 정화인 것으로 보인다. 이 시는 위버멘쉬에의 지향이 광물적 상상력으로 구상화되고 우주적 상상력으로 통합되었다는 점에서 청마 시정신의 한 승리가 되기 때문이다.

6 파동성과 부드러움, 사랑의 미학

① 파도야 어쩌란 말이냐.
파도야 어쩌란 말이냐.
임은 뭍같이 까딱 않는데
파도야 어쩌란 말이냐.
날 어쩌란 말이냐.

—「그리움」 전문

② 바람아 나는 알겠다.
네 말을 나는 알겠다.

한사코 풀잎을 흔들고
또 나의 얼굴을 스쳐가
하늘 끝에 우는
네 말을 나는 알겠다.

눈 감고 이렇게 등성이에 누우면
나의 영혼의 깊은 데까지 닿는 너.
이 호호(浩浩)한 천지(天地)를 배경(背景)하고
나의 모나리자!
어디에 어찌 안아볼 길 없는 너.
바람아 나는 알겠다.
한오리 풀잎나마 부여잡고 흐느끼는
네 말을 나는 정녕 알겠다.

—「바람에게」 전문

청마시가 기본적인 면에서 생의 양면성 또는 모순성에서 파생된 인간적 갈등과 비애를 극복하려는 의지에 바탕을 두고 있다는 점은 이미 살펴본 바이다. 실상 이러한 고뇌와 몸부림과 초극의지는 청마시를 관류하는 정신적 특질이 되지만, 그것의 근원은 좀 더 구체적인 인간 행위와 맞닿아 있는 것으로 보인다. 바로 이 구체적인 인간 행위가 바로 사랑의 문제이다. 사랑의 문제는 청마의 초기시에서부터 후기시까지 지속적으로 나타나는 중요한 정신적 징후가 된다. 즉 『청마시』에서 "바람 센 오늘은 더욱 너 그리워/진종일 헛되이 나의 마음은/공중의 기ㅅ발처럼 울고만 있나니/오오 너는 어디메 꽃같이 숨었느뇨"(「그리움」)라는 시에서 보듯이 초기시의 중요한 원천이 되는 것이다. 실상 「깃발」의 경우에도 그 궁극적인 갈등은 생의 근원적 모순에서 비롯된 것이지만 직접적인 모티브가 되는 것은 사랑의 괴로움과 그 애수로 보인다. 그것은 젊은 날에 있어 사랑의 문제만큼 직접적이고 구체적인 고민거리는 많지 않기 때문이다. 사랑이 원초적으로 내포한 이성과 감성, 영혼과 육체, 이상과 현실 혹은 허무와 정염 등의 양면성·모순성은 그에 따른 수많은 번뇌와 절망을 야기시키는 원인이 되는 것이다. 또한 청마가 그 많은 시에서 애련과 비애를 치욕으로 알고 그것을 극복하고자 하는 끈질긴 노력을 전개하였던 것도 바로 이러한 사랑의 정감에 어쩔 수 없이 함몰되어 가는 자신을 지탱하기 위한 안간힘 또는 반작용으로 이해된다. 이 점에서 사랑은 청마시의 모티브이자 테마로서의 중요성을 지닌다. 실제로 위에 예를 든 두 작품의 경우에도 사랑은 그 핵심이 된다.

시 ①에는 사랑의 그리움과 괴로움이 격렬하게 표출되어 있다. 먼저 그것은 파도로서 비유되어 나타난다. 파도가 지니는 기본 속성은 끊임없는 파동성이며 굽이치는 부드러움이다. 그리고 그것은 물의 이미지 및 바다의 상징성과 연관되어 있다. 물은 그것이 지닌 액체성, 유동성 또는 응집력, 생성력 등으로 인해서 흔히 사랑의 원형적 표상으로 이해된다. 물은 생명의 근원이자 생명을 가능케 하는 힘이 아닐 수 없다. 바다도 마찬가지이다. 바다도 '물'을 근본 속성으로 하면서 그것이 지닌 포용성 또는 엄청난 풍요성으로 인해서 생명의 근원으로서의 의미를 지닌다. 이렇게 볼 때 이 시는 물의 이미지가 지닌 생성력, 응집력, 포용력 등이 바탕이 되어 사랑을 노래하고 있는 것이다. 더구나 파도는 그 간단없는 지속성과 파동성으로 인해서 사랑의 지속과 변화를 일깨워 주는 그리움의 촉매가 된다. 파도의 일어남과 스러짐, 밀려옴과 밀려감의 끝없는 반복은 바로 희망과 좌절, 그리움과 미워함, 정염과 허무, 감성과 이성의 지속적인 파동으로 이루어지는 사랑의 모습과 다를 바 없는 것이다. "파도야 어쩌란 말이냐"라는 반복되는 구절은 끊임없이 밀물져 오는 그리움과 그에 따른 괴로움을 감당하기 어려운 데서 오는 격렬한 고통의 설의법으로 풀이된다. 더구나 그것은 "임은 뭍같이 까딱 않는데"와 같이 님이 절대적인 것으로 미화됨으로써 플라토닉한 사랑의 면모를 드러내게 된다. 님이 거대한 실체로 비유됨으로써 '나'의 상대적인 왜소함이 두드러지게 되고, 일종의 자학 증상으로까지 연결되게 되는 것이다. 따라서 "파도야 어쩌란 말이냐/날 어쩌란 말이냐"라는 구절처럼 고통스런 사랑의 탄식을 발하게 된다. 이 탄식의 결구 속에는 사랑의 안타까움, 그리움, 안쓰러움, 애달픔, 열패감, 절망감 등이 복합적으로 표출되어 있는 것으로 보인다. 그런데 여기에서 한 가지 간과할 수 없는 것은 그리움의 주체가 여성으로 표현되어 있다는 점이다. 청마시의 주요한 뼈대가 남성적, 의지적인 것으로 구성되어 있음에 비추어 이 시에서 파도(물, 바다)로 비유된 시적 화자의 여성적 그리움은 색다른 것으로 지적될 수 있다. 아마도 이러한 사랑시에서의 여성화자와 그 호흡은 사랑에 관한 한 허약해지고 감성적이 될 수밖에 없는 청마의 시정신이 진솔하게 반영되는 데 따른 결과로 이해된다.

②시의 경우에도 사랑의 문제가 핵심이 되어있다. 여기에는 바람의 이미지가 주로 표출되어 있는바, 이 바람은 「그리움」에서의 파도와 공통점을 지닌다. 그것은 바람이 파도와 마찬가지로 파동성 또는 부드러움이라는 속성을 지니며, 사랑의 촉매 역할을 한다는 점이다. 또한 "파도야 날 어쩌란 말이냐"

처럼 “바람아 네 말을 나는 알겠다”라는 감정이입으로 이루어진 점도 유사하다. 안타깝고 그리운 마음이 파도 및 바람과도 교감을 이루게 만들어 주는 것이다. 바람은 흔히 그 파동성과 변화성으로 말미암아 삶을 움직이고 변화시키는 충동적인 힘으로서의 표상성을 지닌다. 그러므로 바람은 걷잡을 수 없는 사랑의 충동 혹은 그것을 일깨워 주는 촉매로서 작용하게 된다. 특히 이 시에서는 “나의 영혼의 깊은 데까지 닿는 너/어디에 어찌 안아볼 길 없는 너”와 같이 의인화됨으로써 사랑의 애절함을 더욱 드러내게 된다. 다시 말해서, 바람은 연인과 나를 맺어주는 사랑의 촉매인 동시에 사랑하는 마음 그 자체로서의 의미를 지니는 것이다. 따라서 “한오리 풀잎나마 부여잡고 흐느끼는/네 말”을 통해서 사랑의 고독과 안타까움, 그리고 사무치는 그리움을 새삼 확인하게 된다.

이렇게 볼 때 인용한 두 편의 시는 사랑의 감정을 파도와 바람의 이미지로써 상징화함으로써 그것이 불러일으키는 그리움과 안타까움을 심화하게 되는 것이다. 파도와 바람이 내포한 파동성과 부드러움이라는 속성은 바로 사랑의 근본 원리를 적절하게 드러낸 것이며 동시에 그것은 생의 모습을 반영한 것이기도 하다. 이 점에서 이 두 편의 시는 청마 연가의 대표적인 작품이 된다. 여기에서 청마의 사랑은 흔히 플라토닉한 면모를 띠게 되는데 다음 시는 그 대표적인 한 예가 된다.

> —사랑하는 것은
> 사랑을 받느니보다 행복하나니라.
> 오늘도 나는
> 에메랄드빛 하늘이 환히 내다뵈는
> 우체국 창문 앞에 와서 너에게 편지를 쓴다.
>
> 행길을 향한 문으로 숱한 사람들이

제각기 한 가지씩 생각에 족한 얼굴로 와선
총총히 우표를 사고 전보지를 받고
먼 고향으로 또는 그리운 사람께로
슬프고 즐겁고 다정한 사연들을 보내나니,
세상의 고달픈 바람결에 시달리고 나부끼어
더욱 더 의지 삼고 피어 홍클어진 인정의 꽃밭에서
너와 나의 애틋한 연분도
한 망울 연련한 진홍빛 양귀비꽃인지도 모른다.

—사랑하는 것은
사랑을 받느니보다 행복하나니라.
오늘도 나는 너에게 편지를 쓰나니
—그리운 이여 그러면 안녕!
설령 이것이 이 세상 마지막 인사가 될지라도
사랑하였으므로 나는 진정 행복하였네라.

—「행복」 전문

이 작품은 아기자기한 연애시의 한 전범이 된다. 청마의 시는 대체로 한자를 많이 쓴 경우에는 관념적인 주제의 무거움을 던져주며, 한글로 주로 쓰였을 때는 서정성을 드러내는 경우가 대부분이다. 특히 사랑의 내용을 담고 있는 연시의 경우에는 예외 없이 한글을 많이 쓰고 있으며, 고유어를 애용하는 경향이 두드러진다. 이 시는 일상사를 일기 쓰듯이 평이하게 서술하는 가운데 플라토닉한 사랑의 모습을 드러내는 특징을 지닌다. "사랑하는 것은/사랑을 받느니보다 행복하나니라"라는 구절 속에는 이러한 플라토닉 러브의 심정이 요약되어 있다. 그러면서 편지를 매개체로 한 애틋한 연정의 표출이 드러나는 것이다. 아울러 사랑이 세상의 고달픔을 위무해 주고 지친 영혼을 구원해 주는 근원적인 힘이 된다는 점을 새삼 강조한다. 사랑은 "연련한 진홍빛 양귀비꽃"으로서, 건조무미한 일상에 생의 충동을 불러일으키는 자극제가 되는 것이다. 또한 마지막 연에서는 사랑이, 받는 것보다도 주는 것에 참뜻이 놓여진다는 사실에 대한 확고한 깨달음이 제시되어 있다. 그리고 그러한 순결한 사랑은 무슨 대가를 기대하거나 얻고자 하는 것이 아니기 때문에 그것 자체가 아름다울 수밖에 없다는 깨달음도 제시되어 있다. 다시 말해서 사랑은 그것 자체가 목적으로 존재하는 것이라는 점이다. 그러므로 언제 삶이 마무리되고, 사랑이 끝난다 해도 조금도 두려울 것이나 회한에 사로잡힐 것이 없다는 확신감이 드러나게 된다. "사랑하였으므로 나는 진정 행복하였네라"라는 결구 속에는 이러한 순결하고 아름다운 사랑이 시적으로 여과되어 있다. 이 시는 다분히 사춘기적인 연정을 표출하고 있는 것이 사실이다. 그러나 이 사춘기적 연정은 그것이 치졸하고 애상적인 소녀적 센티멘탈리즘의 발로라기보다는 오히려 플라토닉한 사랑의 정신, 즉 순결한 사랑의 표현으로 보는 것이 옳을 듯하다. 실상 이것은 청마가 평생 지향한 것이 애상적인 감정 편향성의 극복이었으며, 견고에의 집념 또는 초극의지의 성취에 목표를 두고 있었다는 점에서 분명히 드러나는 사실이다.

이렇게 볼 때 사랑은 청마시의 출발점이었으며, 동시에 이상향이었다는 점을 알 수 있다. 실상 후기시에 나타나는 현실비판 정신과 저항적인 사회의식도 이러한 사랑이 공적으로 상승한 한 양태로 볼 수 있는 것이다.

7 현실비판과 저항의 정신

① 서울 상도동(上道洞) 산(山)번지를 나는 안다.
그 근처엔 내 딸년이 사는 곳

들은 대로 상도동행 뻐스를 타고 한강 인도교를 지나 영등포 가도(街道)를 곧장 가다가 왼편으로 꺾어지는 데서 세번째 정류소에 내려 그 정류소 바로 앞골목 언덕배기길을 길바닥에 가마니 거적을 깔고 옆에서 우는 갓난아기를 구박하고 앉아 있는 한 중년 사나이 곁을 지나 올라가니 막바지 상도동 K교회당 앞에 낡은 판자로 엉성히 둘러 가리운 뜰안에 몇 가구(家口)가 사는지 그 한 편 마루 앞 내 세째 딸년의 되는 대로 걸쳐 입은 뒷 모습

— 이 새끼 또 밥 달라고 성화할 테냐 죽여 버린다
— 엄마 다시는 밥 안 달라께 살려줘

그 상도동 산번지 어디에서 한 굶주린 젊은 어미가 밥 달라고 보채는 어린 것을 독기에 받쳐 목을 졸라 죽였다고

……중 략……

그러나 그것은 내 딸자식이요 손주가 아니라서 너는 오늘도 아무런 죄스럼이나 노여움 없이 삼시 세끼를 챙겨 먹고서 양복바지에 줄을 세워 입고는 모자를 얹고 나설 수 있는 것인가 그리고는 어쩌면 네가 말할 수 없이 값지다고 믿는 예술이나 인생을 골똘히 생각하는 것인가.

그래서 지금도 너의 귓속에
—이 새끼 또 밥 달라고 성화할 테냐 죽여 버린다
—엄마 다시는 밥 안 달라께 살려줘, 고
저 가엾은 애걸과 발악의 비명들이 소리소리 울려 들리는 데도 거룩하게도 너는 시(詩)랍시고 문학이랍시고 이 따위를 태연히 앉아 쓴다는 말인가

—「그래서 너는 시를 쓴다?」 부분

② 고열(苦熱)과 자신(自身)의 탐욕에
여지없이 건조(乾燥) 풍화(風化)한 넝마의 거리
모두가 허기(虛飢) 걸린 게사니같이 붐벼나는 속을
—칼 가시오!

—칼 가시오!
한 사나이 있어 칼을 갈라 외치며 간다.

그렇다.
너희 정녕 칼들을 갈라.
시퍼렇게 칼을 갈아 들고들 나서라.
그러나 여기
선(善)이 사기하는 거리에선
윤리(倫理)가 폭행하는 거리에선
칼은 깍두기를 써는 것 밖에는 몰라

……중 략……

그러나 여기 도둑이 도둑 맞는 저자에선
대낮에도 더듬는 무리들의 저자에선
이 구원(救援)의 복음(福音)은 도무지 팔리지가 않아
—칼 가시오!
—칼 가시오!
사나이는 헛되이 외치고만 간다.

—「칼을 갈라!」 부분

이 두 편의 시는 모두 6·25를 겪고 난 후 50년대의 궁핍한 상황에서 쓰인 작품들이다. 이들은 또한 「보병과 더불어」, 「기의 의미」, 「돌아오지 않는 비행기」 등의 종군시편에 이어짐으로써, 청마 시의 초점이 '나의 문제' 혹은 생명 내부의 문제로부터 '우리의 문제' 또는 현실과 사회에 대한 관심으로 이행되는 확실한 증거를 보여준다. 나의 문제, 생명의 문제에 집중되어 있던 청마의 시적 관심은 전대미문의 동족상잔의 비극인 6·25를 겪으면서 사회 현실과 역사와의 대응력을 획득하게 되는 것이다. 또한 전후의 피폐하고 어두운 현실 속에서 만연하는 각종 사회적 비리와 모순을 겪으면서 자신의 내부로 향하던 초극의 정신과 대결 의지가 사회 현실에 대한 비판과 저항의식으로 변모하게 된 것이다. 어쩌면 이것은 사랑의 문제에 있어서도 나 자신에 한정된 것으로서보다는 이웃과 겨레, 또는 민족의 차원으로 확대된 것을 의미하는지도 모른다.

먼저 시 ①에는 50년대 전쟁 후의 몸서리쳐지는 궁핍상이 제시되어 있다. 산동네와 판잣집, 그리고 걸인들로 가득 찬 50년대 폐허의 풍경을 배경으로 해서 빈곤과 기아의 문제를 다루고 있는 것이다. "이 새끼 또 밥 달라고 성화할 테냐 죽여 버린다/—엄마 다시는 밥 안 달라께 살려줘"라는 구절 속에는 전쟁의 참상 속을 헤쳐 오면서 빈곤과 기아에 시달릴 대로 시달려 악만 남은 이 땅 가난한 실존의 모습을 담고 있다. 그러나 이러한 비참한 모자의 대화는 당대 폐허의 참상도 참상이지만, 사회 현실의 구조적 부조리에 대한 분노와 날카로운 비판을 또한 담고 있다는 점에서 주목된다. 그것은 어느 면 궁핍한 현실의 참상을 극복하기 위한 노력을 기울이기보다는 정치적인 야욕으로 인해 혼란만 거듭하고 있던 50년대의 정치 현실에 대한 뜨거운 분노를 드러낸 것일 수 있다. 그리고 또한 중요한 것은 이 시가 이러한 비참한 사회 현실과 역사적 상황을 외면한 채, 시의 예술성과 순수성만을 고집하는 이 땅의 많은 시인들에게 비판과 야유를 퍼붓고 있다는 점에 놓여진다. 청마 자신이 소위 '문협정통파'에 속하면서도 당대의 순수시인들에 대해 비판을 던질 수 있었던 것은 그의 생래적인 휴머니스트로서의 저항적 기질이 작용한 것에서 비롯된 것으로 보인다. 실상 이러한 열린 정신이 청마에게서 대가적 풍격을 감지할 수 있게 하는 요인이 됨은 물론이다.

시 ②에는 이러한 현실 비판과 저항정신이 더욱 극명하게 나타난다. "온갖 탐욕과 시기, 폭행 등이 난무하는 넝마의 거리"로서 전후의 현실 상황이 인식됨으로써 이에 대한 강한 반발과 저항의식을 분출하게 되는 것이다. "칼을 갈라!"라는 섬뜩한 구절이 내포한 상징적인 의미는 바로 타락한 현실에 대한 적개심의 발현인 것이며 그 구조적 모순과 부조리에 대한 극복의지가 표출된 것이다. 그리고 이것은 바로 현실과 역사에 "맑고 곧은 이념의 푯대"를 세우려는 청마의 생애에 걸친 끈질긴 노력을 반영한 것이 아닐 수 없다. 이 점에서 이 두 편의 시는 비판 정신과 저항의식에 뿌리를 둔 청마 후기시의 특징을 선명히 드러내 주는 것이 된다.

이렇게 볼 때 청마의 시는 하나하나의 시와 시집들이 독자성과 다양성을 지니면서도 그것들이 일관된 통일성, 집중성을 지니는 이른바 대가적 풍모를 지니고 있음을 알 수 있다. 그것은 바로 생의 근원적 모순과 부조리를 극복함으로써 보다 이상적인 인간상에 도달하려는 치열한 정신적 암투과정을 보여준다는 점에서 더욱 그러하다. 또한 그것은 보다 확대된 생, 즉 사회 현실과 역사적 상황의 모순을 극복하고 초월하려는 노력을 통해서 열린 삶으로서의 바람직한 문학적 지평을 열어가게 된 것으로 이해된다는 점에 참된 의미가 놓여진다.

□ 맺음말

청마는 시의 양이나 질의 면에서 분명 대가적 풍모를 지닌 시인에 속한다. 그의 시를 이해하기 위해서 우리는 한 편 한 편의 시를 모두 읽지 않으면 안 되기 때문이다. 그의 시 세계는 한 편 한 편의 시 작품을 다 읽어야 비로소 전체적인 의미를 짐작할 수 있는 대형시인의 면모를 고루 갖추고 있다. 그의 시들은 생명의 본질에 대한 치열한 탐구의 노력을 보여주고 있으며, 삶의 현상적 움직임에 대한 적극적 대응 방식을 다양하게 제시해 주고 있다. 그리고 이것들은 현실의 외부 세계에 대한 적극적 투쟁이나 저항보다는 자기 자신과의 치열한 격투를 전개한다는 자기극복 또는 위버멘쉬에의 길을 지향한다. 아울러 방법적인 면에서는 힘에의 의지를 통해서 절망과 비애를 차단하고 파괴함으로써 생의 초극을 성취하고자 하는 광물적 상상력 또는 우주적 상상력이 바탕을 이루는 특징을 지닌다. 그리고 시의 표면에는 항상 부정과 절망이 주류를 이루는 것으로 보인다. 그러나 기실 그 내면에는 한계 지워진 것으로서의 인생에 대한 긍정과 옹호의 정신이 깔려 있다는 점을 간과해서는 안 된다. 이것을 우리는 허무를 통한 허무의 극복이라고 부를 수도 있을 것이다.

바로 이 점에서 사랑의 문제가 대두된다. 사랑의 문제는 청마의 초기시에서도 중요한 모티브가 되지만 특히 중기 이후의 시에서 커다란 비중을 차지한다. 사랑은 삶에 있어서 절망과 비애의 원인이 되기도 하지만, 동시에 그러한 것들을 뛰어넘을 수 있게 하는 정신적인 원동력으로서 작용하기도 한다. 이렇게 본다면 청마의 시는 항상 이율배반적인 상황에서 출발하고 있음을 알 수 있다. 그것은 탄식과 회한이라는 과거지향성과 이념과 의지라는 미래지향성이 충돌하고 갈등을 빚어내는 데서 미완의 긴장을 형성한다. 바로 이 점에 청마시의 구조적 특성이 드러나는 것으로 보인다.

청마가 직접적으로 반발한 것은 모더니즘의 기교적 수사법과 감각주의이다. 그는 1930년대 모더니즘의 서구 취향에서 벗어나 스스로의 정신적 우주를 개척함으로써 새로운 지평을 열었다. 특히 그의 시는 우울과 애상이 주류를 이루던 일제하 한국시의 내면에 향일성의 건강한 시 정신을 불어 넣음으로써 현대시의 영역을 확대하고 심화해 주었다는 점에서 의미가 놓여진다.

무엇보다도 그의 시는 어두운 시대를 살아가는 인간의 실존 방식을 끈질기게 탐구함으로써 존재론적 초월과 상승을 성취하고 있다는 점에서 주목된다. 그의 시는 개인의 가열한 생명의지가 사회와 현실을 응시함으로써 인간애와 조국애 내지는 준열한 역사의식으로 접맥 이행되며, 그렇게 될 때 비로소 서정시가 보편성을 획득하게 되는 것이라는 사실을 선명히 보여준다. 이 보편성의 획득이야말로 청마 시가 언어미학적인 면에서 여러 가지 약점을 지니고 있음에도 불구하고 미적 긴장을 유지하고 시적 가치를 인정받을 수 있게 하는 원동력이 된다.

□ 연 보

1908 : 음력 7월 14일 경남 충무시 태평동에서 출생, 11세까지 외가에서 성장하면서 한문 수학.

1922 : 통영 보통학교 4학년을 마치고 도일하여 도오야마 중학에 입학, 이 무렵부터 그의 형 유치진이 주도하던 『토성회』에 참여하면서 시를 발표하다.

1926 : 귀국하여 동래고보 5학년에 편입. 졸업 후 연희전문 입학

1928 : 연희전문 1년 중퇴, 재도일하여 사진을 배우다. 권재순과 결혼. 이 무렵 그는 일본 아나키스트와 지용의 시에 감명을 받았다 한다.

1931 : 『문예월간』 제2호에 시 「정적」을 발표하면서 문단에 데뷔하다.

1937 : 문예동인지 『생리』를 발행. 경남 통영 협성상업학교 교사로 취임.

1939 : 첫 시집 『청마시초』(청색지사) 발간.

1940 : 만주 하얼삔 근교로 이주하여 농장 관리인으로 일하면서 시작을 계속함.

1945 : 귀국.

1947 : 제2시집 『생명의 서』(행문사) 발간. 이후 제3시집 『울릉도』(1948), 제4시집 『청령일기』(1949), 제5시집 『보병과 더불어』(1951), 제6시집 『예루살렘의 닭』(1953), 제7시집 『기도가』와 제8시집(『행복은 이렇게 오나니라』)를 함께 묶은 『청마시집』(1954), 제9시집 『제9시집』(1957), 제10시집 『뜨거운 노래는 땅에 묻는다』(1960)를 간행.

1954 : 경남 안의중학교 교장에 취임. 예술원 회원이 되다.

1955 : 경주고등학교 교장에 취임, 이후 경주여중, 대구여고, 경남여고, 부산남여상 교장 역임.

1957 : 한국시인협회 초대회장에 피선.

1958 : 아세아 재단의 자유문학상 수상.

1962 : 예술원상 수상.

1967 : 2월 13일 부산에서 교통사고로 운명. 이 해에 경주 불국사와 부산남여상에 시비가 건립됨.

1974 : 부산 에덴공원, 충무 남망공원에 시비가 세워짐.

1985 : 정음사에서 『청마 유치환 전집』이 간행됨.

9. 노천명(盧天命)

—실낙원(失樂園)의 시 또는 모순의 시—

"모가지가 길어서 슬픈 짐승이여"라고 자탄하면서 독신으로 살다간 외로운 시인 노천명(盧天命)(1911.9.1~1957.6.16), 그는 일제하의 어두운 시대와 해방 후의 혼란기, 그리고 6·25의 격동 속에서 표랑하다가 좌초해 버린 이 땅의 선구적 여성시인의 대표적 인물이다. '최초의 여성시인', '한국의 사포(Sapho)', '사슴의 시인', '눈물의 시인', '고독의 시인', '자제의 시인', '향수의 시인' 등으로 불리면서, 노천명은 1932년경부터 1956년경까지 20여 년간 네 권의 시집과 두 권의 시선집을 내는 등 부지런한 시작 활동을 전개하였다. 신문학사 초창기에 있어서 여성시인으로서는 20년대에 김명순, 이혜석, 김일엽 등과, 30년대의 백국희, 주수원, 김오남, 장정심, 모윤숙 등의 이름이 기억될 정도에 불과하다. 이 중에서도 본격 시인이라 할만한 사람은 시집 『빛나는 지역』과 『렌의 애가』 등의 모윤숙(1910)과, 『산호림』, 『별을 쳐다보며』 등의 노천명 두 사람뿐이다. 특히 노천명은 오로지 시인으로서의 외길을 걸으면서 시를 하나의 장식 또는 취미 정도로밖에 여기지 않던 당대 여성 시단의 통념을 뛰어넘어 시를 유일한 인생의 보람으로 감싸 안고 구원의 표상으로 상승시키고자 한 최초의 전문시인·본격시인이라는 점에서 의미를 지닌다.

그의 시는 섬세하면서도 청순한 언어감각을 바탕으로 하여 자아발견을 위한 성실한 노력과 생의 원상을 탐구하기 위한 진지한 안간힘을 보여주었다. 무엇보다도 그는 이 땅의 신여성들이 그 사회적 위치를 자리 잡기 위해 방황하던 식민지 치하에서, 또한 형성기에 처해 있던 한국 시단에 뿌리내리려 몸부림치던 여성 시의 여명기에 있어 불운하게 살다간 여인상으로서, 그리고 고독하게 죽어간 여성시인으로서의 상징성을 지닌다.

지금까지 노천명에 대한 평가는 긍정적인 면과 부정적인 면을 함께 지녀왔다. 여성시의 선구자라는 찬사가 전자의 쪽에 서며, 친일·친공 부역시인이라는 극단적인 매도가 후자의 예이다. 바로 이러한 양측면이 함께 존재한다는 사실이야말로 노천명의 시를 총체적·거시적 입장에서 더욱 면밀하게 검토해야 할 필요성과 당위성을 고조시킨다는 점은 두말할 나위가 없다.

1 유년회상과 향수의 미학

노천명은 1932년 6월『신동아』지에 시「밤의 찬미」,「단상」등을 발표하고, 이어서 1935년『시원』지에「내 청춘의 배는」이 실림으로써 본격적인 시작 활동을 전개하였다. 아울러 그는 첫 시집『산호림』(천명사, 1938)을 간행하고 최재서에 삶에 의해 '자제의 시인' 등으로 높이 평가받음으로써 시단에서 그 위치를 인정받게 된다. 이후 그는 조선중앙일보, 조선일보, 매일신보 등의 기자를 역임하며 극예술연구회 등에 참여하기도 하면서 제2시집『창변』(매일신보출판부, 1945. 2)을 간행하는 등 당대의 여성명사로서 활약을 펼치게 된다. 아울러 해방 후에는 일제말의 친일 훼절행위로 말미암아 매도당하기도 하며, 6·25동란 중에는 부역혐의로 체포되어 수난과 형극의 길을 걷기도 하였다. 이 무렵 제3시집『별을 쳐다보며』(희망출판사, 1953)를 내어 회오(悔悟)의 몸부림을 보여주다가, 1957년 6월 재생불능성 뇌빈혈로 숨지고 말았다. 그의 작고 후에는 유시집 『사슴의 노래』(한림사, 1958)가, 다시 3주기인 1960년에는 김광섭, 김활란, 모윤숙, 번영로, 이희승 등이 발간인이 되어 『노천명전집』(조카 최용정 편, 천명사, 1960.12) 을 간행하였다. 그의 시집에서 발견되는 의견상의 특징은 그의 시가 대체로 구두점을 사용하지 않는다는 점과 방언을 활용하는 등 시어의 정서적 가치에 대한 섬세한 배려를 보여준다는 점이다. 그리고 그의 시는 시집과 선집 (『현대시인선집』(동지사, 1949), 『현대시집』(정음사, 1950)) 및 전집 발간에 걸쳐서 부분적인 개작을 보여준다는 점을 둘 수 있다. 따라서 본고에서는 전집을 주로 인용하되, 부분적으로는 처음 발간된 원시집을 인용하기로 한다. 그 까닭은 「남사당」 등과 같이 개작되기 전의 원래 시가 더 나은 것으로 판단되는 경우가 발견되기 때문이다.

그러면 그의 시세계를 구체적으로 살펴보기로 한다.

① 뒤 울안
보루쇠 열매가 붉어오면
앞산에서 뻐꾹이 울었다
해마다 다론 까치가 와 집을 짓는다는
앞마당 아라사버들온 키가 커 늘 쳐다봤다

아랫말과 웃동리(洞里)가 넓어뵈는 촌(村)에선
단오(端午)의 명절이 한껏 질겁고……
모닥불에 강냉이를 튀먹든 아이들
곳잘 하늘의 별 세기를 내기했다

강(江)가에서 개(천(川))비린내가 유난이
품겨오는 저녁엔 비가 온다는
늙은이의 천기예보(天氣豫報)는 틀란 적이 없었다

도적이 들고난 새벽처럼 호젓한 밤

개짓는 소리가 덜 좋아
이불 속으로 들어가 무치는 밥이 있었다

—「생가」 전문

② 대추밤을 돈사야 추석을 차렸다
이십리(二十里)를 걸어 열하룻장을 보러 떠나는 새벽
망내딸 이쁜이는 대추를 안준다고 우렀다
절편같은 반(半)달이 싸릿문 우에 돋고
건너편 선황당 사시나무 그림자가 무시무시한 저녁
나귀방울이 지꺼리는 소리가 고개를 넘어 가차워지면
이쁜이보다 찹쌀개가 먼저 마중을 나갔다

—「장날」 전문

③ 그 누가 하늘에 보석을 뿌렸나
작은 보석 큰보석 곱기도 하다
모닥불 놓고 옥수수 먹으며
하늘의 별을 세든 밤도 있었다

별하나 나하나 별 두울 나 두우울
논뜰엔 당옥새 구슬피 울고
강낭수숫대 바람에 설릴제
은하수 바라보면 잠도 멀어져

물방아소리— 들은지 오래—
고향하늘 별뜬 밤 그리운 밤
호박꽃 초롱에 반딧불 넣고
이지음 아이들도 별을 세는지

—「저녁별」 전문

노천명 시에서 기본이 되는 것은 어린 시절에 대한 그리움과 애수를 드러내는 유년회상의 상상력이다. 이러한 유년회상 또는 과거적 상상력은 노천명의 시에서 기저음을 형성하고 있다고 해도 과언이 아닐 정도로 중요한 비중을 점하고 있다.

먼저 시 ①에는 고향의 어린 시절에 대한 풍정 묘사가 아련하게 제시되어 있다. 첫째 연은 생가의 모습이 묘사된다. 그런데 여기서는 "뒤울안/앞마당", "보루쇠 열매/뻐꾹이 울음", "까치/아라사버들" 등과 같이 대조적인 소재들이 서로 대응됨으로써 감각적인 인상을 선명히 해준다. 그리고 시제가 과거형으로 되어 있어서 하나의 풍경으로서 일단락되는 느낌을 던져준다. 둘째 연에는 마을풍경으로 시야가 확대되면서 '단오 명절'과 "모닥불에 강냉이를 튀먹든"과 같이 풍속사와 연결된다. 그렇지만 이러한 풍속사적 소재는 그것 자체가 목적이 아니라 유년 풍경을 묘사하기 위한 하나의 소도구로서의 의미가 있을 뿐이다. 셋째 연에는 향토의 속설이 소재로 등장한다. '갯비린내/저녁/비/늙은이의 천기예보'가 유년 시절의 토속적인 분위기를 고조시켜 준다. 아울러 마지막 연에는 '나'로 시점이 이동되면서 회상의 정점을 이루게 된다. 그것은 "도적이 들고난 새벽/개짓는 소리" 등과 같이 유년 시절을 감싸고 있던 본능적 무서움을 환기하는 것으로 끝맺음된다. "개짓는 소리가 덜 좋아/이불 속으로 들어가 무치는 밤이 있었다"라는 결구 속에는 미지의 세계에 대한 본능적 두려움과 호기심이 교차하던 어린 시절에 대한 회상과 함께 그에 대한 아련한 그리움이 담겨져 있는 것이다.

따라서 시 「생가」에서는 어린 시절과 고향에 대한 본능적이면서도 혈육애적인 그리움을 드러내면서 차츰 이 따뜻한 곳, 영원한 고향을 잃어가는 현실적 삶에 대한 비애를 노래한 것으로 보인다.

시 ②에는 유년 풍정이 더욱 애틋하게 표출되어 있다. 이 시의 배경은 가난한 어느 농촌의 가을풍경이다. 대추밤을 팔아서 돈을 만들어야 추석명절을 쉴 수 있는 가난한 한 농가의 살림살이 모습이 제시되면서 철없는 막내딸 아이가 시의 초점으로 등장한다. 과자를 사먹기는커녕 집에서 거둔 대추마저도 제대로 먹어 보지 못하는 어린 딸년의 응석 떠는 모습이 그려진다. 어린 딸에게 대추 한번 마음껏 먹여 보지 못하고 추수한 대추밤을 모두 내다 팔아야만 하는 가난한 부모들의 비감스런 심정이 안쓰럽게 드러나 있는 것이다. 이 시는 앞부분의 시간 배경이 새벽인데 비해서 뒷부분은 저녁 무렵으로 되어있다. "절편같은 반달/선황당 사시나무 그림자"의 대조가 저녁 무렵의 을씨년스런 산골 분위기를 잘 묘사해준다. 여기에 '나귀방울'소리와 '지껄이는 소리'가 들려온다. 고대하던 아빠가 돌아오는 반가운 인기척인 것이다. 하루종일을 쓸쓸하게 강아지와 놀다가 열하룻장을 다녀오는 아빠·엄마를 반기는 막내딸의 천진한 모습이 "이뿐이보다 찹쌀개가 먼저 마중을 나갔다"라고 묘사된데서 여운이 고조된다. 특히 이 마지막 결구에는 어린 딸이 아빠·엄마를 반가와하는 모습이 찹쌀개의 그것으로 대치되어 있다는 점에서 독자로 하여금 골계스러우면서도 애틋한 심사를 불러일으킨다.

어떻게 보면 이 시에서 제시된 것은 가난에 찌든 농민의 빈궁한 생활일는지도 모른다. 그러나 이 시가 말하고자 하는 것은 가난하고 궁핍한 농민생활 그 자체가 아니다. 오히려 그러한 궁핍함 속에서 삶의 의미와 따뜻함을 발견하고자 하는 생에 대한 긍정의 의지가 유년회상과 동심으로 애틋하면서도 아름답게 표출되어 있다. 또한 이 점에서 이 시의 감동적인 요소가 드러남은 물론이다.

시 ③ 「저녁별」에도 이러한 아름답고 따뜻하던 유년에 대한 회상과 함께 그에 대한 그리움이 표출되어 있다. 3연 12행으로 알뜰하게 정제된 이 시에는 어린 시절에 겪었던 한여름 밤의 정경이 아련하게 제시된다. 첫 연에는 저녁별이 "보석"으로 비유되면서 "모닥불/옥수수"와 대조되어 아름다움을 고조시킨다. 둘째 연에는 "별 하나 나 하나 별 두울 나 두우울"과 같이 밤하늘 별과의 친화와 교감이 제시된다. 아울러 "논뜰엔 당옥새 슬피 울고/강냉수숫대 바람에 설릴제/은하수 바라보면 잠도 멀어져"라는 구절에서 보듯이 쓸쓸한 가운데에도 초롱초롱 꿈으로 빛나기만 하던 어린 시절에 대한 향수와 애수가 되살아난다. 셋째 연에도 "호박꽃 초롱에 반딧불 넣고"와 같이 어린 시절에 대한 회상을 펼치는 것은 마찬가지이다. 그러나 여기에서는 "물방아 소리—들은지 오래/이지음 아이들도 별을 세는지"라는 결구처럼 현재와의 단절감으로 나타난다. 그 아름답고 풍요롭기만 하던 어린 꿈은 사라져 버리고 그것들은 이젠 마음속에 추억으로만 자리잡고 있을 뿐, 현실에는 부재하는 것으로 제시된다. 어쩌면 여기에는 지금 현재의 삶이 만족스럽지 못하다는 비관적 현실인식이 담겨 있는지도 모른다. 그렇기 때문에 지난날 어린 시절의 아름답던 추억이 만족스럽지 못한 현실의 삶을 위무해 주고 그에 빛을 던져 주는 원천적인 힘으로 작용하고 있는 것이다.

아울러 노천명의 시에 나타나는 이러한 유년회상의 정조와 과거적 상상력은 그의 시로 하여금 아름다운 인간애로서의 순수미와 비애미를 간직하게 하는 원동력이 된다. 그의 시에 나타나는 가난하지만 인정어린 농촌의 생활감각과, 순수하면서도 비애어린 유년심상의 화응이야말로 그의 시세계를 아름답게 채색해 주는 본바탕이 된다. 바로 여기에서 향수가 그의 시를 이끌어가는 힘으로 작용한다. "오월의 낮차가 찰랑찰랑/배추꽃이 노오란 마을을 지나면/문득/싱아를 캐던 고향이 그리워/타향의 산을 보며/마음은/서쪽 하늘의 구름을 따른다"(「향수」)와 같이 망향의 시 정신이 시 세계의 원류를 이루고 있는 것이다. 그러므로 그의 시에는 고향으로 돌아가고 싶다는 강력한 소망과 의지가 여러 곳에서 지속적으로 드러난다. "언제든 가리라/마지막엔 돌아가리라/목하꽃이 고흔 내 고향으로—/언제든 가리/나종엔 고향가 살다죽으리"라는 시 「망향」의 일절에서 볼 수 있듯이 고향은 낙원으로서의 상징적 의미를 지닌다. 그러므로 고향으로 돌아가고자 하는 것은 상실된 낙원에 대한 회복의지를 표상한다.

이러한 향수와 고향회복의 소망은 「고향」, 「촌경」, 「수수깜부기」, 「길」,

「연잣간」, 「저녁」, 「돌아오는 길」 등 수많은 시편을 관류하는 기본 정조가 된다. 실상 노천명의 초기시가 따뜻한 공감을 주는 것은 이들이 참된 고향을 잃어가고 있는 현대인들에 있어서 고향상실과 그 회복의지를 간절하게 환기해주기 때문일 것이다.

2 풍물시와 과거적 상상력

① 나는 얼굴에 분(粉)을 하고
삼딴가티 머리를 짜내리는 사나이

초립에 쾌자를 걸친 조라치들이
날나리를 부는 저녁이면
다홍치마를 둘르고 나는 향단(香丹)이가 된다
이리하야 장터 어늬 넓운마당을 빌어
람프불을 도둔 포장(布帳)속에선
내 남성(男聲)이 십분(十分) 굴욕(屈辱)되다

산(山)넘어 지나온 저촌(村)엔
은(銀)반지를 사주고 십흔
고흔 처녀(處女)도 잇섯건만

다음날이면 써남을 짓는
처녀(處女)야
나는 집시의 피였다
내일은 쏘 어늬동리(洞里)로 들어간다냐

우리들의 도구(道具)를 실은
노새의 뒤를 싸라

산(山)딸기의 이슬을 털며
길에 오르는 새벽은

구경꾼을 모으는 날나리소리처럼
슬픔과 기쁨이 석겨 핀다

—「남사당」 전문

② 청사 초롱을 들리우고
호랑 담요를 쓰고 가마가
웃동리서 아랫몰루 내려왔다
차일을 친 집마당엔
잔치 국수상이 벌어지고
상을 받은 아주머니들은
이차떡에 절편에 대추랑 밤을 수건에 쌌다
대례를 지내는 마당에선
활옷을 입은 색씨보다도 나는
그 머리에 쓴 칠보(七寶)족도리가 더 맘에 있었다

—「잔치」 전문

③ 수수경단에 백설기 대추송편에 꿀편
인절미를 색색이로 차려 놓고

책에 붓에 쌀에 은전 금전
가진 보화를 그뜩 쌓는 돐상 위에
할머니는 살이살이 국수놓며 명복을 빌고
할아버지는 청실홍실 느린 활을 놔주셨다
온 집안 사람들의 웃는 눈을 받으며
전복에 복건을 쓴 애기가 돌을 잡는다

고사리 같은 손은 문장이 된다는 책가를 스쳐

장군이 된다는 활을 꽉 잡았다

—「돐잡이」 전문

노천명의 시에는 토속적인 풍속에 대한 관심이 또한 많이 드러난다. 그의 시는 사라져 가는 것들로서의 향토적인 풍속과 토속적인 풍물에 대해 깊은 관심과 연민의 정을 표출한다. 이것은 어쩌면 그의 생래적인 유년회상과 과거적 상상력이 성숙한 모습으로 해석할 수도 있을 것이다. 아울러 쉽게 주관적인 자아에 함몰돼 버리는 노천명 시의 일반적 단점을 어느 정도 벗어나게 해주는 힘으로 작용한다는 점에서 의미를 지닌다.

먼저 시 ①은 남사당패의 한 사나이를 화자로 설정하여 남사당패들의 생에 있어서의 명암과 그 애환을 묘사하고 있다. 원래 남사당패란 1900년 초 이전에 있어서 시민층의 생활집단에서 자연발생적 또는 자연발전적으로 생성된 민중놀이 집단을 일컫는 이름이다.[1] 이들은 주로 남자들로서 구성되어 유랑하며 버나(대접돌리기), 살판(땅재주), 어름(줄타기), 덧뵈기(탈놀음), 덜미(꼭두각시놀음) 등의 풍물을 놀아주면서 받는 대가로 생활하던 일종의 민중연희집단에 속한다. 따라서 이들의 삶은 어느 한 곳에 뿌리내리지 못하는 유랑민으로서의 삶의 모습을 지니는 것이 특징이다. 노천명이 이러한 뿌리 없이 떠도는 자로서의 남사당을 노래한 것은 매우 시사적이라 할 수 있다. 그 자신이 "사내동생을 보려구 아버지는 나를 남복시켜 주셔서 대여섯 살까지 하이칼라 머리를 넘기고, 그 싫은 남장을 하고 컸다"[2] 라고 고백하듯이 어려서는 여자아이면서도 사내모습을 하고 다녀야 하는 이율배반적인 환경 속에서 성장하였다. 그러므로 남자이면서도 여장을 하고 여자의 배역을 맡아야 하는 남사당에게서 지난날에 시인 자신이 겪었던 생의 이율배반적 모습을 다시 발견하게 됨으로써 그에 대한 동병상련을 표출하게 됐는지 모른다.

---

1) 심우성, 『남사당패연구』(동화출판공사, 1974)31쪽.
2) 노천명, 『여성단편집』(조광사, 1938)248쪽.

다시 말해서, "얼굴에 분을 하고/삼딴가티 머리를 짜내리는 사나이"로서의 시의 화자는 바로 노천명의 대리자아일 수 있다는 말이다. 대체로 이 시는 세 단락으로 구분된다. 첫 단락은 "내 남성이 십분 굴욕되다" 까지로서, 여기에는 여장남자로서 사당패가 분장한 모습이 제시되면서 그 삶의 이율배반성과 아이러니가 노출된다. 둘째 단락은 "내일은 또 어늬동리로 들어간다냐"까지인데 여기에는 "산넘어 지나온 저 촌엔/은반지를 사주고 십흔/고운 처녀도 잇섯건만"이라는 구절에서 보듯이 비록 뿌리 없이 떠도는 남사당들이지만 그들도 사랑을 느끼고 뜨거운 눈물도 흘릴 줄 아는 진솔한 인간성을 지니고 있다는 점을 부각시키고 있다. 마지막 셋째 연에는 "노새의 뒤를 짜라/산딸기의 이슬을 털며/길에 오르는 새벽은/구경꾼을 모흐는 날라리 소리처럼/슬픔과 기쁨이 석겨 핀다"와 같이 정처없는 유랑과 방랑생활의 애환이 제시된다. 이렇게 본다면 남사당에게는 뿌리내릴 고향도, 평생 동안 인연 맺을 어여쁜 색시도 없다. 오로지 끝없는 표랑생활 속에서 이윤배반적인 연희 동작만이 살아있음의 표징이자 존재의 보람이 된다. 바로 이러한 남사당의 아이러니컬한 모습은 어쩌면 노천명의 뿌리내리지 못하고 떠도는 삶의 모습을 상징한 것 인지도 모른다. 아니면 소멸해 가는 것으로서의 이 땅 풍속과 전통에 대한 깊은 연민과 애정을 표출한 것일 수도 있을 것이며, 사라져 가는 것으로서의 인생 혹은 이율배반적인 것으로서의 삶의 본질을 무시한 것일 수도 있다는 말이다.

시 ②와 ③의 경우도 정차 사라져 가는 것들에 대한 관심과 애정을 표출한다. 시 ②에는 결혼식 장면을 둘러싼 토속적인 정취가 물씬 풍겨난다. 규격화되고 의례적인 요즈음의 결혼식 광경과는 사뭇 대조적인 풍경이다. 이 시는 살아있는 삶과 생동하는 풍속이 다채롭게 제시된 풍속시[3]에 해당한다 할 것

3) 최재서는 이런 류의 시를 '촌락풍물시'라고 부른 바 있다. (최재서, 『문학과 지성』(인문사, 1938)243쪽.)

이다. 시 ③ 「돐잔치」도 마찬가지이다. 이 시에는 돌잔치의 옛스런 풍정이 섬세하게 묘사되어 있다. 그것은 돈으로 푸짐하게 벌여 놓은 돌잔치 풍경이 아니라 정성으로 빚어놓은, 생명의 축제로서의 진실성과 소박성을 담고 있다. 이렇게 본다면 노천명의 시는 점차 사라져 가는 것, 소멸해가는 것으로서의 토속적인 풍물과 향토적 정취에 대한 깊은 관심과 애정을 표출하고 있는 풍속시적인 성격을 지니고 있는 것으로 이해된다.[4] 실상 이러한 사라져 가는 것으로서의 풍물이나 풍속은 그것이 단지 민속적이고 전통적인 것으로서가 아니라 점차 인간적인 따뜻함과 그리움을 상실해 가는 현대인의 모습을 역설적으로 제시한 것으로 해석된다는 점에서 의미를 지닌다. 이 점에서 노천명 시는 주관적 정서에 함몰되어 반역사주의에 경도되어 있다는 일반적인 비판을 뛰어넘을 수 있는 소지를 지니고 있다고 할 수 있겠다.

3 모순의 발견과 자전적 요소

노천명의 시에서 자전적인 요소가 발견된다고 하는 것은 이미 여러 사람들에 의해 지적돼 왔다. 그러나 그 자아의 원상이 모순의 발견에 근거하고 있다는 점은 잘 밝혀져 있지 않은 것으로 보인다.

① 목아지가 길어서 슬픈 짐승이여
　언제나 점잖은 편 말이 없구나
　관(冠)이 향기로운 너는
　무척 높은 족속이었나 보다

4) 이 점에서 노천명의 시는 백석의 시에서 많은 영향을 받은 것으로 추측된다. 백석이 그의 시에서 사라져 가는 풍속을 주로 다룬 것과 그것을 방언으로 드러낸 것, 그리고 무엇보다도 이미 그가 1936년에 시집 『사슴』을 간행하였다는 점에서 그러하다.

물 속의 제 그림자를 들여다 보고
잃었던 전설을 생각해 내고는
어찌할 수 없는 향수에
슬픈 목아지를 하고 먼데 산을 바라본다

—「사슴」 전문

② 몸둔 곳 알려서는 드을 좋아—
이런 모양 보여서는 안되는 까닭에
숨어서 기나긴 밤 울어 새웁니다

밤이면 나와 함께 우는 이도 있어
달이 밝으면 더 깊이 숨겨둡니다
오늘도 저 섬ㅅ돌 뒤
내 슬픈 밤을 지켜야 합니다

—「귀뚜라미」 전문

③ 나는 나는 산(山)색씨
산(山)에 여(實)노라
붉게 타다 못해
검게 질리며
나는
산(山)에 산(山)에 여노라
눈이 영롱함은 눈물에 젖은 탓
산(山)새도 못오게
가시 돋히고
산협(山峽)의 긴 긴 해를
송이 송이
붉게 타노라

—「산딸기」 전문

시 「사슴」은 흔히 노천명의 대표작으로 꼽히면서 그의 자전적인 요소가 투영된 시로 이해되어왔다.[5] 그만큼 '시=시인'의 밀접한 상관관계를 잘 반영하고 있다는 말이다. 이 시의 장점은 무엇보다도 2연 8행의 정제된 형태와 비교적 세련된 시어의 구사에서 드러난다. 균형 잡힌 형태와 다듬어진 시어는 내성적인 이 시의 내용과 분위기에 잘 어울려서 조화미와 안정감을 유발하기 때문이다. 이 시에서 사슴은 시인의 감정이 투영된 객관적 상관물에 해당한다.

따라서 이 시의 앞 연에서는 사슴에 대한 외양 묘사와 함께 그것을 바라보는 시인의 심리상태가 감정이입 되어 있다. 즉, 사슴의 외양적 특성은 '모가지'와 '관'으로 요약된다. 그런데 모가지는 긴 것으로 묘사되며, 그렇기 때문에 슬픈 것으로 받아들여진다. 모가지가 긴 것은 이른바 운명적인 사실에 속한다. 따라서 이 시에서 말하고자 하는 것의 중요한 한 가지는 운명론적인 비극성의 드러냄이라 할 수 있다. 이 시에는 인간존재의 운명적 비극성에 대한 투시가 담겨져 있는 것으로 이해되기 때문이다. 아울러 "모가지가 길어서 슬픈 짐승"으로서의 사슴은 시인 자신의 모습을 표상한 객관적 상관물이 되는 동시에 인간존재의 비극성에 대한 운명론적 인식을 담고 있는, 하나의 암유에 해당한다고 할 수 있기 때문이다. 또한 관은 향기로운 것으로 묘사되어 있는데, 이것은 사슴의 과거가 "무척 높은 족속"이었음을 말해 주는 한 암시가 된다. 분명히 관은 사슴만의 특징적 징표이지만, 여기에도 시인 자신의 존재인식이 반영돼 있음을 알 수 있다. 그것은 남과 다른 "무척 높은 족속"으로서의 고고함과 품위를 간직하고 있는 귀족적인 자아의 모습에 해당한다. 바로 여기에서 이 시의 한 핵심이 드러난다. 그것은 "모가지가 길어서 슬픈"과 "관이 향기로운 너" 사이에 일어나는 모순의 돌출이며 갈등의 드러남이다. 이 두 상반되는 구절 사이에 일어나는 모순과 이율배반은 바로 사슴의 그것이면서 또한 노천명 자신의 모습이고 인간의 본원적인 모습에 해당한다. 아울러 그

---

5) 허영자, 「노천명시의 자전적 요소」(『한국현대시사연구』, 일지사, 1983)361쪽.

것은 "모가지가 길어서 슬픈 짐승", 즉 현실상과 "무척 높은 족속이었나보다"라는 과거상과의 갈등이며, 이 점에서 운명과 현실의 모순과 대립을 반영한다. 다시 말해서, "슬픈 짐승"과 "높은 족속"이라는 모순의 대비를 통해서 만족스럽지 못한 현실의 삶을 살아가는 시인 자신의 고뇌와 함께 이러한 모순과 이율배반성이 바로 인간존재의 본질에 속한다는 깨달음을 제시한 것으로 이해된다.

이러한 사실은 뒤 연에서 더욱 극명히 드러난다. 여기에서는 "잃었던 전설", 즉 높은 족속으로서의 과거적 삶과 "먼데 산을 바라보는" 미래적 삶의 모순과 갈등이 드러난다. 다시 말해서, "잃었던 전설"을 떠올리는 화려한 과거 회상적 요소와 "먼데 산을 바라보는" 서글픈 미래지향성이 서로 모순과 갈등을 이룬다는 말이다. 그렇기 때문에 "어찌할 수 없는 향수에 슬픈 모가지를 하고"라는 비관적인 현실인식이 제시될 수밖에 없다. 화려한 과거도 이미 잃어버렸고, 미래 또한 불확실한 것이기 때문에 현재의 삶이 "슬픈 모가지를 하고"처럼 비관적인 체념에 빠질 수밖에 없는 것이다.

이렇게 본다면 이 시는 다분히 존재론적인 면모를 지니고 있음을 알 수 있다. 이 시를 지배하고 있는 것은 뿌리 깊은 상실감이며, 모순의 운명론이다. 아름다운 것, 소중한 것은 오로지 과거 속에 존재할 뿐이며, 현재의 삶은 불연속적이며 비관적일 뿐이다. 따라서 이 시는 낙원상실의 비애를 드러내면서 이러한 낙원회복의 소망을 가늘게나마 표출하고 있다는 점이 특징이다. 이 시에는 인간의 삶이란 마치 사슴의 그것처럼 운명과 자유, 현실과 이상의 모순관계 위에 놓여 있으며, 그렇기 때문에 비극적일 수밖에 없다는 모순의 인생관 또는 비극적 운명론이 자리잡고 있는 것이다. 지금까지 흔히 이 시는 "공소한 감정의 유희와 허영된 언어의 과장을 발견할 수 없다"[6]거나 혹은 "소외된 선민으로서의 자아의식과 나르시소스적인 자홀감(自惚感)"[7]을 보여

6) 최재서, 앞의 책, 240쪽.

주고 있다는 등 긍정적인 평가를 받아온 것이 사실이다. 실상 이 시가 감상성, 환상성, 자아도취성, 귀족취미, 현실도피성 등의 부정적 요소를 다소 지니고 있는 것은 사실이지만, 좀 더 자세히 들여다보면 자기발견 내지 인간의 존재론적 탐구를 향한 섬세한 응시를 보여주고 있다는 점에서 새삼스런 의미들 지닌다고 할 수 있다.

이러한 노천명 시에서의 자전적인 요소는 시 ②, ③에서도 그대로 나타난다. 시 ②「귀뚜라미」에는 비관적인 현실인식과 함께 폐쇄된 자아의식이 두드러지게 나타나 있다. 마치 시인의 모습은 "숨어서 기나긴 밤 울어 새웁니다/내 슬픈 밤을 지켜야 합니다"라는 구절에서 보듯이 밤에 우는 귀뚜라미로 상징화되어 있는 것이다. 여기에서도 귀뚜라미는 시인의 객관적 상관물에 해당한다. 아울러 "울어 새웁니다/함께 우는 이도 있어/내 슬픈 밤을" 등과 같이 감상의 노출 또는 센티멘탈리즘적인 요소가 발견된다. 시 ③「산딸기」에는 다소 건강미가 드러나는 것이 특이하지만, 역시 비관적인 현실인식과 폐쇄된 자아의식이 두드러진다는 점은 마찬가지이다. 시인의 모습은 "나는 산에 산에 여노라/눈이 영롱함은 눈물에 젖은 탓/산새도 못오게/가시 돋히고"와 같이 다분히 세계와 불연속적인 양상을 띠고 있다. 아울러 여기에서도 감상적인 요소가 불식된 것은 아니다.

이렇게 본다면「귀뚜라미」나「산딸기」는 다같이 "조그마한 거리낌에도/밤잠을 못자고 괴로워하는 성미는/살이 머물지 못하게 학대를 했다/꾹 다문 입은 괴로움을 내뿜기보다/흔히는 혼자 삼켜 버리는 서글픈/버릇이 있다"라고 고백하는 시「자화상」처럼 시인 자신을 표상한 하나의 객관적 상관물에 해당한다고 하겠다. 다만 이 두 편의 시는 앞의 시「사슴」에서와 같이 좀 더 깊이 있는 자아성찰과 존재탐구가 이루어지고 있지 않다는 점이 부족한 점이 될 것이다.

---

7) 허영자,「고독과 향수의 시인」(『한국대표시평설』, 문학세계사, 1995) 170-171쪽.

따라서, 노천명의 시에는 끊임없이 자아에 대한 발견과 탐구의 노력이 전개된 것으로 보인다. 이러한 노력은 객관적인 상관물에 의해 어느 정도 성공적으로 표상되지만, 좀 더 끈질기면서도 심화된 존재론적 탐구와 치열한 극복의 노력이 부족하다는 점에서 그 취약성을 지니는 것으로 판단된다.

4 수정(水晶)과 장미(薔薇), 사랑과 오뇌

노천명의 시에는 「푸른 오월」이나 「가을의 구도」 등과 같이 섬세하고 투명한 계절감각이 두드러지게 나타난다. 그런데 이러한 계절감각을 노래하는 시들은 반드시 그리움의 정서와 고독이 수반되어 나타난다는 점이 특징이다. 이 그리움과 고독이라는 대조적인 두 지향성이야말로 노천명의 시가 사랑에 그 중요한 모티브를 두고 있음을 말해 주는 것이 된다.

① 맘속 붉은 장미(薔薇)를 우지직끈 꺾어 보내 놓고—
그날부터 내 안에선 번뇌(煩惱)가 자라다
늬 수정(水晶) 같은 맘에
나
한 점(點) 티되어 무겁게 자리하면 어찌하랴
차라리 어름 같이 얼어 버리련다
하늘 보며 나무 모양 우뚝 서버리련다
아니
낙엽(落葉)처럼 섧게 날러가 버리련다

—「장미」 전문

② 하늘은 곱게 타고 양귀비(楊貴妃)는 피었어도
그대일래 서럽고 서러운 날들
사랑은 괴롭고 슬프기만 한 것인가

사랑의 가는 길은 가시덤불 고개
그 누구 이 고개를 눈물없이 넘었던고
영웅(英雄)도 호걸(豪傑)도 울고 넘는 이 고개

기어히 어긋나고 짓궂게 헤여지는
운명(運命)이 시기하는 야속한 이길
아름다운 이들의 눈물의 고개

영지못엔 오늘도 탑(塔)그림자 안비치고
아사달은 뉘를 찾아 못속으로 드는거며
그슬아기 아사녀의 이 한(恨)을 어찌 푸나

—「비련송」 전문

③ 송이 송이 흰빛 눈과 새워
소복(素服)한 여인(女人)모양 고귀(高貴)하여
어둠 속에도 향기(香氣)도 드러나
아름다운 열꽃을 제치는구나

그윽한 향(香) 품고
제철 꽃밭 마다하며
눈속에 만발(滿發)함은
어느 아낙네의 매운 넋이냐

—「설중매」 전문

④ 검은 머리채에 동양여인의 「별」이 깃들이다
「도련님 인제 가면 언제나 오실라우 벽에 그린 황계
짧은 목 길게 느려 두 날개 탁탁 치고
꼬꼬하면 오실라우 계집의 높은 절개
이 옥지환과 같을 것이요 천만년이
지내간들 옥빛이야 변할납디」

옥가락지 위에 아름다운 전설을 걸어놓고
춘향은 사랑을 위해 달게 형(刑)틀을 썼다
옥(獄) 안에서 그는 춘(椿)꽃보다 더 짙었다

무릇 여인중(女人中)
너는
사랑을 할줄 안 오직 하나의 여인(女人)
눈 속의 매화같은 계집이여
칼을 쓰고도 너는 사랑을 밷어
버리지 않았다
한양낭군 이도령은 쑥쓰럽게
삿도가 되어오지 않아도 조았을 것을—

—「춘향」 전문

노천명의 시에서 흔히 발견할 수 있는 상징체계로는 식물적인 이미저리군이 있다. 그런데 이들은 크게 보아 목화꽃·함박꽃·찔레순·싱아·무릇·하눌타리·깜부기·두릅 등의 향토적인 계열과 양귀비·설중매·장미 등 화사한 화훼 계열의 두 종류로 나뉜다. 전자는 대체로 향토적·토속적인 주제의 시에 많이 등장하는 데 비해서, 후자는 다분히 상징적인 주제와 연결된다. 그것은 물론 사랑을 상징한다. 특히 그의 시에는 장미의 경우만 하더라도 십여 차례나 반복적으로 제시됨으로써 하나의 중요한 상징체계를 이룬다.

시 ①의 경우에 "맘 속 붉은 장미"란 말할 것도 없이 사랑의 마음 또는 그 열정의 뜨거움을 의미한다. 그러므로 "그날부터 내 안에서 번뇌가 자란다"처럼 사랑의 오뇌를 겪게 되는 것이다. 그런데 주목할 것은 이 사랑이 "늬 수정 같은 맘"과 "맘속 붉은 장미"의 대조와 같이 차가운 것과 뜨거운 것, 또는 이성과 감성이라는 상반되는 두 요소로 표출된다는 점이다. 어쩌면 이것은 "그날부터 내 안에선 번뇌가 자라다/차라리 어름같이 얼어 버리련다"의 선명한 대조에서 발견되는 사랑의 모순과 그 오뇌에 해당할는지 모른다. 다시 말해서, 사랑이 지니고 있는 정염과 허무, 육신과 정신, 감성과 이성, 본능과 의지라고 하는 모순되는 두 본성의 첨예한 대립과 갈등을 제시한 것으로 이해된다는 점이다. 실상 「내 가슴에 장미를」 이라는 시가 "밤이면 우는 나는 두견!/내 가슴 속에도 들장미를 피워다오"와 같이 사랑의 정염과 그에 대한 오뇌를 노래하는 데 비해, 시 「장미는 꺾이다」 가 "너 이제사/괴롭던 육신을 벗어버렸구나/사랑하던 이들/아끼던 것들/다 놓고 빈 손으로 혼자 떠나버렸구나"라는 구절처럼 사랑의 상실 또는 절망을 드러낸다는 점도 바로 이러한 사랑의 표상으로서의 '장미'의 모순성·양면성을 제시한 것으로 볼 수 있다.

시 ②에는 이러한 사랑의 모순성·양면성에 대한 오뇌와 탄식이 더욱 선명히 드러난다. "하늘은 곱게 타고 양귀비는 피었어도/그대일래 서럽고 서러운 날들/사랑은 괴롭고 슬프기만 한 것인가"라는 첫 구절부터가 이러한 사랑의 양면성·모순성과 그 고뇌를 반영한 것이다. 그렇기 때문에 사랑은 "가시덤불 고개", "아름다운 이들의 눈물의 고개"처럼 아름다우면서도 서럽고, 고달프면서도 보람찬 생의 모순상으로 파악된다. 그리고 그것은 근원적인 면에서 한스러운 것으로 받아들여진다. 실상 이 시 「비련송」 이야말로 유부남인 김광진을 사랑할 수밖에 없었던 운명적 모순을 겪으면서 독신으로 생애를 마친 노천명이 뼈아프게 토해낸 사랑의 진실일 수밖에 없을 것이다. 그녀에게 있어서 사랑의 길이야말로 "기어히 어긋나고 짓궂게 헤여지는/운명이 시기하는 야속한 이 길"처럼 운명적인 모순이자 생의 형벌에 해당되었을 것이기 때문이다.

시 ③ 「설중매」 에는 이러한 사랑의 모진 시련과 그 인고의 모습이 설중매의 모습으로 표상된다. 그것은 "어둠 속에서 향기로 드러나는" 매서운 모습이며, "제철 꽃밭 마다하며/눈속에 만발하는/아낙네의 매운 넋"과 같이 차가우면서도 뜨겁고, 뜨거우면서도 서릿발 같은 모순으로서의 속성을 내포한다.

여기에서 시 ④ 「춘향」의 상징성이 선명히 드러난다. 춘향은 바로 이러한 뜨겁고도 차가우며, 연약하면서도 매서운 모순의 넋을 지닌 사랑의 화신이다. 그녀는 "사랑을 위해 달게 형틀을 썼기" 때문에 "옥안에서 춘꽃보다도 더 짙은" 사랑의 정염을 불태울 수 있었으며, 바로 이 점에서 "사랑을 할 줄 안 오직 하나의 여인/눈속의 매화같은 계집"일 수 있었던 것이다. 이렇게 본다면 춘향은 어쩌면 노천명이 소망하던 이상적인 사랑의 여인상이자 자신의 대리자아의 모습일는지도 모른다. 그만큼 사랑의 모순성·양면성에 오뇌하며 그 갈등을 내면적으로 극복하고자 노력하던 시인의 안간힘이 상징화된 것으로 이해되기 때문이다. 바로 여기에서 더욱 실존의 상대적 고독성이 두드러지며, 그 결과 현재를 부재하는 것, 불연속적인 것으로 파악하게 되고, 향수와 같은 과거적 상상력으로 파고들게 되며 아울러 폐쇄적인 절망의 성채를 높이 쌓게 된 것으로 이해된다.

결국 노천명 시에 있어서 '장미', '양귀비', '설중매' 등의 화사한 꽃들은 사랑의 표상이면서도 그 스스로 모순성·양면성을 내포하고 있기 때문에 사랑의 모순성과 양면성을 효과적으로 드러낼 수 있게 된다. 따라서 노천명의 시는 사랑의 갈망과 그 오뇌가 밑바탕에 깔려 있으며, 이 점에서 그의 시를 관류하는 고독과 향수는 이 사랑과 오뇌의 표층적인 모습에 해당한다고 할 수 있다. 즉, 고독이란 사랑을 통해서 비로소 확인할 수 있는 단독자로서의 자의식의 발견에 해당하며, 향수란 단독자로서 느낄 수밖에 없는 대자적인 자기애의 변형된 모습으로 해석할 수 있기 때문이다.

5 수난체험과 현실도피

노천명에 있어 삶의 과정이란 끊임없는 불안과 흔들림의 연속이었다. 실상 이 땅과 같이 보수적인 측면이 강하고 수많은 편견이 작용하는 사회에서, 더구나 험난한 격동의 세월 속에서 여자 혼자서 삶을 경영하고 시작을 전개해 갔다는 사실 자체가 마치 바람 앞의 등불과 같은 상징성을 지닐는지도 모른다.

① 자신(自身)없는 훈장(勳章)이 내게 채워졌다
어울리지 않은 표창(表彰)이다
오등(五等) 콩밥과 눈물을 함께 씹어 넘기며
밤이면 다리 팔 떼여놓구 싶게
좁은 잠자리에 주리 틀리우고
날이 밝으면 날이 날마다 거러보는 소망(所望)
이런 하루 하루가 내 피를 족족 말리운다
이런 것 다 보람있어야 할 투사(鬪士)라면
차라리 얼마나 값 있으랴만

나는 무엇을 위해 이 고초(苦楚)를 받는 것이냐
누가 알아주는 투사(鬪士)냐

붉은 군대(軍隊)의 총(銃)뿌리를 받아
대한민국(大韓民國)의 총(銃)뿌리를 받아
새빨가니 뒤집어쓰고
감옥(監獄)에까지 들어왔다
어처구니 없어라 이는 꿈일게다
진정 꿈일게다

밤새 전선(電線)줄이 잉잉대구 울면
감방(監房) 안에서 나도 운다
땟국 젖은 겹옷에서 두고온 집냄새를
웅켜마시며 마시며
어제도 꿈엔 집엘 가보았다

—「누가 알아주는 투사냐」 전문

② 「노천명(盧天命)이 면회(面會)」

철꺼덕 감방문(監房門)이 열린다
이렇게 반가운 말은 다시 없다
허둥지둥 간수(看守)의 뒤를 따르며
머리에 떠오르는 친(親)한 얼굴들—

번번이 나타나는 이는 오직
눈물 어린 언니의 얼굴
반갑고 미안한 생각
언니 앞에 머리를 숙이다
날마다라도 오고 싶은 형무소(刑務所)라 한다

얘기보다 메기고 싶어 내놓는 음식(飮食)
눈물에 어려 떡도 「나마가시」도 보이지가 않는다
그만 헤여지라는 간수(看守) 말에
두고 가는이나 떠러지는 가슴
바루 곧 핏줄이 땡긴다

—「면회」 전문

③ 온 방안 사람이 거지를 부럽단다
나두 거지가 부러워졌다
빌어먹으면 어떻냐
자유(自由)! 자유(自由)만 있다면

저 햇볕 아래 깡통을 들고도
저들은 자유(自由)로울 것이 아니냐
네가 무엇을 원(願)하느냐 묻는다면
나는
첫째로 자유(自由)
둘째로 자유(自由)
셋째도 자유(自由)라 하겠다

—「거지가 부러워」 전문

노천명에게 있어서 해방과 6·25는 커다란 시련을 의미한다. 그는 일제 말에 친일어용지인 매일신보의 기자생활을 하면서 조선문인보국회 등에 가담하는가 하면 황군위문사절단에 끼어 북지를 순회하는 등 친일행각을 벌였다. 또한 「부인근로대」, 「승전의 날」, 「출정하는 동생에게」, 「진혼가」 등 일제의 침략전쟁을 예찬하며 승전의식을 고취하는 친일어용시를 발표함으로써 해방 후에 친일부역자로서 낙인이 찍히게 된 것이다.[8] 설상가상으로 6·25는 그에게 치명적인 수난과 오점을 남겨 주었다. 피난을 가지 못했던 그는 이른바 문학가동맹에 가담하여 부역을 하게 되었고, 그 결과 9.28 수복 후에는 체포되어 부역자처벌특별법에 의해 20년 실형을 언도받게 되었다. 그러나 그 무렵 경무대 비서관이었던 김광섭 등의 구명운동으로 6개월 만에 풀려나게 되었지만, 이 기간의 영어체험은 노천명에게 가장 치욕스럽고 고통스런 아픔을 안겨 주었다. 독신의 몸으로 험난한 세파를 헤쳐가던 여인 노천명으로서, 이러한 거듭되는 시행착오와 그 수난체험은 그의 시에서 포에지를 거세하고 고통스런 신음소리만을 드러내게 만들고 말았다. 시집 『별을 쳐다보며』(희망출판사, 1953.3)에는 이러한 영어생활에서의 고통과 그에 따른 자유에의 갈망을 노래한 시들이 다수 수록되어 있다.

먼저 시 ①은 영어생활에서의 절망적인 고통과 함께 회오의 몸부림을 담고 있다. "오등 콩밥과 눈물을 함께 씹어 넘기며/이런 하루 하루가 내 피를 족족 말리운다"라는 구절들에서 읽을 수 있듯이 감옥에서의 절망과 고통이 생생하게 제시되어 있다. 그러면서 자신의 수형생활이 그 어떤 무사로서의 신념에서 우러나온 것이 아니라, 이 땅의 불행한 현실과 자신의 불운에서 어처구니없이 닥쳐온 것임을 애써 강조한다. 다시 말해서, 부역과 그에 따른 영어의 비극이 자신의 선택에 의한 것이 아니라 이 땅의 분단비극에서 불가항력적으로 파생된 역사적 폭력에서 비롯됐다는 점을 항변하고 있는 것이다. "밤새 전

8) 임종국, 『친일문학론』(평화출판사, 1966)248-250쪽.

선줄이 잉잉대구 울면/감방 안에서 나도 운다/어제도 꿈엔 집엘 가보았다"라는 이 시의 결구 부분에는 영어의 고통에 대한 절망과 통탄을 담고 있으며, 아울러 자유에 대한 갈망을 강력히 표출하고 있다.

시 ②에는 영어생활에서의 유일한 기쁨인 면회순간의 애환을 그대로 직서하고 있다. 더구나 그것이 혈육과의 만남일진대는 "두고 가는 이나 떠러지는 가슴/바루 곧 핏줄이 땡긴다"와 같이 비통하고 애절한 것일 수밖에 없다. 이러한 면회의 순간이란 감옥에서의 참담한 절망으로부터 잠시나마 벗어나는 해방의 시간이며 자유의 순간에 해당하기 때문이다. 아울러 이 순간이야말로 죽어 있는 '지옥'의 상태에서 스스로 살아있음을 확인하는 소중한 계기일 수밖에 없기 때문이다.

시 ③「거지가 부러워」에는 이러한 자유에의 갈망이 더욱 구체적으로 피력되어 있다. "네가 무엇을 원하느냐 묻는다면/나는/첫째로 자유/둘째로 자유/셋째도 자유라 하겠다"라는 이 시의 결구 속에는 자유가 삶의 본질이며, 그것은 인류의 최초의 소망이자 마지막 소망일 수밖에 없다는 참담한 깨달음과 그 절규가 담겨져 있다. 그렇기 때문에 "마음은 언제나 푸른 하늘을—대한의 푸른 하늘을—"(「마음은 푸른 하늘을」)과 같이 작위적인 구호가 시의 표면에 드러날 수밖에 없게 된다. 스스로 고독과 향수에 유폐되어 있던 노천명의 시 세계는 감옥에서의 처절한 절망의 상황에 처하여 내면적으로 심화되지 못하고 구호화하고 만다는 점에서 후기시의 한계점이 드러난다. 여기에서 목소리 높은 반공애국시와 소박한 행복론의 현실도피시가 그 자연스런 귀결로서 나타난다.

어쩔 수 없는 마지막 시간(時間)이 왔다
「그럼 난 떠나야지」

아버지는 식구들에게 일렀다
「다시 우리 오게 되는 땐

집이 없어졌드라도 이 터전에서들 맞나기로 하자」

아이 어른은 대답 대신 와— 우름이 터져 버렸다
태극기(太極旗)에서 떠러지는 날은
이렇듯 몸둘 곳이 없어졌다

대한민국(大韓民國)이 죽은 사람모양 그리웠다

—「이산」

꽃망울같은 젊은이들
조국(祖國)을 위하여 자유(自由)를 위하여
군화(軍靴)소리 드높이
끝날줄 모르는 전열(戰列)이 구비치며 지나간다

우리의 「서울」을 불살르고
아버지와 남편을 끌어가고
죄(罪)없는 사람들을 죽이고 간—
우리의 원수(怨讐)를 찾아서—
「원수를 갚아다우!」
아버지의 시체(屍體)는 「의정부議政府」 산(山) 기슭에
눈을 뜬 채 쓰러져 있었다

별을 인 이밤에도
군화(軍靴)소리 드높이
북(北)으로 다시 북(北)으로—

—「북으로 북으로」 부분

이러한 종류의 반공애국시들은 대체로 상식적이고 서술적인 내용전개와 도식적인 결말을 특징으로 한다. 노천명이 종군시인이 아니면서도 이런 종류의 애국시를 쓰게 된 것은 그의 영어체험에서 온 공포심리와 무관하지 않다.

부역 혐의로 수감되어 "머리를 풀어헤치고/파충류들 모양 마루바닥에 쓰러져 있던"(「지옥」) 그로서는 반사적인 자기보호 본능으로라도 이러한 의도적인 반공애국시를 쓸 수밖에 없었을 것이 자명한 이치이다. 아울러 그의 시는 급격히 현실도피적인 성향을 띠기 시작한다.

어느 조그만 산(山)ㅅ골로 들어가
나는 이름없는 여인(女人)이 되구 싶소
초가(草家) 지붕에 박넝쿨 올리고
삼밭엔 오이랑 호박을 놓고
들장미(薔薇)로 울타리를 엮어
마당엔 하늘을 욕심(慾心)껏 디려놓고
밤이면 싫컷 별을 안고

부엉이가 우는 밤도 내사 외롭지 않겠오
기차(汽車)가 지나가 버리는 마을
놋양푼의 수수엿을 녹여 먹으며
내 좋은 사람과 밤이 늦두룩
여우 나는 산(山)ㅅ골 얘기를 하면
삽쌀개는 달을 짓고
나는 여왕(女王)보다 더 행복(幸福)하겠오

—「이름 없는 여인이 되어」 전문

유명하다는 건 얼마나 거북한 차림 차림이냐
이 거추장스런 것일래
나는 저기서도 여기서도
걸려 넘어지고
처참하게 찢겨졌다

아무도 관심(關心)을 안해주는 자리는

얼마나 또 편(便)한 위치(位置)냐

—「유명하다는 것」 전문

인용한 두 편의 시에 공통적으로 드러나는 것은 현실에서의 좌절과 절망이며, 거기에서 비롯된 현실패배 내지는 도피주의이다. 여기에는 시인 자신이 그동안 겪었던 수난과 오욕의 원인이 자신의 유명함에서 비롯되었다고 하는 신경질적인 자기합리화의 의도가 담겨져 있는 것으로 풀이된다. 어쩌면 이러한 자기합리화 내지 자기위안의 제스처 속에는 거친 현실에 대한 패배심리와 함께 또 다른 형태의 지적 오만 내지는 변형된 감상주의가 깔려 있는지도 모른다. 「이름없는 여인이 되어」, 「유명하다는 것」이라는 제목 자체가 일종의 귀족취미를 반영하고 있는 것으로 해석할 수 있기 때문이다. 그의 생래적인 고독과 향수가 영어생활의 고통 속에서 인간의 본질로 성숙되고 심화된 것이 아니라, 도식적인 반공애국시와 소박한 현실 패배주의 내지는 도피주의로 굴절하고 말았다는 점에서 노천명 후기시의 한계점이 드러난다.

여기에서 우리는 다시금 시인에게 있어서 신념과 사상의 확립 또는 역사의식의 확보와 그 일관성의 지속이 얼마나 소중한 것인가를 확인할 수 있다. 노천명의 시는 그 천부적인 서정성과 언어감각에도 불구하고 그것이 역사적 삶의 보다 생생한 아픔 또는 전지한 고통과 깊이 있게 맞닿지 못하고 다분히 소박한 행복론과 호사취미 내지는 관념주의에 경사되어 버린 데서 그 한계점이 드러난다. 고독과 향수라고 하는 감상적이면서도 모호한 시적 분위기에 스스로 갇혀서 끝내 그 고독과 향수의 본질에 깊이 있게 육박하지 못한 것이 아쉬운 점으로 남는다.

□ 맺음말

평생을 불운과 고독 속에서 살다가 마흔여섯 많지 않은 나이에 거리에서 쓰러져 발병 석 달 만에 뇌빈혈로 작고한 시인 노천명, 그가 저세상으로 간지도 어언 30년의 세월이 흘렀다. 이 길지 않은 세월 동안 다시 이 땅에는 빛나는 여성신성들이 대거 등장하여 풍요롭고 아름다운 시의 꽃밭을 일구어 가고 있다. 이 땅의 전통 문학사에 있어서 여성문학이 차지하는 비중은 결코 경시할 바가 되지 못한다. 그러나 이러한 연면한 여성문학, 특히 시의 전통은 구한말과 일제 강점기에 이르러서는 급격히 침체된 양상을 보여 준 것이 사실이다. 신문학 초창기와 20년대 문학사에서 이렇다 할 여성시인을 한 사람도 찾아볼 수 없는 것이 그 한 증거이다. 바로 이 점에서 노천명의 문학사적 위치가 드러난다. 그의 시는 전통적인 여성시의 맥락을 현대적으로 계승하는 한 시범을 보여 준 데서 시사적 의미를 지닌다. 그의 시는 전통 문학사에서 중요한 비중을 차지하던 여성시의 위치를 현대시사에서 다시 일깨워 주는 단서를 제공함으로써 해방 후 여성시의 형성과 전개에 결정적인 영향을 끼친 것이다.

물론 그의 시가 지니고 있는 단점 또한 적지 않은 것이 사실이다. 그의 시에는 한국 현대시의 병적 징후의 중요한 한 가지인 센티멘탈리즘이 그대로 만연하고 있으며, 오히려 그러한 감상주의에 빠져들어 자학과 니힐리즘 편향성을 보여주고 있다는 점이 그것이다. 무엇보다도 인생관의 성숙이 제대로 이루어지지 못한 데서 기인하는 동어반복과 매너리즘이 팽배하고 있으며, 신념과 사상의 결핍에서 파생되는 세계인식의 협소함과 역사의식의 천박함이 드러나기도 한다. 실상 친일훼절과 친공부역이라는 거듭되는 시행착오가 이러한 사실을 반영하는 것이 된다.

그럼에도 불구하고 그의 시는 모순으로서의 인생, 고독과 비극으로서의 생의 본질을 끊임없이 응시하고 그것을 감내하려는 노력을 보여 줌으로써 당대 여성시의 수준을 한 단계 이끌어 올려놓았다는 데서 소중한 의미를 지닌다. 그의 인생은 거듭되는 역사의 격랑 속에서 끝내 표랑하다가 좌초해 버린 것이 사실이지만, 그의 시가 추구하던 나름대로의 삶의 진실에 대한 강한 지향성과 그 진지함은 충분히 값진 것으로 판단되기 때문이다. 무엇보다도 온갖 편견과 미신으로 가득 찬 이 땅의 척박한 현대 시단에 여성시의 가능성을 조심스럽게 펼쳐 보여 준 데서 노천명의 독보적인 위치가 선명히 드러남은 물론이다.

□ 연 보

1911 : 9월 1일 황해도 장연군 전택면 비석리에서 출생. 초명은 기선(基善).

1917 : 홍역으로 사경을 헤매다가 다시 소생하였다 하여 이름을 천명(天命)으로 개명.

1919 : 서울로 이사.

1926 : 진명여자보통학교 입학.

1930 : 진명여자보통학교를 졸업하고 이화여전 영문과 입학.

1932 : 『신동아』 6월호에 시 「밤의 찬미」를 발표하면서 문단에 데뷔.

1934 : 이화여전 졸업. 조선중앙일보사 학예부 기자로 입사.

1938 : 첫 시집 『산호림』(천명사) 발간, 그 뒤 제2시집 『창변』(1945), 제3시집 『별을 쳐다보며』 (1953) 간행. 극예술연구회에 가담.

1943 : 매일신보 문화부 기자로 입사.

1945 : 매일신보에서 서울신문 문화부로 직장을 옮김.

1948 : 수필집 『산딸기』(정음사) 간행.

1950 : 부역혐의로 체포되어 20년 징역형을 언도받음.

1951 : 김광섭, 이헌구 등의 적극적인 구명운동으로 6개월 뒤 출감. 부산 중앙성당에서 영세를 받음. 세례명은 베로니카.

1953 : 서라벌 예대, 국민대, 이화여대 강사 역임.

1954 : 제2수필집 『나의 생활백서』(대조사) 간행.

1955 : 『여성서간문독본』(박문출판사) 간행.

1956 : 『이화 70년사』 집필. 이 무렵부터 건강 악화.

1957 : 재생불능성 뇌빈혈로 청량리 위생병원에 입원하였으나, 6월 16일 새벽 누하동 자택에서 운명.

1958 : 유시집 『사슴의 노래』(한림사) 발간.

1960 : 『노천명전집』(천명사)이 이희승, 김광섭, 김활란, 모윤숙 등에 의해 간행되다.

10. 김광균(金光均)

—방법적 모더니즘과 서정적 진실—

겨울밤 눈 내리는 모습을 "먼—곳에 여인의 옷벗는 소리"로 묘사함으로써 한국시의 감각적 세계 내면 공간을 심화하고 확대한 김광균(金光均)(1914.1.~1993.11.)은 이 땅의 근대시에 현대적 호흡과 맥박을 불어넣은 선구적 시인의 한 사람이다. 그는 경기도 개성에서 태어나 송도상고를 졸업하고는 고무공장 사원 등으로 근무하면서 10대의 어린 시절부터 서정성과 감각이 뛰어난 시를 쓰기 시작하였다. 그는 30년대 중반에 『자오선』 등의 동인에 가담하여 본격적으로 시를 창작하고 시단 활동을 전개하였다. 그리하여 그는 "경이적인 현대의 방언"을 구사하면서 참신한 비유와 독창적인 이미지를 창조함으로써 현대시의 감수성과 시 방법에 신선한 충격을 불러일으키게 된 것이다. 그는 정신의 내면 풍경을 도시 문명과 자연 속의 다양한 이미지로 치환할 수 있는 풍부한 상상력을 지니고 있었으며, 그에 걸맞는 기교적인 언어 구사 능력도 함께 갖추고 있었다. 따라서 그는 모더니스트 김기림이 괴로워하던 정신과 방법의 괴리 현상이나, 이상이 시달리던 의식의 분열과 언어적 갈등을 비교적 적게 겪을 수 있었던 것이다.

지금까지 김광균의 시는 대부분 서구 모더니즘 또는 이미지즘이라는 사조적인 범주 내에서, 그의 시가 지닌 감각성과 이미지 등 기법적인 면이 주로 연구되어 온 감이 없지 않다. 이것은 물론 필요한 시각이며 바람직한 태도이다. 그러나 그의 시는 방법적인 면에서보다도 시 정신과 정서의 형질면에서 더욱 연구되어야 할 것으로 보인다. 그의 시에 대한 올바른 진단은 이 땅 30년대 시의 정신과 방법에 대한 정확한 해명을 제공할 수 있기 때문이다.

1 유년 회상 또는 그리움의 정조

김광균은 1926년 불과 열세 살의 어린 나이로 『중외일보』에 시 「가신 누님」을 발표하면서 시작 활동을 개시하였다. 그러나 그의 본격적인 시단 활동은 1936년에 『시인부락』 동인에 가담하고, 다시 1937년 『자오선』 동인에 참여함으로써 비롯되었다. 특히 그가 시단의 공식적인 확인을 받기 위해서 응모하여 『조선일보』 1938년 신춘문예에 당선한 시 「설야」는 그로 하여금 시단에서 확고한 위치를 차지하게끔 만들어 주었다. 이후 그는 시집 『와사등』(남만서점, 1939)을 비롯하여 『기항지』(정음사, 1947), 『황혼가』(산호장, 1959) 등 세 권의 시집과 시전집 『와사등』(근역서재, 1977)을 묶어 낸 바 있다.

그러나 그의 실제적인 시작은 1952년 그가 작고한 동생의 사업을 맡아 보면서부터 중단 상태에 이르렀으며, 최근 들어서 극히 드물게 몇 편을 발표한 바 있다. 이렇게 볼 때 그의 시 세계는 대략 초기시(형성기, 1926년~1935년까지의 약 10년간에 걸친 습작기), 중기시(절정기, 1936년 시단 참여부터 1947년 시집 『기항지』를 내기까지 약 10년간), 그리고 후기시(1948년 이후 현재까지의 침잠기) 등으로 구분해 볼 수 있다. 그의 시는 표기체계 면에서 『와사등』, 『기항지』 등에서 거의 구두점이 사용되지 않았을 뿐, 기타 특이한 점은 없다. 가능한 한 본고에서는 현대어 표기로 고쳐서 논하기로 한다.

① 시계당(時計堂) 꼭대기서

하학(下學)종이 느린 기지개를 켜고
백양(白楊)나무 그림자가 교정(校庭)에 고요한
맑게 개인 사월(四月)의 오후
눈부시게 빛나는 유리창 너머로
우리들이 부르는 노래가 푸른 하늘로 날아가고
어두운 교실(敎室) 검은 칠판엔
날개 달린 「돼지」가 그려 있었다.

—「교사의 오후」 전문

② 심심할 때면 날 저무는 언덕에 올라
어두워오는 하늘을 향해 나발을 불었다.
발 밑에는 자욱—한 안개 속에
학교(學校)의 지붕이 내려다보이고
동리 앞에 서 있는 고목(古木) 위엔
저녁 까치들이 짖고 있었다.

저녁 별이 하나 둘 늘어갈 때면
우리들은 나발을 어깨에 메고
휘파람 불며 언덕을 내려왔다.
등뒤엔 컴컴한 떡갈나무 수풀에 바람이 울고
길가엔 싹트는 어린 풀들이 밤이슬에 젖어 있었다.

—「언덕」 전문

김광균의 시에는 유년 회상의 풋풋하고 아름다운 정조가 밑바탕에 깔려 있다. 비교적 초기작에 속하는 이 두 작품은 티 없이 맑고 즐겁던 학창 시절의 추억을 소묘조로 묘사하고 있다.

먼저 ①시는 "시계당/하학종/백양나무" 등의 낯익은 소재들이 잃어버린 소년 시절의 꿈을 환기해준다. 그러면서도 "눈부시게 빛나는 유리창/노래가 푸른 하늘로 날아가고"라는 맑고 밝은 심상들과 "어두운 교실 검은 칠판"이라는 어두운 심상을 대조시킴으로써 소년기 학창 시절에 어슴푸레 느낄 수밖에 없던 밝음과 어둠으로서의 생의 원형적 양면성을 암시해 주고 있다. 그러나 이 시의 묘미는 그 다음 마지막 행에 놓여진다. 그것은 "어두운 교실 검은 칠판엔/날개 달린 「돼지」가 그려 있었다"라는 구절이다. 이 해학적인 구절은 이 시 속에 아련히 깃들어 있는 소년 시절의 비애를 골계로써 차단함으로써 시의 건강미를 더하여 준다. 바로 이 점에서 이 시는 투명한 이미지의 조형을 통해서 정신의 내면 풍경을 묘사하고자 하는 초기 이미지즘의 한 반영일 수도 있다. 「교사의 오후」 풍경을 통해서 잃어버린 학창 시절의 소중한 꿈을 되새겨 보고자 하는 것일 수 있기 때문이다.

②시는 소년 시절의 애틋한 회상과 그에 대한 그리움을 담고 있다. 이 시에는 먼저 소년 시절의 지향 없는 갈망과 그리움이 표출되어 있다. 언덕에 올라 하늘을 향해 나발을 부는 행위가 그 한 상징이다. 여기에서 "언덕에 올라"와 "하늘을 향해", "나발을 불었다"라는 세 가지 사건의 연결은 젊은 날의 솟구쳐오르는 열정과 상승 의지를 표상한 것일 수 있다. 그러면서도 이러한 열린 의지와 상승 의지는 '어둠', '안개' 등의 애수어린 풍정에 감싸여 있는 것이 특징이다. 어쩌면 이것은 사춘기 시절의 지향없는 그리움과 함께 그 외로움을 반영한 것인지도 모른다. 아니면 "고목"과 "저녁까치"가 환기하는 대자연의 본원적인 허적을 암시하는 것일 수도 있을 것이다. 이러한 외로움과 허적은 '언덕을 내려오는 행위'로 나타난다. 그것은 "저녁별이 하나 둘 늘어"가는 것과 대조된다. 하늘이 차차 밝아오는 것과 마음이 점차 어두워가는 모습이 서로 조응됨으로써 삶과 대자연의 밑바탕에 감춰져 있는 본원적 그리움과 외로움이 함께 드러나는 것이다. 마지막 부분에서 "등뒤엔 컹컴한 떡갈나무 수풀에 바람이 울고/길가엔 싹트는 어린 풀들이 밤이슬에 젖어 있었다"라는 이미지 제시 속에는 이러한 삶의 외로움이 대자연의 그것으로 치환되어 있다. 이렇게 볼 때 이 시는 상승과 하강의 이미지를 통해서 솟아오르는 젊은 날의 상

승 의지와 그에 상반되는 젊은 날을 둘러싼 삶과 자연의 본원적 허적을 섬세하게 묘사한 작품으로 이해된다.

이처럼 유년 회상 또는 소년기의 애틋한 추억이 담겨 있는 작품으로는 「정거장」, 「목가」, 「동무의 무덤」, 「대화」 등이 있는데, 이들은 대부분 지금은 잃어버린 지난날들을 회상하는 가운데 삶의 외로움과 그리움을 노래하는 것이 특징이다. 동심으로서의 맑고 순수한 김광균 시의 원류를 이루고 있는 것이다.

2 내면공간과 불연속적 세계관

해바라기의 하—얀 꽃잎 속엔
퇴색(褪色)한 작은 마을이 있고
마을 길가의 낡은 집에서 늙은 어머니는 물레를 돌리고

보랏빛 들길 위에 황혼(黃昏)이 굴러내리면
시냇가에 늘어선 갈대밭은
머리를 흐트리고 느껴 울었다.

아버지의 무덤 위에 등불을 켜려
나는
밤마다 눈멀은 누나의 손목을 이끌고
달빛이 파—란 산길을 넘고

—「해바라기의 감상」 전문

유년 회상과 소년기의 추억에 중요한 모티브를 두고 있는 김광균의 시는 차츰 감각적인 이미지에 대한 탐구를 보여준다. 인용시는 그의 초기시의 특질을 선명히 제시하고 있다. 먼저 제목 시 세계가 원초적인 면에서 이율배반 또는 모순의 측면을 지니고 있음을 말해 준다. 왜냐하면 "해바라기"는 향일성의 건강한 생리를 표상하는 것이 상식인데 비해 여기에 '감상'이라는 부정적 감각의 시어가 연결되어 있기 때문이다. 이것은 일견 어울리지 않는 요소를 내포하고 있는 것이다. 그럼에도 이러한 상호 이율배반 또는 모순의 요소가 연결된 것은 무슨 까닭인가. 아마도 그것은 시인의 세계관이 모순의 세계관 또는 비판적 현실인식에 뿌리를 두고 있기 때문인 것으로 이해된다.

세 연으로 된 이 짤막한 시는 먼저 세계 내면공간(Welt innenraum)을 형성하고 있어 관심을 끈다. 다시 말해서, 해바라기의 꽃잎 속에 하나의 세계, 즉 내면 공간이 펼쳐져 있는 것이다. 이것은 시인의 상상력이 만들어 낸 상상력의 공간이면서 정신의 우주에 해당한다. 꽃잎 속에 작은 마을이 있고, 마을의 길가 낡은 집에 물레를 돌리는 어머니의 모습이 상상적으로 떠오르는 것이다. 해바라기 꽃잎을 한 세계로 설정하여 내면 공간 이것을 다시 시간의 차원으로 변화시키는 상상력의 역동적인 운동이 전개됨으로써 공간과 시간의 창조적 결합이 성취된 것이다.

따라서 여기에는 과거적 상상력이 작용하게 된다. 그것은 둘째 연에서 "보랏빛 들길 위에 황혼이 굴러내리면/시냇가에 갈대밭이 머리를 흐트리고 느껴우는" 모습으로 나타난다. 이 연에서는 "황혼"과 "갈대밭"의 이미지로서 시적 퍼스나의 외롭고 서글픈 내면 풍경을 드러낸다. 그것은 말하자면 잃어버린 고향의 풍경이며 현재의 퍼스나가 처해 있는 서글픈 정경의 객관적 상관물일 수 있다. 이러한 비관적 세계인식의 근원은 셋째 연에 제시되어 있다. 그것은 "아버지의 무덤"이 상징하는 뿌리 깊은 상실의식에 연유하는 것으로 보인다. 여기에서 "무덤 위에 등불을 켜려"는 '나'의 시도는 그러한 상실의 어둠 혹은 절망의 늪으로부터 벗어나고자 하는 안간힘을 담고 있다. 그러나 그것은 다시 "눈멀은 누나의 손목을 이끌고"라는 구절에 의해 더욱 비극성을 더하게 된다. “늙은 어머니/아버지의 무덤/눈멀은 누나”라는 복합적 심상은 시적 퍼스나의 세계 인식이 근원적인 면에서 비관적인 것에 연결되어 있음을 말해 준다. 그리고 이것은 과거와 현재가 행복하게 연결되고 있지 못하다고 하는 이른바 불연속적 세계관에 기인하는 것으로 이해된다. 이 점에서 “해바라기”라는 밝음 지향성의 이미지가 ‘감상’이라고 하는 어둡고 부정적인 관념과 어울리게 되는 소이가 있는 것으로 이해된다.

이렇게 볼 때 김광균의 시는 근원에 있어서 불연속적 세계관 또는 모순의 세계인식에 뿌리를 두고 있으며, 이것은 이후의 시에도 지속적으로 드러나는 중요한 특질이 된다.

또 한 가지 이 시에는 김광균 시를 관류하는 감각적 특성, 특히 시각적 이미지가 두드러지게 나타난다는 점을 지적할 수 있다. “하—얀/퇴색한/낡은/보랏빛/황혼/갈대발/등불/ 눈멀은/달빛/파—란” 등의 시각적 이미지가 많이 나타난다는 점이 그것이다. 아마도 이것은 불연속적 세계관에 연유한 뿌리 깊은 상실의식에 대한 반작용일는지도 모른다. 왜냐하면 신뢰할 바 없는 인생과 불안한 현실에서 확실하게 시각적 형상을 확보함으로써 불안한 실존을 지탱하려는 안간힘을 반영한 것으로 이해할 수도 있기 때문이다.

여하튼 이 「해바라기의 감상」이라는 작품은 시인 자신의 삶과 세계를 바라보는 모순된 시각 또는 불안정한 태도를 상징적으로 제시한 것이 아닐 수 없다. 그렇기 때문에 해바라기 꽃잎 속에서 세계 내면 공간을 창조한 것이며, 바라보이는 많은 대상들을 시각적 형상으로 파악하고자 노력한 것이다. 이 점에서 이 시는 김광균의 상상력의 기본 유형과 시의 방법을 이해할 수 있는 중요한 한 단서가 된다.

3 어둠과 등불의 의미

어느 먼—곳의 그리운 소식이기에
이 한밤 소리 없이 흩날리느뇨.

처마 끝에 호롱불 여위어가며
서글픈 옛 자취양 흰 눈이 내려

하이얀 입김 절로 가슴이 메여
마음 허공에 등불을 켜고
내 홀로 밤 깊어 뜰에 나리면

먼—곳에 여인(女人)의 옷벗는 소리

희미한 눈ㅅ발
이는 어느 잃어진 추억의 조각이기에
싸늘한 추회(追悔) 이리 가쁘게 설레이느뇨.

한 줄기 빛도 향기도 없이
호올로 찬란한 의상(衣裳)을 하고
흰 눈은 내려 내려서 쌓여
내 슬픔 그 우에 고이 서리다.

—「설야」 전문

이 「설야」는 기성 시인이던 김광균이 다시 한 번 시단에서 인정받게 되는 계기를 마련한 작품이다. 신춘문예 당선작인 이 작품 이전에 그는 이미 많은 작품들을, 그것도 대부분 『조선일보』, 『중앙일보』, 『동아일보』 등의 유력 일간지와 『조광』, 『조선문단』 등의 중요월간지, 그리고 『자오선』 등의 동인지에 발표한 바 있는 인정받은 시인 중의 한 사람이었다. 따라서 이 작품은 데뷔작 아닌 데뷔작으로서 김광균 시작 생활의 한 절정을 이룬다.

먼저 이 시는 눈이 내리는 광경의 묘사로부터 시작된다. 그리고 그것은 비유에 의해 관념화하며 시각적 이미지로 나타난다. 눈은 "먼—곳의 그리운 소식"으로 비유되고, '흩날림'이라는 시각 형상으로 제시되는 것이다. 그리고 그것은 '밤'의 어두운 이미지에 대조되어 더욱 선명하게 나타난다. 여기에서 시적 퍼스나의 심리 상태가 상실감 또는 부재의 현실인식으로 인한 그리움과 기다림에 연원하고 있으며, 그것은 "먼—곳"이라는 관형어가 암시하듯이 쉽게 도달하거나 이루어질 수 있는 곳이 아니라는 의미가 내포되어 있음을 알 수 있다. 그렇기 때문에 다음 연에서 "호롱불" 또는 "등불"의 이미지가 나타난다. "호롱불"과 "등불"은 다 같이 현실의 어둠 또는 추위를 이겨내게 하는 힘의 상징이다. 그러나 처마 끝의 호롱불은 여위어만 갈 뿐이다. 여기에서 "그리운 소식"으로서의 눈은 다시 "서글픈 옛 자취"로 비유적 전이를 이룬다. 이것은 그리움의 정조가 부재의 현실을 새삼 인식하는 데서 서글픔의 상태로 변모함을 의미한다.

따라서 "하이얀 입김 절로 가슴이 메여"라는 구절처럼 비애에 잠기게 되고, 다시 한 번 비애의 차단을 시도하게 된다. "마음 허공에 등불을 키는" 행위가 이에 해당한다. 여기에서 "마음 허공"이란 마음이라는 추상적 개념이 '마음=허공'이라는 명사 은유를 통해서 감각적 내면 공간을 획득하게 됨을 의미한다. 따라서 여기에 등불을 켠다는 것은 비애의 차단을 통해서 어둠과 추위로부터 벗어나고자 하는 따뜻함에 대한 소망과 열린 의지를 반영한 것이다. 실상 이에서 "홀로 밤 깊어 뜰에 나릴" 수 있게 되며, 아울러 서글픔으로서의 눈이 다시 "먼—곳에 여인의 옷벗는 소리" 라는 낭만적인 시청각적 이미지를 획득할 수 있게 되는 것이다.

그러나 이 시는 다시 다음 연에서 상투적인 비애의 정조로 떨어짐으로써 앞에서 성취한 성공적인 이미지 형성과 지적 조극을 와해시키고 만다. 눈이 "잃어진 추억의 조각"으로 비유됨으로써 "싸늘한 추회"라는 감상의 영역으로 빠져들고 말았기 때문이다. 김광균 시의 빛나는 요소인 세계 내면 공간의 조형 능력과 공감각적 이미지의 신선한 창출이 좀 더 팽팽한 삶의 탄력과 긴장으로 심화, 확대되지 못하고 심정적인 감상의 차원으로 떨어지고 만 것이다. 그렇기 때문에 마지막 연의 처리 역시 평범한 수준에 머물고 만다. "흰눈"은 "슬픔"과의 감정적인 등가물로서의 의미를 지닐 뿐이다.

이렇게 본다면 이 시는 눈 오는 날 밤에 느끼는 지향 없는 그리움과 현재의 부재감, 또는 상실감에서 오는 서글픔을 감각적인 이미지를 통해서 표출한 소박한 의미의 서정시에 가까운 것으로 생각할 수 있을 것이다. 이것은 시인 자신이 말한 바 있는 "시가 현실에 대한 비평 정신을 기를 것" 또는 "현대의 정신과 생활 속에서 시는 새로 세탁받고 그것을 몸소 대변하는 중요한 발성관이어야 할 것"이라는 자신의 시론과는 거리가 있는 것이 아닐 수 없다.[1] 그러나 이 시는 이 시 자체를 하나의 메타포로서 생각할 때 새로운 해석이 가능하다. 그것은 '밤↔눈', '어둠↔등불'이라는 대립적 이미지 속에 내포된 검은 것과 흰 것, 또는 어둠과 밝음의 대립관계를 음미해 볼 때 드러난다. '밤=어둠=차가움=슬픔'이라는 부정적 시어의 연쇄는 상대적으로 '눈=등불=따뜻함=그리움'이라는 긍정적 시어의 연쇄와 대응된다. 그것은 어쩌면 현실과 이데아의 대립 혹은 절망과 희망 사이의 갈등을 의미하는 것인지도 모른다. 아니면 그것은 인생의 근원적 모순을 암시하는 것일 수도 있을 것이다.

바로 이러한 점에서 이 시는 '밤'과 '눈', '어둠'과 '등불'의 대립적 이미지를 통해서 생과 현실의 모순과 부조리를 제시하는 동시에 그에 대한 한 극복의지를 담고 있는 것으로 해석할 수도 있을 것이다. 다만 이러한 극복의지가 시인의 체질적인 서정성 또는 감상성으로 인해서 좀 더 예리한 지적 절제를 획

---

1) 김광균, 「나의 시론-서정시의 문제」(『인문평론』, 1940.2)

득하지 못한 데 결과적으로 바람직한 수준에 이르지 못했을 뿐인 것이다. 이러한 사실은 김광균이 천부적인 이미지 조형 능력과 비유의 형상 능력이 있었음에도 불구하고 그가 원천적인 면에서 서구적 의미의 이미지스트 시인으로서보다는 낭만적인 서정 시인으로서의 체질을 지니고 있었음을 말해 주는 것이 된다. 「와사등」에는 이러한 점이 더욱 선명히 드러난다.

차단—한 등불이 하나 비인 하늘에 걸려 있다
내 호올로 어디 가라는 슬픈 신호(信號)냐.

긴—여름해 황망히 나래를 접고
늘어선 고층(高層) 창백한 묘석(墓石)같이 황혼에 젖어
찬란한 야경(夜景) 무성한 잡초(雜草)인양 헝클어진 채
사념(思念) 벙어리 되어 입을 다물다.

피부(皮膚)의 바깥에 스미는 어둠
낯설은 거리의 아우성 소리
까닭도 없이 눈물겹고나

공허(空虛)한 군중(群衆)의 행렬에 섞이어
내 어디서 그리 무거운 비애(悲哀)를 지니고 왔기에
길—게 늘인 그림자 이다지 어두워

내 어디로 어떻게 가라는 슬픈 신호(信號)기
차단—한 등불이 하나 비인 하늘에 걸리어 있다.

—「와사등」 전문

이 시는 「설야」와 비슷한 시기에 쓰인 작품으로서, 첫 시집 『와사등』의 표제시로 사용될 정도로 김광균의 대표작으로 꼽혀지고 있다. 따라서 「설야」에서의 분위기가 그대로 느껴진다. 우선 시간 배경이 황혼 무렵이며, 등불이 중

요한 이미지로 등장하고, "어둠/눈물/비인 하늘/호올로/비애/슬픔" 등의 분위기와 정감이 나타난다는 점이 그러하다. 시의 형태면에서도 다섯 연의 비교적 정제된 형태미를 보여주며, 시제도 현재법을 사용하여 긴장미를 지속시키고 있다. 이 점에서 「설야」와 「와사등」은 뚜렷한 근친관계가 성립됨을 알 수 있다.

이 「와사등」 역시 감각적 이미지, 특히 시각적 이미지를 많이 활용하는 것이 특징이다. 그것은 첫 연에서부터 나타난다. "차단—한 등불/비인 하늘/슬픈 신호"만으로도 우리는 차가운 가스등만이 빛나는 황량하고 쓸쓸한 도시의 가로 풍경을 연상할 수 있다. 그러면서도 단순히 그것이 이미지만으로서가 아닌 "비인", "슬픈"과 같이 서정적 관념과 결합되어 있음을 알 수 있다. 따라서 이 시도 이미지의 예리한 제시 그 자체보다도 그 이미지가 정서적 관념을 드러내기 위한 촉매 역할을 하고 있다고 생각할 수 있는 것이다.

둘째 연에는 비교적 이미지 제시에 충실한 듯한 느낌을 준다. 저녁에 놀이 지는 모습을 새들이 날개를 접는 이미지로 표현한다든지, 고층 빌딩 즐비한 풍경을 묘석으로 비유한다든지, 도회의 야경을 무성한 잡초의 헝클어진 모습으로 제시하는 것 따위가 이에 속한다. 그러나 여기에서도 시의 목표가 그러한 도회의 저녁 풍경 그 자체의 묘사에 있다기보다는 오히려 "사념 벙어리 되어 입을 다물다"라는 관념의 제시에 놓여지는 것으로 이해된다.

따라서, 셋째 연에서는 감정 표출이 적나라하게 나타난다. 여기에서도 문제가 되는 것은 "피부의 바깥에 스미는 어둠"이 환기하는 촉각과 시각이 함께 결합된 공감각적 심상의 제시나 "낯설은 거리의 아우성소리"라는 시각적 내지 청각적 심상 형성에 이 연의 비중이 놓이지 않는다는 점에 있다. 오히려 이 연은 "어둠"과 "아우성 소리"가 환기하는 낯설음과 눈물겨움을 말하고자 하는 데 핵심이 놓여진다. 그렇지 않다면 "까닭도 없이 눈물겹고나"라는 구절은 잘못 쓰인 군더더기이거나 아니면 의도의 오류에 해당하기 때문이다.

넷째 연에서도 마찬가지이다. 여기에서도 "공허한 군중의 행렬/그리 무거운 비애를 지니고 왔기에/길—게 늘인 그림자 이다지 어두워" 등의 세 행 모두가 감정의 드러냄을 목표로 하고 있다. 그것은 군중 속의 고독이 빚어내는 공허함이며 단독자로서의 비애이고, 어둠이 환기하는 불안의식의 표출이기 때문이다.

마지막 연에서는 첫째 연을 도치시켜 이미지 제시로 끝나고 있지만, 여기에서도 "차단—한 등불"은 바로 앞 행의 "슬픈 신호"에서 조금도 자유롭지 못하다.

이렇게 본다면 시 「와사등」은 일반적으로 우리가 알고 있는 이미지즘의 개념, 즉 이미지의 선명한 제시에 의한 내면 풍경의 주지적 제시 혹은 하나의 이미지 창조에 의한 투명하고 간략한 시의 조형이라는 내용과는 적확하게 부합하지 않음을 알 수 있다. 다만 이 시는 습관적인 표현을 지양하고 새로운 기분을 제시하려 노력했다는 점, 그리고 회화적 리듬을 발견하려 시도했다는 점 등에서는 이 땅에서 20년대에 쓰이던 많은 시나 30년대 초의 음악적인 서정시와는 현저히 다른, 그야말로 모던한 모습을 보여 준 것이 사실이다.

이 점에서 많은 시 연구가들은 김광균의 시가 서구 모더니즘의 시론, 특히 이미지즘의 준거틀에 비추어 볼 때 실패하고 있음을 지적한 바 있다. 그러나 필자의 생각은 이와 다르다. 이 시가 모더니즘적인 지향을 보여준 것은 분명한 사실이다. 그렇지만 김광균이 서구적인 의미에서 이미지의 완벽한 제시 혹은 주지적 전형 창조 그 자체에 목표를 두었다고는 보기 어렵다는 점이다. 오히려 그의 시는 낭만적인 서정시를 효과적으로 쓰기 위해서 모더니즘적인 여러 방법, 특히 이미지즘적인 기법을 활용한 것으로 보는 것이 옳을 듯하다. 왜냐하면 「와사등」에 있어서도 낭만적 서정 또는 감상적 분위기를 빼고 나면 시가 성립되지 않기 때문이다. "내 호올로 어딜 가라는 슬픈 신호냐"(1연), "사념 벙어리 되어 입을 다물다"(2연), "까닭도 없이 눈물 겹고나"(3연), "공허한 군중의 행렬/무거운 비애/그림자 이다지 어두워"(4연), 그리고 "슬픈 신호"(5연) 등 정서적 관념을 제거하고 나면 이 시는 그야말로 형태만 앙상하게 남기 때문이다.

그렇다면 시인의 중심 의도는 이미지즘적인 방법의 실험인가, 아니면 고독하고 불안한 정서의 드러냄에 있는가 하는 문제는 자연스럽게 해결될 수 있다. 특히 제목 「와사등」의 의미를 음미해 보면 그것은 더욱 선명해진다. 물론 그것이 현대적인 제재에 해당되는 것은 분명하지만, 그것은 어디까지나 공허와 비애로 가득 찬 초라한 시인의 현대적 실존을 표상하는 것에 불과하기 때문이다. 신뢰할 바 없는 어두운 현실 속에서, 군중 속에 묻혀서 어디론가 떠나가야만 하는 현대인의 고독감과 불안의식을 와사등, 즉 "등불"의 이미지로 나타낸 것이라는 말이다. 실상 그의 시에는 무수한 "어둠"과 그에 대응되는 "등불"의 이미지가 등장한다는 점에서 앞에서의 「해바라기의 감상」이나 「설야」와의 관련성도 쉽게 찾아볼 수 있다. 「와사등」이 마치 거대한 현대의 어둠 속에서 홀로 빛나며 자신의 초라한 실존을 증거하려 노력하듯이, 시의 퍼스나는 현대문명의 어둠 속에서 하나의 「와사등」으로 빈 하늘에 걸려서 지향 없는 방황의식과 불안의식을 나부끼고 있는 것이다.

이렇게 본다면 우리는 시인 김광균에게 있어서 그 시적 정서의 본질이 오히려 낭만적이고 서정적인 데 그 뿌리를 두고 있다는 점을 짐작할 수 있다. 그는 불안한 30년대의 현대적 삶에서 느낄 수밖에 없던 불안의식과 비애의 정감을 이미지즘의 수법으로 차단하려 노력한 것이다. 그의 천부적인 이미지 조형 능력은 마치 그것이 시의 목표인 것처럼 우리를 오해하게 만들지만, 그는 상대적으로 로맨티시스트의 범주에 속하는 것으로 보인다. 초기시에서 유년 회상의 애상적 정조가 그러하며, 그의 시를 관류하는 과거적 상상력이 그러하고, 또한 후기시에 인생고가 짙게 드러나는 것도 다 그러한 로맨티시즘의 발현인 것이다.

이 점에서 이미지스트 혹은 모더니즘의 시각으로만 그를 파악하여 그의 시에 있어서의 정감의 분출 혹은 감상의 드러남을 그의 모더니즘의 한계점이며 실패 요인으로 비판하는 것은 재고되어야 마땅하다고 생각한다. 그의 시는 시 자체의 센티멘탈리즘의 과잉과 무리한 이미지 조형 및 나열 때문에 실패한 것이지, 그것이 이미지즘의 원리에 부합하지 않기 때문에 실패한 것으로만 보는 태도는 그리 온당한 일이 아니기 때문이다.

4 이미지즘 또는 비유의 시학

1

향료(香料)를 뿌린듯 곱—다란 노을 우에
전신주(電信柱) 하나하나 기우러지고

먼—고가선(高架線) 위에 밤이 켜진다.

2

구름은
보라빛 색지(色紙) 우에
마구 칠한 한다발 장미(薔薇).

목장(牧場)의 기빨도 능금나무도
부을면 꺼질 듯이 외로운 들길.

—「뎃상」 전문

이 시는 김광균 시에서 이미지즘 시로서는 비교적 성공한 예에 속한다. 전체적인 면에서 놀이 지는 황혼 무렵의 풍경을 시각적 이미지로서 선명하게 묘사하고 있기 때문이다. "향료를 뿌린 듯 곱—다란 노을"이라는 시각적 이미지는 시 전체의 감각이 후각과 시각 등 공감각적 이미지로 구성되어 있음을 말해 준다. 특히 1연에서 "전신주 하나하나 기우러지고/먼—고가선 위에 밤이 켜진다"라는 동작적 이미지에는 황혼에서 밤으로 옮겨가는 모습, 즉 시간적 흐름이 제시되어 있다. 특히 "기우러지고/밤이 켜진다"라는 표현 속에는 공간 심상이 시간 심상으로 전이하는 모습이 담겨짐으로써 하나의 창조적 심상이 뚜렷이 부각된다.

2연에서는 다시 이 전이되는 심상의 한 순간이 예리하게 묘사되어 있다. "보라빛 색지 위에/마구 칠한 한다발 장미"가 그것이다. 여기에서는 앞 연에서의 동작적 이미지가 정지적 이미지로 전환되면서 황혼의 순간적 인상이 더욱 선명하게 떠오르게 된다. 특히 "보라빛"과 "장미"의 호응은 시의 회화성을 고조시키게 된다. 아울러 "목장의 기빨"과 "능금나무"의 결합 속에는 근육 감각, 기관 감각, 위장 감각, 시청각적 이미지 등이 혼합되어 가을 들판의 이미지를 효과적으로 부각시켜 준다. 이 시의 핵심은 "부을면 꺼질 듯이 외로운 들길"이라는 마지막 구절에 놓여진다. "들길"이라는 회화적 풍경을 "부을면 꺼질 듯이"라는 비유로써 감각화하는 것이다. 아울러 사라져 가는 일모의 애잔한 정경을 "꺼질 듯이"라는 위기감과 "외로운"이라는 고독감으로 형상화하게 되는 것이다.

이 점에서 이 마지막 2연은 시적 퍼스나의 감정이 은근하게 채색된 것으로 이해된다. 앞에서 이미지만으로 묘사되던 일모의 풍경에 관념이 채색됨으로써 내면의 정서를 외면화하게 되는 것이다. 이렇게 볼 때 이 시는 「뎃상」이라는 제목이 썩 어울림을 알 수 있다. 그것은 이미지만으로써 가을 저녁 어둠이 짙어가는 황혼의 모습을 효과적으로 묘사했다는 점에서 그러하다. 특히 "향료/노을/고가선/구름/색지/장미/목장/기빨/능금나무/들길"이라는 감각적 명사어와 "기우러지고/밤이 켜지고/칠한/부을면/꺼질 듯" 등의 시각적 서술어를 효과적으로 배치함으로써 감각적 형상성을 획득한 것은 의미있는 일이 아닐 수 없다. 이 점에서 이 시는 센티멘탈리즘을 벗어나서 이미지만으로 형상 공간을 창조한 점만으로써도 이미지즘의 측면에서는 성공한 작품으로 평가된다.

낙엽(落葉)은 포—란드 망명정부(亡命政府)의 지폐(紙幣)
포화(砲火)에 이즈러진
도룬시(市)의 가을 하늘을 생각케 한다.
길은 한줄기 넥타이처럼 풀어져
일광(日光)의 폭포 속으로 사라지고
조그만 담배 연기를 내어 뿜으며
새로 두 시의 급행차(急行車)가 들을 달린다.
포프라나무의 근골(筋骨) 사이로
공장(工場)의 지붕은 흰 이빨을 들어내인 채
한가닥 꾸브러진 철책(鐵柵)이 바람에 나부끼고
그 우에 세로팡지(紙)로 만든 구름이 하나.
자욱—한 풀버레 소리 발길로 차며
호올로 황량(荒涼)한 생각 버릴 곳 없어
허공에 띄우는 돌팔매 하나.
기울어진 풍경(風景)의 장막(帳幕) 저쪽에
고독한 반원(半圓)을 긋고 잠기어 간다.

—「추일서정」 전문

이 시 역시 김광균에 있어 이미지즘을 논할 때면 가장 흔히 예로 드는 작품이다. 그야말로 가을날의 서정을 이미지의 다양한 조직과 결합을 통해서 조형해 낸 작품인 것이다. 먼저 이 시는 비연시로 구성되어 있지만 대략 네 연으로 구분할 수 있다. 3행까지를 1연, 7행까지를 2연, 11행까지를 3연, 그리고 마지막 16행까지를 4연으로 나눌 수 있는 것이다. 그리고 각 연에는 한두 가지의 이미지를 중심으로 시상이 형성된다.

먼저 첫 연에서는 낙엽의 이미지가 제시되어 있다. 그런데 그것은 "포—란드 망명 정부의 지폐"로 비유되어 있으며, "포화에 이즈러진 도룬 시의 가을 하늘"과 연결되어 있다. 그만큼 허망감과 쓸쓸함을 자아낸다는 말이다. 가을의 정서가 낙엽으로 표상되고 허망함과 쓸쓸함으로 표출된 것이다.

둘째 연에서는 길과 햇살의 이미지가 결합되고 이것이 다시 담배 연기와 급행열차로 연결되어 급격히 조락해 가는 가을의 정경을 드러내 준다. 길은 구겨진 넥타이로 비유되어 "일광의 폭포" 즉 가을 햇살 속으로 사라져가며, 급행열차는 "담배 연기" 즉 증기와 연기를 뿜으며 들판을 달려가는 것이다. 여기에서 읽을 수 있는 것은 급격한 사라짐 또는 상실의 이미지이다. 다시 말해 가을이 환기하는 사라짐의 정서가 길과 햇살, 그리고 담배 연기와 급행열차의 이미지로 표상된 것이다. 물론 여기에서도 은유가 핵심적인 형상화 방법이라는 점은 마찬가지이다.

3연에는 포플라나무의 나목과 앙상한 철책, 그리고 구름의 이미지가 제시되어 있다. "포프라나무의 근골"이라는 은유는 낙엽이 진 나목의 앙상한 모습이다. 또한 그렇기 때문에 철책마저도 구부러져 있으며 공장의 지붕도 흰 이빨을 드러낸 모습으로 나타난다. 그만큼 조락하고 앙상해져서 윤곽만 남은 모습으로 가을의 정경을 묘사한 것이다. 특히 구름은 엷고 투명해져서 마치 셀로판지로 만들어 놓은 것처럼 가볍게 떠 있는 모습이다. 특히 "구름이 하나"라고 체언형 종지를 사용한 것은 가을이 주는 을씨년스런 풍경에서 감정의 틈입을 차단하려고 시도한 것으로 이해된다.

4연에서는 다시 이미지를 관념과 결합하는 수법을 취한다. 이 연에는 "풀버레"와 "돌팔매"의 이미지만이 제시된다. 풀벌레는 물론 가을의 쓸쓸한 정서를 환기하는 것이며, 돌팔매는 가을이 유발하는 허망감을 표상한 것이 된다. 그런데 여기에서 풀벌레 소리를 발길로 찬다는 행위는 그것 자체가 쓸쓸함을 드러낸 것이다. 그런데 다시 "호을로 황량한 생각 버릴 곳 없어"를 부연함으로써 이미지즘의 효과를 약화시킨다. "풀버레 소리"가 바로 "허공에 띄우는 돌팔매 하나"로 연결되는 것이 오히려 이미지즘의 측면에서는 바람직한 것이다. 이 "돌팔매"는 허공에 띄우는 허망한 몸짓에 불과하다. 어쩌면 이것은 「설야」에서 "마음 허공에 등불을 켜는" 행위와도 연결되는 허무감에 대한 극복의지의 발현일 수도 있다. 그러나 이 돌팔매는 "기울어진 풍경의 장막 저쪽에/고독한 반원을 긋고 잠기어갈"뿐이다. 다시 말해서, 허무를 향해 쏘는 허무의 돌팔매에 해당하는 것이다.

특히 여기에서 "기울어진/잠기어 간다"라는 서술어는 가을의 소멸해 가는 이미지 또는 조락해 가는 상실의 이미지를 효과적으로 드러낸 것이 된다. 이렇게 볼 때 이 시는 "낙엽, 햇빛, 급행열차, 포프라 나목, 구름, 풀버레, 돌팔매" 등의 이미지를 통해서 사라져 가는 것, 시들어가는 것, 기울어 가는 것으로서 가을의 정서를 효과적으로 조형해 낸 작품임을 알 수 있다. 가을의 다양한 이미지를 통해서 소멸 또는 상실의 가치화를 성취한 것이다. 가을의 여러 이미지들은 시인의 상상력 속에서 자유롭게 변형되고 결합됨으로써 하나의 심상 공간을 형성한 데서 이 시의 의미가 드러난다. 특히 이 시가 "지폐/망명정부/급행열차/넥타이/공장 지붕/포프라 나무/세로팡지/철책/이빨" 등의 과감한 문명어를 채용하면서도 그것이 김기림이 겪은 바 있던 정신과 방법간의 불일치와 부조화를 극복하고 있다는 점은 소중한 성과가 아닐 수 없다. 다만 이 시에서도 마지막 연에 감정의 노출이 다소 드러나지만, 이것은 「설야」나 「와사등」의 그것에 비하면 훨씬 정제된 것으로 받아들여진다. 이것은 바꾸어 말하면 김광균의 낭만적 시 정신이 이미지와의 등가화를 어느 정도 성취한 것으로 이해할 수도 있다는 점이다.

이렇게 볼 때 김광균의 시는 그 원형질로서의 낭만 정신 또는 감성성이 그대로 직서되지 않고 비유적인 이미지를 통해서 적절하게 묘사될 때 비로소 그 예술적인 가치화가 성취됨을 알 수 있다. 그것은 이미지즘이라는 측면에서만 볼 때는 한 결함으로 지적될 수 있지만, 오히려 그의 시를 낭만적인 서정시로 파악할 때는 이미지즘이 부수적 방법일 수밖에 없기 때문에 오히려 긍정적일 수 있는 것이다.

5 생의 고통과 서정적 진실

① 여기 호올로 핀 들꽃이 있어
자욱—이 내리는 안개에
잎사귀마다 초라한 등불을 달다

아련히 번지는 노을 저쪽에
소리도 없이 퍼붓는 어둠
먼—종소리 꽃잎에 지다

아 저무는 들가에 소북이 핀 꽃
이는 떠나간 네 넋의 슬픈 모습이기에
지나던 발길 절로 멈추이며
한줄기 눈물 가슴을 적시다

—「조화」 전문

② 물결은 어데로 흘러가기에
아름다운 목숨 싣고 갔느냐
먼—훗날 물결은 다시 되돌아오리
우리 어디서 만나 손목 잡을까

—「반가」 전문

③ 산이 저문다
노을이 잠긴다
저녁 밥상에 애기가 없다
애기 앉던 방석에 한 쌍의 은수저
은수저 끝에 눈물이 고인다

한밤중에 바람이 분다
바람 속에서 애기가 웃는다
애기는 방 속을 드려다본다
들창을 열었다 다시 닫는다

먼—들길을 애기가 간다
맨발 벗은 애기가 울면서 간다
불러도 대답이 없다
그림자마저 아른거린다

—「은수저」 전문

그의 시집 『기항지』(1947. 5)에 실려 있는 이 세 편의 시는 김광균의 후기 시로의 변모 과정을 잘 보여준다. 그것은 그의 시가 차츰 이미지의 조형보다는 삶의 고통과 진실을 소박하게 노래하는 방향으로 기울어지고 있음을 의미한다.

먼저 ①시는 「뎃상」, 「외인촌」, 「추일서정」 등에서의 투명한 이미지 조형으로부터 벗어나고 있음을 보여주는 한 단서가 된다. "열 여덟에 죽은 누이동생에 대한 조가로 지은(시집 『기항지』 발문)" 이 시는 이미지 구사보다는 정감의 표출에 더 섬세한 주의를 기울이고 있다. 조시에 해당하면서도 감정의 지나친 노출이 보이지 않으며, 또한 과도한 이미지 조형 노력이나 메타포의 구사도 작위적이지 않다. 첫 연에서는 "들꽃"과 "안개", "등불"로 삶의 외로움과 허망을 노래한다. 둘째 연에서는 놀과 어둠, 그리고 종소리로써 삶에 대한 짙은 애수를 표출한다. 셋째 연에서는 앞의 두 연의 시상을 받아 구상화함으로써 시를 마무리 짓는다. 즉 앞에서 상징적으로 제시한 삶의 허망과 외로움 및 애수가 "떠나간 네 넋의 슬픈 모습"에서 연유함을 드러낸 것이다. 다시 말해서 들에 홀로 핀 꽃을 보면서 그 꽃이 피우고 있는 초라한 생명의 등불을 보면서, 죽은 누이동생을 추모하고 있는 것이다. 그런데도 앞 연에서는 상징과 이미지만으로서 삶의 허망성과 초라함을 제시하고, 마지막 연에서만 죽음에 대한 애도와 그 애달픔을 표출하고 있는 것이다.

이 시도 앞 연에서는 이미지를 제시하고 마지막 절구에서 감정을 표출하는 김광균 시의 보편적인 작시법에 근거하고 있는 것이 사실이다. 그러나 이 시는 이미지 그 자체의 객관적 제시나 작위적인 비유의 구사에 치우치지 않고 이미지를 상징화하고 적절하게 관념 및 정서를 융합했다는 점에서 그의 시의 일반적 도식성을 뛰어넘는 것으로 판단된다. 특히 그의 시가 기존 시의 도시적 감각과 막연한 감상에 연원하지 않고 누이의 죽음이라는 구체적인 삶의 고동, 즉 생의 생생한 비탄에 뿌리를 두고 있다는 점은 주목할 만한 일이 아닐 수 없는 것이다.

시 ②에는 이러한 삶과 죽음, 만남과 이별에 대한 성숙한 깨달음이 제시되어 있다. 인생과 그 덧없음을 "물결"로 비유하면서 그 흘러감으로써 삶의 지속과 변화를 담담하게 받아들이는 것이다. 그것은 비관적인 생의 인식을 담고 있으면서도 그것을 애써 긍정하려는 따뜻한 애정과 달관의 의지를 담고 있는 것이 된다. "먼—훗날 물결은 다시 되돌아오리/우리 어디서 만나 손목 잡을까"라는 구절 속에는 헤어짐과 만남, 죽음과 탄생, 소멸과 생성으로 이어지는 삶의 법칙과 원리에 대한 깊은 깨달음과 함께 그에 대한 탄식 및 달관이 어울려 있는 것이다. 이렇게 볼 때 여기에서 "물결"이라는 비유는 단순한 비유가 아니라, 상징의 차원으로 상승되어 있음을 알 수 있다. 그의 시가 오랫동안 갈등을 겪어오던 방법적 우세 혹은 기법적 편중이 마침내 정신과 성숙된 조화를 이룩함으로써 시적 깊이에 도달하게 된 대표적인 한 예가 바로 이 「반가」의 세계인 것이다. 따라서 이 시에는 독창적인 것으로 보이는 유려한 리듬이 생생하게 살아 숨쉬게 되는 것이다.

그러나 시 ③에는 다시 직접적인 감정의 노출이 우세하게 된다. 아마도 어린 자식을 잃고 나서의 비통함을 노래한 것으로 보이는 이 작품은 삶에 대한 절망과 탄식이 그대로 드러나 있다. 인생에서의 가장 큰 슬픔의 하나에 속하는 참척의 슬픔을 노래하고 있는 것이다. 그러나 이 시에서도 정신의 균형과 지적 절제의 노력이 상징적으로 제시되고 있는 것은 사실이다. 제목이 「은수저」로 되어 있는 것 자체가 그러하다. 은수저는 죽은 아들의 영혼과 퍼스나의 현실을 연결해 주는 고통과 슬픔의 촉매이자, 삶의 허망성에 대한 쓰라린 깨달음과 안타까움을 담고 있는 객관적 상관물에 해당한다. 바로 이 점에서 이 시는 김광균의 시가 회화적 이미지의 조형이나 비유를 버리고 삶의 구체적인 고통과 슬픔으로 변모해 가게 되는 구체적인 전환점이 된다.

그의 후기시이자 마지막 부분에 해당하는 시집 『황혼가』(1957)의 세계로 이행해 가게 되는 것이다. "시를 믿고 어떻게 살아가나/서른 먹은 사내가 하나 잠을 못잔다/먼—기적 소리 처마를 스쳐가고/잠든 아내와 어린 것의 벼개맡에/밤눈이 내려 쌓이나 보다/무수한 손에 뺨을 얻어맞으며/항시 곤두박질해 온 생활의 노래/지나는 돌팔매에도 이제는 피곤하다…(하략)…"(「노신」)라는 시 구절들에서 볼 수 있듯이 삶의 무게가 시 정신과 방법을 함께 짓누름으로써 마침내 평범한 생활시의 세계로 침잠해 들어가는 것이다. 「영도다리」, 「추석날 바닷가에서」, 「비량신년」 등 시집 『황혼가』의 시들이 대부분 생활 주변의 애환을 소박하게 노래함으로써 그의 참신하고 의욕적이던 이미지 중심의 포에지가 막을 내리게 된 것이다. 이후 그는 극히 제한된 범위에서 추도시나 단상시들을 쓰는 것으로 시작을 마무리 짓게 된다.

□ 맺음말

시인 김광균은 분명히 이 땅의 선구적 모더니스트의 한 사람으로서 도시적 감수성을 세련된 감각으로 묘사한 기교파의 대표적 인물이다. 그리고 그는 어둡고 황량한 30년대의 도시적 벌판에서 따뜻한 비애의 내면 공간을 마련함으로써 인간 상실을 이겨내 보고자 한 성실한 휴머니스트 시인의 한 사람이다. 그 시는 지금까지의 연구가들이 지적했던 것처럼, 서구적 관점의 모더니즘의 맥락에서 보면 실패한 요소를 담고 있으며 한계점을 지니고 있었던 것이 분명하다. 그러나 그것은 어디까지나 모더니즘이라는 서구적 준거들을 그대로 적용할 경우에 해당되는 이야기이며, 그의 시가 지닌 본성을 적확하게 파악하지 못한 데서 연유한 오류에 해당한다.

그의 모더니즘적 체취 혹은 이미지즘에의 경사는 어디까지나 방법론적인 탐구로서의 의미를 지니는 것으로 보인다. 그가 오히려 힘을 기울인 것은 불안한 현대적 삶, 특히 일본 군국주의 파시즘이 횡행하는 30년대의 상황하에서 어떻게 실존의 중요성을 확보하고 인간적 존엄성을 긍정할 것 인가 하는 문제였던 것으로 이해되기 때문이다. 그는 천성적으로 지성적인 시인이라기보다는 감성적인 시인 또는 낭만적인 성향의 시인이었으며, 고독과 슬픔 속에서 생의 존재론적 의미를 긍정하고 옹호하려고 한 측면에서는 휴머니즘의 시인에 속하는 것이다. 그의 시에서 비유적 기교와 감각적 이미지는 그의 낭만적인 정서와 시 정신을 구상화하고 휴머니즘적 에스프리를 서정적으로 표상화하기 위한 방법에 지나지 않는 것으로 이해된다. 그의 시에는 빛나는 이미지와 신선한 비유가 언제나 투명한 서정을 섬세하게 감싸안고 있는 것으로 판단되기 때문이다. 따라서 그의 시에서 앞으로 우리는 기교적인 측면에서보다도 서정적 진실과 휴머니즘 정신의 탐구에 힘을 기울여야 할 것이다.

그는 이 땅 30년대의 중요 시인 중에서 오늘날 생존해 있는 많지 않은 시인

가운데 한 사람이다. 이 점에서 그는 아직도 미래완료형의 시인이며, 그렇기 때문에 방법과 정신의 탁월한 조화를 성취함으로써 또다시 우리 현대시의 정상에 도달할 수도 있는 가능성을 지닌 시인일 수도 있다. 설혹 그의 시작이 더 이상 진행되지 않는다 하더라도, 그는 30년대의 우수한 모더니스트의 한 사람으로서, 서정적 에스프리의 낭만적 시인으로서, 또한 인간적 고통과 진실을 깊이 간직한 휴머니즘 시인의 한 사람으로서 이 땅 시사에 오래도록 기여될 것이 분명하다.

□ 연 보

1914 : 1월 19일 경기도 개성에서 포목 도매업을 하는 김창훈(金昌勳)의 장남으로 출생.

1926 : 『중외일보』에 시 「가는 누님」을 발표.

1930 : 시 「야경차」를 동아일보에 두고 발표함.

1933 : 고무공장 사원으로 입사하여 군산 등지에서 근무함.

1935 : 조선중앙일보에 발표한 작품 「오후의 구도」를 김기림이 격찬함.

1936 : 『시인부락』 동인에 참가하다.

1937 : 오장환, 신석초, 이육사 동과 교유하면서 『자오선』 동인에 참가함. 『자오선』 제 1호에 시 「대화」를 발표함.

1938 : 『조선일보』 신춘문예에 시 「설야」 당선됨.

1939 : 제1시집 『와사등』(남만서점) 발간, 이후 제2시집 『기항지』(1947), 제3시집 『황혼가』(1959)가 각각 간행됨.

1952 : 6·25동란 중, 사업을 하던 동생(익균)의 납북으로 시작을 중단하고, 동생의 사업체를 인수하여 경영하다.

1959 : 제3시집과 같은 제호인 문단고별시집 『황혼가』를 간행한 뒤 실업계에 투신 국제상위 한국위원회 감사, 무역협회 부회장, 한일경제특위 상임위원 등을 역임하다.

1977 : 시전집 『와사등』(근역서재) 발간.

1982 : 『현대문학』 3월호에 「야반」 외 5편의 시를 발표하면서 중단했던 시작 활동을 재개함.

1985 : 문집 『와우산』(범양사) 발간.

1986 : 제4시집 『추풍귀우』(범양사) 발간.

1993 : 11월 23일 뇌졸중으로 사망

11. 육사(陸史) 이원록(李源祿)

—투사의 길, 예술의 길—

"지금 눈 내리고/매화향기 홀로 아득하니/내 여기 가난한 노래의 씨를 뿌려라"라고 노래하다가 이국땅 북경의 차디찬 감옥에서 생애를 마친 육사(陸史) 이원록(李源祿)(1904.4~1944.1), 그는 죽는 날까지 식민지의 절망적 상황하에서 민족혼이 살아 있음을 온몸으로 증거하며 시의 시다움을 실천적으로 보여준 암흑기 최대의 저항시인이자 탁월한 예술시인이다.

조선조의 대표적 유학자인 이퇴계의 14대 손으로서 뿌리 깊은 전통의 고장 안동에서 태어난 그는 국내는 물론 일본과 만주, 중국 대륙을 전전하면서 오로지 항일 독립 운동에 신명을 바쳤다. 그가 길지 않은 40 생애에 무려 열일곱 차례나 일제에게 피검, 투옥되는 등 참혹한 고통 속에 시달리다가 끝내 이국의 감옥에서 비참한 최후를 마쳤다는 사실은 그 자체만으로도 민족의 가슴에 비장한 슬픔을 불러일으킨다. 더구나 그러한 역경과 시련을 겪으면서도 그가 끝내 굴하지 않았으며, 오히려 그러한 참담한 고통을 극복하려는 치열한 노력을 계속하는 가운데 이것을 절제된 형식과 조탁된 언어로써 탁월하게 형상화할 수 있었던 놀라운 정신적 저력은 숭고한 감동마저 심어준다. 특히 그의 시혼이 투쟁 정신과 저항정신으로 치열하게 불타오르면서도 명상의 탄력성과 유연성을 보여주고 있으며 아울러 서정적 심미성을 확보하고 있다는 점은 값진 일이 아닐 수 없다.

지금까지 육사의 시는 비교적 일관된 관점과 방법으로 연구되어왔다. 그의 저항적인 생애와 비극적인 최후로 말미암아 그의 시는 주로 '시=시인'이라는 통합적 관점에서 연구되어 온 것이다. 물론 이러한 관점이 조금도 부당한 것은 아니다. 오히려 그의 시를 올바로 해명하는 데 그의 생애는 불가결한 몫을 차지한다. 그렇지만 아직도 그의 시가 좀 더 객관적인 면에서 포괄적으로 연구돼야 할 필요성은 그대로 상존하고 있다. 그의 시는 그 누구의 시보다도 치열한 정신과 실천적인 사상을 바탕으로 하면서도 시의 시다운 품격과 예술성을 확보하고 있는 것으로 판단되기 때문이다.

1 절망적 현실과 떠돌이의식

육사의 작품 활동은 1933년 『신조선』지에 시 「황혼」을 발표하면서 시작된다. 이때는 그의 나이가 30대에 접어드는 시점에 해당한다. 그만큼 육사의 시단 등장은 다른 문인들에 비해 늦은 셈인데, 오히려 이러한 늦은 데뷔는 그의 시가 단단해지고 성숙해 가는데 도움이 된 것으로 보인다. 이러한 사실은 대부분의 시작이 20대에 완결됨으로써 일종의 미숙성 또는 미완의 긴장을 보여준 윤동주의 경우와 좋은 대조를 이룬다. 육사의 작품은 시 34편(한시 3수 포함), 평론 11편, 수필 13편, 번역물 2편 등 대략 60편 가량이 전해진다. 그리고 그 연대는 33년경부터 42년까지 34편 가량이 발표되었고, 나머지는 작고 후에 발견되어 작품집에 수록되었다. 육사의 시집은 그가 작고한 2년 후인 1946년 그의 아우인 평론가 이원조에 의해 『육사시집』(서울출판사)이라는 명칭의 유고시집으로 간행되었다. 여기에는 신석초, 김광균 등의 연명으로 된 서(序)와 이원조의 발(跋)이 있으며 20편의 시가 수록되었다. 이것은 다시 육사의 조카인 이동영에 의해 몇 편이 추가되어 『육사시집』이라는 동일제명으로 1956년 범조사에서 출간되었다. 다시 1964년에는 '이육사 선생 기념비 건립위원회'편으로 육사의 환력기념시문집으로 『청포도』가 간행되었는데, 여기에 다시 「실제(失題)」 등의 시와 한시, 평론 등이 추가되었다. 1971년에는 다시 4판격인 시문집 『광야』가 간행되었으나 이것은 『청포도』와 대동소이하다. 이러한 육사의 시 정리 작업은 1974년 9월 간행된 『나라사랑』 16호(육사 이원록 선생 특집호, 정음사)에서 어느 정도 완성되었는바, 여기에는 육사에 관한 비평집, 자료집(시와 산문 전편), 연보, 화보 등이 수록되어 육사의 면모를 집대성해주고 있다.

육사시의 표기상의 특징은 한글이 주를 이루지만 필요한 경우엔 한자를 많이 섞어 쓰고 있으며, 마침표, 쉼표 등의 문장 단락 부호는 거의 사용하지 않고 있다. 그리고 형태상으로는 2행~4행이 한 연을 구성하며, 이것이 중첩되는 분연시형이 거의 대부분을 이룬다(이하 인용시는 초판 『육사시집』을 참고로 하되 『나라사랑』지의 시를 기준으로 한다).

그러면 그의 시 세계를 구체적으로 살펴보기로 하자.

① 목숨이란 마치 깨여진 배쪼각
여기저기 흩어져 마을이 구죽죽한 어촌(漁村)보담 어설프고
삶의 틔끌만 오래묵은 포범(布帆)처럼 달아매였다

남들은 기뻤다는 젊은 날이었것만
밤마다 내 꿈은 서해(西海)를 밀항(密航)하는 짱크와 같애
소금에 절고 조수(潮水)에 부풀어 올랐다

항상 흐렸한밤 암초(暗礁)를 벗어나면 태풍(颱風)과 싸워가고
전설(傳說)에 읽어본 산호도(珊瑚島)는 구경도 못하는
그곳은 남십자성(南十字星)이 비쳐주도 않았다

쫓기는 마음 지친 몸이길래
그리운 지평선(地平線)을 한숨에 기오르면
시궁치는 열대식물(熱帶植物)처럼 발목을 오여쌌다

새벽 밀물에 밀려온 거미이냐
다 삭아빠즌 소라껍질에 나는 붙어왔다
머─ㄴ 항구(港口)의 노정(路程)에 흘러간 생활(生活)을 드려다보며

—「노정기」 전문

②「너는 돌다리ㅅ목에서 줘왔다」던
할머니 핀잔이 참이라고 하자

나는 진정 강(江)언덕 그 마을에
벌어진 문바지였는지 몰라

그러기에 열여덟 새봄은
버들피리 곡조에 부러보내고

첫사랑이 흘러간 항구(港口)의 밤
눈물 섞어 마신 술 피보다 달더라

공명이마다곤돌 언제 말이나 했나
바람에 부쳐 돌아온 고장도 비고

서리 밟고 걸어간 새벽길우에
간(肝)ㅅ잎만 새하얗게 단풍이 들어

거미줄만 발목에 걸린다해도
쇠사슬을 잡아맨듯 무거워졌다

눈우에 걸어가면 자욱이 지리라고

때로는 설래이며 바람도 불지

—「연보」 전문

이육사의 시에는 끊임없는 떠돌이의식 혹은 삶의 고달픔이 두드러지게 나타난다. 40 평생에 걸친 떠돌이 생활은 그의 시에 유형무형으로 영향을 미쳤던 것이다. 그는 국내에서만 하더라도 안동—대구—서울 등지를 전전하였고, 국외에서도 일본과 중국 대륙을 떠돌며 항일 독립운동에 헌신하였으며, 그동안 무려 17차 가량[1]이나 피체, 투옥된 바 있었다. 그에게 있어 단란한 가정생활 또는 편안한 안주 생활이란 기대하기 어려운 형편이었으며, 오로지 불안한 잠행과 표랑의 신산함만이 가득 찼었던 것으로 보인다. 따라서 그의 시에 이러한 떠돌이로서의 인생에 대한 불안의식과 강박관념, 그리고 고통과 절망감이 표출될 수밖에 없었음이 자명한 이치이다. 먼저 다섯 연으로 짜여진 ① 시에는 고달프고 신산한 삶의 과정이 잘 제시되어 있다. 「노정기」라는 제목 자체가 고달픔으로서의 삶의 역정을 암시한다. 첫 연에는 삶의 고달픔과 덧없음이 제시된다. "목숨이란 마치 깨여진 배쪼각"이란 구절 속에는 고달픈 항로로서의 인생이 "배"로서, 더구나 험난한 세파에 좌절하는 모습이 "깨여진 배쪼각"으로서 표상되어 있다. 또한 그 고달픔과 덧없음이 "삶의 티끌", "오래묵은 포범" 등으로 비유된 것이다. 둘째 연에도 삶의 불안함과 신산함이 드러나있다. "밤"이라는 시간배경이 그렇고, "서해를 밀항하는 짱크"가 뿌리 깊은 불안의식을 반영한다는 점에서도 그러하다. 실상 이러한 "밀항"의 이미지는 육사 시의 심층의식을 관류하는 한 핵심 이미지가 된다. 더구나 이 연에서 "소금에 절고 조수에 부풀어 올랐다"라는 구절은 온갖 역경과 시련으로 점철돼 온 삶의 모습을 제시한다. 셋째 연에는 역경의 과정이 더욱 선명히 드러난다. "항상 흐렸한밤 암초를 벗어나면 태풍과 싸워가고"라는 구절 속에는 "암

1) 이동영, 「이육사의 독립운동과 생애」(『나라사랑』 16집, 외솔회, 1974)119쪽.

초"와 "태풍"이 "밤"의 이미지와 어울려 시련과 고난 및 절망으로서의 삶의 인식을 심화하고 있는 것이다. 또한 "산호도는 구경도 못하는/그곳은 남십자성이 비쳐주도 않았다"처럼 비극적 현실인식 또는 부정적 세계관을 드러내게 된다. 넷째 연도 마찬가지이다. 여기에서도 인생은 "쫓기는 마음 지친 몸"으로 표현되며, "시궁치는 열대식물처럼 발목을 오여쌌다"처럼 불안의식과 강박관념으로 연결된다. 마지막 연에는 다시 자아의 모습이 비유적으로 드러난다. "거미"의 모습이 그것이다. 역경에 찌들고 세파에 시달려서 마치 거미처럼 끈적끈적하고 음험한 모습으로 묘사되는 것이다. 아울러 "다 삭아빠진 소라껍질에 붙어"처럼 초라하게 매달려 사는 삶을 지탱해 왔으며, 그것은 "머―ㄴ 항구의 노정"을 흘러흘러 살아온 덧없고 불안한 역정이었던 것이다. 특히 이 시에 무수히 등장하는 "깨여진/흩어져/절고/흐렸한/싸워가고/못하는/않았다"라는 부정적 용언들과 "배쪼각/티끌/밀항/소금/암초/태풍/시궁치/거미/껍질" 등의 하강적 체언 속에는 삶의 고통 및 절망과 함께 그 덧없음에 대한 깊은 탄식이 담겨져 있는 것으로 보인다. 이렇게 볼 때 이 시에는 불안의식과 방랑의식으로 점철되어온 고단한 삶의 역정이 생생하게 제시된 것으로 이해된다.

시 ②에도 고달픔으로서의 생의 인식과 함께 떠돌이의식이 표출돼 있다. 이 시의 구성은 2행 8연으로 되어있고, 이것은 다시 전반부 4연과 후반부 4연으로 나뉜다. 제목 「연보」는 앞의 시 「노정기」와 유사한 뜻을 담고 있다. 즉 생애의 일을 시로써 적은, '시로 쓴 자서전의 의미를 지니는 것이다. 따라서 전반부는 과거회상으로, 후반부는 현재 중심으로 짜여 있다. 먼저 전반부에는 지나간 어린 시절에 대한 회상과 함께 덧없이 흘러간 세월에 대한 안타까움을 드러낸다. 그것은 대체로 버려짐으로서의 삶에 대한 느낌이고, 흘러감으로서의 생의 인식에 초점이 모아진다. "쥐왔다단/벌어진 문바지/부러보내고/첫사랑이 흘러간 항구" 등의 시어들이 바로 이러한 버려짐과 흘러감으로서의 떠돌이의식 또는 표랑의식을 반영한 것이 된다. 특히 "첫사랑이 흘러간 항구의 밤/눈물 섞어 마실 술 피보다 달더라"하는 4연은 물의 이미지 계열, 즉 "사랑, 항구, 눈물, 술, 피" 등을 사용해서 온갖 고통과 애환 속에 흘러가 버린 삶에 대한 의미를 반추하고 있는 것이다. 대체로 그것들은 눈물과 술, 그리고 피가 표상하듯이 역경과 시련 혹은 절망으로서의 삶의 모습으로 요약할 수 있다. 후반부 네 연은 현재적 삶의 질곡으로 연결되어 있다. 먼저 그것은 "바람에 부쳐 돌아온 고장도 비고"처럼 없음으로서의 현실인식으로 나타난다. 그리고 "서리"와 "간(肝)ㅅ 잎만/단풍이 들어"가 표상하듯 역경의 현실과 그에 바랜 삶의 퇴색한 모습으로 묘사된다. 특히 "간ㅅ 잎만/단풍이 들어"라는 구절 속에는 생명의 정수 또는 핵심으로서의 간이 찌들고 퇴색한 모습을 통해서 생의 신산함 또는 고달픔의 역정을 드러내는 동시에 현실에 대한 울분과 적개심을 표출하고 있다는 점에서 주목된다. 아울러 다음 연의 "거미줄만 발목에 걸린다해도/쇠사슬을 잡아맨듯 무거워졌다"라는 구절은 현실의 질곡과 그 고통이 하나의 극에 달해 있음을 말해 준다. '거미줄=쇠사슬'이라는 인식 속에는 역경으로 이어져 온 삶의 쓰라림과 함께 느닷없이 엄습하는 불안의식에 대한 본능적 공포심이 담겨져 있는 것으로 풀이되기 때문이다. 그러면서도 마지막 연에는 그러한 고달픈 삶에 대한 슬픈 긍정과 위안이 표출됨으로써 비극적 삶의 비장한 아름다움을 드러내게 되는 것이다.

이처럼 육사의 시에는 좌절의식과 불안의식, 그리고 방랑의식을 바탕으로 한 고달픔으로서의 인생관 또는 구속으로서의 인생관이 중요한 뼈대를 이루는 것으로 이해된다. "바다"와 "밤"으로 표상되는 인생의 모습 속에는 삶에 대한 깊은 불안과 방랑의식이 자리잡고 있으며, 아울러 "바람"과 "거미"로 표상되는 어두운 실존의 모습 속에는 피폐한 현실에 대한 울분과 탄식이 깃들어 있는 것으로 이해되기 때문이다.

2 이미지즘의 한 실험

① 물새 발톱은 바다를 할퀴고
바다는 바람에 입김을 분다.
여기 바다의 은총(恩寵)이 잠자고 있다.

흰 돛백범(白帆)은 바다를 칼질하고
바다는 하늘을 간질너본다.
여기 바다의 아성(雅星)이 간직여잇다.

낡은 그물은 바다를 얽고
바다는 대륙(大陸)을 푸른 보로 싼다.
여기 바다의 음모(陰謀)가 서리워있다

—「바다의 마음」 전문

② 나릿한 남만(南蠻)의 밤
번제(燔祭)의 두레ㅅ불 타오르고

옥(玉)돌보다 찬 넋이 있어
홍역(紅疫)이 만발하는 거리로 쏠려

거리엔 「노아」의 홍수(洪水) 넘쳐나고
위태한 섬위에 빛난 별하나

너는 고 알몸동아리 향기(香氣)를
봄마다 바람 실은 돛대처럼 오라

무지개같이 황홀(恍惚)한 삶의 광영(光榮)

죄(罪)와 겯드려도 삶즉한 누리

—「아편」 전문

이육사의 시는 방법적인 면에서 볼 때 이미지즘의 요소를 지니고 있는 것으로 이해된다. 그의 많은 시편들에는 반짝이는 이미지들이 등장하기 때문이다. 또한 이러한 이미지들은 시의 주제를 심화하고 미감을 확대하는 데 기여하는 것으로 받아들여진다는 점에서도 그러하다. 인용한 두 편의 시는 방법적인 면에서 이미지즘적 편향성을 드러내 준다.

먼저 ①시는 시각적 이미지가 중심을 이룬다. "물새 발톱은 바다를 할퀴고/흰 돌은 바다를 칼질하고/바다는 대륙을 푸른 보로싼다" 등 각 연마다 시각적 이미지가 선명하게 제시되어 있다. 그러나 이러한 시각적 이미지는 대부분 "바다는 바람에 입김을 분다/바다는 하늘을 간질너본다"와 같이 감정이입에 바탕을 둔 공감각적 심상으로 연결되는 것이 특징이다. 그만큼 감각성을 중시한다는 뜻이 될 것이다. 더구나 이러한 이미지는 "물새/흰 돌/그물"이라는 선명한 바다 표상으로 제시되는 것과 함께 "바다/바람", "바다/하늘", "바다/대륙"이라는 대조적 심상으로 묘사됨으로써 바다의 모습을 선명하게 형상화하는 것이다. 어느 면에서 볼 때 이 시가 이미지즘 시의 원리에 바탕을 두고 있는 것으로 이해할 수도 있다. 그러나 각 연마다 "은총이 잠자고 있다/아량이 간직여잇다/음모가 서리워있다"라는 관념을 결합함으로써 이 시가 단순히 이미지즘에 편향되어 있지 않음을 밝혀 준다. 다시 말해서 바다의 인상을 몇 개의 이미지로써 선명하게 묘사하면서도 그 속에 바다에 대한 관념을 착색시키는데 성공하고 있는 것이다. 이 점에서 이 시는 이미지즘을 방법적으로 실험하여 바다의 심상을 형상화하는 데 적절히 성공한 작품으로 이해된다. 특히 이 시에서 대략 4음보 이내의 한 행이 다시 초, 중, 종 3행을 이루고, 이것이 3연을 구성한 방법은 어느 면에서 시조의 그것과 유사하다는 점에서 관심을 끈다. 이러한 정제된 형태미는 이 시가 기본적으로 고전적인 형태의식에 자리잡고 있음을 시사하는 것일 수 있기 때문이다. 시 ②의 경우에도 이미지즘적 성향이 두드러진다. 여기에서도 주류를 이루는 것은 시각적 이미지군이다. "번제의 두레ㅅ불 타오르고/홍역이 만발하는 거리/바람 실은 돛대" 등이 그것이다. 또한 이러한 시각적 이미지는 "나릿한 남만의 밤/옥돌보다 찬 넋/알몸동아리 향기" 등의 공감각적 심상과 결합되어 시의 감각성을 고조시킨다. 아울러 "밤/불", "옥돌(찬)/홍역(뜨거운)", "섬/별" 등의 대조적 이미지가 제시되는 것도 앞의 시와 마찬가지이다. 무엇보다도 "은총/음모"로 대립되던 바다의 심상과 유사하게 "삶의 광영/죄"라는 모순과 대립이 삶의 모습으로 제시되는 것이 주목할 만하다. 이것은 근원적인 면에서 시인이 현실 또는 인생을 양면성, 모순성으로 파악하는 것과 무관하지 않은 것으로 해석되기 때문이다. 특히 ②시는 이국적, 관능적 분위기가 드러난다는 점에서 육사의 여타 시와 구별되는 작품이다. 그러나 이 시도 4음보를 기준으로 한 5연 10행의 정제된 형태미를 보여준다는 점은 ①시와 마찬가지이다. 그만큼 이미지 조형에 관심을 기울일 때는 시인 자신이 형태면에서도 주의를 게을리 하지 않았다는 반증이 될 수도 있을 것이다.

그렇다면 이러한 이미지즘적인 실험이 내포하는 의미는 무엇일까. 아마도 이미지즘에의 관심은 육사시의 형성기인 30년대 초에 이 땅을 풍미하던 모더니즘 편향성에 기인하는지도 모른다. 어쩌면 이것은 그와 함께 『자오선』 동인으로 참여했던 김광균이나 신석초의 영향에서 비롯된 것일 수도 있을 것이다. 아니면 전통적인 한시의 기법에 연원하는지도 모은다. 특히 그의 절제된 시어와 형태를 미루어 보면 오히려 이러한 전통시의 기법에 더 깊은 근친관계가 성립된다는 점을 시사받을 수 있을 것이다. 그러나 중요한 것은 이육사가 이러한 이미지즘의 기법이 방법적인 면에서는 필요한 것으로 생각했지만 그것이 시의 핵심이 되기는 어렵다고 판단했던 점에 놓여진다. 왜냐하면 몇 편을 제외한 대부분의 시가 방법보다는 정신의 탐구에 몰두하고 있는 것으로 이해되기 때문이다. 실상 그의 시가 이미지즘의 탐구에 보다 관심을 기울였다면 아마도 그의 시는 실패하고 말았을 것이다. 이육사는 오히려 정신의 치열성이 초래하기 쉬운 과격성을 제어하기 위하여 이미지즘의 원리를 효율적으로 채용한 데서 시적 성공을 거두는 것으로 이해되기 때문이다. 가령 시 「광야」에 있어서도 4연에서 '눈/매화' 등의 상징적 이미지를 핵심적으로 결합함으로써 현실의식과 선구자의식을 심미의식으로 이끌어올리는데 성공하고 있는 것이 한 예가 될 것이다.

육사에게 있어 이미지즘의 중요한 한 특성인 장식성, 감각성은 그다지 체질에 맞지 않았던 것이 분명하다. 다만 그의 가열한 시의식이 서정적 심미성을 획득하는 범위 안에서 선택적으로 이미지즘을 수용했던 것으로 보인다.

3 불연속적 세계인식과 수인의식

① 섣달에도 보름께 달 밝은밤
앞 내ㅅ강(江) 쟁쟁 얼어 조이던 밤에
내가 부르던 노래는 강(江)건너 갔소

강(江)건너 하늘끝에 사막(沙漠)도 닿은 곳
내 노래는 제비같이 날러서 갔소

못잊을 계집애나 집조차 없다기
가기는 갔지만 어린 날개 지치면
그만 어느 모래ㅅ불에 떨어져 타 죽겠소

사막(沙漠)은 끝없이 푸른 하늘이 덮여

눈물먹은 별들이 조상오는 밤

밤은 옛ㅅ 일을 무지개보다도 곱게 짜내나니
한가락 여기두고 또 한가락 어데멘가
내가 부른 노래는 그 밤에 강(江)건너 갔소

—「강건너 간 노래」 전문

② 수만호 빛이래야할 내 고향이언만
노랑나비도 오잖는 무덤위에 이끼만 푸르러라

술픔도 자랑도 집어삼키는 검은 꿈
파이프엔 조용히 타오르는 꽃불도 향기론데

연기는 돛대처럼 나려 항구에 들고
옛날의 들창마다 눈동자엔 짜운 소금이 저려

바람불고 눈보래 치잖으면 못살이라
매운 술을 마셔 돌아가는 그림자 발자최소리

숨막힐 마음 속에 어데 강물이 흐르느뇨
달은 강을 따르고 나는 차디찬 강 맘에 드리느라

수만호 빛이래야할 내 고향이언만
노랑나비도 오잖는 무덤위에 이끼만 푸르러라

—「자야곡」 전문

이육사 시의 근저에 흐르고 있는 것은 과연 어떠한 세계관일까. 한마디로 말해서 이것을 우리는 자아와 세계와의 단절 혹은 상실, 즉 불연속적 세계관이라 이름할 수도 있을 것이다. 그의 시에는 과거와 현실의 단절, 현실과 미래의 단절, 혹은 나와 너의 단절, 여기와 저기의 단절이 지속적으로 나타나고 있다. 인용한 두 편의 시에는 이러한 단절의 세계관 혹은 불연속의 세계관이 지배적으로 작용하고 있다. 우선 시간 배경만 하더라도 깊고 어둔 밤이 대부분이며, 공간 배경 또한 차안과 피안 또는 옛날의 고향과 오늘의 고향이라는 자아와 세계의 단절이 가로놓여 있는 것이다.

먼저 ①시에는 단절감 또는 상실감이 강하게 표출되어 있다. 강은 이편과 저편, 자아와 세계를 단절시키는 경계선으로서의 의미를 지닌다. 그리고 그것은 "갔소/없다기/떨어져 타 죽겠소"와 같이 상실감으로 연결된다. 이러한 상실감과 단절감은 실상 신뢰할 바 전혀 없는 현실에 대한 절망에서 비롯된 것으로 보인다. 그리고 이것은 쉽게 운명의식으로 연결되는바, 죽음의 이미지가 등장하는 것이 그 예증이 된다. "못잊을 계집애나 집조차 없다기"라는 없음으로서의 현실인식은 "모래ㅅ불에 떨어져 타 죽겠소"라는 체념적인 죽음의식으로 연결되는 것이다. 현실의 모습은 "밤" 또는 "사막"으로 비유되며, 무언가 희망을 찾아 떠나간 나의 노래조차도 "하늘 끝 사막"에 이르러 사라지고 만다는 절망감이 전편을 지배하게 되는 것이다. 실상 이 시에서 "쨍쨍 얼어 조이던 밤/강건너 하늘 끝에 사막도 닿은 곳/눈물먹은 별들이 조상오는 밤" 등과 같이 깊은 겨울과 두꺼운 어둠이 환기하는 절망적 분위기는 그대로 당대의 상황을 암유한 것일 수 있다.

시 ②에도 과거와 현재 또는 자아와 세계 사이에 깊은 단층이 가로놓여져 있다. "수만호 빛이래야할 내 고향이언만/노랑나비도 오잖는 무덤위에 이끼만 푸르러라"라는 핵심 구절에 나타나는 단절감 또는 상실감이 바로 그 한 예이다. 그것은 과거와 현실 사이의 단절감이며, 존재와 당위 사이의 괴리감에 해당한다. 그렇기 때문에 "옛날의 들창마다 눈동자엔 짜운 소금이 저려"라는 뼈아픈 절망감이 드러나게 된다. 아울러 현실은 "바람불고 눈보래 치는" 모습으로 인식되며, 실존의 모습 또한 "매운 술을 마셔 돌아가는 그림자"로 묘사되는 것이다. 따라서 현실은 "무덤"으로 받아들여지고, 여기에 대한 절망감이 "숨막힐 마음"으로 제시된다.

이렇게 볼 때 시 ②에도 있어야 할 바가 없으며, 희망하는 바가 이루어지지 않는 이른바 불연속적 세계인식이 지배하고 있음을 알 수 있다. '자야'가 상징하는 시대의 깊은 어둠은 바로 이러한 현실부재가 유발하는 비극적 세계관을 반영한 것이며 또한 그 상실감과 단절감에 근거한 불연속적 세계관을 드러낸 것이 된다.

이러한 위의, 두 편의 시에서 볼 수 있는 '깊은 겨울'과 '어두운 밤'으로 표상되는 비극적 현실인식 또는 불연속적 세계관은 그대로 육사시의 근저를 관류하는 정서적 형질이 된다. 이것은 실상 "종소리 저문 삼림속 그윽한 수녀들에게도/씨멘트 장판위 그 많은 수인들에게도/의지가지 없는 그들의 심장이 얼마나 떨고 있는가"라는 시 「황혼」이나 "쇠줄에 끌여 걷는 수인들의 무거운 발소리!/옛날의 기억을 아롱지게 수놓는 고이한 소리!"라는 시 「해조사」, 그리고 "너의 머—ㄴ 조선의 영화롭던 한 시절 역사도/이제는 <아이누>을 가계와도 같이 서러워라/가엾은 박쥐여! 멸망하는 겨레여!"라 절규한 시 「편복」 등에서 발견되는 쓰라린 형벌의식 또는 수인의식과도 상통하는 것이다.

실상 이러한 불연속적 세계인식은 시인이 처한 당대 상황의 불모성과 비극성, 즉 조국상실로부터 연유한 것이 분명하다. 조국의 상실은 전통의 상실이며 전 민족의 수인화이고 세계와의 단절을 의미할 수 있기 때문이다. 아울러 "행랑 뒷골목 호젓한 상술집엔/팔려온 냉해지처녀를 둘러싸고/대학생의 지질숙한 눈초리가/사상선도의 염탐꾼 밑에 떨고 있다"(「실제(失題)」)라는 한 구절에서 단적으로 볼 수 있듯이 조국상실의 비극에서 연유한 민족구성원 사이에서의 단절과 위화감이 여러 시편에 드러나고 있다. 바로 이 점에서 이에 대한 반작용으로서 불연속적 세계인식을 보다 능동적으로 극복하려는 치열한 몸부림이 그의 또 다른 시편에 강력하게 분출되는 것이다.

4 자기극복 의지 또는 운명애의 길

매운 계절(季節)의 채찍에 갈겨
마침내 북방(北方)으로 휩쓸려오다

하늘도 그만 지쳐 끝난 고원(高原)
서리빨 칼날진 그 우에 서다

어데다 무릎을 꿇어야 하나
한발 재겨 디딜곳조차 없다

이러매 눈 감아 생각해 볼밖에
겨울은 강철로 된 무지갠가 보다

—「절정」 전문

아마도 이 작품은 근대시사에서 가장 빈번히 논의돼 온 소문난 작품의 한 편일 것이다. 그만큼 이 시가 시 자체로서 우수성 또는 문제점을 안고 있다는 암시일 수 있으며, 아울러 육사의 시 세계를 해명하는 데 중요한 관건이 된다는 뜻이 내포돼 있음이 분명하다.

이 작품은 지금까지 "일정 36년의 전기간의 상황이 압축되어 있고 그 정황이 상징되어 있다"[2]거나 "남성주의와 초극의지를 바탕으로 육사의 투쟁과 인고가 극점을 이룬 시"[3] 또는 "비극적 황홀을 보여주며 육사의 삶이 구극적인 시적 표현을 얻은 시"[4]라고 높이 평가되어 왔다. 요약컨대 독립투사로서의 육사의 삶을 시인으로서의 삶과 분리시키지 않은 관점에서 육사시를 높이

2) 박두진, 『한국현대시론』(일조각, 1970) 참조.
3) 정한모, 「육사시의 특질과 시사적 의의」(『나라사랑』 16집, 앞의 책) 참조,
4) 김종길, 「육사의 시」, 위의 책 참조.

평가한 경우에 해당한다. 아울러 "한 사람의 투사가 자신의 삶에 더 이상 물러설 수 없는 최종적 의의를 부여하는 결단의 자리를 노래한 작품"[5], "일본 관헌의 채찍과 일본 군국주의의 학정에 쫓겨 칼날 같은 벼랑에선 민족 전체의 현실을 노래한 작품"[6], 혹은 "유자의 정신과 객관적 절제를 노래한 시"[7]라고 평가되기도 했으며, "자기 무화를 통해서 자유롭고 창조적인 삶의 지평으로 완성되어가는 비극적 초월의 과정을 보여준 작품"[8] 등으로 해석되기도 했다. 이러한 논의점들은 주로 이 「절정」이 식민지하 수난의 현실을 극복하려는 의지를 담은 빼어난 저항시라는데 초점이 모아진다.

필자의 견해 역시 이들과 크게 차이나는 것은 아니다. 그러나 필자는 이 시가 근원적인 면에서 자기극복의 과정에서 비롯되는 갈등과 고뇌의 절정에서 현실의식과 대결정신, 그리고 예술의식의 비극적 화해를 성취함으로써 새로운 출발을 다짐하는 운명애의 시로 파악하고자 한다. 다시 말해서 어둡고 힘겨운 상황에 맞서서 묵묵히 자기를 극복함으로써 초인에의 길, 즉 위버멘쉬(Obermensch)에 도달하고자 하는 운명애의 열린 몸짓을 반영한 작품으로 이해하고자 하는 것이다.

이 시는 각각 2행씩 기·승·전·결 네 연으로 짜여 있다. 그리고 이것은 다시 전반부(기·승)와 후반부(전·결)로 나뉘는바, 이것은 선경후정이라는 전통적인 한시 작법에 의거하고 있는 것으로 보인다. 즉 전반부는 상황의 제시로, 후반부는 주관의 표출로 특징지워진다. 먼저 전반부는 다시 객관적인 정황과 퍼스나가 처한 상황으로 나뉜다. 첫 연에는 "매운 계절의 채찍"이 표상하고, "갈겨/휩쓸려"라는 피동형이 암시하는 바와 같이 어쩔 수 없는 수난의 현실에서 쫓기는 모습이 제시되어 있다. "북방"이라는 막다른 골목으로 쫓겨올 수밖에

5) 김흥규, 「육사의 시와 세계인식」(『문학과 역사적 인간』, 창작과비평사, 1980) 참조.
6) 김영무, 「이육사론」(『창작과 비평』 여름호, 1975) 참조.
7) 이동하, 「절정론」(『한국대표시평설』, 문학세계사, 1983) 참조.
8) 오세영, 「비극적 초월과 세계인식」(『한국현대시작품론』, 문장, 1981) 참조.

없는 좌절감 또는 패배감이 착색되어 있는 것이다. 둘째 연에는 이러한 좌절감과 패배감이 환기하는 절박한 상황이 제시된다. 그것은 하나의 극한 상황과의 직면을 의미한다. "하늘도 그만 지쳐 끝난 고원/서리빨 칼날진 그 우에 서다"라는 구절 속에는 '끝'과 '위'가 상징하는 백척간두의 첨예한 극한상황 제시와 함께 그러한 위기의 절정과 분연히 맞서는 팽팽한 대결의 자세가 표상되어 있는 것이다. 어쩌면 이것은 운명의 기로에 처하여 운명과 의연히 맞서는 모습일는지도 모른다. 후반부는 다시 순응의지와 극복의지가 갈등을 이루는 셋째 연과 이러한 갈등이 운명애로 화해되는 넷째 연으로 구분된다. 먼저 셋째 연에는 절박한 극한상황에 처해서 무릎을 꿇을 수밖에 없다라고 하는 체념의지와, 그럴 수는 없으며 또 그래서도 안 된다는 극복의지 내지는 저항의지가 강하게 대립하며 갈등을 이루고 있다. "어데다 무릎을 꿇어야 하나"라는 구절 속에는 무릎을 꿇을 수밖에 없다는 절망적 상황에 따른 피동적 순응의지와 함께 이에 대항하여 "어데다~하나"라는 강력한 부정의지가 작용하고 있는 것이다. 아울러 "한발 재겨 디딜 곳조차 없다"라는 구절 속에는 이러한 대립과 갈등의 절정에서 새로운 극복의 의지가 싹트고 있음을 암시하는 뜻이 담겨져 있는 것으로 보인다. 따라서 마지막 연에서의 정신적 여유, 또는 미적 거리를 유지할 수 있게 된다. "눈 감아 생각해 볼밖에"라는 구절이 그것이다. 이러한 관조와 명상의 여유는 실상 처절한 정신의 암무와 격투를 겪은 사람만이 겨우 성취할 수 있는 정신의 유연성이자 탄력성에 해당한다. 아울러 갈등과 고뇌의 절정에서 비로소 운명과의 뜨거운 해후가 이루어질 수 있음을 말해 주는 것이 된다.

마지막 구절에서의 운명애로의 비극적 초월과 상승은 이러한 운명과의 뜨거운 해후와 그에 대한 능동적 수락으로부터 획득되어지는 것이다. "겨울은 강철로 된 무지갠가 보다"라는 이 시의 절구는 무수한 상황과의 부딪침 끝에 자기극복의 치열한 몸부림의 절정에 도달하여 운명에 대한 뜨거운 사랑을 성취하는 순간에 나타나는 비극적 자기초월의 아름다움에 해당하는 것이다. 어쩌면 이 구절은 오랜 방황과 갈등 끝에 마침내 자아발견을 성취하고 다시금 묵묵히 삶의 본질을 향하여 힘차게 나아가는 위버멘쉬의 모습을 형상한 것일 수도 있다. 아울러 "겨울"이 표상하는 현실인식이 "강철"이라는 광물적 이미저리의 대결 정신과 결합하고, 이것이 다시 "무지개"가 상징하는 예술의식으로 탁월한 상승을 성취한 모습일는지도 모른다. 그 어느 것이라 하더라도 이 구절이 새로운 출발을 다짐하는 운명의 전환점이 되리라는 것은 분명한 사실이다.

다시 말해서 이 시는 절정으로서 끝난 시가 아니라 새로운 운명으로 접어드는 시작의 시, 출발의 시가 된다는 점이다. 겨울은 봄울 예비하는 계절이라는점에 의미가 놓여진다. 이 시가 기·승·전·결의 순환구조를 지닌 것도 실상은 이 시가 새로운 출발을 다짐하는 데 참뜻이 놓여진다는 점을 암시하는 것으로 풀이된다. 여하튼 이 시는 절망을 통해서 낙관으로, 부정을 통해서 긍정으로, 소멸을 통해서 생성으로, 절정을 딛고서 새로운 상승으로 나아가고자 하는 열린 의지를 담고 있는 작품으로 판단된다. 마치 그것은 운명과의 당당한 맞섬을 통해서 생의 온갖 모순과 부조리를 극복하고, 마침내 보다 큰 운명애의 길로 나아갈 수 있었던 베에토벤의 「운명교향곡」의 주제와도 상통할 수 있는 것으로 해석되기 때문이다. 이러한 「절정」의 극복정신, 새 출발의 정신은 「꽃」의 세계로 연결됨으로써 새로운 전기를 맞이한다.

동방은 하늘도 다 끝나고
비 한방울 나리지 않는 그때에도
오히려 꽃은 빨갛게 피지 않는가
내 목숨을 꾸며 쉬임없는 날이여

북(北)쪽 쓴드라에도 찬 새벽은

눈속 깊이 꽃 맹가리가 옴자거려
제비떼 까맣게 날라오길 기다리나니
마침내 저바리지 못할 약속(約束)이여

—「꽃」1,2연

그것은 새로운 생명의 탄생, 즉 부활의지로의 전환이다. 시 「절정」에서의 '절정'은 한계점 또는 끝남의 지점이 아니다. 그것은 오히려 새 생명의 탄생을 약속하는 도약의 지점이며 약속을 향한 새 출발의 지점이 되는 데 참된 의미가 드러난다.

바로 여기에서 시 「절정」의 참뜻이 드러난다. 그것은 운명에 대한 뜨거운 사랑이 마침내 성취하게 되는 삶의 비약적 상승의 시점이며 존재의 비극적 초월에 해당하는 것이다. 이 점에서 희망과 기다림의 철학으로 나아가게 되는 정신의 코페르니쿠스적 전환이 이룩되는 것이다.

5 기다림의 철학, 평화사상

내 고장 칠월(七月)은
청포도가 익어가는 시절

이 마을 전설이 주절이주절이 열리고
먼데 하늘이 꿈꾸며 알알이 들어와 박혀

하늘밑 푸른 바다가 가슴을 열고
흰 돛 단 배가 곱게 밀려서 오면

내가 바라는 손님은 고달픈 몸으로

청포(靑袍)를 입고 찾아 온다고 했으니

내 그를 맞아 이 포도를 따먹으면
두 손은 함뿍 적셔도 좋으련

아이야 우리 식탁엔 은쟁반에
하이얀 모시 수건을 마련해두렴

—「청포도」 전문

이 시는 다른 시들에 비해서 하나의 스토리를 지니고 있다는 점에서 특이하다. 다시 말해서 이 시는 “청포도가 익어감”, “손님이 찾아옴”이라는 두 사건을 병렬하면서 이에 대한 가상적 기대와 기다림, 그리고 준비의 자세를 피력하고 있다는 점에서 일종의 이야기시에 해당한다 하겠다.

이 시는 모두 여섯 연으로 나뉘어져 있지만, 이것은 대략 육사의 다른 시들처럼 기(1·2연)·승(3·4연)·전(5연)·결(6연) 네 단락으로 의미구분할 수 있다. 이 시 역시 전통적인 한시 작법과 연관되어 있음을 암시한다.

먼저 첫 기단락은 청포도가 오브제로 등장한다. 여기서 청포도는 “익어가는”이라는 형성의 개념으로 이해되며, 그것은 기다림이라는 명제와 연결된다. 따라서 청포도는 단순히 익어가는 과일로서의 사물이라기보다는 “이 마을 전설이 주절이주절이 열리고/먼데 하늘이 꿈꾸며 알알이 들어와 박혀”와 같이 전설과 꿈이 내용으로 충만되는, 관념으로서의 과일에 해당된다. 그리고 이것은 육사가 항상 표랑하던 이국 땅에서 고향이 그리울 때나 부모형제가 보고 싶을 때 외이곤 하던 『시전』의 「7월장」(「연인기」(조광, 1941, 1월호))과 상관되는 것으로 보인다. 즉 7월은 육사에게 있어 그리움과 기다림이라는 의미가 착색된 하나의 상징으로 볼 수 있다는 점이다. 특히 이 연에서 “전설”이 “꿈”과 조응되는 것은 예사로운 일이 아니다. 전설은 과거지향의 표상이며 꿈은 미래지향의 표상인데도 이것들이 함께 7월의 청포도에 스며든

다하는 것은 육사시를 관류하는 한 특징인 불연속적 세계관에 비추어 보면 특기할 만한 일이 아닐 수 없기 때문이다. 이것은 이 시가 「절정」에서 무지개를 떠올리고 「광야」에서 백마 타고 오는 초인을 그리워함으로써 과거와 현실의 단층 또는 자아와 세계와의 단절의 극복을 성취하려 하던 노력과 접맥시킬 수 있다. 다시 말해서 미래지향의 역사의식으로써 현실극복을 성취하고 능동적인 미래로 나아갈 수 있는 기틀을 마련한다는 점이다.

다음으로 승단락은 기단락에서의 그리움과 기다림이 구체화되어 나타난다. 그것은 "푸른 바다가 가슴을 열고/흰 돛 단 배가 곱게 밀려서 오면"이라는 희망적, 낙관적인 세계로의 펼쳐짐이다. 아울러 "내가 바라는 손님은 고달픈 몸으로/청포를 입고 찾아온다고 했으니"라는 확신에 찬 기다림의 피력이다. 실상 여기에서 "고달픈 손님"은 "서릿발 칼날진 그 위"를 쫓기던 모습 또는 눈 내리고 매화향기 홀로 아득하던 광야에서 "가난한 노래의 씨를 뿌리던" 모습과 무관하지 않다. 다시 말해서 그러한 고달픔의 모습으로 찾아온 것이기에 그리움과 기다림이 한층 애달프고 절실할 수밖에 없는 것이다. 따라서 승단락은 청포도가 오랜 인고의 시간 속에서 익어가는 모습과 청포의 손님이 온갖 역경을 뚫고 돌아오는 모습을 대비시킴으로써 그에 대한 그리움과 기다림의 심정을 심화하는 데 특징이 있다. 이러한 승단락의 '배=손님'의 도래에 대한 확신과 기다림은 가상적인 미래 상황을 설정하게 한다.

전단락에서 "내 그를 맞아 이 포도를 따 먹으면/두손은 함북 적셔도 좋으련"이라는 기대의 충만함이 그것이다. 여기에서 기단락에서의 익은 청포도와 승단락에서의 돌아온 손님의 이미지가 합치하게 된다. 오랜 세월에 걸친 역경과 시련 또는 그리움과 기다림 끝에 단절됐던 과거와 현재, 너와 나, 나와 세계의 참된 합일을 성취하게 되는 것이다. 이른바 불연속적 세계관의 극복이 이루어지는 것이다. 그러나 이 전단락은 마지막 "좋으련"에서 '련'에 의해 이러한 합일과 극복이 이미 성취된 것이 아니라 아직도 미래적인 것으로 남아있는 것이라는 점을 시사하게 된다. 따라서 희망적, 낙관적인 시상이 미래 지향적인 것으로 남겨진다. "아이야 우리 식탁엔 은쟁반에/하이얀 모시 수건을 마련해 두렴"이라는 결단락의 내용이 그것이다. 그러나 여기에서 '마련해 두는' 행위는 단순한 미래시제상의 꿈이 아니다. 지금까지 청포도가 익어가고 고달픈 손님이 찾아오는 과정의 연장선상에서 지금 실제로 취해져야 하는 실천적, 구체적인 준비행위로서 당위적 의미를 지닌다는 점이 중요하다.

바로 이 점에서 이 시는 과거의식과 현재의식, 그리고 미래지향의 역사의식이 긴밀하게 통합되고 탄력있게 작용함으로써 기다림의 철학과 평화의 사상을 완성한 데서 참된 의미가 드러난다. 그리고 이러한 기다림의 철학 또는 평화의 사상은 확고한 전통의식에 뿌리내리고 있으며, 투철한 현실의식 또는 극복의 정신에서 출발하고 있는 것이라는 점에서 강한 설득력을 지닌다. 아울러 육사의 투사의식이 성숙한 예술의식으로 여과된 한 전범을 제시했다는 점에서 이 시의 의미가 놓여진다.

6 선구자의식 또는 미래지향의 역사의식

까마득한 날에
하늘이 처음 열리고
어데 닭 우는 소리 들렸으랴

모든 산맥(山脈)들이
바다를 연모(戀慕)해 휘달릴 때도
차마 이 곳을 범(犯)하던 못하였으리라

끊임없는 광음(光陰)을
부지런한 계절(季節)이 피여선 지고

큰 강(江)물이 비로소 길을 열었다

지금 눈 내리고
매화향기(梅花香氣) 홀로 아득하니
내 여기 가난한 노래의 씨를 뿌려라.

다시 천고(千古)의 뒤에
백마(白馬)타고 오는 초인(超人)이 있어
이 광야(曠野)에서 목놓아 부르게 하리라

—「광야」 전문

육사의 대표작 중의 대표작으로 꼽히는 이 시는 육사 시의 면모를 종합적으로 제시해 준다. 먼저 그것은 구성면에서 찾아볼 수 있다. 형식적인 구성은 다섯 연으로 짜여 있는데 내용상으로는 기·승·전·결이라는 육사시의 기본구성법을 취하고 있다. 즉 1,2연이 기, 3연이 승, 4연이 전, 그리고 5연이 결에 해당한다. 이러한 기·승·전·결 구성법은 다시 선경후정법, 즉 앞의 두 부분에서는 정경을 묘사하고 뒷부분에서는 심정을 표출하는 전통적인 한시 작법에 의지하고 있는 것이다. 그만큼 육사의 작시법 또는 시의식이 전통적인 것에 뿌리내리고 있다는 증좌가 된다.

먼저 첫 기단락에서는 광야의 모습이 묘사된다. 그리고 첫 연에서는 시간성이, 둘째 연에서는· 공간성이 각각 제시된다. 다시 말해서 1연은 "까마득한 날/하늘이 처음 열리고"와 같이 천지가 개벽하는 태초의 상황이 묘사되어 있다. 그리고 이것은 "어데 닭 우는 소리 들렸으랴"라는 부정적인 설의법을 수반함으로써 광야의 원시성, 신비성, 적막성을 심화한다. 또한 2연은 "모든 산맥들이/바다를 연모해 휘달릴 때도/차마 이곳을 범하던 못하였으리라"라는 구절처럼 활유법을 사용하여 광야의 광활성과 함께 그러한 광대무변한 광야의 모습이 불러일으키는 장엄함을 제시한다. 특히 여기에서는 "모든"이라는 전체관형사, "휘"달린다라는 강세접두사, "차마"라는 절대부사가 "범하던 못하다"라는 단정적 서술과 결합함으로써 웅장한 남성주의 또는 대륙적 기상[9]을 일깨워 준다. 따라서 이 기단락은 태초에 광야의 생성이 이루어지는 순간과 그 광대무변한 모습을 통해서 광야의 엄숙하면서도 웅장한 정경을 묘사한 것이다.

승단락에서는 흐름과 순환의 상상력, 즉 "광음", "계절", "강물" 등의 이미지들을 동해서 광야의 역사성을 제시한다. "끊임없는 광음을/부지런한 계절이 피여선 지고"라는 구절 속에는 소멸과 생성이 되풀이되는 역사의 지속과 순환의 원리가 담겨져 있다. 또한 "큰 강물이 비로소 길을 열었다"라는 구절은 "강물"과 "길"의 대응을 통해서 인류의 역사 또는 문명과 문화의 태동 및 그 전개를 시사해 준다. 특히 "큰 강물"과 "비로소 길을 열었다"의 결합 속에는 마치 큰 강물의 굽이침과 대응되는 인류사의 힘찬 생성력이 담겨져 있으며, 아울러 자연사와 인간사의 마주침이 불러일으키는 장엄미 또는 숭고미가 드러나는 것이다.

이러한 광야의 정경묘사에 이어 전단락에는 신념과 의지의 표출이 드러난다. 앞의 부분들이 광야의 역사성 혹은 과거성의 제시에 기본 뜻이 놓여진다면, 이 부분은 광야의 현재성, 즉 현재의 상황과 그에 대한 시적 퍼스나 '나'의 대응 자세에 초점이 맞춰져 있다. "지금 눈 내리고/매화향기 홀로 아득하니"라는 현재상황의 제시와 "내 여기 가난한 노래의 씨를 뿌려라"라는 사건의 대응이 바로 그것이다. 먼저 "눈"과 "매화향기"의 대조는 현재상황이 겨울이고, 거기에 매화 한 송이가 고고하게 피어 향기를 발함으로 해서 시의 퍼스나가 처한 현재의 상황이 얼마나 혹심한 추위와 어둠에 휩싸여 있으며, 그 속에서 매화가 상징하듯 굳센 지절을 지키기가 얼마나 지난한 일인가를 상징적으로 제시해 준다. 아울러 그것은 그러한 추위와 어둠 속에서도 언젠가는 도래할

9) 정한모, 앞의 글.

봄에 대한 소망과 확신을 잃지 않고 있음을 반증해 주는 것이 된다. 따라서 "내 여기 가난한 노래의 씨를 뿌려라"라는 이 시의 핵심 구절이 가능해진다. "씨를 뿌려라"라는 구절은 "뿌려라"라는 서술형어미 속에 '뿌리겠다'라는 단호한 의지와 '뿌려야만 한다'라는 당위적 신념을 함께 포괄하고 있다. 그것은 현실이 어떠한 가혹한 질곡과 억압 또는 희망을 간직하기 어려운 절망으로 가득 찬 시대라 하더라도 그것을 이겨 나아가고자 하는 극복의지가 이 시의 핵심에 놓여 있음을 의미한다. 아울러 이러한 확고한 신념의 확보와 극복의지만이 현실이 처한 엄청난 비극성을 파괴하고 차단함으로써 미래에 대한 능동적인 꿈과 소망을 획득하게 하는 원동력이 될 수 있음을 강조한 것이 된다. 특히 이 연은 "눈/매화/씨"가 투철한 현실인식과 그에 대한 강인한 극복의지, 그리고 서정적 심미의식을 함께 상징적으로 포괄함으로써 이 시가 실천성과 예술성 사이의 탄력있는 긴장과 조화를 성취하는 데 결정적 기틀을 마련하게 해준다는 데서 의미가 놓여진다.

따라서 결단락에서는 미래지향의 확고한 역사의식이 드러나게 된다. "다시 천고의 뒤에/백마타고 오는 초인이 있어"라는 구절은 현실에 대한 극복의지가 마침내 미래의식으로 연결됨을 말해 준다. 암담한 현실에 맞서서 그 고통과 절망을 극복하려는 정신적 암투의 절정에 처하여 미래에 대한 확고한 신념을 획득함으로써 정신의 초극을 성취하게 되는 것이다. 여기에서 "백마"와 "초인"의 의미가 무엇인가 하는 문제가 제시된다. 말은 대체로 몇 가지 상징성을 지니는 것으로 풀이된다. 즉 말은 세계상의 주기적인 순환 혹은 우주적인 힘의 상징으로 나타나는가 하면 신성성의 한 상징 혹은 남성적인 힘의 상징이 되기도 한다. 특히 백마는 흑마와 대비되어 탄생의 이미지를 내포하기도 한다.[10] 이로 미루어 볼 때 이 시에서 백마는 적절히 사용된 오브제가 아닐 수 없다. 그것은 백마가 지닌 우주적인 힘의 상징성, 남성적 힘의 상징성,

---

10) J. E. Cirlot, *A Dictionary of Symbol* (Philosophical Library, N. Y. 1962)144-145쪽.

탄생과 신성의 상징성 내지는 세계의 순환 질서의 상징성 등이 이 시의 기본 맥락인 광야의 생성과 문명의 태동 및 역사의 순환법칙, 그리고 현실극복의 힘찬 의지와 미래지향의 역사의식과 잘 부합되는 것으로 보이기 때문이다. 특히 광야의 광활성과 '씨앗'의 선구자의식은 말이 상징하는 역동성과 잘 조화됨으로써 이 시에 탄력성을 높여 주고 스케일을 확대해 주는 원천이 된다.

한편 "초인"의 의미는 어떠한가. 여기에서의 초인은 이미 논의한 바 있는 니이체의 위버멘쉬의 개념이 적당할 듯하다. 위버멘쉬란 역사를 지배하는 영웅이나 신비한 힘을 간직한 초능력자를 의미하는 것이 아니다. 그것은 어떤 초자연적, 초현실적 존재가 아니다. 위버멘쉬, 즉 초인은 이 땅에서 태어나 성장하고 있는 인간이 자력에 의해 도달할 수 있는 하나의 실천적인 모습이며, 과거의 질곡과 현실의 억압에서 벗어나려는 치열한 몸부림을 통해 자기극복을 성취하고 정신적 상승을 획득해 가는 이상적인 인간형인 것이다.[11] 따라서 이 시에서도 마찬가지이다. 고난의 과거를 헤쳐오면서 현실의 추위와 어둠에 맞서서 이 절망과 고통을 이겨 나아가려는 치열한 몸부림을 겪으면서 자기극복을 성취하고, 마침내 참된 미래지향의 역사의식을 획득한 자의 의연한 모습이 바로 초인의 모습인 것이다.

따라서 이 시에서 초인은 극복과 초월정신에 뿌리를 둔 선구자의 모습이며, 동시에 신념의 인간형이고 이상적인 자아의 실천적 인간형에 해당한다. 이렇게 볼 때 "백마타고 오는 초인"의 의미는 자명해진다. 그것은 우주의 순환원리와 역사의 인과론적 법칙에 따른 새 시대의 도태에 대한 확신이며, 이러한 새로운 시대의 도래는 꾸준한 자기극복의 실천과 미래지향의 역사의식을 확보함으로써 비로소 실현될 수 있다는 깨달음을 제시한 것이 된다. 아울러 "광야에서 목놓아 부르게 하리라"는 이 시의 결구는 실천적인 삶, 또는 열린 삶에 대한 신념과 의지를 다시 한 번 강조하는 데 뜻이 놓여진다.

---

11) 정동호, 『니이체 연구』(탐구당, 1983) 참조.

이렇게 볼 때 이 시는 순환의 역사관을 바탕으로 초인사상과 선구자의식을 결합하고 이것을 미래지향의 역사의식으로 고양시킴으로써 어려운 현실 속에서 묵묵히 씨 뿌리는 자의 절망과 고통, 그리고 외로움을 드러내는 동시에 언젠가는 밝은 역사의 아침이 도래하리라는 일종의 후천 개벽 사상을 제시한 것으로 풀이된다. 이 점에서 이 시의 정신은 '님의 상실—이별 후의 고통과 절망—절망의 희망화와 기다림—님과의 만남'을 성취하는 만해의 「님의 침묵」의 시정신과 상통하는 것으로 이해된다. 특히 자기극복의 치열성에 바탕을 둔 초인정신, 현실과 당당히 맞서면서도 내일을 예비하는 선구자의식, 그리고 순환의 역사관에 뿌리를 둔 미래지향의 예언자적 지성의 면모는 육사 시와 만해 시를 관류하는 공통점이 된다.

결국 「광야」는 육사의 투철한 현실인식과 치열한 극복정신이 역사의식으로 통합되면서 예술의식과 탁월하게 조화를 이룩한 육사시의 대표작으로 평가할 수 있다.

마지막으로 한 가지 추가하여 지적할 것은 이 시에 있어 형태적인 면에서의 전통성이다. 각 연이 모두 3행씩으로 짜여 있는데, 이 3행을 자세히 들여다보면 첫 두 행이 함께 묶이고 마지막 행과 첫 두 행이 대응을 이룬다는 점이 특이하다. 다시 말해서 앞의 두 행은 원래 한 행이었던 것을 두 행으로 나누어 놓은 것으로서, 대략 묶어서 생각해 보면 5음보 정도로 짜여진 2행 구성이 이 시의 기본 골격을 형성함을 알 수 있다. 이것은· 다시 한시로 번역해 보면 오언 일행의 대구형식이 됨을 짐작할 수 있다. 따라서 원래는 2행 4연이었던 것을 각 연을 3행으로 늘이다보니 자연 시 전체 연도 한 연이 늘어난 구성, 즉 3행 5연의 구성을 취하게 된 것으로 풀이된다. 내용상에 있어서도 각 연의 1, 2행은 이를 연결해서 파악해야 의미의 단락이 자연스러우며, 전체 구성도 1, 2연을 한 단락으로 한 네 토막으로 구분해서 파악할 때 '광야의 원시성, 광활성(기)→ 문명·문화의 태동(승)→현실인식과 선구자의식(전)→초인정신과 예언자적 지성의 현현(결)'이라는 이 시의 구조가 선명히 드러난다. 이러한 추론이 가능하다는 것은 육사의 시정신과 시 방법이 그만큼 전통적인 것에 뿌리내리고 있다는 실증이 될 수도 있을 것이다.

결국 이 시는 육사의 뿌리 깊은 전통의식이 현실인식에 근거한 선구자의식과 결합되고 이것이 다시 미래지향의 역사의식으로 고양됨으로써 시적 초극과 정신적 상승을 실천적으로 보여준 데서 생생한 의미가 드러나는 작품으로 판단된다.

□ 맺음말

혁혁한 독립투사이자 탁월한 시인으로서 생전에 시집 한권 내지 못하고, 그것도 이국 땅 차디찬 겨울의 감옥에서 운명을 달리한 이육사, 그렇다면 그의 생애와 문학이 문학사에 남겨 준 의미는 어떠하며 오늘날의 문학에 던져주는 교훈은 과연 무엇일까. 이것은 이미 앞서 이상화론에서 던져졌던 질문이지만, 역시 이육사에게서 더욱 절실하게 부딪쳐 오는 명제이다.

먼저 그것은 그가 바람직한 시인의 길이 어떠한 것이며, 참된 시가 어떠해야 하는가를 실천적으로 보여준 데서 드러난다. 그는 무려 열일곱 차례나 영어의 고초를 겪으며 중국의 대륙을 표랑하면서 감옥에서 생애를 마쳤다. 그러나 그의 시는 생경한 이데올로기의 나열이나 전투적 구호로 일관되어 있지 않다. 그는 투사로서의 길이 바로 시인으로서의 길로 직결되는 것은 아니라는 분명한 깨달음을 보여주었다. 그러나 그는 치열한 민족정신과 저항정신, 자유와 평등의 정신, 그리고 투철한 현실인식에 자리 잡은 역사의식을 바탕으로 하지 않고서는 시가 제대로 성립될 수 없다는 점을 확실하게 제시해 줌으로써 올바른 삶의 길과 바람직한 예술의 길이 결코 분리되는 것이 아니라는 점을 소중하게 인식시켜 주었다.

무엇보다도 그의 시는 이 땅의 시가 우리의 전통의식에 뿌리를 두고 있어야 하며, 날카로운 현실인식과 선구자의식에 기초한 미래지향의 역사의식을 확보하는 데서 그 활로와 지평이 열릴 수 있음을 실천적으로 보여준 데서 의미가 드러난다. 이것은 당대 30년대의 많은 시가 생경한 이데올로기에 침윤됐거나, 혹은 모더니즘의 경박성에 치우쳤고, 아니면 개인주의와 전원주의에 함몰됨으로써 역사적 대응력과 사회적 탄력성을 상실한 데 대한 반성으로서의 의미를 지닌다.

아울러 끊임없이 시대와 현실에 절망하면서도 그러한 억압과 질곡에서 벗어나려는 고통스런 노력을 통해서 자기극복을 성취하고 정신적 상승을 획득하려 몸부림친 데 의미가 있다. 실상 그러한 절망과 고통 끝에 그가 완성하게 된 기다림의 철학, 미래지향의 역사의식에 맞닿은 평화의 사상은 일제하 어두운 시대의 빛과 소금이 된다.

육사는 분명 일제하 민족운동사 또는 독립투쟁사의 한 정점에 놓이는 인물이면서 동시에 문학예술사의 기둥으로 서있는 우람한 존재이다. 그의 생애, 문학은 앞으로도 험난한 이 땅의 역사가 어둠으로 소용돌이칠 때마다 가장 치열한 정선의 표상으로서, 가장 탁월한 예술성을 성취한 한 전범으로서 겨레의 가슴속에 오래도록 살아 있을 것이 확실하다.

□ 연 보

1904 : 음력 4월 4일 경북 안동군 도산면 원촌리에서 출생. 한문 수학, 본명은 원록(源祿).

1915 : 보문의숙에서 새로운 학문과 식견을 넓힘.

1919 : 녹전면 신평동으로 이사, 예안 만세 사건을 겪다.

1920 : 대구에서 그림공부를 하다.

1921 : 순흥 안씨와 결혼하다.

1922 : 영천 백학학교, 대구 교남학교 등에서 수학함.

1923 : 일본으로 건너가서 견문을 넓히다.

1925 : 형 원기 등과 독립운동단체인 정의부, 군정서, 의열단에 입단 활동함.

1926 : 장진홍 의사의 조선은행 대구지점 폭파사건에 연루되어 원기, 원일, 원조 등의 형제와 함께 피검되어 2년 7개월 간 복역.

1929 : 석방, 조선일보 대구지사 경영.

1930 : 대구의 격문사건에 연루되어 피검 6개월간 복역.

1931 : 외숙의 독립군 자금 모집에 관련, 만주, 북경, 봉천을 전전.

1932 : 북경의 조선군관학교 국민정부위원회 간부훈련반 입교.

1937 : 군관학교 졸업, 귀국하여 『신조선』에 처녀작 시 「황혼」을 발표.

1934 : 군관학교 출신자 피검에 관련, 7개월 이상 검속

1935 : 평론 발표, 이해 북경대학에 적을 두었던 것으로 추정된다.

1936 : 만주에서 귀국, 귀국하자마자 피검되어 구류.

1937~40 : 국내문단에서 작품활동을 하다.

1943 : 피검, 북경으로 압송.

1944 : 북경감옥에서 1월 16일 새벽 5시 별세.

1946 : 유고시집 『육사시집』 출간.

1957 : '육사추도의 밤'을 대구에서 가지다.

1960 : 유해 고향 원촌에 이장.

1964 : 이육사 선생 기념비 건립위원회 조직, 시집 『청포도』 발간.

1968 : 안동 낙동강가에 육사 시비 제막, 추모의 밤을 개최.

12. 다형(茶兄) 김현승(金顯承)

—가을정신 또는 고독의 사상—

“가을에는/사랑하게 하소서/호올로 있게 하소서”라고 기도하던 시인 다형(茶兄) 김현승(金顯承)(1913.4.4～1975.4.11), 그는 식민지하의 어둠과 해방 이후의 혼란한 시대를 헤쳐 오면서 고독으로서의 삶의 원상과 인간의 본질을 탐구하는 데 힘을 기울여온 이 땅의 대표적 종교 시인이자 희귀한 명상 시인의 한 사람이었다. 그는 처음부터 끝까지 신 앞에 선 인간으로서의 회의와 좌절, 그리고 신을 잃은 인간으로서의 고독과 슬픔을 노래하였다. 신교 목사이던 아버지에게서 태어난 태중 기독교인으로서 그가 지닐 수밖에 없었던 선험적 퓨리타니즘과 애제자 몇 사람밖에는 가질 수 없었던 그의 체질적 비사교성은 그로 하여금 인간 내면과의 고독한 싸움을 전개하도록 만들 수밖에 없었던 것으로 보인다. 이러한 그의 결벽증에 가까운 퓨리타니즘과 비사교성은 어쩌면 오히려 시인으로서 그가 성공할 수 있었던 큰 힘으로 작용하였는지도 모른다. 그의 시는 항상 외로움의 끝에서 배태되고, 고독과의 치열한 격투 속에서 탄생할 수 있었기 때문에 그만큼 깊이 있고 강한 내질을 형성할 수 있었던 것으로 이해된다는 점에서 그러하다. 실상 그의 시는, 참된 삶에 대한 용기는 항상 눈물의 끝, 고독의 최후에서 비롯되며 또 거기에서 새롭고 힘찬 생의 상승이 이루어질 수 있다는 소중한 깨달음을 보여준 데서 깊은 의미가 드러난다. 무엇보다도 그의 시는 현대인들이 가장 결여하고 있는 종교적 상상력의 깊이와 명상의 진지함을 체험적으로 제시해 주었다는 점에서 폭넓은 공감을 유발하는 것으로 이해된다.

지금까지 그의 시에 대한 연구는 고독과 신앙의 문제에 집중되어 온 감이 없지 않다. 그의 시가 지닌 넓이와 깊이에 비해 그에 대한 연구가 아직 제한적, 피상적이었던 점에 비추어 앞으로 이에 대한 집중적, 지속적인 연구가 필요한 것으로 판단된다.

1 자연과의 친화와 교감

다형 김현승은 1934년 「쓸쓸한 겨울저녁이 올 때 당신들은」, 「어린 새벽은 우리를 찾아온다 합니다」 등의 낭만적인 작품들을 발표(동아일보 5월 25일자)하면서 시단에 등장하였다. 이후 그는 1975년 고혈압으로 작고하기까지 약 40년간에 걸쳐 273편(이하 인용시는 「김현승전집」 제1권(시인사, 1985 참조))의 시와 얼마간의 시론, 문학론, 수필 등을 남겨 놓았다. 그의 시작 경향은 비교적 과작에 속했으며, 대부분의 중요한 시편들은 50∼60년대에 집중적으로 창작되었다. 그동안 발간된 시집으로는 제1시집 『김현승시초』(문학사상사, 1957)를 비롯하여 『옹호자의 노래』(선명문화사, 1963), 『견고한 고독』(관동출판사, 1968), 『절대고독』(성문각, 1970), 『마지막 지상에서』(창작과비평사, 1975) 등이 있으며 기타 김현승 산문집 『고독과 시』(지식산업사, 1977), 『가을에는 기도하게 하소서』(예전사, 1984) 및 평전 『지상에서의 마지막 고독』(문학세계사, 1984) 등이 있다.

그의 시세계는 대략 초기시(데뷔기∼해방까지, 36년 이후는 거의 작품활동이 없음), 중기시(45년∼64년경까지) 그리고 후기시(65년 『견고한 고독』 이후∼75년 『마지막 지상에서』까지)로 나누어 볼 수 있다. 대략 그것은 그의 시 세계를 형성기, 전개기, 결실기 등으로 구분할 수 있기 때문이다. 따라서 본고에서는 시작 순서를 고려하면서 그의 시세계를 살펴보기로 한다.

> 꿈을 아느냐 네게 물으면,
> 푸라타나스,
> 너의 머리는 어느덧 파아란 하늘에 젖어 있다.
>
> 너는 사모할 줄을 모르나,
> 푸라타나스,
> 너는 네게 있는 것으로 그늘을 늘인다.
>
> 먼 길에 올 제,
> 홀로 되어 외로울 제,
>
> 푸라타나스,
> 너는 그 길을 나와 같이 걸었다.
>
> 이제 너의 뿌리 깊이
> 나의 영혼을 불어넣고 가도 좋으련만,
> 푸라나타스,
> 나는 너와 함께 신(神)이 아니다!
>
> 수고론 우리의 길이 다하는 어느 날,
> 푸라타나스,
> 너를 맞아 줄 검은 흙이 먼 곳에 따로이 있느냐?
> 나는 오직 너를 지켜 네 이웃이 되고 싶을 뿐,
> 그곳은 아름다운 별과 나의 사랑하는 창(窓)이 열릴 길이다.
>
> ―「푸라타나스」 전문

이 시에는 자연과의 친화와 교감이 잘 나타나 있다. 자연의 상징으로서의 플라타너스와 인간의 표상으로서의 퍼스나인 "나" 사이에 내밀한 조응이 이루어지고 있는 것이다. 먼저 이것은 감정이입을 통해 표출된다. 플라타너스가 인격화됨으로써 시의 내밀성을 심화시킨다. 따라서 앞의 두 연은 의인법의 중층구조로 짜여진다. "꿈을 아느냐 네게 물으면/푸라타나스/너의 머리는 어느덧 파아란 하늘에 젖어 있다"라는 첫 연에는 자연의 예지가 드러난다. 자연은 무언으로 인간의 질문에 답하고 있으며, 그것도 선험적인 모습으로 제시되어 있는 것이다.

이러한 선험적인 예지는 다음 연에서 더욱 확실히 드러난다. "너는 사모할 줄을 모르나/푸라타나스/너는 네게 있는 것으로 그늘을 늘인다"라는 구절 속에는 자연이 침묵으로써 가르쳐주는 사랑의 참뜻이 담겨져 있다. 그것은 자랑하거나 교만하지 않는 무언의 사랑이며, 바로 사랑의 실천적인 모습 그 자체인 것이다. 아울러 이 연에는 안분자족의 편안함이 깃들어 있다. 자연의 극히 미미한 한 부분으로서의 나무인 플라타너스가 할 수 있는 최대의 헌신은 다만 "네게 있는 것으로 그늘을 늘이는"일일 뿐이다. 이것은 최선을 다하는 삶의 편안함이며 따뜻함이자 또한 보람에 해당하는 것이다. 이처럼 자연은 인간에게 침묵과 무언으로써 삶의 예지와 참된 사랑을 하나하나 소중하게 일깨워 주는 데서 참뜻이 드러난다.

그러나 정작 중요한 것은 자연이 인간에게 던져 주는 예지나 교훈 그 자체가 아니다. 오히려 자연의 참뜻은 그것이 인간과 영원한 동반자 또는 공감자로서의 역할을 수행한다는 점에서 찾아진다. 3, 4연의 내용이 바로 그것이다. 여기에서는 초점이 인간에게로 이동된다. "먼 길에 올 제/홀로 되어 외로울 제/푸라타나스/너는 그 길을 나와 같이 걸었다"라는 구절들 속에는 인생의 고단한 모습과 함께 자연의 동반자적 모습이 잘 제시되어 있는 것이다. "먼 길"은 인생 행로의 아득함과 고달픔을 반영하며 "홀로", "외로움"과 어울려 단독자로서의 생의 고독한 모습을 드러내 준다. 생의 근원적인 모습은 고달픔과 고적함으로 제시되어 있는 것이다. 이러한 고달프고 고적한 삶에 "그 길"을 같이 걸을 수 있는 동반자로서의 플라타너스는 이미 단순한 사물로서가 아닌 영혼의 공감자이자 반려로서의 의미를 지닌다. 이 점에서 자연과 인간이 단순한 친화가 아닌 교감의 차원으로 맺어지게 되는 것이다.

따라서 5연에서 "이제 너의 뿌리 깊이/나의 영혼을 불어넣고 가도 좋으련만"이라는 교감과 일치에의 소망을 드러낸다. 그러나 이 지점에서 새삼 유한자로서의 인간의 모습이 선명히 떠오르게 된다. 자연과 인간은 절대자, 조물주로서의 신 앞에서 한낱 피조물로서의 한계적 존재일 뿐이다. 그렇기 때문에 인간은 더욱 외롭고 고독할 수밖에 없다. 아니 이러한 고독은 인간만의 것이 아니라 자연은 물론 피조물로서의 삼라만상의 근원적 모습인 것이다.

여기에서 한계의식 또는 운명의식이 드러나게 된다. 마지막 연이 그것이다. "수고론 우리의 길이 다하는 어느날"이란 바로 삶이 다하는 날, 즉 죽음의 시간이다. "수고하고 짐진자"들로서의 인간들이 마지막 도달하는 곳은 "검은 흙"으로서의 죽음의 세계인 것이다. 바로 이 지점에서 고속이 인간의 본질에 해당하며, 죽음 또한 운명적인 것이라는 데 대한 확실한 깨달음과 함께 그에 대한 긍정의 노력이 표출된다. 이러한 긍정에의 길은 주어진 삶에 최선을 다하는 일로 나타난다. 어차피 주어진 목숨은 어느 날 흙으로 돌아가는 것이지만, 지상에 살아 있는 그 순간까지는 다 같이 고독자, 유한자로서의 이웃을 사랑함은 물론 마음속에 "아름다운 별"로서의 이상과 소망을 간직하고, "창이 열린 길"로서의 열린 정신과 곧은 마음을 지향해 나아가야 한다는 깨달음과 확신이 담겨져 있는 것이다.

플라타너스나 "나"는 단독자로 태어났기 때문에 고독할 수밖에 없으며, 일회적 존재로서의 운명성을 지니기 때문에 허무한 것일 수밖에 없다는 전에서 근원적 동일성을 지닌다. 이 점에서 플라타너스는 자연의 표상이기도 하지만 외로운 존재로서의 인간의 또 다른 객관적 상관물일 수도 있는 것이다. 따라서 이 시는 '자연—인간—신'의 상관관계 속에서 삶의 본성이 어떠한 것인가를 내밀하게 응시하면서 삶을 긍정하고 그에 최선을 다하고자 하는 청결한 꿈과 의지를 담고 있는 것으로 보인다. 시인 자신은 이러한 자연과 인간, 그리고 신의 관계를 다음과 같이 피력한 바 있다.

> 나는 인간의 삶 자체를 자연의 유로(流露)라고는 생각지 않는다. 그것은 오히려 비평이라고 생각한다. 나는 자연을 있는 대로 받아들이지 않고, 자연에다 어떤 주관적인 해석을 가하고 주관에 의하여 변형시키기를 요구한다. 이런 점에서 나는 동양적이 아니고 서구적이다. 그리고 그것은 기독교적이다. 그리고 그것은 성선설(性善說)에 입각한 생활이 아니고 원죄설(原罪說)에 뿌리박은 생활임을 나 자신이 언제나 인식하고 있다.
>
> —「나의 문학백서」(『월간문학』, 1970. 9)

실상 시인 자신의 이러한 고백은 그의 시들이 원천적으로 인생과 자연, 그리고 신의 삼각관계에서 형성되고 있음을 알 수 있게 해준다. 자연 자체로서도 아니고 신 자체로서도 아닌, 그것들이 생의 문제와 절실하게 부딪치면서 갈등하고 조화하는 데서 다형 시의 원형이 놓여 있음을 말해 주는 것이다. 이 「푸라타나스」가 바로 그 한 예가 될 수 있음은 물론이다.

2 소멸과 생성의 변증법

지우심으로
지우심으로
그 얼굴 아로새겨 놓으실 줄이야……

흩으심으로
꽃잎처럼 우릴 흩으심으로
열매 맺게 하실 줄이야……

비우심으로
비우심으로
비인 도가니 나의 마음을 울리실 줄이야……

사라져
오오,
영원(永遠)을 세우실 줄이야……

어둠 속에
어둠 속에
보석(寶石)들의 광채(光彩)를 길이 담아 두시는
밤과 같은 당신은, 오오, 누구이오니까!

—「이별에게」 전문

이 시는 이별의 변증법 또는 소멸의 미학을 아름답게 형상화해 주었다. 이 시에서 말하고자 하는 것은 표면적으로는 이별이다. 그러나 이 시의 근본 의도는 소멸 자체에 있는 것이 아니라 그것의 배후 또는 깊이 속에 자리잡고 있는 삶의 감춰진 진실에 대한 탐구에 있다. 따라서 이 시는 역설을 핵심 방법으로 취하게 된다. 왜냐하면 역설이란 겉으로는 모순이 나타나지만, 속에는 진실을 담고 있는 표현 방법이기 때문이다. 따라서 역설은 일상적으로는 잘 드러나지 않는 삶의 진실을 포착하는 데 있어 유효한 시의 방법으로 활용된다. 실상 이 시에서 역설은 여러 겹의 중층구조를 형성하고 있다.

먼저 첫 연은 "지우심으로/지우심으로/그 얼굴 아로새겨 놓으실 줄이야"같이 소멸로부터 시작되지만, 그것은 소멸 그 자체로서 끝나는 것이 아니라 새로운 생성(아로새김)의 실마리가 되는 것이다. 이른바 소멸을 통한 생성 혹은 소멸의 변증법을 보여준다. 특히 여기에서 말줄임표(……)는 역설을 통해서 비로소 존재의 실상 또는 본질에 도달할 수 있다는 사실에 대한 외경감 또는 깨달음을 반영한 것으로 이해된다. 둘째 연에서는 이러한 소멸의 변증법을 더욱 구체적인 비유로 표현한다. "흩으심으로/꽃잎처럼 우릴 흩으심으로/열매 맺게 하실 줄이야……"라는 구절은 '꽃잎—열매'의 비유를 통해서 '소멸—생성'이라는 역설적 원리를 제시하고 있다. 또한 이러한 감각적인 비유에 의해서 자칫 관념에 떨어지기 쉬운 내용에 견고한 형상성을 부여하게 되는 것이다. 2연이 외향적인 원심력의 비유라면 3연은 내향적인 구심력의 비유에 해당한다. "비우심으로/비우심으로/비인 도가니 나의 마음을 울리실 줄이야……"라는 구절은 소실에 의한 충만 혹은 소멸을 통한 생성이라는 존재의 원리를 반영한 것이다.

이러한 앞의 세 연의 역설적 비유는 넷째 연으로 집중된다. "사라져/오오/영원을 세우실 줄이야……"라는 짤막한 구절 속에는 소멸(사라짐)이 진정한 생성(영원을 세우심)에 이르는 전제 원리가 됨을 비로소 확신하게 되는데 대한 영탄이 담겨져 있다. 이것은 실상 십자가에 못 박혀 죽음으로써 인류의 죄를 사하고 다시 부활을 통해서 참된 생명의 길에 도달한 예수 그리스도의 생애를 노래한 것일 수 있다. 다시 말해서, '소멸—생성/죽음—부활'이라는 고난의 과정을 통해서 영생에 이르는 기독교적 세계관을 반영한 것이라는 점이다. 어쩌면 이것은 무수한 회의와 좌절, 부정과 절망 끝에 비로소 도달하게 되는 크고 높은 깨달음에의 길, 즉 신앙의 길을 의미하는지도 모른다. 아울러 온갖 금욕과 극기의 노력을 통해서 비로소 성취하게 되는 진정한 인간 발견 과정을 비유한 것일 수도 있는 것이다. 참된 삶의 모습은 현실의 갖가지 위선과 부조리, 모순과 타락에 대한 절망과 극기의 노력 속에서 발견되는 것이며, 참된 신앙의 길 역시 신과 믿음 자체에 대한 끊임없는 회의와 절망을 넘어서서 비로소 획득할 수 있는 것이기 때문이다. 이 점에서 이 시는 인간 발견에의 길, 또는 신앙에의 길이라는 삶의 변증법적 과정을 제시한 것으로 이해된다.

마지막 연에는 이 시가 종교적 상상력에 근거하고 있음을 말해 주는 확실한 단서가 드러난다. "어둠 속에/어둠 속에/보석들의 광채를 길이 담아 두시는/밤과 같은 당신은, 오오, 누구오이까!"라는 구절은 바로 어둠과 광채(보석)의 대조를 통해서 절대자에 대한 가없는 신뢰와 의지를 표출하고 있는 것이다. 절대자로서의 신은 오랜 어둠 끝에 비로소 도달하게 되는 광명이며, 진리에의 길인 것이다. 그리고 그것은 회의와 좌절, 부정과 절망 끝에 비로소 이르게 되는 진아(atman)와의 마주침의 순간일 수도 있으리라. 이 점에서 이 시는 어쩌면 "님은 갔습니다"에서 시작되어 "아아 님은 갔지마는 나는 님을 보내지 아니 하였읍니다"로 이어져서, 마침내 "네 네 가요 지금 곧 가요"로 귀결되는 만해의 「님의 침묵」과 근원적 유사성을 지니는 것으로 보인다. 마치 소멸(이별)을 통해서 참된 님의 의미와 자아의 실상을 깨닫고, 마침내 무수한 절망과 고통 속에서 생성(만남)을 성취하는 만해의 종교적 상상력과 서로 상통하는 것이다.

다만 만해가 불교적 상상력에 기초하고 있음에 비해 다형이 기독교적 상상력에 바탕을 두고 있음이 다를 뿐, 참된 자아발견과 절대자에 대한 근접, 즉 신앙에의 고통스런 과정은 하등 다를 바 없는 것이다. 어쩌면 이것은 "사라짐의 가치화"[1]를 통한 존재 의미의 재발견이며, 동시에 부활을 통한 거듭남의 실현일지도 모른다. 그리고 한 걸음 더 나아가서 고통스런 현실로서의 선천을 벗어나서 영생에 이르고자 하는 후천사상으로서의 의미를 지니는 것일 수도 있는 것이다. 실상 이것은 우리의 현대시를 형성하는 한 사상적 원리가 이러한 '소멸—생성'이 암시하는 '선천—후천' 개벽사상에 뿌리를 두고 있음을 제시하는 것일 수 있기 때문이다. 바로 이 점에서 이 「이별에게」는 이 시 자

1) 곽광수, 『한국 현대시 작품론』(문장, 1981)330쪽. 작품 「이별에게」 재인용.

체가 지니고 있는 상징성을 뛰어넘는 소중한 의미를 담고 있는 것으로 이해된다.

3 가을정신, 또는 자유에의 길

가을에는
기도하게 하소서……
낙엽(落葉)들이 지는 때를 기다려 내게 주신
겸허(謙虛)한 모국어(母國語)로 나를 채우소서.

가을에는
사랑하게 하소서……
오직 한 사람을 택하게 하소서,
가장 아름다운 열매를 위하여 이 비옥한
시간을 가꾸게 하소서.

가을에는
호올로 있게 하소서……
나의 영혼,
굽이치는 바다와
백합(百合)의 골짜기를 지나,
마른 나무가지 위에 다다른 까마귀같이.

—「가을의 기도」 전문

이 시는 흔히 다형의 대표작으로 인식되어 인구에 널리 회자되는 작품이다. 가을이 불러일으키는 애수가 생에의 경건한 갈망과 연결됨으로써 관념의 서정적 육화를 성취한 한 전범이 되기 때문이다.

이 시는 대략 세 단락으로 구분된다. 먼저 첫 단락은 첫 연인데, 여기에는 가을이 환기하는 서정이 주가 되어있다. 그것은 "가을에는/기도하게 하소서……"라는 메시지를 핵심으로 하여 "낙엽"과 "모국어"의 이미지를 소도구로 결합함으로써 시적 경건감을 유발시킨다. "기도"라는 종교적 내성의 자세를, '낙엽'이라는 생명 감각과 '모국어'라는 생활 감각으로 전이, 결합시킴으로써 생명에의 외경감과 함께 그에 대한 겸허함을 드러내게 되는 것이다. 무엇보다도 이 연은 "낙엽이 지는"과 "겸허한 모국어"가 부딪치는 데서 일어나는 정서의 미적 긴장에 핵심이 놓여지는 것으로 이해된다. 그것은 낙엽이 상징하는 바 죽음 혹은 떨어짐의 비극성과 마주한 생의 겸허이며, 동시에 운명애(amor fati)에 대한 소중한 자각이 표출되어 있기 때문이다. 낙엽이 떨어지는 모습 속에서 새삼 자아의 인식 또는 존재의 재발견이 성취되는 것이다. 따라서 낙엽의 떨어짐은 "나"로 하여금 생의 숙명성을 자각하게 하는 동시에 주어진 것으로서의 생, 또는 운명에 대한 긍정과 사랑을 다짐하게 만드는 소중한 계기가 된다. 이른바 생명에 대한 경건한 외경심과 함께 운명애의 겸허한 따뜻함이 드러나게 되는 것이다.

다음 단락은 2, 3연인데 여기에는 참된 사랑의 의미가 무엇인가에 대한 탐구가 담겨져 있다. 가을이 사랑의 이미지로 집중되어 있는 것이다. 사랑의 라틴어 어원은 Amor, 즉 A(anti)+mor(morte)라 한다. 사랑이란 죽음에 대한 거부의 몸짓이며 저항의 몸부림이라는 뜻이 담겨져 있다. 따라서 이 단락도 가을 및 낙엽이 환기하는 떨어짐, 즉 낙하의 상상력에 모티브를 두고 있는 것으로 보인다. 낙엽의 떨어짐, 즉 생명의 소멸을 바라보면서 스스로의 살아 있음을 자각하고 더욱 열심히 성실하게 살아야 하겠다는 다짐이 "가을에는/사랑하게 하소서……"로 표출된 것이다. 이것은 마치 발레리가 「해변의 묘지」에서 "바람이 분다! 살아야겠다!" (Le vent se lève! il faut tenter de vivre!)라고 노래한 것을 연상시켜 준다. 따라서 여기에서의 사랑은 이성 간의 사랑이라는 일상적 의미를 바탕으로 하는 것이 사실이지만, 여기에서 한 걸음 더 나아가서 죽음이라는 인간의 숙명성, 한계성을 극복하고 절대자에게 가까이 다가가려는 열린 소망을 담고 있는 것으로 보는 것이 더 적절할 듯하다. 또한 이 연에는 사랑의 도덕률과 원리에 대한 깨달음이 담겨 있어 관심을 끈다. 그것은 "오직 한 사람을 택하게 하소서"에 나타나는 순결 정신과 자유 의지의 소중함에 대한 인식이 나타난다는 점이다. 사랑이 사랑다울 수 있는 것은, 그것이 이성에 대한 것이건 혹은 절대자에 관한 것이건 간에 순결한 마음에 기초를 두어야 하며, 인간 본성에서 우러나는 자유 의지에 근거해야 한다는 점이다. 또한 "가장 아름다운 열매를 위하여 이 비옥한/시간을 가꾸게 하소서"라는 구절 속에는 사랑이 완성된 존재(être)가 아니라 완성해 가는 당위(faire)성을 지니는 것이라는 점에 대한 깨달음이 담겨져 있다. 사랑의 원리는 이루어진 열매를 따는 것이 아니라, "시간을 가꾸어 감으로써 "아름다운 열매"를 맺어 가는 과정이며, 그 결과라는 점을 강조한 데 참뜻이 들어있는 것이다. 실상 인생 자체가 사랑과 마찬가지로 "시간을 가꾸어 가는" 것이기 때문이다.

셋째 단락에는 자신과의 본질적인 대면, 즉 내향에의 의지가 드러난다. 둘째 단락이 밖으로 향한 "사랑"에 관심이 놓였다면, 여기에서는 내면을 향하는 '고독'의 문제에 핵심이 맞춰져 있는 것이다. "가을에는/호올로 있게 하소서……"라는 구절은 온갖 세사에 대한 관심과 욕망으로부터 벗어나서 자유로워지고자 하는 소망을 담고 있다. 모든 나무들이 잎을 구고 원상만 남듯이, 인간도 온갖 욕망을 떨치고 자신의 본질로 회귀해야 하는 시간이 바로 가을인 것이다. 이 "호올로"에의 소망은 바로 인간 본질로서의 고독으로의 다가감이며, 아울러 자유에로의 향성이 아닐 수 없다. 따라서 그것은 영혼과 같이 투명한 것 또는 가벼운 것에 대한 동경을 드러내게 된다. 육신을 벗어난 편안함, 그 자유로움을 얻고자 하는 것이다. 이것은 "굽이치는 바다"로서의 험난한 인생행로를 거쳐서, "백합의 골짜기"로서의 유현한 신앙 행로를 넘어서서 마침내 도달하게 되는 무욕의 세계, 자유로운 영혼의 세계에 해당한다. 그러나 그 곳은 "마른 나무 가지"와 "까마귀"가 상징하는 본질과의 부딪침이 이루어지는 곳이다. 먼저 "마른 나무가지"는 온갖 것을 다 떨치고 핵심만 남은 본질적인 세계를 표상한다. 더구나 여기에 다다른 "까마귀"는 모든 것들이 화해와 통일을 이루는 한 극점을 표상한다. 까마귀는 실상 이 시를 마무리 짓는 핵심 상징이 아닐 수 없다는 점에서 중요성을 지닌다. 그것은 '검은빛'과 '새'의 결합으로 이루어진다. 시인에게 있어 검은빛은 모든 빛의 마지막에 놓이는, 가장 본질과 맞닿아 있는 색깔이기 때문이다.

사랑하기보다
사랑을 간직하며,
허물을 묻지 않고,
허물을 가리워 주는
빛.

모든 빛과 빛들이
반짝이다 지치면,
숨기어 편히 쉬게 하는 빛.

그러나 붉음보다도 더 붉고
아픔보다도 더 아픈,
빛을 넘어
빛에 닿은
단 하나의 빛.

—「검은 빛」 전문

영혼의 새,
매우 뛰어난 너와
깊이 겪어 본 너는

또 다른,
참으로 아름다운 것과
호올로 남은 것은
가까와질 수도 있는,
언어는 본래
침묵으로부터 고귀하게 탄생한,

—「겨울 까마귀」 전문

인용한 시구에서 보듯이 '검은빛'과 '새'의 결합으로서의 까마귀는 "빛을 넘어 빛에 닿은/영혼의 새"임을 알 수 있다. 그것은 고독의 새이며, 자유의 새이자, 본질의 새로서의 상징성을 지니는 것이다. 따라서 "가을에는/호올로 있게 하소서"라는 기도와 염원은 바로 고독과 자유로서의 인간 본질에 도달하고자 하는 간절하면서도 애달픈 소망의 표출로 이해된다. 특히 말줄임표와 '하소서'의 반복은 가을에 낙엽이 떨어지는 모습을 형상하는 가운데, 진지함과 엄숙함 또는 경건감을 지속적으로 강조하고자 하는 의도에서 비롯된 것으로 이해된다.

이렇게 볼 때 이 「가을의 기도」는 결실과 상실의 이미지를 함께 결합함으로써 삶의 경건성과 외경감을 일깨우고, 나아가서 순결한 사랑의 도덕률을 강조하는 가운데 고독과 자유로서의 생의 본질에 도달하고자 하는 열린 꿈을 드러낸 것으로 보인다. 이 시 역시 서정과 관념의 탄력 있는 조화가 견고한 생명력으로 고양된 데서 형상적인 아름다움이 드러난다.

이 시 이외에도 가을은 다형 시에서 가장 빈번하게 나타나는 소재이자 제재이고 또 주제가 된다. 그만큼 가을은 시인에게 깊은 의미를 지니기 때문에 그를 '가을의 시인'이라 일컬을 수도 있으리라.

① 남쪽에선
　과수원의 임금(林檎)이 익는 냄새,

서쪽에선 노을이 타는 내음……

산 위에 마른풀의 향기,
들가엔 장미들이 시드는 향기……

당신에겐 떠나는 향기,
내게는 눈물과 같은 술의 향기

모든 육체는 가고 말아도,
풍성한 향기의 이름으로 남는
상(傷)하고 아름다운 것들이여,
높고 깊은 하늘과 같은 것들이여……

—「가을의 향기」 전문

② 빈 들의
맑은 머리와
단식(斷食)의
깨끗한 속으로

가을이 외롭지 않게
차를 마신다.

마른 잎과 같은
형(兄)에게서
우러나는

아무도 모를
높은 향기를
두고 두고
나만이 호올로 마신다.

—「다형」 전문

이 두 편의 인용시는 가을이 다형에게 있어 얼마나 체질적인 것인가를 잘 보여준다.

먼저 ①시는 가을의 이미지가 몇 개의 명사와 용언에 집약적으로 제시되어 있다. "남쪽/과수원/능금/노을/산/들가/풀/장미/향기/눈물/술/하늘" 등의 명사는 가을의 분위기를 전체적으로 제시한다. 특히 "익는/타는/마른/시드는/떠나는/가는/남는/아름다운/높고 깊은" 등의 관형적 용언들은 앞에서 열거한 명사들과 어울리면서 가을의 총체적 인상과 그 속에 내포한 삶의 의미를 드러내준다. 그것은 다시 충만과 소실, 또는 남음과 사라짐이라는 두 가지 원리로 집약되는 한편 "아름다운/높고 깊은"이라는 해석으로 요약된다. 다시 말해서, 가을은 상승과 낙하, 생성과 소멸, 만남과 떠남이라는 대조적 원리와 속성으로 이루어지며, "상하고 아름다운 것들이여/높고 깊은" 의미를 지니는 것으로 이해된다. 실상 이것은 인생의 모습과 하등 다를 바 없다. 인생은 가을과 마찬가지로 이별과 만남, 생성과 소멸, 하강과 상승이라는 두 모순되는 가치를 양축으로 전개되며, 그렇기 때문에 모순의 아름다움 또는 비극적인 것의 아름다움을 간직하게 되는 것이다. 아울러 "높고 깊은 하늘"처럼 불가사의하고 유현한 의미를 담을 수밖에 없는 것이다.

따라서 시 ②에는 가을의 의미가 인생의 그것으로 녹아들어 있음을 본다. "빈들의 맑은 머리/단식의 깨끗한 속/가을이 외롭지 않게/마른 잎과 같은 형/아무도 모를 높은 향기" 등의 구절에는 가을과 인생이 하나로 융화된 경지를 담고 있다. '다형'이라는 자신의 아호를 제목으로 한 것 자체가 가을이 이미 자신의 생과 분리할 수 없는 통일된 하나로서의 화해적 의미를 지닌다는 점을 제시한 것이 된다. "빈 들/맑은 머리"와 "마른 잎/형에게서 우러나는 아무도 모를 높은 향기"라는 구절들의 호응 속에는 자연과 인생이 가을을 촉매로 해서 화합과 통일을 성취하고 있다는 점을 선명히 보여주는 깨달음이 담겨져 있다. 실상 김현승의 시에는 「가을이 오는 시간」, 「가을의 입상」, 「가을의 시」,

「가을의 포도」, 「가을은 눈의 계절」, 「가을의 소묘」, 「가을 넥타이」, 「가을비」, 「가을 저녁」, 「가을의 비명」 등 수많은 가을시편들이 쓰여짐으로써 그가 '가을의 시인'의 면모를 지니고 있음을 증명해 주고 있다. 그만큼 자연과 인생의 의미를 성숙된 입장에서 응시하고자 하는 '가을의 정신' 또는 '깊이의 정신'을 바탕으로 그의 시가 쓰임을 단적으로 제시하는 것이다.

4 고독의 가치화, 고독의 사상

껍질을 더 벗길 수도 없이
단단하게 마른
흰 얼굴.

그늘에 빛지지 않고,
어느 햇볕에도 기대지 않는
단 하나의 손발.

모든 신(神)들의 거대(巨大)한 정의(正義) 앞엔
이 가느다란 창끝으로 거슬리고,
생각하던 사람들 굶주려 돌아오면
이 마른 떡을 하룻밤
네 살과 같이 떼어 주며,

결정(結晶)된 빛의 눈물,
그 이슬과 사랑에도 녹슬지 않는
견고(堅固)한 칼날— 발 딛지 않는
피와 살.

뜨거운 햇빛 오랜 시간의 회유에도
더 휘지 않는
마를 대로 마른 목관악기(木管樂器)의 가을
그 높은 언덕에 떨어지는,
굳은 열매

쌉쓸한 자양(滋養)
에 스며 드는
에 스며 드는
네 생명의 마지막 남은 맛!

—「견고한 고독」 전문

이 시는 일찍이 시인 자신이 가장 마음에 드는 작품으로 여겼던 씨의 대표작 중의 하나이다. 그것은 이 작품이 "나의 분신이며 인간의 궁극적 본질을 나대로는 나타내었다고 생각되기" 때문이라고 한다.[2] 실상 이 시는 '가을의 시인' 또는 '고독의 시인'이라고 불리어지는 김현승 시세계의 특징을 단적으로 보여준다.

먼저 이 시는 모두 여섯 연으로 구성되어 있는데, 그 각각은 「견고한 고독」이라는 테마를 비유적으로 표상하고 있다. 첫 연에는 "단단하게 마른/흰 얼굴"로서 고독의 모습이 제시된다. 이것은 고독이 장식이나 수사로 가득 찬 센티멘탈리즘에 연유한 것이 아니라는 점을 의미한다. 고독은 "마른", "흰"이라는 관형어가 암시하듯이 본질에 가까운 견고성을 지니며, 또한 순수하고 결백한 것으로 표상된다. 특히 여기에서 "흰"은 시인 자신의 색채에 대한 기호를 드러낸다는 점에서 흥미롭다. 실상 다형의 시에는 중간색이 별로 눈에 띄지 않고 대부분 흰색 또는 검은색이 주조를 이룬다. 이것은 단색이 환기하는 결벽지향성 또는 순결 콤플렉스를 반영한 것일지도 모른다. 고독이 "마른/흰"

2) 김광섭, 『이삭을 주울 때』(창우사, 1966)35쪽.

얼굴을 지녔다는 것도 실상은 다형 자신의 완결주의 혹은 순결벽을 반영한 것으로 이해되기 때문이다.

둘째 연에는 고독이 "그늘에 빚지지 않고/어느 햇볕에도 기대지 않는/단 하나의 손발"과 같이 표현되어 있다. 이것은 고독이 다른 어느 외부의 힘에 지배당하거나 혹은 누구에게 의지하지 않고 스스로 자존성과 독립성을 지니고 있음을 말해 준다. 특히 "단 하나의"라는 관형어는 고독이 지니고 있는 독자성의 가치를 강조한 것이 된다.

셋째 연에는 다소 특이한 내용이 담겨 있어 주목을 요한다. 우선 구성 자체가 다른 연은 명사형 종지로 되어 있는 데 비해 이 연은 연결어미로 처리됨으로써 동태적인 이미지리를 형성하게 된다. 내용에 있어서도 앞 2행은 신들과, 뒤에 3행은 사람들과 연결됨으로써 고독의 상대적 의미를 역동적으로 드러내 주는 것이다. 즉, 앞의 두 행에서는 고독이 신의 정의와도 맞설 수 있을 정도로 강한 것이라는 점이 강조된다. "모든 신들의 거대한 정의 앞엔/이 가느다란 창끝으로 거슬리고"라는 구절 속에는 인간에게 있어 최후의 재산으로서 고독의 의미가 선명히 드러난다. 실상 천국의 기독교를 믿으면서 현실적인 인간의 고독에 깊이 경도된다는 것은 모순이 아닐 수 없다. 인간은 신의 피조물이면서도 운명적인 고독을 부여받은, 본질적 모순을 지니고 있는 것이다. 어쩌면 이것은 원죄적 고독일는지도 모른다. 따라서 인간의 본질로서의 고독을 강조하고 그것의 자존성과 독립성, 그리고 절대성을 강조하는 것은 분명히 신들의 "정의"를 인간적인 "가느다란 창끝"으로 거역하는 행위가 아닐 수 없다. 이 구절은 그만큼 고독이 인간의 본질에서 우러나온 것이며, 그렇기 때문에 신의 권위에 맞설 수도 있는 절대적인 가치에 속한다는 점을 강조한 것이 된다. 그러나 이 고독은 같은 인간들에게 있어서는 "마른 떡" 혹은 "네 살과 피"와 같이 생명적이고 운명적인 의미를 지닌다. 그것은 고독이 누구 한 사람 개인의 것이 아니라, 인간 모두에게 또한 인류 전체에게 있어 본질적인 것에 해당하기 때문이다. 인간이 신 자체가 될 수 없는 한에 있어서는 고독은 인간에게 필연적인 것이며 운명적인 것이 아닐 수 없다. 이처럼 3연에는 고독이 신과도 맞설 수 있는 인간에게 있어 최대의 가치이면서 무기이고, 동시에 인간에게 있어 생명적, 운명적인 본질에 속하는 것이라는 데 대한 확신이 드러나 있다.

4연에는 다시 고독이 "견고한 칼날"과 "피와 살"로 비유되어 있다. 고독은 "결정된 빛의 눈물"과 같이 생의 제모순이 첨예하게 부딪치면서 응결된 정신의 에센스이며, 동시에 그 어떤 힘에도 굴하지 않는 "칼날"과 같이 굳세고 강한 힘을 지님은 물론 "피와 살"과 같이 생명 그 자체에 해당한다는 내용이다. 여기에서 광물적 이미저리가 빚어내는 견고함 또는 공격적인 표상성은, 고독이 이미 관념이 아니라 실천 의지에 뿌리박은 사물화된 가치로 상승되어 있음을 말해 준다. 또한 "피와 살"의 이미지는 고독이 이미 관념 자체가 아닌 육화된 정신이며, 정신의 물질화에 도달해 있음을 말해 주는 것이 된다.

5연에서는 다시 서정적인 비유로서 고독의 심미성과 견고성을 강조한다. "목관악기의 가을"과 "굳은 열매"가 바로 그것이다. 고독의 상관물인 이 두 어사들은 고독이 관념만이 아닌 서정의 열매 혹은 혼의 양식임을 제시한다. 자연의 섭리에 해당하면서도 그것을 뛰어넘는 생명적인 견고함의 의미를 지니고 있는 것이다.

마지막 연에는 고독이 인간에게 있어 가장 최후의 재산이며 인간적 가치라는 점이 강조되어 있다. "네 생명의 마지막 남은 맛!"이라는 구절 속에는 고독이 인간에게 있어 최후의 진실이며 생명의 에센스이자 본질에 해당하는 것이라는 점에 대한 확신이 담겨져 있는 것이다. 이렇게 본다면 이 시는 고독이 "흰 얼굴/단 하나의 손발/가느다란 창/마른 떡/칼날/피와 살/가을/굳은 열매/생명의 마지막 남은 맛" 등과 같이 육신 또는 생명의 등가물이 이루는 비유의 중층구조로 짜여 있음을 알 수 있다. 이러한 사실은 이 시가 고독을 인간의 본질이며 생명에 해당하는 것으로 파악하고 있음을 강조해 준다. 다시 말해서, 이 시는 고독이 개인의 고독에서 출발하여 그것이 인류 모두의 것으로 상승하며, 인간의 본질을 형성하는 것으로서 원죄적, 운명적인 것에 해당한다는 '고독의 사상'을 형성하고 있는 것이다.

실상 다형의 시에는 이루 헤아릴 수 없이 많은 고독의 테마가 등장함으로써 고독의 사상을 심화, 확대하고 있다. 「고독」, 「고독의 풍속」, 「군중 속의 고독」, 「고독의 순금」, 「절대 고독」, 「고독의 끝」, 「고독한 싸움」, 「고독한 이유」 등의 시들은 이 시인에게 있어 고독이 시의 시작인 동시에 끝이라는 점을 시사해 준다. 다시 말해서, 고독은 다형 시의 원형이자 본질이고 이데아로서의 의미를 지닌다는 점이다. 거기에는 시작과 끝이 분명하고, 원인과 결과, 동기와 이유가 선명히 드러나는 등 고독의 필요충분조건이 폭넓게 제시되어 있다. 또한 "가을/검은 빛/까마귀/마른 풀/마른 나뭇가지/다/겨울/눈물/독수리/무기/보석" 등 다양한 이미지들을 통해서 고독의 상관속이 형성됨으로써 고독이 단순한 주제가 아니라 하나의 높고 깊은 체계, 즉 고독의 사상을 확립하고 있다는 점을 확인할 수 있다. 「견고한 고독」에서 「순금의 고독」, 그리고 마침내 「절대 고독」에 이르는 고통스런 고독과의 싸움을 통해서 김현승의 시와 인생이 조금씩 성숙해 가게 된 것이며, 나아가서 하나의 사상을 지닌 시인으로서 그가 현대 시사에서 높이 평가받을 수 있는 소이가 마련될 것이다.

5 종교적 상상력의 의미

더러는
옥토(沃土)에 떨어지는 작은 생명이고저……

홈도 티도,
금가지 않은
나의 전체는 오직 이뿐!
더욱 값진 것으로
드리라 하올 제.

나의 가장 나중 지니인 것도 오직 이뿐!
아름다운 나무의 꽃이 시듦을 보시고
열매를 맺게 하신 당신은,

나의 웃음을 만드신 후에
새로이 나의 눈물을 지어 주시다.

—「눈물」 전문

이 시는 시인이 아끼던 어린 아들을 잃고 나서 애통해하던 중 어느 날 문득 쓴 시라고 한다.[3] 따라서 이 시에는 비관적인 생의 인식 또는 비극적 세계관이 짙게 깔려 있는 것으로 이해된다. 그러나 시의 문면에는 오히려 담담하면서도 투명한 슬픔의 극복의지가 아름답게 형상화되어 있다. 오히려 이 시는 슬픔을 인간만이 가질 수 있는 빛나는 진실 또는 가치로 받아들임으로써 비극을 통한 비극의 극복이라는 역설의 논리를 제시하고 있는 것이다.

먼저 첫 연에는 어린 아들의 죽음을 "더러는/옥토(沃土)에 떨어지는 작은 생명이고저……"와 같이 평범한 비유로 형상화하고 있다. 그러나 이러한 평범한 비유의 배후에는 참척의 슬픔과 고통을 이겨내려는 무서운 정신적 암투가 깃들어 있음을 간과해서는 안 된다. 특히 말없음표 '……'에 담겨 있는 참담한 고통에 대한 극기의 노력은 생명에 대한 숭고한 외경감을 느끼게까지 한다.

둘째 연에는 그러한 참척이라는 개인적 고통을 눈물로 치환하여 보편화하

---

3) 김현승, 「굽이쳐 가는 물굽이와 같이」(『문학사상』 봄호, 문학사상사, 1973)

고자 시도한다. "흠도 티도/금가지 않은 나의 전체는 오직 이뿐!"과 같이 오히려 슬픔과 고통을 적극적으로 자신의 편으로 이끌어들임으로써 극복하고자 하는 것이다. 특히 "나의 전체는 오직 이뿐!"이라는 강력한 단정 어구 속에는 오로지 인간이 진실로 소유할 수 있는 것은 '진실로서의 슬픔' 또는 "눈물"뿐이라는 점에 대한 확고한 신념이 담겨져 있다. 눈물은 시인의 전인격에 해당할 만큼 큰 의미를 지니는 것이다. 여기에서 시인 자신의 결벽증에 가까운 비극적 퓨리타니즘을 읽을 수 있음은 물론이다.

셋째 연에서도 슬픔 또는 눈물이 인간에게 있어 가장 값진 진실이며 보석이라는 점이 거듭 강조되고 있다. 이것은 다시 넷째 연으로 연결되어 점층적인 강조의 의미를 띠게 된다. "더욱 값진 것으로/드리라 하올 제"와 "나의 가장 나중 지니인 것도 오직 이뿐!"의 결합이 그것이다. 이 구절 속에는 인간에게 있어 가장 값진 재산으로서의 눈물의 진실, 그것이 바로 또한 최후의 재산임을 강조하는 뜻이 담겨져 있다. 그리고 이러한 확신을 통해서 "꽃이 시듦"에서 "열매를 맺게"하는 대자연의 섭리 또는 신의 은총을 깨닫게 되는 것이다. 그러므로 마지막 연에서 "나의 웃음을 만드신 후에/새로이 나의 눈물을 지어 주시다"라는 슬픔의 극복과 초월을 성취하고, 한 걸음 더 나아가서 인간의 본질에 근접하게 되는 것이다.

마지막에 나타나는 "눈물"은 자기 정화라는 물의 상징성을 통해서 마침내 성취하게 된 자기극복의 명제가 인간의 진실 또는 본질에 맞닿아 있음을 말해 주는 것이 된다. 아울러 그러한 극복의 큰 힘이 "새로이 눈물을 지어 주시는" 절대자에 대한 가없는 신뢰에서부터 비롯됨을 고백하고 있는 것이다. 이렇게 볼 때 눈물은 인간으로 하여금 진실과 영원에 이르게 하는 촉매이자 인류에 있어 가장 값지고 소중한 최후의 재산에 해당한다. 그것이 생명의 본질에 이르는 길이자 인간을 완성시켜 주는 최후의 힘이 되기 때문에 인간은 눈물의 깊은 의미를 깨닫고 간직하게 됨으로써 비로소 신과 맞설 수 있을 정도로 강해질 수 있는 것이다. 현실로서의 생은 비극적인 것이지만 이러한 비극을 긍정하고 적극적으로 포용하는 데서 현실적인 절망과 좌절을 딛고 일어설 수 있는 용기와 힘이 마련되는 것이다.

따라서 이 시는 절망(눈물)이 바로 새로운 출발의 전기가 된다는 점에서 만해의 "슬픔의 힘을 옮겨서 새 희망의 정수박이에 들어 부었읍니다"(「님의 침묵」)라는 구절에서 볼 수 있는 극복의 정신, 생성의 정신과 상통하는 것으로 보인다. 실상 이것은 만해나 다형의 시 정신이 근본적인 면에서 현세의 고통을 넘어서서 영원한 생명에 이르고자 하는 종교적 상상력에 바탕을 두고 있기 때문인 것으로 풀이된다. 그것이 비록 불교와 기독교라는 상이한 종교에서 비롯된다 하더라도 그 근원적인 바탕은 종교적인 상상력의 깊이와 돈독한 신앙의 힘에 자리잡고 있다는 점에서 공통성을 지니는 것이다. 분명히 「눈물」은 비극적 세계관을 드러내고 있는 작품이지만, 오히려 그것을 긍정함으로써 보다 큰 삶의 긍정 또는 영원에 이르는 길을 찾고자 한 정화의 시, 극복의 시, 갈망의 시로 볼 수 있다.

6 신성과 세속의 갈등

① 떠날 것인가
남을 것인가.

나아가 화목할 것인가
쫓김을 당할 것인가.

어떻게 할 것인가,
나는 네게로 흐르는가
너를 거슬러 내게로 오르는가.

두 손에 고삐를 잡을 것인가!
품 안에 안길 것인가.

……(중략)……

어떻게 할 것인가,
끝장을 볼 것인가
죽을 때 죽을 것인가.

무덤에 들 것인가
무덤 밖에서 뒹굴 것인가.

—「제목」 부분

② 하물며 몸에 묻은 사랑이나
짭쫄한 볼의 눈물이야.

신(神)도 없는 한 세상
믿음도 떠나,

내 고독을 순금(純金)처럼 지니고 살아 왔기에
흙 속에 묻힌 뒤에도 그 뒤에도
내 고독은 또한 순금(純金)처럼 썩지 않으련가.

……(중략)……

그렇지도 않으면
안개 낀 밤바다의 보석이 되어
뽀야다란 밤고동 소리를 들으며
어디론가 더욱 먼 곳을 향해 떠나가고 있을지도…….

—「고독의 순금」 부분

③ 빼지 않은 칼은
빼어 든 칼보다
더 날카로운 법

빼어 든 칼은
원수를 두려워 하지만
빼지 않은 칼은
원수보다 강한
저를 더 두려워한다.

빼어 든 칼은
이 어두운 밤 이슬에
이슥고 녹슬고 말지만
빼어 들지 않은 칼은
저를 지킨다.
이 어둠의 눈물이
소금이 되어 우리의 뺨에서 마를때까지……

—「무기의 의미」 전문

김현승의 시에 일관되게 흐르는 것은 기독교적인 신앙의 세계이다. 그러나 그러한 신앙에의 길에 있어서 간과할 수 없는 것은 스스로의 신앙에 대한 회의와 함께 좌절과 절망이 나타난다는 점이다. 오히려 그의 시는 선험적이면서도 관념적인 신앙심과 경험적이고 현실적인 삶의 실제가 충돌하는 데서 오는 인간적인 갈등의 문제가 핵심으로 자리잡고 있다 해도 과언이 아니다. 실상 그가 끈질기게 탐구해 온 고독의 문제만 하더라도 그것은 하느님에 대한 절대적인 믿음이라는 기독교의 원리에 입각해서 볼 때에는 모순이며 자가당착이 아닐 수 없기 때문이다. 또한 바로 이 점에서 김현승 시의 인간적인 깊이가 우러나오며 심미적인 긴장 체계가 형성됨은 물론이다. 아마도 우리는 이것을 관념적인 신앙심에 바탕을 둔 신성 지향성과 현실적인 삶의 진실에 뿌리내리려는 세속지향성이 빚어내는 신성과 세속의 변증법적 갈등이라고 부를 수도 있을 것이다.[4] 이것은 어느 면 종교적, 개인적 상상력에만 함몰되어 있던 김현승의 초기 시 세계가 험난한 현실에 부딪치면서 역사적, 사회적 상상력과 접합하게 되었음을 의미하는 것일 수 있다.

먼저 ①의 시에는 삶의 방식에 있어서의 이원론적 갈등이 두드러진다. "떠날 것인가/남을 것인가", "화목할 것인가/쫓김을 당할 것인가", "고삐를 잡을 것인가/품안에 안길 것인가"라는 대조적인 구절에서 볼 수 있듯이 이 시에는 자율과 타율, 능동과 피동, 수락과 거부, 순응과 저항, 대결과 회피, 불화와 화해, 생존과 죽음 등 삶에서 부딪치는 온갖 존재론적 갈등이 표출되어 있다. 이것은 바로 신앙의 테두리 안에서 삶과 세계를 바라보던 일원적 태도가 근본적으로 흔들리는 데서 오는 회의와 고민을 반영한다. 신의 관점 안에서 세계를 바라볼 수도 있지만 그 밖에서 세계를 바라봄으로써 오히려 신과 세계를 더 정확히 올바로 파악할 수 있지 않는가 하는 근원적 질문을 담고 있는 것이다. 따라서 이 시에는 신의 질서에 대한 선험적, 윤리적 지향성이 온갖 타락과 위선 등으로 가득 찬 세속의 현실을 살아가면서 그것을 긍정하지 않을 수밖에 없다는 현실적 당위성과 충돌함으로써 야기된 갈등이 제시되어 있는 것이다.

실상 시인 자신은 이 점에 관해서 다음과 같이 말한 바 있다.

> 내가 거의 일생을 믿어온 기독교에 대하여 회의를 일으키게 된 이유를 여기 짧은 지면에 다 쓸 수는 없지만, 몇 가지 중대한 논리적인 이유와 현실적인 이유로 나눌 수 있다. ……(중략)…… 시 「제목」을 계기로 하여 나의 시 세계에는 적지 않은 변화가 일어났다. 나는 중기까지 유

4) 이것을 권오만은 <성·속>의 갈등이라 호칭한 바 있다. (권오만, 「김현승과 성·속의 갈등」(김용직 편, 『한국현대시사연구』, 일지사, 1996)391-405쪽.

지하여 오던 단순한 서정의 세계를 떠나, 신과 신앙에 대한 변혁을 내용으로 한 관념의 세계에 발을 들여 놓았다……(하략)

—「나의 문학 백서」(『월간문학』 1970. 9)

이처럼 시 「제목」은 김현승의 시가 신성과 세속의 갈등 속에서 신과 인간의 의미를 새롭게 탐구하고자 하는 노력을 보여 준 것으로 풀이된다.

한편 시 ②는 이러한 신성과 세속의 갈등이 변증법적 지양을 갈망하는 데서 도달한 또 하나의 세계를 보여준다. 이른바 그것은 고독의 세계로의 끈질긴 천착이다. 이 시는 바로 신의 절대적인 권능과 섭리에서 벗어나 인간의 적나라한 원상을 마주하여 그 본질을 꿰뚫어 보려는 노력을 반영한다. 이 시에서의 고독은 "몸에 묻은 사랑/볼의 눈물"과 같은, 인간적인 너무나 인간적인 고독에 해당한다. 절대자인 하느님의 피조물인 인간이, 인간이기 때문에 겪을 수밖에 없는 온갖 인간적 번민과 갈등 끝에 비로소 그 본질에 근접하게 된 것이다. 따라서 고독은 인간이 인간일 수 있는 가장 확실한 증거이며 동시에 인간의 본질을 구성하는 가장 핵심이 된다. 이 시에서의 고독은 신을 부정하고 신에 절망한 데서 비롯된 고독, 즉 신을 잃은 고독에 해당한다. 신을 떠나서 인간을 인간 자체로서 바라볼 때 인간에게 있어 가장 최후에 남는 것은 바로 고독일 수밖에 없다. 그것은 단독자로서의 인간, 일회적 존재로서의 인간이 부딪칠 수밖에 없는 숙명적 사실이며 어느 면에서 본질에 해당하는 것이다. 따라서 고독은 인간에게 운명적, 본질적인 것이기 때문에 인간이 할 수 있는 일은 그것을 긍정하고 오히려 깊이 있게 천착해 들어감으로써 삶의 구경적 본질에 이르려는 노력을 보여주는 것뿐이다. 이 점에서 고독은 "순금"이며 "절대"일 수 있으며, 인간을 인간답게 만들어 주는 가치이며 재산에 해당하는 것이다.

시 ③에는 이러한 신성과 세속의 갈등이 더욱 예리하게 드러난다. 여기에선 "빼지 않은 칼"과 "빼어든 칼", 그리고 "눈물"과 "소금"이 비유의 핵심이 된다. "빼어든 칼"이란 밖으로 드러난 사실을 뜻하며, "빼지 않은 칼"이란 마치 고독과 같이 정신의 안 속 깊이 감춰진 진실을 의미한다. 다시 말해 세상의 온갖 높은 목소리들과 요란한 장식들이 덧없는 것에 불과하다는 깨달음이 인간의 내면 깊이에 자리잡고 있는 진실(고독)의 소중함에 대한 인식과 대조되어 있는 것이다. 그것은 신앙에의 길이나 세속에의 길 모두에 있어서 공통적인 것이 아닐 수 없다. 따라서 중요한 것은 그것이 신성을 지향하는가 아니면 세속을 지향하는가 하는 문제가 아니다. 그 어느 길이라 하더라도 항상 그것이 진실에의 길, 내면에의 길로 향해 있으면 된다는 확고한 깨달음이 제시된 것이다.

이 시나 일련의 '무기의 시'편들에서 보이는 '보석', '칼' 등 광물적인 이미저리가 바로 고독이 상징하는 진실 또는 양심의 힘을 반영하고 있기 때문이다. 이러한 광물적 이미지들은 신성과 세속의 갈등이 변증법적 지양을 추구하는 데서 필연적으로 나타날 수밖에 없는 구체적인 힘과 의지의 형상인 것이다. 이 점에서 "칼"은 "눈물"이나 "소금"의 객관적 상관물이 된다. 그것은 외부 현실의 타락한 온갖 유혹과 위협으로부터 자신을 지켜 주고 또 지킬 수 있게 해주는 진실과 양심이라는 강한 무기가 아닐 수 없다. 어쩌면 이것은 60년대의 어지러운 정치적, 사회적 현실로부터 인간의 진실과 양심을 수호하려는 시인 자신의 안간힘을 표상한 것일 수도 있을 것이다. 인간을 내면으로 지켜 주는 것은 고독한 진실이며 양심이지만, 이것이 외면화할 때는 대사회적인 정의와 평화에 대한 강력한 수호의 의지로 나타날 수도 있기 때문이다. 이 점에서 신성과 세속의 갈등은 김현승 시의 중요한 뼈대를 이루는 것으로 판단된다.

7 사라지는 것들을 위하여, 천국사상

① 당신의 불꽃 속으로
나의 눈송이가
뛰어듭니다.
당신의 불꽃은
나의 눈송이를
자취도 없이 품어 줍니다.

—「절대 신앙」 전문

② 섰다.
입을 다물었다.

사라졌다.

빈 하늘만이
나의 천국으로 거기 남아 있다.

사랑과 무더운 가슴으로 쓰던
내 시(詩)의 마지막 가지 끝에……

—「완전 겨울」 전문

다형의 시가 궁극적으로 보여주는 것은 사라지는 것들의 비장한 아름다움이며, 모든 것이 하나님의 섭리로 귀일된다는 기독교적 천국 사상이다. 그의 전 생애와 시적 편력은 자연과 인간, 그리고 그것을 지배하는 원리로서의 신과의 상관관계 속에서 전개되고 있다. 그에게 신으로 표상되는 기독교적 세계관은 그의 시에 있어서 출발점이고 과정이며 귀결점이라고 할 수 있으며, 동시에 존재의 원인이며 이유이고 결과라 해도 과언이 아니다. 그가 괴로워한 것은 신 앞에 선 인간으로서의 회의와 절망이며, 신을 떠난 인간으로서의 고독과 허무라 할 수 있다. 따라서 그의 시에는 종교적 생명감과 인간적 현실감이 빚어내는 갈등과 화해가 주조를 이루고 있다. 그리고 그 구극에 이르러서는 인간의 운명의식과 하느님의 거대한 섭리에 대한 깊은 깨달음과 함께 그에 대한 순응의 은혜로움이 자리잡고 있는 것으로 보인다. 바로 여기에서 나타나는 것이 사라져 가는 것들에 대한 전면적 긍정이며, 그에 따른 비애의 숭고한 아름다움에 대한 따뜻한 공감이다. 인용한 두 편의 시는 극도로 절제된 시형 속에 이러한 소멸하는 것들의 아름다움과 신에 대한 전면적 긍정을 담고 있다.

먼저 ①시는 신에 대한 완전 긍정을 노래한다. 여기에서 세계의 질서는 "당신"과 "나", 그리고 "불꽃"과 "눈송이" 및 "뛰어듭니다"와 "품어 줍니다"라는 대응적인 표현으로 나타나 있다. "당신"과 "나"는 말 그대로 관전자로서의 하느님과 유한자로서의 인간을 표상한다. 또한 "불꽃"과 "눈송이"는 상승과 하강, 생성과 소멸, 밝음과 어둠, 존재와 허무 등의 대조로 이루어지는 생의 질서를 반영한다. 아울러 "뛰어듭니다"와 "자취도 없이 품어 줍니다"는 완전자, 절대자로서의 신의 질서에 대한 전면적 긍정과 순응을 의미한다. 특히 "자취도 없이"라는 표현은 그것이 일말의 회의나 부정이 없는 완전긍정의 상태에 도달해 있음을 제시해 준다.

②의 시도 인생의 끝에서 비로소 신의 질서 속에서의 영원한 새 삶이 시작됨을 보여준다. 그것은 "섰다/다물었다/사라졌다"라는 인간적 질서의 사라짐을 통해서 나타난다. 그러한 사라짐의 끝에서, 시의 마지막 가지 끝에서 비로소 "나의 천국"이 "빈 하늘"로 떠오르게 되는 것이다. 따라서 이 시의 핵심은 사라짐으로서의 인간적 질서와 영원함으로서의 신의 질서가 대조되는 가운데 그것들이 궁극적으로는 신의 질서, 즉 천국 사상으로 통합됨을 제시한 데 놓여진다. 특히 여기서의 절제된 형식과 언어는 그러한 신의 질서로의 통합

과 귀일이 불러일으키는 경건한 아름다움과 숭고한 비애미를 반영한 것으로 보인다.

□ 맺음말

김현승은 근대시사상 하나의 깊은 우물로서 비유할 수 있다. 우리의 시사에는 높은 봉우리와 산맥들이 즐비하게 늘어서 있는 것이 사실이다. 따라서 그의 시는 요란한 시대에는 별반 눈에 띄지 않을 수밖에 없다. 그러나 궁핍하고 어두운 시대일수록 그의 시는 우리의 고단한 삶과 목마른 영혼을 씻어 주고 달래 주는 소중한 샘물이 된다. 그의 시는 혼탁한 시대에 영혼을 정화하고 삶의 본모습을 비춰 주는 소중한 참회와 명상의 거울로서의 의미를 지니기 때문이다.

그의 시에 일관되게 나타나는 것은 신 앞에 선 인간으로서의 번뇌와 깨달음이며, 동시에 신을 잃은 인간으로서의 고독과 슬픔에 관한 문제이다. 그의 시는 신과의 만남에서 시작되며 그에 대한 회의와 절망이라는 과정을 거쳐서 마침내 고독과 슬픔을 지닌 운명적 존재로서의 인간을 발견하고 긍정하는 고통의 완성으로 마무리된다. 다시 말해서, 이념적 신성지향성과 현실적 세속편향성이 변증법적 갈등을 이루는 데에 그 한 핵심이 놓여진다는 말이다. 아울러 그의 시는 고통으로서의 현실, 비극으로서의 삶이 무수한 소멸과 생성의 되풀이 또는 거듭남을 통해서 완성되어간다는 깨달음을 보여준다. '지상'의 비극적 삶이 끝나는 곳에서 비로소 하늘의 영원한 삶의 길이 열린다는 일종의 기독교적 후천 개벽 사상을 제시하는 것이다.

이 점에서 우리는 그의 시를 현대적 신앙의 참회록이자 인간적, 예술적 고백록이라 일컬을 수 있으리라. 그의 시는 실상 오늘날 우리의 삶이 결여하고 있는 종교적 명상의 소중함을 일깨워 주었다는 점에서 참뜻을 지닌다. 그의 시는 신을 잃은 시대, 인간 상실의 현대에 명상과 참회를 통해서 삶의 본질로 나아가려는 소중한 노력을 보여준 것이다. 특히 그의 시는 무수한 자기 부정의 고통스런 과정을 통해서 참된 인간 발견과 삶의 긍정에 이름으로써 고독의 신념화 및 가치화, 즉 고독의 사상을 완성했다는 점에서 큰 의미를 지닌다. 그가 오랜 절망 끝에 실천적으로 성취한 고독의 사상이야말로 그의 이름을 현대시사에 우뚝하게 하는 원동력이 된다.

□ 연 보

1913 : 4월 4일 평안남도 평양시에서 목사인 김창국(金昶國)의 차남으로 출생.

1919 : 부친의 교역 전근지인 전남 광주시로 이주하여 미션계의 숭일학교 초등과에 입학.

1927 : 숭일학교 초등과를 졸업하고 평양의 숭실전문학교 문과에 입학.

1933 : 위장병의 악화로 2학년 재학중 광주로 내려가 1년간 휴양하다.

1934 : 복교, 이후 시작에 열중. 이 무렵에 쓴 2편의 장시가 당시 숭실전문 문과 교수였던 양주동의 주목을 받게 되었고 그의 소개로 이 작품들이 동아일보에 발표됨으로써 문단에 데뷔.

1936 : 문과 3년 수료 후 모교인 광주의 숭일학교에서 교편을 잡음.

1937 : 신사참배 문제로 광주경찰서에 사상범으로 검거되어 고초를 겪음.

1938 : 장은순 여사와 결혼.

1946 : 광주교회의 청년들과 함께 모교인 숭일 학교의 복교를 이룩하고 초대 교감으로 취임.

1951 : 조선대학교 문리과대학 부교수로 취임.

1653 : 광주의 문인들을 중심으로 한 동인지『신문학』을 창간하다.

1957 : 제1시집『김현승 시초』(문학사상사) 발간, 이후 제2시집『옹호자의 노래』(1963), 제3시집『견고한 고독』(1968) 출간.

1960 : 모교의 후신인 숭실대학 부교수에 취임.

1970 : 한국문인협회 부이사장에 선임됨. 제4시집『절대고독』(성문각) 발간.

1973 : 3월경 고혈압으로 졸도하였으나 다행히 병세가 호전되다.

1974 : 관동출판사에서『김현승 시전집』을 펴내다.

1975 : 4월 11일 숭전대학교 채플시간에 기도하던 도중 지병인 고혈압으로 쓰러짐. 서대문구 수색동 자택에서 별세. 11월에 창작과 비평사에서 사후 시집『마지막 지상에서』를 간행.

1985 :『김현승 전집』(전 3권)이 시인사에서 간행됨.

13. 미당(未堂) 서정주(徐廷柱)

— 대지적 삶과 생명에의 비상 —

미당(未堂) 서정주(徐廷柱)(1915.5.~2000.12.), 그는 이 땅의 현대시를 개척해 온 선구적 시인의 한 사람이자 활동 중인 현역 시인 가운데 가장 원로에 속하는 사람 중의 하나이다. 그는 1930년대에 등장한 이래 1980년대 오늘날까지 무려 50여 년간이나 시작 활동을 전개해 왔으며 아직까지도 정력적인 활동을 멈추지 않고 있는 대가적 풍모의 시인인 것이다. 그는 이 땅의 시인 누구보다도 천부적인 시적 재질과 능력을 고루 갖춘 시인에 속한다. 그는 시적 사유를 새롭게 만들어 내는 데 남다른 능력을 갖추었으며, 그에 걸맞는 언어 표현을 찾아내는 데 뛰어난 재주를 아낌없이 발휘하였다.

그가 선구한 세칭 '생명파' 시 운동이나 신라정신에의 끈질긴 천착은 시사상에서 하나의 독자적인 에꼴을 형성할 정도로 뚜렷한 성과를 보여준 것이 사실이다. 그럼에도 불구하고 그의 시에 대한 평가는 긍정과 부정의 상반된 견해가 지속되어 온 것이 또한 사실이다. 일부에서는 그의 시가 현대시의 정상에 위치하는 것으로 높이 평가한 반면에, 또 다른 비평가들은 그의 시가 고답적인 관념의 유회 또는 반역사주의에 경도되어 있음을 들어 비판하기도 하였다. 특히 그가 일제 말에 친일작품을 발표했다든지 해방 후에 특정인의 전기를 집필하는 등 치우친 언행을 보여준 것은 많은 사람들의 비난을 불러일으킨 바도 있었다. 그러나 그 어떤 경우라도 그가 현대시사상 최대 시인의 한 사람으로서 한국어의 완성을 위해서 노력한 공적을 부인하려는 사람은 별반 없으리라고 생각된다. 그가 장인의식을 지닌 뛰어난 시인으로서 50년 이상을 한국 현대시를 개척하기 위해 외곬의 길을 걸어왔으며, 10여 권의 중요한 시집을 통해서 한국의 전통적인 정서와 사상을 창조적으로 계승하기 위해 헌신해 왔다는 것은 주지의 사실이기 때문이다.

그의 시는 전체적인 면에서 좀 더 포괄적으로 깊이 있게 논의될 필요성이 있다. 필자 자신 10여 년 전에 「화사」와 「동천」 두 작품을 통해서 서정주시의 변모 과정을 「하늘과 땅의 변증법」이라는 측면에서 해석해 본 적[1)]이 있었지만 그것은 극히 부분적인 작업에 지나지 않았던 것으로 반성된다. 그가 아직 생존 시인으로 활약 중이라는 사실도 작용하겠지만, 그의 시를 제한된 지면에서 폭넓고 깊이 있게 논의하기에는 그의 시 세계가 너무도 넓고 깊은 면을 지니고 있는 것으로 판단되기 때문이다. 따라서 본고에서는 시집 『동천』에 이르기까지의 시적 변모 과정을 '생의 상승'이라는 관점에서 살펴보기로 한다.

1 대지적 삶과 동물적 상상력

서정주의 시단 활동은 1936년 동아일보 신춘문예에 시 「벽」이 당선되어 비롯되며, 이어서 발간한 시 동인지 『시인부락』에서 본격화된다. 스무 살이 갓 넘어 시작된 그의 시단 활동은 그 후 첫 시집 『화사』(남만서고, 1941), 제2시집 『귀촉도』(선문사, 1946), 제3시집 『서정주시선』(정음사, 1955), 제4시집 『신라초』(정음사, 1960), 제5시집 『동천』(민중서관, 1968), 제6시집 『질마재 신화』(일지사, 1975), 제7시집 『떠돌이의 시』(민음사,1976), 제8시집 『서

1) 김재홍, 「하늘과 땅의 변증법」(『월간문학』 5월호, 월간문학사, 1971)

(西)으로 가는 달처럼……』(문학사상사, 1980), 제9시집『학이 울고간 날들의 시(詩)』(소설문학사, 1982) 등과 대략『동천』까지의 시를 묶은『서정주문학전집』(일지사, 1972)과 최근 시집까지 묶은『미당 서정주시전집』(민음사, 1983) 등 두 권의 시전집을 내기까지 약 50년간에 걸쳐 전개된다. 물론 그 사이 그는 시에 관한 연구서로『시창작교실』(인간사, 1956),『시문학개론)』(정음사, 1961),『한국의 현대시』(일지사, 1969) 들을 펴내고, 소설「석사 장이소의 산책」(『현대문학』, 현대문학사, 1973.1~1974.11 연재)과 기타 수필, 잡문, 평론, 번역 등을 발표하는 등 수많은 저술 활동을 펼쳐 왔다.

그에 관한 평론, 연구 논저 또한 적지 않은데, 중요한 단행본만 하더라도 동국문학인회가 펴낸「서정주연구」(동화출판공사, 1975)와 김화영의『미당 서정주 시에 대하여』(민음사, 1984)를 꼽을 수 있을 것이다.

미당 시의 표기에 관한 것은 전라 방언을 많이 활용한 것과, 그에 따라 띄어쓰기를 임의로 한 것 이외에 별다른 특징은 없다. 시집 판본에 관해서는 김화영이 앞의 책에서 조사한 대로 일지사의 전집에선 현대어와 표준어로 고쳐 발표 역순으로 배열했으며, 민음사 시선집에서는 원문대로 복원 정리하였으며 작품 연보 등이 상세하다.(이하 시 인용은 민음사 시선집에 의함) 그러면 그의 시 세계를 구체적으로 살펴보기로 하자.

사향 박하(麝香 薄荷)의 뒤안길이다.
아름다운 베암……
을마나 크다란 슬픔으로 태여났기에, 저리도 징그라운 몸뚱아리냐

꽃다님 같다.
너의 할아버지가 이브를 꼬여내든 달변(達辯)의 혓바닥이
소리잃은채 낼룽그리는 붉은 아가리로 푸른 하늘이다…… 물어뜯어라. 원통히 무러뜯어,

다라나거라. 저놈의 대가리!

돌 팔매를 쏘면서, 쏘면서, 사향 방초ㅅ길
저놈의 뒤를 따르는것은
우리 할아버지의안해가 이브라서 그러는게 아니라
석유(石油) 먹은듯……석유(石油) 먹은듯……가쁜 숨결이야

바눌에 꼬여 두를까부다. 꽃다님 보단도 아름다운 빛

크레오파투라의 피먹은양 붉게 타오르는 고흔 입설이다……슴여라! 베암.

우리순네는 스믈난 색시, 고양이같이 고흔 입설……슴여라! 베암.

—「화사」 전문

이 시는 1936년 『시인부락』 2집에 발표되고 다시 1941년 시집 『화사』에 수록된 대표적인 초기시의 한 편이다. 이 시를 이해하는 데 있어 최초의 관문은 제목이 된다. '꽃뱀(花蛇)'이라는 제목은 그것이 그냥 뱀이 아닌 꽃뱀이라는 점에서 특이하다. 꽃뱀은 의미상 꽃(花)과 뱀(蛇)의 복합으로 이루어져 있다. 그것은 뱀이 단순히 징그러움이나 추악의 표상이라는 표면적 의미 영역을 벗어남을 암시한다. 가장 아름다운 것의 표상인 '꽃'과 가장 추하고 징그러운 것의 대명사인 '뱀'의 결합은 그것이 '화사'라는 구체적인 오브제를 떠나서도 여러 가지 상징성을 내포하고 있기 때문이다.

무엇보다도 그것은 모순성 또는 양면성의 문제와 관련된다. 표면적으로는 꽃처럼 아름다운 색깔과 무늬를 지니고 있으면서도 속성적으로는 징그럽고 꿈틀거리는 모습을 지니고 있는 꽃뱀은 운명적인 아이러니의 존재가 아닐 수 없다. 그것은 어쩌면 선과 악, 미와 추, 진실과 허위의 양면으로 이루어진 인간의 모습일 수도 있으며, 아니면 정신과 육체, 이상과 현실, 이성과 감성 등

모순으로 가득 찬 인생사의 반영일 수도 있을 것이다. 이 점에서 '꽃뱀'이라는 제목이 예사로운 것이 아님을 알 수 있다.

이러한 불길한 예감은 첫 연에서부터 선명히 드러난다. 그것은 "사향 박하의 뒤안길"이라는 시적 배경에서 암시된다. 사향과 박하는 두 가지가 다 관능적인 쾌락과 육체적인 욕망을 암시하며, 그러기에 젊음의 은유적 해석인 뒤안길과 적절히 조응된다. 따라서 "아름다운 베암"이라는 시적 진술은 적절하다. 그러나 다음 구절에서 돌연한 반전을 겪게 된다. "을마나 크다란 슬픔으로 태여났기에, 저리도 징그라운 몸둥아리냐"라는 구절은 앞구절 "아름다운 베암"과 근본적인 상치를 이룬다. 그것은 태어남의 문제, 즉 원죄의 문제와 관련됨을 알 수 있다. "아름다운 베암"으로 인식하는 것은 한순간에 불과하며, 그것은 "징그라운 몸둥아리"와 갈등을 드러내게 되는 것이다.

다시 말해서, 꽃뱀은 아름다움과 징그러움을 함께 지니는 모순의 존재이며 양면성의 존재이고, 동시에 슬픔으로 태어난 원죄적 존재에 해당한다. 이렇게 본다면 이 시는 꽃뱀의 모순성, 양면성, 원죄성을 통하여 인간의 모습, 특히 젊은 날 시인의 자화상을 그려보고자 하는 것이 아닌가 생각된다. 젊은 날 육체에 눈떠감으로써 정신과 육신, 이상과 현실, 자유와 운명의 갈등 속에서 자아를 발견하고 확립해 가는 모습을 꽃뱀을 통해서 조명해 보고 있는 것으로 이해되기 때문이다. 따라서 꽃뱀은 시적 퍼스나의 대리 자아인 동시에 '존재의 거울'[2]로서의 의미를 지닌다.

그렇기 때문에 둘째 연에서는 구체적인 꽃뱀의 형상이 제시된다. 그것은 "꽃다님" 같은 모습이며, 동시에 "달변의 혓바닥이 낼룽거리는 붉은 아가리"의 양면성을 지닌 모순의 존재로서 나타난다. 이러한 양면성, 모순성의 부각은 마침내 격렬한 증오와 저주를 유발하게 된다. "붉은 아가리로 푸른 하늘이다. ……물어 뜯어라. 원통히무러뜯어"라는 구절 속에는 존재의 원죄적 모순

2) 김재홍, 「하늘과 땅의 변증법」, 앞의 글.

성에 대한 강한 저주와 증오가 담겨져 있는 것이다. 그것은 어쩌면 모순의 존재로 태어난 운명에 대한 극단적인 자학이며 절규일는지도 모른다. 아울러 그러한 모순의 운명 또는 원죄적 업고에서 벗어날 길 없는 생의 숙명성에 대한 뼈아픈 탄식과 절망을 반영한 것일 수도 있을 것이다. 실상 뱀이라는 오브제, 특히 그중에서도 모순의 극치인 꽃뱀을 제재로 한 것 자체가 그러한 원죄적 업고 또는 운명의 모순성을 효과적으로 드러내기 위한 방법적 장치라는 점을 쉽게 짐작할 수 있는 일이기 때문이다. 뱀은 모든 동물 중에서 가장 땅(대지)과 밀착되어 있는 존재다. 다시 말해서, 땅이 표상하는 물질성, 구속성, 본능성 등 대지적 삶의 축수에 해당한다. 그렇기 때문에 인간의 본능적 삶 또는 운명적 삶의 원상을 비추어 내는데 효과적인 오브제일 수 있는 것이다. 이 점에서 꽃뱀을 인간의 '존재의 거울'이라고 풀이한 앞에서의 해석은 타당성을 갖는다.

셋째 연은 "다라나거라. 저놈의 대가리!"라는 단 한 행으로 짜여져 있다. 이것은 앞의 "물어뜯어라, 원통히무러뜯어"와 어울려 더욱 격식한 저주와 자학을 드러내게 된다. 실상 이러한 저주와 자학의 구절 속에는 존재의 밑바닥에 깔려 있는 모순과 허무를 극복하려는 치열한 정신적 암투가 깔려 있음을 짐작할 수 있다. 따라서 넷째 연에서는 보다 적극적인 운명과의 대결의 자세가 나타난다. "돌 팔매를 쏘면서, 쏘면서"라는 시적 행위가 그것이다. 돌팔매를 쏘는 행위는 어쩌면 "공격적인 생명력"3)의 분출인지도 모른다. 그러나 중요한 것은 이러한 행위가 앞과 뒤의 여러 구절들과 합쳐서 생각해 볼 때 일종의 성행위와 관련을 갖는 것이 아닌가 추측된다는 점이다. 다시 말해서, "징그라운 몸뚱아리/혓바닥/낼룽그리는 붉은 아가리/대가리/돌팔매를 쏘면서, 쏘면서, 사향 방초ㅅ길/우리 할아버지의안해가 이브/석유 먹은듯……석유 먹은듯……가쁜 숨결이야/피/고흔 입설/고양이/베암" 등의 관능적 이미저리의 다

3) 김화영, 『미당 서정주 시에 대하여』(민음사, 1984)23쪽.

양한 결합은 이 시가 단순히 생의 모순성 또는 원죄적 업고를 드러내려고 한다기보다도 오히려 관능적인 성행위의 모습을 꽃뱀의 꿈틀거리는 이미저리로 형상화한 것으로 해석된다는 점이다. 특히 "가쁜 숨결"과 "이브—크레오파투라—순네"로의 전이가 불러일으키는 시적 박진감은 이러한 해석을 가능한 것으로 만들어 준다. 뱀이 표상하는 공격적인 남성적 표상성과 여성 이미지의 결합은 그것 자체가 성애적인 꿈틀거림을 반영하기 때문이다.

그렇기 때문에 각각 한 행으로 연 구성이 되어있는 5, 6, 7연이 관능적인 황홀 내지는 육감적인 운동미를 보여주게 되는 것이다. "꽃다님보단도 아름다운 빛/크레오파투라의 피먹은양 붉게 타오르는 고흔 입설/우리 순네는 스믈난 색시, 고양이같이 고흔 입설"이라는 관능적 구절들은 앞에서의 격렬한 증오와 저주 또는 자학과 갈등을 넘어서는 데서 얻어진 성애의 황홀경의 표현인 것이다. 무엇보다도 이 시에서 무수한 생략부(……)와 휴식 및 정지 부호(, .) 그리고 감탄 부호(!)가 등장하면서 "고흔 입설이다……슴여라! 베암."이라는 동태적 이미저리로 시를 마무리 짓게 된 것은 이 시의 전체적인 흐름이 성애의 동작과 무관한 것이 아님을 확인할 수 있게 해준다.

이렇게 본다면 이 시는 원초적인 면에서 이 시가 인간의 존재 문제에 관한 질문에서 비롯되고 있음을 알 수 있다. 이 시에서 꽃뱀은 인간의 대지성, 즉 육체성, 운명성, 구속성, 본능성을 표상하는 오브제이며 아울러 육체와 정신, 현실과 이상, 감성과 이성, 운명과 자유라는 근원적 모순성을 반영하는 대리자아 혹은 존재의 거울에 해당한다. 따라서 이 시는 꽃뱀과 성행위의 이중 노출을 통해서 인간존재의 원상을 발견하고, 그것이 지닌 모순성과 양면성 혹은 운명성을 극복하고자 하는 몸부림을 드러낸 것으로 보인다. 특히 이 시에서 동물적 상상력이 시적 상상력의 핵심을 구성하고 있는 것은 주목을 요한다. 실성 첫 시집 『화사』에 수록된 23편의 시가 대부분 동물적 이미저리와 관련돼 있음은 주지의 사실이다.[4)]

① 찰란히 티워오는 어느아침에도
이마우에 언친 시(時)의 이슬에는
몇방울의 피가 언제나 서껴있어
볕이거나 그늘이거나 혓바닥 느러트린
병든 숫개만양 헐덕어리며 나는 왔다.

—「자화상」 부분

② 핫슈 먹은 듯 취해 나자빠진
능구렝이같은 등어릿길로,
님은 다라나며 나를 부르고……

강(强)한 향기로 흐르는 코피
두손에 받으며 나는 쫓느니

밤처럼 고요한 끌른 대낮에
우리 둘이는 웬몸이 달어……

—「대낮」 부분

③ 바윗속 산(山)되야지 식 식 어리며
피 흘리고 간 두럭길 두럭길에
붉은옷 닙은 문둥이가 우러
땅에 누어서 배암같은 계집은
땀흘려 땀흘려
어지러운 나—ㄹ 업드리었다

—「맥하」 부분

대충 인용해 본 이 세 편의 시에 공통되는 것은 동물 이미저리와 피의 이미지, 그리고 육감적인 동작의 이미저리 등이다. "숫개/능구렝이/산되야지/배

4) 김재홍, 「대지적 사랑과 우주적 조응」(『현대문학』 5월호, 현대문학사, 1975)

암" 등의 동물적 이미저리는 예외없이 "몇방울의 피/흐르는 코피/피흘리고" 등의 피의 이미지와 결합되고, 이것은 다시 "헐덕어리며/나는 쫓느니, 웬몸이 달어/땀흘려 땀흘려 나—ㄹ 엎드리었다" 등의 관능적인 동태적 이미저리(dynamic imagery)로 연결되어 있는 것이다. 이러한 이미지들의 결합은 대체로 『화사』의 관심이 인간의 대지성적인 문제들, 즉 육체성, 본능성, 구속성, 운명성 등의 문제들과 관련이 있음을 말해 주는 것이 된다. 아울러 이것은 젊은 날 인간이 가장 관심 갖는 문제가 바로 인간의 육체적 존재성에 관한 질문과 그에 대한 극복에 가로놓여 있음을 제시하는 것이 된다. 수많은 생의 문제들과 부딪치면서 그 원죄적 카오스의 심연으로부터 벗어나기 위한 몸부림이 동물적 상상력을 바탕으로 하여 끈질기게 펼쳐진 데서 『화사』의 의미가 드러나는 것이다.

2 소멸의 미학, 한의 탐미주의

① 눈물 아롱 아롱
피리 불고 가신님의 밟으신 길은
진달래 꽃비 오는 서역(西域) 삼만리(三萬里).
흰옷깃 염여염여 가옵신 님의
다시오진 못하는 파촉(巴蜀) 삼만리(三萬里).

신이나 삼어줄ㅅ걸 슲은 사연의
올올이 아로색인 육날 메투리.
은장도 푸른날로 이냥 베허서
부즐없은 이머리털 엮어 드릴ㅅ걸.

초롱에 불빛, 지친 밤 하늘

구비 구비 은하ㅅ물 목이 젖은새,
참아 아니 솟는가락 눈이 감겨서
제피에 취한새가 귀촉도 운다.
그대 하늘 끝 호올로 가신 님아.

—「귀촉도」 전문

② 잔치는 끝났드라. 마지막 앉어서 국밥들을 마시고
빠알안 불 사루고
재를 남기고,

포장을 거드면 저무는 하늘.
이러서서 주인(主人)에게 인사를 하자

결국은 조끔ㅅ식 취(醉)해가지고
우리 모두다 도라가는 사람들.

목아지여
목아지여
목아지여

멀리 서 있는 바다ㅅ물에선
난타(亂打)하여 떠러지는 나의 종(鐘)ㅅ소리.

—「행진곡」 전문

이 두 편의 시는 시집 『귀촉도』의 특징적인 단면을 예리하게 드러내 준다. 먼저 ①시는 한국적인 애수의 미학 또는 한의 탐미주의를 제시하고 있다. 세 연으로 짜여진 이 시는 첫 연에서 님의 떠남(죽음), 둘째 연에서 퍼스나인 '나'의 회한과 탄식, 그리고 셋째 연에서 귀촉도의 한 맺힌 울음으로 각각 구성되어 있다. 먼저 첫 연은 이 시가 님과의 영원한 이별, 즉 죽음에 모티브를 두고 있음을 말해 준다. "흰옷깃 염여염여 가옵신 님/다시오진 못하는 파촉 삼만리"라는 구절에는 이 시가 님의 죽음으로부터 비롯됨을 말해 주는 것이다. 그러면서도 이 비통한 죽음의 이별은 "눈물 아롱 아롱/피리 불고 가신님/진달래 꽃비 오는" 등과 같이 탐미적인 아름다움의 이미저리로 채색됨으로써 비극적 황홀을 성취하고 있는 것으로 보인다.

둘째 연에는 "신"과 "머리털"로서 님 상실의 비탄과 그 애환을 드러내게 된다. 흔히 신발은 새로운 인생의 표상으로 받아들여진다. 다시 오지 못하는 파촉 삼만리로 떠나가신 님에게 살아 생전 다하지 못한 사랑의 한을 신발과 머리털로 표상한 것이다. "슲은 사연의/올올이 아로색인 육날 메투리" 그 자체가 벌써 눈물과 한으로 얼룩진 인생을 의미한다. 생에 관한 비관적인 인식 혹은 비극적 세계관이 담겨져 있는 것이다. 더구나 "은장도 푸른날로 이냥 베혀서/부즐없은 이머리털 엮어 드릴ㅅ걸"이라는 탄식 속에는 인생의 허무와 부질없음에 대한 깊은 깨달음이 깃들여 있는 것으로 보인다. 머리털은 흔히 생명적인 힘의 원천 또는 고귀함의 표상으로 이해되는 것이 일반적이다. 이러한 머리털을 베어서 떠나가 버린 님의 신발을 삼아 주겠다는 시적 진술 속에는 실상 생명을 넘어선 영원한 사랑의 하소연이 잠재해 있는 것이다. 이것은 어쩌면 「화사」에서의 동물적 사랑의 모습과는 상대편에 서는 것인지도 모른다. 현세적이며, 동물적이며, 육감적인 「화사」의 사랑과는 달리 내세적이고, 정신적이며, 비극적인 사랑의 모습이 「귀촉도」의 그것으로 나타나 있기 때문이다. 더구나 여기에 "육날 메투리/은장도/머리털" 등의 한국의 전통적 소재가 등장한 것은 주목을 요한다. 『화사』의 많은 시들이 "이브/크레오파투라" 등 서구적 풍류에 물들었던 것과는 대조적으로 동양적 감수성이 그 바탕을 이루고 있기 때문이다.

셋째 연에는 「귀촉도」와 그의 울음이 등장하여 시의 비극성을 한껏 심화해 준다. 시간 배경이 밤이며 하늘인 것도 상징적이다. 이것은 「화사」가 낮이

주가 되며, 땅에서의 사건이 대부분을 차지하는 것과 좋은 대조를 이룬다. 다분히 비관적 세계인식과 정신화된 사랑의 모습을 암시해 준다는 점에서 의미를 지니는 것이다. 그러면서도 여기에는 아직도 피의 냄새가 심게 배어 있다. "제피에 취한 새가 귀촉도 운다"라는 구절 등이 그것이다. 「귀촉도」에는 사랑을 노래하는 데 있어서 아직 피의 이미저리가 그대로 착색되어 있는 것으로 보인다. 이 점에서 「귀촉도」는 "정돈과 안정과 재기의 몸짓"[5]을 보여준 것으로 이해할 수도 있을 것이다. 그런데 이 셋째 연에서 중요한 것은 '귀촉도'가 단순한 오브제가 아니라, 떠나간 님의 대리 자아이자 한의 객관적 상관물에 해당한다는 점에 놓여진다. 귀촉도는 "하늘 끝 호올로 가신 님"의 표상이며, 동시에 님과 나를 연결해주는 사랑의 촉매이자 한의 상징인 것이다.

이렇게 볼 때 이 시는 '님의 떠남—나의 회한—귀촉도 울음'이라는 기본 구조로 짜여 있음을 알 수 있다. 아울러 이 시는 사랑의 본질이 비극적인 것에 바탕을 두고 있으며, 나아가서 생의 본질이 그러한 비극적인 세계관에 자리 잡고 있다는 깨달음을 반영한 것으로 이해된다. 특히 이 시에 '서역'과 같은 불교적 이미저리가 착색된 것은 중요한 일이 아닐 수 없다. 한과 허무로서의 사랑과 인생이 불교적인 세계관으로부터 연유한 것으로 이해된다는 점에서 그러하다. 아울러 이별과 상실이라는 전통적인 사랑의 대위법이 시의 전면에 등장한 것도 새로운 의미를 지니는 것으로 보인다.

시 ②는 소멸의 미학 또는 상실의 미학을 보여준다는 점에서 시 ①과 연관된다. "잔치는 끝났드라/불 사루고/재를 남기고/포장을 거드면/저무는 하늘/주인에게 인사를 하자/도라가는 사람들/난타하여 떨어지는" 등과 같이 소멸의 이미지 또는 낙하의 상상력이 주류를 이루고 있는 것이다. 부사의 쓰임새도 "마지막/결국은/모두다/멀리" 등과 같은 한정부사가 습용되어 소멸과 하강이 불러일으키는 비극적 긴장미를 심화해 준다. 이러한 소멸과 하강의 이

5) 조연현, 『한국현대작가론』(청운출판사, 1965)33쪽.

미저리는 "목아지여/모가지여/모가지여/목아지여"의 계속적인 반복, 나열로 인해서 삶의 어려움을 강조하는 뜻을 담고 있는 것으로 이해된다. 특히 이 시에서 하늘과 바다의 이미지가 등장하는 것은 주목을 요한다. 여기에서 하늘은 "저무는" 것으로, 바다는 "멀리 서 있는" 것으로 묘사되어 있다. 하늘은 소멸의 이미지 또는 하강의 이미저리와 연결되어 있으며, 바다는 거리와 단절의 이미저리로 나타나 있다. 다시 말해서, 하늘과 바다는 모두 다 인생의 모습을 암유하고 있는 것이다. 즉 인생은 소멸하여 가는 일회적 존재성을 지니며, 인생사는 서로 단절되어 각자의 '종소리'를 울리며 고독하게 살아갈 수밖에 없는 단독자로서의 모습을 지닌다는 뜻이다.

바로 이 점에서 이 시는 역시 비관적 세계인식을 담고 있는 것으로 보인다. 그것은 허무와 적막으로서의 세계상의 모습이며, 소멸과 애수로서의 인생관의 표출인 것이다. 실상 『귀촉도』에는 이상의 두 편 시에서 발견할 수 있는 소멸의 이미지 혹은 낙하의 상상력이 두드러지게 나타난다.

① 순이야, 영이야, 또 도라간 남아

굳이 잠긴 재ㅅ빛의 문을 열고 나와서
하늘ㅅ가에 머므른 꽃봉오리ㄹ 보아라.

—「밀어」 부분

② 붉은 두볼도
헐덕이던 숨결도
사랑도 맹세도 모두 흐르고

나무ㅅ닢 지는 가을 황혼에
홀로 봐야할 연지ㅅ빛 노을

—「노을」 부분

③ 눈물로 적시고 또 적시여도
속절없이 식어가는 네 흰 가슴이
저 꽃으로 문지르면 더워 오리야

아홉밤 아홉낮을 빌고 빌어도
덧없이 스러지는 푸름 숨ㅅ결이
저꽃으로 문지르면 도라 오리야

애비 에미 기럭이 서리ㅅ발 갈고가는
구공 중천(九空 中天)위에 은하수(銀河水) 위에
아! 소슬한 청홍(靑紅)의 꽃 밭……

문(門) 열어라 문(門) 열어라
정(鄭)도령님아.

—「문열어라 정도령아」 전문

인용한 시편들에서 공통되는 것은 "도라간/흐르고, 지는/식어가는, 스러지는" 등의 소멸의 심상 또는 낙하의 상상력이다. 또한 "하늘ㅅ가/황혼노을/구공중천, 은하수"등과 같은 천체적 이미지가 등장하는 것도 유사하다. 특히 "꽃봉오리/나무ㅅ닢/꽃" 등의 식물적 이미저리가 공통적으로 등장하는 것은 주목을 요한다. 이것들은 실상 앞에서 논한 「귀촉도」나 「행진곡」의 경우와도 상통하는 것이 아닐 수 없다. 그렇다면 이러한 소멸과 낙하의 상상력 혹은 천체적 이미지와 식물적 이미지가 등장하는 것은 어떠한 의미를 지닐 것인가. 아마도 이러한 것들은 『화사』에서의 꿈틀거림과 피의 이미지가 환기하는 동물적 상상력과는 확연히 구별되는 것으로 보인다. 대지와 밀착된 뱀의 이미지 혹은 대지와 수평을 이루는 동물적 상상력으로부터 하늘을 향한 일어섬, 혹은 식물적 상상력으로의 전이를 암시하는지도 모른다. 확실히 『화사』를 관류하던 피의 이미지와 동물적 상상력은 『귀촉도』에 이르러 눈물의 이미지로 식어가고 식물의 상상력으로 변모해 가는 모습을 주는 것이 사실이다. 이러한 '피→눈물'로의 전이 혹은 '동물→식물'로의 변화 과정에서 소멸과 상실의 이미저리가 범람하게 되는 것으로 풀이된다. 실상 시집 『귀촉도』에 이르러 「견우의 노래」 등의 고전적 이미지의 시와 「석굴암관세음의 노래」 등 불교적 감수성의 시편들이 등장한 것은 이러한 변모를 확인할 수 있게 해주는 방증이 된다.

3 솟아오름과 수직 상상력의 의미

① 한송이의 국화꽃을 피우기 위해
봄부터 솥작새는
그렇게 울었나보다

한송이의 국화꽃을 피우기 위해
천둥은 먹구름속에서
또 그렇게 울었나보다

그립고 아쉬움에 가슴 조이든
머언 먼 젊음의 뒤안길에서
인제는 돌아와 거울앞에 선
내 누님같이 생긴 꽃이여

노오란 네 꽃닢이 필라고
간밤엔 무서리가 저리 네리고
내게는 잠도 오지 않었나보다

—「국화 옆에서」 전문

② 가난이야 한낱 남루(襤褸)에 지나지 않는다
저 눈부신 햇빛속에 갈매빛의 등성이를 드러내고 서 있는
여름 산(山)같은
우리들의 타고난 살결 타고난 마음씨까지야 다 가릴 수 있으랴

청산(青山)이 그 무릎아래 지란(芝蘭)을 기르듯
우리는 우리 새끼들을 기를수밖엔 없다
목숨이 가다가다 농울쳐 휘어드는
오후(午後)의때가 오거든
내외(內外)들이여 그대들도
더러는 앉고
더러는 차라리 그 곁에 누어라

지어미는 지애비를 물끄럼히 우러러보고
지애비는 지어미의 이마라도 짚어라

어느 가시덤풀 쑥굴헝에 뇌일지라도
우리는 늘 옥(玉)돌같이 호젓이 무쳤다고 생각할 일이요
청태(青苔)라도 자욱이 끼일일인 것이다.

—「무등을 보며」 전문

시인이 불혹의 나이인 40대에 펴낸 제3시집 『서정주시선』은 미당 시사에 있어서 중요한 의미를 갖는다. 이 시집은 생애사적인 면에서 40대에 쓰였다는 점에서도 그러하지만, 시단 데뷔 후 20년이 경과한 시점에서 시집이 간행되었으며, 역사적으로 볼 때도 그 사이 을유해방과 6·25라고 하는 민족사의 엄청난 시련과 굴곡이 가로놓여져 있다는 점에서도 많은 변모를 예감케 한다. 실제로 이 시집에 이르러 미당 시사는 하나의 확고한 전환기에 접어들게 되는 것으로 받아들여진다. 위에 인용한 두 작품은 이러한 미당 시사의 변모를 확인할 수 있게 해준다. 그것은 먼저 이 두 편의 시에 '꽃'이 표상하는 식물

적 상상력의 대두와 '산'이 상징하는 솟아오름 또는 상승 이미저리의 분출이 나타난다는 점을 들 수 있다. 이 꽃과 산의 이미저리는 이미 『귀촉도』에서도 부분적으로 발견되던 것이었지만, 『서정주시선』에 이르러 확실하게 자리 잡게 된 것으로 보인다. 이러한 꽃과 산의 등장은 『화사』에서의 대지적, 동물적 상상력에 바탕을 둔 수평지향적인 것에서 대지로부터 일어서서 하늘로의 솟구침이라는 수직 지향적인 것으로의 변모를 상징한다. 다시 말해서, 뱀이 표상하던 대지와의 밀착으로부터 하늘로 향한 일어섬이라는 수직상승의 상징적 의미를 지니는 것이다. 어쩌면 이것은 육체적, 운명적, 구속적, 본능적 삶의 방식에서 정신적, 자유적, 이성적 삶의 양식으로의 전환을 의미하는 것일 수도 있다.

먼저 시 ①에는 꽃의 이미지를 통한 생의 성숙 또는 정신화해 가는 삶의 모습이 제시되어 있다. 기·승·전·결의 정제된 형식은 봄·여름·가을·겨울이라는 사계의 순환법칙과 함께 생·로·병·사라고 하는 생의 변화 과정을 암시하는 것으로 보인다는 점에서 적절한 구성 방식으로 이해된다. 첫 연은 국화꽃의 탄생에서 개화에 이르는 고되고 험한 역정이 "한송이의 국화꽃을 피우기 위해/봄부터 솥작새는/그렇게 울었나보다"라는 인고의 과정으로 제시되어 있다. 하나의 생명이 성숙되어 가는 험난하고 지루한 과정을 통해서 생명의 존엄성에 대한 외경감을 강조하고 있는 것이다. 둘째 연에서는 이러한 과정을 한 번 더 강조한다. 그런데 여기에서 솥작새와 천둥 혹은 먹구름이라는 비상의 이미지 또는 천체 이미지를 등장시킨 것은 유의할 만하다. 이 모두가 대지로부터 상승을 뜻하는 이미지군들이기 때문이다. 그러면서도 아직 솥작새와 천둥, 먹구름들이 완전하게 그 물질적 무거움을 덜어내고 가벼워진 것은 아니라는 점도 유의할 만한 일이다(이 점은 「동천」에서 다시 논의하게 될 것이다. —필자 주).

셋째 연은 다시 앞의 두 행과 뒤의 두 행으로 구분되는바, 전자는 과거의 젊은 날과, 후자는 현재 시점과 연관된다. 즉, 젊은 날은 "그립고 아쉬움에 가슴 조이든/머언 먼 젊음의 뒤안길"과 같이 살냄새와 피냄새가 섞여 있는 무겁고 어두운 모습으로 제시된다. 이것은 「화사」에서의 꽃뱀이 내포하고 있던 관능의 몸부림을 의미하며, 그것이 불러일으키는 생의 온갖 욕망과 모순, 그리고 갈등을 뜻하는 것일 수 있다. 젊은 날에 운명적으로 뒤채이게 마련인 인간 조건의 무거움을 표상하는 것인지도 모른다. 그러나 뒤의 두 행은 "인제는 돌아와 거울앞에선/내 누님같이 생긴 꽃이여"라는 구절처럼 성숙한 정신의 가벼움을 드러내게 된다. 마치 솥작새의 울음과 천둥의 평음 속에서 오랜 인고와 기다림을 거쳐 한 송이 국화꽃의 투명한 생명이 피어나듯이, 젊은 날의 온갖 인간 조건들이 강요하는 삶의 무게를 하나하나 극복하여 마침내 "거울"이 상징하는 정관과 명상의 가벼움을 획득한 모습으로 누님이 묘사된 것이다. 여기에서 누님은 관능과 육감으로 뒤채이는 '화사', 즉 동물적 이미지가 아니라 정신적 성숙과 투명화를 어느 정도 성취한 "국화꽃", 즉 식물적 이미지로 고양되어 있음을 주목할 수 있다. 이것은 대지와의 수평적 자세로부터 하늘로 향한 일어섬의, 수직적 상상력의 발현을 의미하기 때문이다. 실상 "무서리가 저리 네리고/내게는 잠도 오지 않었나보다"라는 마지막 연이 환기하는 것도 정신적 삶의 소중함 또는 상승적 삶의 경건함을 강조하고자 하는 데 근본 뜻이 놓여지는 것으로 보인다.

시 ②도 정신적 삶의 편안함 속에서 생의 상승을 지향하고 있다는 점에서 공통점을 지닌다. 특히 여기에서는 "산"과 "지란"의 이미지를 통해서 가난한 삶에 대한 긍정, 또는 정신의 가벼움에 대한 동경을 노래한다는 점이 특이하다. 이 시에서 가장 중요하게 대두되는 것은 가난의 문제이다. "가난이야 한낱 남루에 지나지 않는다/우리들의 타고난 살결 타고난 마음씨까지야 다 가릴 수 있으랴"라는 첫 연에는 물질적인 삶의 구속에서 벗어난 정신적 삶의 편안함과 따뜻함이 싱싱하게 그려져 있다. 특히 이러한 정신적 삶의 편안함에 대한 긍정이 산의 이미저리와 연결되어 있다는 점은 중요하다. "산은 가장 지상적 자연이되 '서 있음'으로 해서 높이를 지향하고 있다. 그러나 '서 있음'은 움직임이라기보다는 부동 속에서 상승을 표현하는 하나의 화살표이다"[6]라는 적절한 한 해석에서도 유추할 수 있듯이, 산은 대지로부터의 돌출로 인해서 상승의 의지를 표상하는 것으로 이해되기 때문이다. 다시 말해서, 물질적인 면에서의 가난을 긍정하고 따뜻이 감싸 안음으로 해서 정신적인 가벼움 또는 생명의 상승을 성취하게 되는 것이다. 둘째 연에서 산의 이미지는 다시 "지란을 기르듯"과 같이 식물적 이미지로 연결된다. 여기에서도 산과 지란은 다 같이 '서 있음'의 상징에 해당한다.

셋째 연에서는 다시 삶에 대한 긍정으로 나타나며, 넷째 연에서도 마찬가지이다. 특히 마지막 연에서 "청태"라는 식물적 이미지가 나타나는 것도 유의할 만하다. "청산"은 "지란"과 "청태"처럼 푸른색 내지는 초록색의 색감을 지닌다는 점에서 의미를 지니는 것으로 이해되기 때문이다. 이것은 식물적 이미지로 인한 수직적 일어섬을 뜻하는 동시에 푸른색이 내포한 색감이 투명함 또는 청신함의 느낌을 던져 준다. 다시 말해서, 대지로부터의 일어섬이 뜻하는 수직 상상력과 식물적 이미저리가 유발하는 푸른 색감이 삶의 정신화 내지는 정신의 투명화를 상징하는 것으로 이해된다는 점에서 의미를 지니는 것이다.

이렇게 본다면 이 두 편의 시는 초기 『화사』의 시세계와는 확연히 구별됨을 알 수 있다. 동물적 상상력에서 식물적 상상력으로의 변화가 가장 눈에 띈다. 이것은 '피'가 상징하는 삶의 꿈틀거림으로부터 '눈물'이 표상하는 정신적 삶으로의 이행을 의미한다. 『화사』에서의 붉은색이 『서정주 시선』에서 푸른색으로 전이한 것도 이와 관련된다. 또한 시적 배경에 있어서 땅으로부터 하늘로 향한다는 것도 의미를 지닌다. 본능적 삶, 육체적 삶의 방식으로부터 정

---

6) 김화영, 앞의 책, 44쪽.

신적 삶, 자유의 삶으로의 전환을 암시하기 때문이다. 실상 이러한 '동물→식물', '피→눈물', '땅→하늘'로의 전이현상은 『귀촉도』에서도 산견되던 것들이었지만, 『서정주 시선』에 이르러 확고히 자리 잡게 된 것으로 판단된다. 아울러 초기 시편들에서 중요하게 작용하던 대지와의 수평적 상상력이 여기에 이르러 하늘로 향한 수직적 상상력으로 변모하게 된 것이다.

따라서 『서정주 시선』에는 '나무'와 '그네', 그리고 '구름'과 '하늘'의 이미저리가 커다란 비중을 차지하게 된다. 「춘향전」을 소재로 한 「추천사」와 「춘향유문」 등이 그 대표적인 예로 받아들여진다.

① 향단(香丹)아 그넷줄을 밀어라
머언 바다로
배를 내어 밀듯이,
향단(香丹)아

이 다수굿이 흔들리는 수양버들나무와
벼갯모에 뇌이듯한 풀꽃뎀이로부터,
자잘한 나비새끼 꾀꼬리들로부터
아조 내어밀듯이, 향단(香丹)아

산호(珊瑚)도 섬도 없는 저 하늘로
나를 밀어 올려다오.
채색(彩色)한 구름같이 나를 밀어 올려다오
이 울렁이는 가슴을 밀어 올려다오!

서(西)으로 가는 달같이는
나는 아무래도 갈수가 없다.

바람이 파도(波濤)를 밀어 올리듯이
그렇게 나를 밀어 올려다오

향단(香丹)아.

—「추천사」 전문

② 안녕히 계세요
도련님

지난 오월 단오ㅅ날, 처음 맞나든 날
우리 둘이서 그늘밑에 서있든
그 무성하고 푸르든 나무같이
늘 안녕히 안녕히 계세요

저승이 어딘지는 똑똑히 모르지만
춘향의 사랑보단 오히려 더 먼
딴 나라는 아마 아닐것입니다

천길 땅밑을 검은 물로 흐르거나
도솔천의 하늘을 구름으로 날드래도
그건 결국 도련님 곁 아니예요?

더구나 그 구름이 쏘내기되야 퍼부을 때
춘향은 틀림없이 거기 있을거에요!

—「춘향유문」 전문

이 두 편의 시는 그네와 나무, 그리고 구름과 하늘의 이미저리가 핵심이 되어있다.

먼저 ①시에는 그네를 뛰는 행위가 중심 사건으로 제시된다. 그리고 이 그네는 나무에 매여 있다는 사실이 상징적 의미를 지닌다. 즉, 그네를 뛰는 행위는 상승과 하강을 반복함으로써 더 높이, 더 멀리 솟아오르려는 의지를 표상하는 것으로 보인다. 이것은 어쩌면 "지상적 괴로움과 운명을 벗어나려는 상징의 그네"[7] 일는지도 모른다. 아울러 나무, 그것도 봄날의 나무는 솟아오름의 의미 또는 생명적 솟구침으로서의 상징성을 지닌다. 「국화 옆에서」의 꽃이나 「무등을 보며」에서 산과 마찬가지로 수직상승의 하늘지향성을 표상하는 것이다. 그렇기 때문에 "저 하늘로/나를 밀어 올려다오/채색한 구름같이 나를 밀어 올려다오/이 울렁이는 가슴을 밀어 올려다오!"라는 반복과 점층법에 의한 강력한 솟구쳐오름에 대한 동경과 갈망을 적절히 제시하게 된다. 특히 여기에서 "구름"이라는 이미지는 그것의 가벼움 또는 표랑성이라는 속성으로 인해서 정신적인 투명함과 상승의 욕구를 표상하게 된다. '그네→바람→구름→하늘'로의 상승은 대지적 구속성과 운명성으로부터 벗어나서 천상으로의 상승을 꿈꾸는 비상에의 의지 또는 자유에의 갈망을 담고 있는 것으로 보인다.

②시에서도 마찬가지이다. 여기에서도 그네(단오)와 나무, 그리고 구름과 하늘의 이미지가 중심이 되어있다. 여기에서 나무는 "무성하고 푸르든 나무"와 같이 생명력과 수직상승의 표상성을 지닌다. 그리고 이것은 사랑의 의미를 담고 있는 것이 특징이다. 어쩌면 이것은 그네가 상징하는 상승과 하강이라는 반복운동, 그리고 나무가 표상하는 소멸과 생성이라는 순환법칙이 사랑의 그것과 맞닿아 있는 데서 필연적으로 나타나게 된 시적 상관물인지도 모른다. 그렇기 때문에 이 시에서는 이별이 그 모티브가 되어있는 것이다. 그러나 이 이별은 영원한 것이 아니라 현상적인 것, 순간적인 것에 불과하다는 인식이 드러나 있다. 그것은 이 시에서의 사랑이 "구름"과 "하늘"이라는 정신적인 것 내지는 영원한 것으로 상승되어있다는 점에서 그러하다. 다시 말해서 이 시에서의 사랑은 이미 육체적인 것, 대지적인 것으로부터 정신적인 것, 천상적인 것으로 상승해 가고 있음으로 해서 영원성을 획득하기 시작한 것으로 보인다. 특히 욕계의 정토인 제4천, 즉 도솔천이라는 하늘의 이미지가 등장한

7) 김종길, 「추천사의 형태」(『서정주 연구』, 동화출판공사, 1975)43-49쪽.

것은 중요하다. 이것은 『서정주시선』에서의 사랑의 의미가 나무와 그네를 통해서 구름과 하늘로 솟아오르기 시작함으로써 삶의 정신화와 정신의 투명화를 획득하기 시작한 것으로 이해되기 때문이다. 아울러 여기에서 고전적인 테마와 불교적인 상상력 및 그 전통적 세계관이 시를 지배하기 시작한 것 또한 의미심장한 일이 아닐 수 없다.

이러한 『서정주시선』에서의 변모는 어쩌면 "피에 이끌리며, 피에 시달리며, 그것을 달래며 밝히어 나가는"[8] 과정의 한 반영인지도 모른다. 실상 『서정주시선』에 실려 있는 「학」이나 「광화문」 등의 시편들에서도 이러한 생명의 정신화 및 정신의 투명화 지향성을 읽을 수 있으며, 이것들이 불교적 세계관과 고전적 감수성에 맞닿아 있음을 쉽게 확인할 수 있다. 이 점에서 『서정주시선』은 『화사』로부터의 획기적 변모를 확인하게 해주며, 동시에 앞으로의 새로운 변모 가능성을 예견케 해준다.

4 신라정신과 사랑의 영원주의

『서정주 시선』에 고전에 대한 탐구정신과 불교사상에 대한 경도가 나타나기 시작한 것은 이미 지적한 바 있다. 이러한 정신적 지향은 지상으로부터 천상으로의 상승의지를 바탕으로 한 것이었으며, 영원주의에로의 나아감을 의미한다. 시집 『신라초』(1960)는 그 한 성과에 해당한다.

> 노래가 낫기는 그중 나아도
> 구름까지 갔다간 되돌아오고,
> 네 발굽을 쳐 달려간 말은
> 바닷가에 가 멎어버렸다.

---

8) 천이두, 「지옥과 열반」(『서정주 연구』, 앞의 책)208쪽.

활로 잡은 산(山)돼지, 매(鷹)로 잡은 산(山)새들에도
이제는 벌써 입맛을 잃었다.
꽃아. 아침마다 개벽(開闢)하는 꽃아.
네가 좋기는 제일 좋아도,
물낯바닥에 얼굴이나 비취는
헤엄도 모르는 아이와 같이
나는 네 닫힌 문(門)에 기대섰을 뿐이다.
문(門) 열어라 꽃아. 문(門) 열어라 꽃아.
벼락과 해일(海溢)만이 길일지라도
문(門) 열어라 꽃아. 문(門) 열어라 꽃아.

—「꽃밭의 독백」 전문

이 시는 '사소단장'이라는 부제가 붙어 있는 작품인데, 여기에서 사소는 신라 시조 박혁거세의 어머니로서, 처녀로 잉태하여 산으로 신선수행을 간 일이 있는데, 이 글은 그 길 떠나기 전 그의 집 꽃밭에서의 독백을 시화한 것이라 한다. 여기에서도 꽃과 구름의 이미지가 중요하게 작용하고 있다. 특히 꽃은 지상에 피어 있는 생명이기도 하지만, 동시에 영원에 이르는 길의 표상이라는 점에서 의미를 지닌다. 꽃은 지상으로부터 영원에 이르는 통로이자 그 영원 자체를 의미하는 것이기도 하다. 그것은 먼저 대지적, 물질적 삶에 대한 회의와 부정으로부터 시작된다. "활로 잡은 산돼지, 매로 잡은 산새들에도/이제는 벌써 입맛을 잃었다"라는 구절 속에는 『화사』 이래 끈질기게 지배해 오던 동물적 상상력 내지는 대지적 상상력이 퇴화되어 가고 있음을 의미하는 내용이 담겨져 있다. "아침마다 개벽하는 꽃아"와 같이 정신적인 생명에 대한 갈망과 동경이 드러난 것이다. 여기에서 "개벽하는 꽃"이란 소멸과 생성, 부활과 죽음, 죽음과 탄생이 되풀이됨으로써 거듭 태어나는 영원한 생명을 상징한다. 따라서 "문 열어라 꽃아. 문 열어라 꽃아"라는 절규 속에는 영원과 절대세계에 대한 뜨거운 열망을 담고 있는 것이다. 대지적 존재로서의 영원한

삶으로 상승하고자 하는 희원이 이 시에 표출되어 있는 것이다. 이러한 천상적 존재로서의 영원한 삶에 대한 희원은 『신라초』의 여러 곳에서 나타나지만, 다음 시에 특히 두드러진다.

> 짐(朕)의 무덤은 푸른 영(嶺) 위의 욕계(欲界) 제이천(第二天).
> 피 예 있으니, 피 예 있으니, 어쩔 수 없이
> 구름 엉기고, 비 터잡는 데—그런 하늘 속.
>
> 피 예 있으니, 피 예 있으니,
> 너무들 인색치 말고
> 있는 사람은 병약자(病弱者)한테 시량(柴糧)도 더러 노느고
> 홀어미 홀아비들도 더러 찾아 위로코,
> 첨성대(瞻星臺) 위엔 첨성대(瞻星臺) 위엔 그중 실한 사내를 뽑아라.
>
> 살(육체(肉體))의 일로써 살의 일로써 미친 사내에게는
> 살 닿는 것 중 그중 빛나는 황금(黃金) 팔찌를 그 가슴 위에,
> 그래도 그 어지러운 불이 다 스러지지 않거든
> 다스리는 노래는 바다 넘어서 하늘끝까지.
>
> 하지만 사랑이거든
> 그것이 참말로 사랑이거든
> 서라벌 천년(千年)의 지혜(知慧)가 가꾼 국법(國法)보다도 국법(國法)의 불보다도
> 늘 항상 더 타고 있거라.
>
> 짐(朕)의 무덤은 푸른 영(嶺) 위의 욕계(欲界) 제이천(第二天).
> 피 예 있으니, 피 예 있으니, 어쩔 수 없이
> 구름 엉기고, 비 터잡는 데—그런 하늘 속.
>
> 내 못 떠난다.

—「선덕여왕의 말씀」 전문

시집 『신라초』의 권두에 실려 있는 이 작품을 이해하기 위해서는 『삼국유사』, 『삼국사기』, 『수이전』 등에 나타나는 역사적 사실 및 설화에 대한 지식이 필요하다. 바꿔 말하면, 그만큼 이 시에는 역사와 고전에 대한 풍부한 독서 체험이 바탕을 이루고 있다는 점을 알 수 있게 해준다.

먼저 첫 연은 『삼국유사』의 내용을 바탕으로 해서 사후의 선덕여왕의 목소리를 제시하여 관심을 끈다. 지상의 세계, 현세의 이야기가 아니라 천상의 세계, 내세의 목소리가 나타난다는 점이 특이하다는 말이다. 그런데 여기에서도 "피"의 이미지가 등장한다는 것은 매우 주목할 만한 사실이다. 이 시의 배경이 된 욕계 제2천은 불교에서 말하는 3계(욕계, 색계, 무색계) 가운데 색욕, 식욕, 재욕이 강한 중생들이 머무는 유정한 육천 중 둘째 하늘, 즉 '도리천'을 말한다. 이러한 유정한 욕계 제2천, 즉 사바세계와 같이 "구름 엉기고, 비 터잡는" 곳에 무덤을 마련한 선덕여왕의 모습은 조금도 신성스런 초월적 존재성을 띠지 않는다. 하늘에 있으면서도 그곳은 인간적 욕망과 꿈을 완전히 벗어난 것이 아니라, 오히려 "피 예 있으니, 피 예 있으니 어쩔 수 없이"와 같이 인간적 사랑의 체취를 강하게 내뿜고 있는 것이다. 이것은 어쩌면 "선덕여왕의 인간주의적 면모를 집약적으로 제시한 것"[9]인지도 모른다. 여기에서 서정주의 신라 정신의 한 모서리가 드러난다. 그의 신라 정신이란 고답적인 종교적 초월의 세계나 역사의 하늘을 의미하는 것은 아니다. 오히려 그것은 인간적 사랑과 욕망이 살아 움직이는 현세적 삶에 대한 긍정이며 사랑이고, 또한 인간존중의 정신을 의미한다. 그렇다고 해서 물질적, 대지적인 것에만 함몰되는 것이 아니라 그것으로부터 끊임없이 벗어나려는 노력을 통해서 하늘이 표상하는 영원의 세계에 도달하려는 이념지향성을 함께 지니는 것이다.

바로 이러한 인간애의 정신에 바탕을 두되, 그러한 것들의 상승과 초월을 꿈꾸는 정신이 바로 신라 정신이며 영원주의에 해당하는 것이다. 실상 미당

---

9) 김시태, 「서정주 시의 역설적 의미」(『서정주연구』, 앞의 책)358쪽.

자신이 "신라 정신이 우리것보다 더 가지고 있었던 것은 뭐냐 하면 그것은 알아듣기 쉽게 요샛말로 하면 영원주의입니다. 현생만을 중요시하여 이치나 모랄이나, 지향이나 감정을 가진 것이 아니라 영원을 입장으로 해서 가졌던 것"10)이라고 한 말은 이에 한 방증이 된다.

제2연은 『삼국사기』 제5권, 신라본기의 '선덕왕'조와 관련된다. 즉, 선덕여왕의 성품이 관인하여 사리에 밝고 현명함을 말하고, 아울러 그가 가난하고 외로운 사람들에 대한 위로와 구휼에 힘썼다고 하는 내용을 말한다. 다시 말해서, 이 제2연은 선덕여왕의 선정을 배경으로 하여 선덕여왕의 인간적인 면모와 그 인간애 정신을 더욱 강조하고 있다. 이것은 "피 예 있으니/너무들 인색치 말고"에 선명히 드러난다. "있는 사람은 병약자한테 시량도 더러 노느고/홀어미 홀아비들도 더러 찾아 위로코"라는 구절을 통해서 가난한 자, 외로운 자, 약한 자들에 대한 인인애(隣人愛) 정신의 따뜻함을 주장하고 있는 것이다. 그러면서도 "첨성대 위엔 첨성대 위엔 그중 실한 사내를 뽀라"라고 끝맺음으로써 그러한 인인애 또는 인간애 정신이 관념적인 것이 아니라 육화된 정신으로부터 우러나온 것임을 강조하고 있다. 실상 이렇게 본다면 이 연에는 온통 이기주의와 교활한 강자들만이 판치는 현대의 불모성과 비인간화 경향에 대한 날카로운 풍자와 비관을 제기하는 뜻이 암유되어 있는 것으로 볼 수도 있다.

제3연은 다시 『수이전』의 '심화요탑' 설화와 연관된다. 다시 말해서 선덕여왕을 짝사랑하던 지귀와 그 지귀를 이해하고 황금 팔찌를 벗어놓음으로써 지귀의 마음에 불을 일으켜 탑을 불태워 버렸다는 선덕여왕의 전설적 사랑 얘기가 바탕이 된 것이다. 신분과 윤리 등 대지 위의 온갖 차별과 불평등을 넘어선 사랑의 영원성과 평등의 정신이 드러난 것이다. "살의 일로써 미친 사내

---

10) 문덕수, 「신라정신에 있어서의 영원성과 현실성」(『현대문학』 100호, 현대문학사, 1963.4)재인용.

/다스리는 노래는 바다 넘어서 하늘끝까지"라는 구절 속에는 성애의 문제가 인간에게 있어 가장 큰 문제이지만, 동시에 그것을 뛰어넘으려는 꾸준한 노력이 인생에 있어 소중한 테마가 된다는 점을 강조한 뜻이 담겨져 있다. 아울러 이 연에는 "사랑을 사랑으로 보답할 줄 아는 신라인의 인간적 깊이와 넓이"[11]를 통해서 사랑을 사랑으로 은혜를 은혜로 보답할 줄 모르는 오늘날의 인간 상실을 풍자하는 뜻이 담겨 있는 것으로 보인다.

제4연은 다시 『삼국유사』 제1권의 태종춘추조와 관련된다. 즉, 김춘추와 김유신의 누이와의 사이에 있었던 국법을 어긴 사랑의 행위를 용서하는 선덕여왕의 모습을 통해서 진정한 사랑의 소중함과 그 영원함을 강조한 것이다. 국법을 어기고 처녀로서 임신한 김유신의 누이, 즉 문희와 김춘추와의 사랑을 용서하는 행위는 바로 사랑의 본뜻이 육체적인 사랑을 바탕으로 하지만, 그것을 넘어서는 정신적인 것에 본령이 놓임을 강조하는 뜻이 담겨 있다. 진정하고 순수한 사랑의 불길이야말로 인간을 구원할 수 있는 크고 영원한 힘임을 강조한 것이다. 어쩌면 이것은 사랑의 절대주의 또는 사랑지상주의를 반영하는지도 모른다. 동시에 순수하고 뜨거운 사랑을 점차 잃어가고 있는 현대인들에게 사랑의 소중함을 강조하고자 하는 것일 수도 있을 것이다. 5연은 첫 연을 다시 반복 강조하며, "내 못 떠난다"라는 단 한 행으로 이루어진 마지막 6연은 인간 세계에 대한 강한 긍정과 애착을 다시 확인한다.

이렇게 본다면 이 시는 선덕여왕을 둘러싼 역사 및 설화적 사실들을 소재로 하여 시인의 상상력을 자유로이 구사함으로써 고전의 현대적 변용을 바람직하게 성취한 것으로 보인다. 미당의 이러한 역사적 상상력에의 관심과 하늘로의 상승을 흔히 "격동의 현실을 두고 고대 신라로 잠적해 버린 것으로, 시정의 사람들인 우리들과는 아무 관계가 없는 것으로 여겨 섭섭해 한다"[12]

11) 김시태, 앞의 책.
12) 김화영, 앞의 책. 64쪽.

는 김화영의 지적은 이 점에서 적절하다. 오히려 미당은 신라의 하늘과 사랑을 얘기함으로써 그들의 인간적 사랑과 인간애 정신이 오늘날과 같은 인간상실의 시대에 얼마나 소중한 것인가를 일깨워 준 것으로 이해된다. 그가 오늘날의 첨예한 현실과 사회 문제를 다루지 않고 있다는 사실 자체로 해서 그의 시를 비판하는 일은 그리 바람직하지 못하다. 그가 발굴해서 우리에게 일깨워 준 신라 정신과 불교 정신, 그리고 그 인간주의야말로 현대적 삶에 있어서 회복되어야 할 명제일 수 있기 때문이다. 실상 미당 자신이 "인간성의 존엄성을 불교 정신의 능력으로 회복하는 일, 사랑의 깊이를 늘여 가는 일" 등이 오늘날 불교시가 한국시와 세계시에 기여해야 할 점으로 제시한 것[13]도 이 점에서 음미해 볼 만하다.

시집 『신라초』에 이르러 마침내 하늘의 세계, 정신의 영원주의에 이르렀음에도 그것이 인간적 사랑, 대지적 사랑에 근원을 두고 있다는 점은 주목을 요한다. 『화사』에서의 대지적, 동물적 사랑이 『귀촉도』와 『서정주 시선』에서 대지로부터의 일어섬 또는 천상으로의 솟아오름을 통과해서 마침내 『신라초』에 이르러 역사적 상상력을 통해서 하늘의 정신세계로 근접하게 된 것이다. 이 점에서 『신라초』는 대지적 질서가 천상으로의 이행을 성취하게 된 중요한 전환점에 해당하는 것으로 판단된다.

5 생의 투명화, 자유에의 비상

내 마음 속 우리님의 고은 눈섭을
즈믄밤의 꿈으로 맑게 씻어서
하늘에다 옴기어 심어 놨더니

13) 서정주, 『승려 불교시선』(동국역경원, 1973) 간행사 인용.

동지 섣달 나르는 매서운 새가
그걸 알고 시늉하며 비끼어 가네

—「동천」 전문

이 시는 「화사」(1936) 이후 만 30년 후인 1966년 발표된 작품이다. 이 다섯 줄의 시는 20대에서 지천명의 나이 50대로 접어든 시인의 정신적 성숙도를 보여준다는 점에서 관심을 끈다. 이 시에서 시인이 노래하고 있는 것도 역시 사랑의 문제이다. 그러나 이 시에서의 사랑은 「화사」에서의 그것과는 현격히 다른 정신적 사랑으로 상승되어 있다는 점이 특이하다. 「화사」에서의 대지적, 육감적 사랑과 동물적 상상력은 「동천」에 이르러 천상적, 정신적 사랑과 우주적 상상력으로 변모되어 있는 것이다. 먼저 첫 행에서 눈썹은 정신적 사랑의 표상으로 나타난다. 오랜 세월 그립고 아쉬움에 가슴 조이던 대지적 사랑이 "마음 속 우리님의 고운 눈섭"과 같이 정신화되어 있는 것이다. "즈문밤의 꿈으로 맑게 씻어서"라는 행위는 「화사」와 「국화 옆에서」 이래 천둥과 먹구름 속에서, 소쩍새 울음 속에서 겪어온 온갖 모순과 갈등을 투명화하는 작업에 해당한다. 어쩌면 이것은 육신의 구속과 물질의 무게, 그리고 운명의 조건들을 하나씩 덜어내고 극복함으로써 상승해 가는 과정일 수도 있다. "눈섭을/꿈으로/맑게 씻는다"는 행위는 물의 이미지를 전체로 해서 가능해진다. 이 물은 생명과 사랑의 표상이라는 점에서 이 시는 근본적인 면에서 생명의 투명화 내지는 사랑의 투명화에 핵심이 놓임을 알 수 있다.

그런데 정작 중요한 것은 세 번째 행에서 "하늘에다 옴기어 심어 놨더니"라는 행위이다. 이것은 대지적 상상력이 우주적 상상력으로 상승한 데서 의미가 드러난다. 「국화 옆에서」 등 『서정주 시선』 무렵부터 끈질기게 작용해 오던 하늘지향성 또는 수직상승의 꿈이 마침내 그 실체를 얻게 된 것이다. 그만큼 육신의 무게, 운명의 짐이 가벼워진 것을 뜻한다. 그런데 여기에서 "심어 놨더니"라는 식물적 이미지가 문제가 된다. 생명과 사랑이 가벼워지고 투명해진 것임에도 불구하고 그것은 '심는다'라는 대지적, 식물적 상상력에 그 뿌리를 두고 있다는 점이 특이한 것이다. 이것은 생명력의 문제와 관련된다. 우주적인 비상을 꿈꾸면서도 『신라초』에서처럼 대지적인 것, 현세적인 지상에서의 생명력을 바탕으로 함으로써 보다 생생한 생명력을 획득하게 된 것이다. 마지막 두 행은 천상에서의 생명과 사랑의 문제로 집약된다. 대지로부터 상승하여 하늘이 시적 배경이 된 것이다. "동지 선달"이라는 계절의 절정에서 "시늉하며 비끼어 가는" 새의 모습은 지상의 구속과 운명의 무게로부터 자유로워진 영혼의 모습을 반영한다. 겨울 하늘의 얼어붙은 경직성을 뛰어넘어 유유히 날 수 있는 자유의 동력, 정신의 유연화를 획득하게 된 것이다. 겨울 하늘을 "시늉하며" 날 수 있는 놀라운 달관의 태도와 더욱 "비끼어" 날 수 있는 정신 능력의 유연성은 바로 시인 자신의 오랜 방황과 끈질긴 운명의 극복 자세에서 얻어진 투명화한 삶의 상승적 저력에 해당한다. 인간의 삶의 과정이 물질과 정신의 싸움의 과정이며, 바람직한 삶이 "물질을 거슬러올라가려는 노력이며 위로 올라가는 상승의 원리를 갖는다."[14]라는 말을 음미해 본다면 「동천」은 충분히 이러한 삶의 원리를 반영한 것일 수 있다.

결국 「동천」에 이르러 미당은 불교적 인생관을 바탕으로 해서 피의 냄새와 육신의 무게에 지배되던 대지적 사랑에서 벗어나 정신의 유연화와 사랑의 투명화를 획득하여 우주적 질서 내에서 마침내 정신적 사랑의 이학을 구축한 것이다.[15] 실상 이 시가 눈썹과 새를 시의 오브제로 택한 것 자체가 상징적인 것임은 물론이다. 이것은 겨울 하늘에 떠 있는 초승달, 또는 그믐달과 그것을 비껴 날아가는 새의 모습을 님의 눈썹과 오우버랩한 것으로 이해되기 때문이다. 육체적 사랑의 정신화를 성취한 것이며 대지적 삶을 우주적 삶의 질서로 이끌어올린 것이다. 미당은 이 「동천」에 이르러서 눈썹과 새의 변증법적 긴

14) H. Bergson, 『*L'évolution Créatrice*』(정한택 역, 박영사, 1980)268쪽.
15) 김재홍, 「하늘과 땅의 변증법」, 앞의 글 참조.

장에 의해 겨울의 얼어붙은 하늘을 초극함으로써 "내 영원은/물빛/라일락의/빛과 향의 길이로라"(「내 영원은」)라고 하는 영원의 생명, 사랑의 영원화를 성취하게 된 것이다. 실상 이것은 "연꽃/만나러 가는/바람 아니라/만나고 가는 바람같이……"(「연꽃 만나고 가는 바람같이」)와 같이 대지적 사랑이 환기하는 무수한 욕망과 집착을 벗어난 끝에 얻어진 정신의 유연함이며, "피여 피여/모든 이별 다하였거던/박사가 된 피여"(「무제」)의 경지에서 "그 꽃씨들이 간 곳을 사람들은 또 낱낱이 다 외고나 있을까?/아마 다 잊어버렸을는지도 모른다/이것은 이렇게 꽃나무를 잊어버린 일이다."(「무의 의미」)와 같이 무의 의미를 확실하게 깨달음으로써 획득하게 된 자유에의 비상에 해당하는 것이다.

지금까지 살펴본 것처럼 『화사집』에서 미당의 관심은 주로 인간의 대자성(육체성, 본능성, 관능성, 구속성, 운명성)에 관한 존재 문제와 관련되어 있었다. 따라서 초기시의 상상력은 주로 동물적, 물질적 상상력에 결부된 것이었고, 피와 살의 냄새와 바람 소리로 가득 찬 것이었다. 이것은 『귀촉도』에 이르러서 비극적 세계관을 형성하게 되었으며, 그 결과 소멸의 미학과 한의 탐미주의로 나타나게 되었다. 다시 『서정주 시선』에 이르러서는 대지로부터의 일어섬 또는 하늘을 향한 솟구침이라는 수직상승의 열망을 간직하게 되었다. 따라서 대지적, 동물적 상상력이 천상적, 식물적 상상력으로 이행되는 양상을 보여주었다. 『신라초』에 이르러서는 역사의 하늘, 고전의 하늘로의 솟아오름이 시작된다. 그러나 여기에서도 신라 정신이라고 부를 수 있는 영원주의는 현세의 인간적 질서를 바탕으로 한 것이었으며, 이 점에서 인간애 정신 또는 인간주의적인 측면을 지닌 것이었다. 여기까지도 피와 살의 냄새가 완전히 가셔진 것으로 보기는 어려운 점이 많았다. 그러나 『동천』에 이르러서는 인간 조건으로서의 운명적인 짐들을 존재론적인 고뇌와 예술적 갈등을 통하여 하나씩 극복하고 덜어 감으로써 물질로서의 육신의 무게가 차츰 가벼워지고 투명해져서, 마침내 정신의 유연화와 사랑의 투명화를 획득함으로써 생명과 예술의 이데아에 근접하는 양상을 보여 준 것이다. 지상의 뱀과 꽃과 나무의 일어섬 또는 솟아오름을 통해서, 마침내 지상을 떠난 새가 자유의 하늘로 날아오르게 된 것이다.

『화사』로부터 『동천』에 이르는 약 30년의 고된 역정은 바로 육신의 무게, 운명의 조건들을 극복하려는 치열한 몸부림과 고통의 과정이었으며 예술적인 상승의 몸짓을 보여준 지난한 시기였던 데서 의미를 지닌다. 그것은 생명의 유연화이자 사랑의 투명화를 얻기 위한 구도의 과정이며, 동시에 예술적 형성화를 위한 고된 순례의 길에 해당하는 것이다.

6 맺음말

미당은 분명히 한 편 한 편의 시 전체를 다 읽지 않고서는 그의 시세계를 짐작하기 어려운 대가적 시인의 풍모를 지닌 것이 사실이다. 그가 추구해 온 지난 50여 년간의 시적 역정은 사회나 현실의 험난한 소용돌이와 정면으로 맞서거나 그것들을 적극적으로 수용하는 자세와는 별로 상관이 없다. 그는 오로지 자신의 인생과 그와 관련된 생의 구경적 문제들을 집중적으로 천착해 들어감으로써 시가 자기극복과 생명발견의 영원한 명제이며 언어예술의 정수라는 점을 확실히 실천하려고 노력해 왔다. 따라서 그의 시는 시의 현실적, 사회적 기능을 강조하는 입장에서 볼 때는 관념의 유희 또는 말장난의 요소에 치우쳐 있으며 또한 개인주의적인 호사취미에 함몰되어 있다는 비판을 받을 수밖에 없다.

그러나 그의 시를 통독해 보면 그의 시가 그렇게 간단히 재단해 버리기에는 너무나 폭넓은 다양성과 시적 깊이를 지니고 있음을 확인할 수 있게 된다. 특히 그가 대지적, 육신적 존재로서 인간적인 조건과 운명적인 짐들을 극복하여 정신적 자유의 삶 또는 생명의 투명화에 도달하기 위하여 벌여온 끈질긴 암투와 그에 따른 시적 노력은 생에 대한 깊은 외경감을 불러일으키게 하기에 충분하다. "그저 소같이 미련하게는 고지식하게 이어서 왔구나"라거나 "시를 쓰는 데 있어서만은 진실하려고 최선을 다해왔다"라는 시인 자신의 술회들은 그가 시를 쓰는 일에는 최선을 다해왔고 솔직하려 노력해 왔음을 말해 주는 것이 된다.

그가 지금까지 영위해 온 인간으로서의 지조의 길과 시인으로서 경영해 온 예술가로서의 신념의 길이 행복하게 일치하는 것이라고 보기는 어려울지 모른다. 그러나 그가 이 땅에서 열심히 시를 생각하고 성실하게 시를 써 온 장인의식과 대가적 풍모를 지닌 가장 뛰어난 시인의 한 사람이라는 점은 시사에서 오래도록 기억될 것이 확실하다. 앞으로도 그의 시는 꾸준히 변모해 갈 것이 확실하기 때문에 그의 시에 관한 논의 또한 미래완료형으로 남아 있을 수밖에 없을 것이 자명하다.

□ 연 보

1915 : 5월 18일 전라북도 고창군 부안면 선운리에서 서광한(徐光漢)의 장남으로 출생. 한문 수학.

1925 : 전북 묘포공립 보통학교 입학.

1926 : 중앙고보 입학

1930 : 광주학생운동 주모자로 중앙고보 퇴학

1933 : 박한영 대종사 문하생으로 입산

1936 : 중앙불교 전문강원에 입학. 이 해에 시 「벽」이 동아일보 신춘문예에 당선되어 정식으로 문단에 데뷔. 같은 해 김달진, 김동리 등과 함께 동인지 『시인부락』을 주재하면서 본격적인 작품활동을 시작함.

1938 : 방옥숙과 결혼

1941 : 첫 시집 『화사』(남만서고) 발행, 이후 『귀촉도』(1946), 『서정주 시선』(1955), 『신라초』(1960), 『동천』(1968), 『질마재 신화』(1975), 『떠돌이의 시』(1976) 등 간행.

1946 : 광복 직후 우익민족진영의 일원으로 김동리, 곽종원, 조연현 등과 함께 조선청년문학가협회 결성준비위원으로 참여함.

1950 : 6·25동란이 일어나자 대구로 피난. 사변중 정신분열 증세를 일으켜 부산에서 요양함.

1951 : 전주 전시연합대학 강사 겸 전주고 교사 역임. 이후 조선대학, 서라벌예술대학 교수역임.

1956 : 아세아재단 자유문학상 수상

1960 : 동국대학교 교수

1971~72 : 한국현대시인협회 회장 역임. 1972년에 『서정주 문학전집』(전 5권)이 일지사에서 간행됨.

1980 : 세계여행기 『떠돌며 머물며 무엇을 보려느뇨』 및 기행시집 『서(西)으로 가는 달처럼』 간행.

1982 : 역사시집 『학이 울고 간 날들의 시』 발간.

1983 : 『서정주 시전집』(민음사) 간행.

1985 : 동국대학교 정년 퇴임.

2000 : 12월 24일 사망

14. 목월(木月) 박영종(朴泳鍾)

—인간에의 길, 예술에의 길—

"강나루 건너서/밀밭길을/구름에 달가듯이/가는 나그네"처럼 아름다우면서도 쓸쓸하게 살다가 자하산으로 돌아간 시인 박목월(朴木月)(본명 영종(泳鍾), 1916~1978.3.24), 그는 한평생에 걸쳐서 한국적 서정을 발굴하고 민족어를 완성하기 위해 진력하다가 작고한 이 땅 최대의 시인 중의 한 사람이다.

그는 누구보다도 천부적인 시인적 자질을 지녔으면서도 또한 그 누구보다도 끈질긴 장인정신으로 오로지 시의 길을 생각하면서, 생의 깊이를 획득하고 언어 미학을 성취하려 노력한 탐구적 시인이다. 그가 선구한 세칭 '청록파'는 인간탐구론과 예술성에 근거한 민족문학의 길을 제시함으로써 해방공간의 혼란 속에서 방황하던 이 땅 시사에 올바른 물길을 터놓는 데 크게 기여한 것이 사실이다. 지금까지 그에 관한 논의는 그를 주로 청록파와 관련지어서, 자연탐구의 문제를 해명하는 데 주안점이 놓여 왔다. 그러나 근자에 들어서서 목월 문학 자체에 대한 관심이 고조되면서 그 논의가 포괄성을 획득하기 시작한 것으로 보인다. 그렇지만 목월이 폭넓게 자연과 인생의 문제를 탐구하였고, 그것을 예술적으로 형상화한 대표적 시인이라는 점에서 그에 대한 총체적이면서도 깊이 있는 연구가 지속될 필요가 있다. 특히 존재론과 현상학 등 철학적인 면과 신학적인 면에서의 소명은 물론 구조시학적인 탐구도

긴절한 것으로 받아들여진다. 아울러 강호가도의 전통시 및 민요시의 영향과 함께 소월과 지용, 영랑과의 상관관계, 그리고 청록파 삼가시인간의 상호관계 및 후대시와의 맥락도 더욱 세밀하게 논의되어야 할 것으로 생각된다.

1 『청록집』『산도화』, 달의 상상력과 흐름의 시학

박목월의 시단활동은 그의 시 「길처럼」, 「그것이 연륜이다」(『문장』 1939년 7월호), 「산그늘」(상동, 12월호) 및 「가을 어스름」, 「연륜」(상동, 1940. 9월호)이 정지용에 의해 추천됨으로써 시작된다. 그러나 그는 이미 대구 계성중학의 2학년에 재학 중이던 1933년에 동시 「통딱딱 통딱딱」 및 「제비맞이」가 각각 『어린이』와 『신가정』지에 당선한 바 있는 기성 동시인이기도 하였다. 그러나 그의 본격적인 활동은 해방이 되고 박두진·조지훈과 3인 시집 『청록집』(을유문화사, 1946)을 발간하면서 시작된다. 이후 그는 청년문학가협회에 가담하면서 소위 문협정통파의 한 핵심 멤버로서 민족진영의 문학적 이념인 '구경적인 생의 형식'을 탐구하는 데 힘을 기울이기 시작하였다. 그는 이후 여러 차례의 잡지 편집 및 발간, 한국시인협회의 회장 역임, 『심상』지 창간(1973), 한양대학 교수의 역임 등 시단 활동과 후진 양성에 헌신하면서도, 첫 시집 『산도화』(영웅출판사, 1955)를 비롯하여 『난·기타』(신구문화사, 1959), 『청담』(일조각, 1964), 『경상도의 가랑잎』(민중서관, 1968), 『무순』(심상사, 1976), 『크고 부드러운 손』(유고시집, 영산출판사, 1979) 등 모두 7권의 시집을 간행한 바 있는 이 땅의 최대 시인의 한 사람이다. 아울러 그에게는 시작에세이 『보라빛 소묘』(신흥출판사, 1958) 등을 비롯한 다수의 에세이집이 있으며, 최근에 『박목월시전집』(서문당, 1984)(이하 이 시집을 인용 한다)이 발간되어 그의 시작을 집대성해 주었다.

그의 시세계는 보통 초기시(『청록집』, 『산도화』), 중기시(『난·기타』, 『청담』), 후기시(『경상도의 가랑잎』) 등으로 구분하는 것이 일반적이나[1] 필자는 그 정신사적 지향의 변모에 따라 이하와 같이 다섯 시기로 나누어 논하고자 한다. 그러면 구체적으로 시를 살펴보기로 하자.

① 강(江)나루 건너서
밀밭 길을

구름에 달 가듯이
가는 나그네

길은 외줄기
남도(南道) 삼백리(三百里)

술익는 마을마다
타는 저녁 놀

구름에 달 가듯이
가는 나그네

―「나그네」 전문

② 머언 산(山) 청운사(青雲寺)
낡은 기와집

산(山)은 자하산(紫霞山)
봄눈 녹으면

느릅나무
속ㅅ잎 피어나는 열두 구비를

1) 이건청, 「박목월론의 향방」, 『목월문학연구』, 민족문화사,1983, 129쪽.

청(靑)노루
맑은 눈에

도는
구름

—「청노루」 전문

③ 송화(松花)ㅅ가루 날리는
외딴 봉우리

윤사월 해 길다
꾀꼬리 울면

산지기 외딴 집
눈먼 처녀사

문설주에 귀 대이고
엿듣고 있다

—「윤사월」 전문

④ 내ㅅ사 애달픈 꿈꾸는 사람
내ㅅ사 어리석은 꿈꾸는 사람

밤마다 홀로
눈물로 가는 바위가 있기로

기인 한밤을
눈물로 가는 바위가 있기로

어느날에사

어둡고 아득한 바위에
절로 임과 하늘이 비치리오

—「임」 전문

사화집 『청록집』에는 시 「나그네」 등 모두 15편의 목월 초기 작품이 실려 있다. 따라서 여기에는 목월 초기시의 특징이 선명히 나타난다.

특히 목월의 한 대표작으로 인구에 회자되는 ①시 「나그네」에는 이러한 초기시의 특징 또는 목월 시의 한 원형이 제시되어 있는 것으로 보인다. 5연 10행의 간결한 몽타주(montage) 수법으로 짜인 이 시에는 각 연마다 두 가지의 핵심 심상이 드러난다.

먼저 1연에는 "강"과 "길"이 제시된다. 강은 물의 이미지를 지니며, 그 유동성으로 인해서 흔히 생명력을 표상한다. 그것이 흐름이라는 본성을 지닌다는 점에서는 시간의 흐름 위를 살아가는 인생을 암유하기도 한다. 길도 마찬가지다. 길은 이어짐과 끊어짐, 끊어짐과 이어짐이라는 속성을 지니기 때문에 흔히 인생역정을 암시한다. 둘 다 변화와 지속으로서의 흐름을 상징한다는 점에서 나그네의 모습, 나아가서 인생의 모습을 효과적으로 묘사해 준다.

2연에는 "구름"과 "달"이 제시된다. 구름은 생성과 소멸의 이미지로 해서 흔히 인생으로 비유되기도 하며, 물의 이미지를 내포한다는 점에서는 생명의 흐름을 암시하기도 한다. 달도 마찬가지이다. 특히 이 시의 핵심은 바로 이 달의 이미지에 놓여진다. 달은 흔히 여성상징으로서 물의 이미지와 결합되어 생식 또는 생산력을 뜻한다. 또한 흐름과 변화의 이미지로 해서 낭만적인 그리움, 또는 방랑의식을 표상하기도 한다. 아울러 생성과 소멸의 이미지로 해서 성숙과 죽음의 상징이 되기도 한다(이 점은 전통시가에서 「정읍사」, 「원왕생가」 등의 경우를 음미해 볼 필요가 있다). 이 점에서 구름과 달의 이미지로서 나그네, 즉 인생의 모습을 표상한 것은 탁월한 낭만적 상상력의 발현이 아닐 수 없다. 특히 지속과 변화, 생성과 소멸 등 흐름을 본성으로 하는 구름과 달의 유추를 통해서 나그네의 쓸쓸하면서도 덧없는 모습을 형상화한 것은 달의 상상력, 즉 낭만적 상상력의 한 극치에 해당한다.

3연에서는 다시 "길은 외줄기/남도 삼백리"와 같이 "길"의 이미지가 제시된다. 그것은 "외줄기"로서 외롭고 쓸쓸하며, "삼백리"와 같이 멀고 고달픈 여정이다. 이 점에서 이 연은 쓸쓸함과 고달픔으로 이어지는 나그네의 심정을 담고 있다.

4연에서는 "술"과 "저녁놀"이 등장한다. 술은 흔히 '생명의 물'(aqua vitae) 혹은 '불의 물'로서의 상징성을 지니며, 이 때문에 능동성과 수동성, 유동성과 고착성, 창조성과 파괴성이라는 양면적인 속성을 담고 있다. 다시 말해서, 생의 모순되는 여러 요소들이 갈등을 빚게 하기도 하고 화해시키기도 하는 마력을 지닌다. 나그네의 고달픈 여정에 있어서 술은 위안을 주고 힘과 용기를 불어넣기도 한다. 이 점에서 술은 붉은색의 이미지를 지니며, "저녁놀"과 적절한 이미지 조응을 유발한다. 저녁놀도 술과 마찬가지로 붉은 색감으로 표상되며, 흐름과 소멸의 상징성을 함께 지닌다. 바로 이 점에서 이 시가 페이소스를 불러일으킨다. 저녁놀이 사라지고 난 후에 닥쳐올 밤과 그 어둠을 예감하기 때문이다. 아울러 나그네의 고달픈 여정에서 비롯되는 깊은 목마름[2)]이 술의 이미지 속에 담겨져 있기 때문이다. 5연에서는 다시 "구름에 달 가듯이/가는 나그네"와 같이 핵심 이미지인 "구름"과 "달"을 반복하면서 시를 마무리 짓는다.

이렇게 본다면 이 시의 구성은 사실상 기·승·전·결 4연 구성을 취하고 있음을 알게 되는데, 이것은 아마도 사계로서의 인생의 모습이 투영된 것으로 이해된다. 특히 이러한 "강/길/구름/달/술/저녁놀/나그네"와 같이 유성음이 활용된 것도 시사적이다. 이 중에서도 주로 유음 'ㄹ'(l)이 활용된 것은 그 유동성

---

2) 이숭원은 목월 시의 한 핵심이 <갈증(渴症)>에 자리잡고 있는 것으로 파악한다. (이숭원, 「문장지 시에 나타난 고향의식시고」(『국어 교육』 36호, 한국국어교육연구회, 1980), 165쪽.

과 흐름의 이미지로 해서 인생의 유전하는 모습을 효과적으로 제시해 준다. 따라서 이 시는 달의 상상력과 흐름의 이미지를 통해서 나그네의 외로운 모습, 즉 목월 젊은 날의 초상을 형상화한 것으로 보인다. 아울러 이 나그네의 모습 속에서 지속과 변화, 생성과 소멸이라는 생의 원리를 제시한 것으로 이해된다. 어쩌면 이것은 목월 자신의 술회대로 "억압된 조국의 하늘 아래에서 혈혈단신 떠도는 우리 민족의 총체적인 얼을 상징[3]"한 것일는지도 모른다. 이 점에서 이 시를 단순히 '자연과의 동화' 또는 '자연의 발견'으로만 해석한다는 것은 적절하지 못한 것으로 판단된다.

시 ②는 목월시의 또 다른 일면을 보여준다. 이 「청노루」는 자연에 대한 탐구를 제시한다. 여기에서의 자연도 역시 정지와 운동 또는 지속과 변화라는 흐름의 원리로서 파악된다. "청운사/기와집/자하산"이 정지적 심상이며, "청노루/느릅나무/구름"이 율동적 심상에 해당한다. 또한 "낡은 기와집/청노루 맑은 눈"이 지속에, "봄눈 녹으면/속잎 피어가는"이 변화의 이미지에 속한다. 또한 소재 자체는 고정돼 있지만, 시점이 원경·중경·근경으로 근접화함으로써 시가 생동감을 지니게 된다. 아울러 이 시는 푸른색(청운사·청노루), 보라색(자하산), 초록색(느릅나무 속ㅅ잎), 흰색(봄눈·맑은 눈) 등 목월의 색채 심상이 맑고 밝은 투명지향성을 바탕으로 한다는 점을 제시해 준다.[4] 이처럼 이 시는 자연을 지속과 변화, 정지와 운동이라는 흐름의 원리로서 파악함으로써 자연을 정물적인 대상으로부터 살아 있는 존재로 바꾸어내는 뛰어난 기교를 발휘한다.

시 ③ 「윤사월」에도 이러한 특징이 그대로 나타난다. "외딴 봉우리/윤사월 해/산지기 외딴 집/눈먼 처녀"가 정지적인 심상 혹은 지속의 이미지라면, "송화가루 날리는/꾀꼬리 울면/문설주에 귀대이고/엿듣고 있다" 등은 율동적인

3) 박목월, 『목월문학연구』(한양문학회 편, 민족문화사, 1983)31쪽. 재인용
4) 박갑수, 『문체론의 이론과 실제』(세운문화사, 1977)

심상 또는 변화의 이미지에 해당한다. 즉, 이 시도 변화와 지속으로서의 흐름의 원리 위에 놓여진다. 그런데 이 시에는 앞의 시들과 달리 인간적인 그리움이 제시된 것이 특징이다. 봄과 눈먼 처녀를 대응시킴으로써 무언가 오마지 않는 것에 대한 기다림과 설렘, 그리고 그에 대한 안타까움을 표출한 것이다. 특히 '눈먼 처녀'처럼 보지 못하는 사람을 주 인물로 등장시킨 것은 그러한 그리움과 기다림이 맹목에 가까울 만큼 안타깝고 절실한 것이라는 점을 강조하고자 한 의도적 장치로 풀이된다.

시 ④ 「임」은 화자로서 "내"가 등장하는 것이 이색적이다. 앞의 시들이 "나그네", "청노루", "눈먼 처녀" 등 객관적 상관물을 활용한 것과는 달리 주관적인 감정이 직접적으로 노출된 것이다. 여기에서의 시적 배경은 어둔 밤이다. 이 밤에 "나"는 "밤마다 홀로 눈물로 바위를 가는" 행위를 반복한다. 부드러움과 약함의 표상인 눈물로써 견고함과 거대함의 상징인 바위를 간다는 것은 그 자체가 과장이며 역설에 해당한다. 그럼에도 그럴 수밖에 없는 것은 내가 처한 상황과 조건이 역설적이고 모순되는 것이기 때문이다. 다시 말해서, 이 시에는 비관적인 현실인식이 반영돼 있다는 뜻이다. 그럼에도 불구하고 부드러움(눈물)과 딱딱함(바위)의 마찰과 충돌은 시적 긴장감과 생동감을 불러일으킨다는 점에서 주목된다. 바로 이 점에서 화자가 지닌 소망의 절실함이 더욱 드러난다. 그것은 "어느날에사/어둡고 아득한 바위에/절로 임과 하늘이 비치리오"라는 결구에서 보듯이 절망으로부터 희망의 솟구침을 의미한다. "눈물로 바위를 가는 것"처럼 소망이 애절하고 깊은 것일수록 임과 하늘은 아름답고 빛나는 것으로서 다가오게 마련이다. 따라서 이 시는 해방을 전후한 어둠의 시대와 혼란의 상황 속에서 쉽게 이루어질 수 없는 소망과 꿈을 애절하게 노래했다는 점에서 목월의 비관적인 현실인식을 반영한 것으로 풀이된다.

이렇게 본다면 목월의 초기시는 대체로 달의 상상력과 흐름의 이미지, 그리고 전원심상을 바탕으로 하여 비관적 현실인식과 그리움의 세계를 형상화하고 있음을 알 수 있다. 실상 이러한 목월 초기시의 면모는 1920년대 소월에게서 영향받은 것으로 보인다. 그것은 "저산에도 가마귀, 들에 가마귀/서산에는 해진다고/지저귑니다/앞강물, 뒷강물/흐르는 물은/어서 따라오라고 따라가자고/흘러도 년다라 흐릅듸다려"(「가는길」)이나 "산에는 오는눈, 들에는 녹는 눈/산새도 오리나무/우헤서 운다/삼수갑산 가는길은 고개의 길"(「산」) 또는 "이제금 져달이 서름인줄은/「예전엔 밋처 몰낫서요」"(「예전엔 밋처몰랏서요」) 등의 세계와 근원적인 유사성을 지니는 것으로 판단되기 때문이다. 실상 이에 관해 지훈은 "박목월군, 북에 김소월이 있었거니 남에 박목월이가 날 만하다. 소월의 툭툭 불거지는 삭주구성조는 지금 읽어도 좋더니 목월이 이에 못지 않어 아기자기 섬세한 맛이 좋다…(중략)…요적 수사를 다분히 정리하고 나면 목월의 시가 바로 조선시다"[5]라고 하여 그 근친성을 지적한 바 있다.

아울러 "넓은 벌 동쪽 끝으로/옛이야기 지줄대는 실개천이 휘돌아 나가고/얼룩백이 황소가/해설피 금빛 게으른 울음을 우는 곳"(「향수」)과 "송화ㅅ가루/노랗게 날리네/산수 따라온 신혼 한쌍/앵두같이 상긔했다"(「인동차」) 혹은 "깊은산 고요가 차라리 뼈를 저리우는데 눈과 밤이 조히보다 희고녀! 달도 보름을 기달려 흰뜻은 한밤 이골을 걸음이란다?"(「장수산 1」) 등과 같은 추천자 지훈의 시적 흔적도 목월시에서 쉽게 찾아볼 수 있는 것임은 물론이다. 다만 목월의 시는 이들을 보다 세련되고 정제된 가락으로 변용하여 계승한 데서 그 독자성이 드러난다고 할 수 있다.

목월은 1955년에 이르러서야 첫 개인시집 『산도화』를 내게 된다. 그 사이에 그는 『여학생』, 『시문학』등을 발간하고 서라벌예대 등에 출강하는 등 자리가 제대로 잡히지 않았고, 이 사이에 6·25동란이 있었기 때문에 첫 시집 발간이 늦어질 수밖에 없었다. 이미 이 시기에 목월은 세칭 '청록파' 또는 '자연

5) 조지훈, 「시선후」(『문장』 9월호, 1940)

파'로 불리는 이 땅 시단의 중진이 되어있었다. 그렇지만 그 시세계는 『청록집』의 그것과 대동소이한 면을 지닌다.

① 배꽃가지
반쯤 가리고
달이 가네.

경주군 내동면
혹은 외동면
불국사(佛國寺) 터를 잡은
그 언저리로

배꽃 가지
반쯤 가리고
달이 가네.

—「달」 전문

② 대밭에는 비단안개다.

달이 구름에서 나오면
동네 가느른 골목이
흰 다님같다.

앞산자락에
작은 송뢰(松籟) 일어 잔잔하고

들밖으로 달빛감고 달빛감고
사람 그림자 밤길 가고……

아래윗마을 휘영청 달 밝다.

—「월야」 전문

③ 산(山)은
구강산(九江山)
보라빛 석산(石山)

산도화(山桃花)
두어송이
송이 버는데

봄눈 녹아 흐르는
옥같은
물에

사슴은
암사슴
발을 씻는다.

—「산도화」 1

④ 산(山)은 산이냥 의연하고
강은 흘러 끝이 없다.
댓잎에 별빛 초가삼간
이슬 젖은 돌다리 모과수 그늘
하늘밖 달빛에 바람은 자고
댓잎에 그윽한 바람소리

—「여운」 전문

⑤ 모란꽃 이우는 하얀 해으름
강을 건너는 청모시 옷고름

선도산(仙桃山)
수정(水晶)그늘

어려 보라빛

모란꽃 해으름 청모시 옷고름

—「모란여정」 전문

먼저 시 ①에는 달의 상상력이 핵심을 이룬다. 그것은 「나그네」의 경우와 크게 다를 바 없지만 다소 화사한 느낌을 주는 것이 특징이다. 아울러 "배꽃가지"처럼 물의 이미지, 즉 생명 감각을 지닌 식물적 소재와 연결된다는 점이 눈에 띈다. 시 ②는 해방 전에 발표된 작품(「춘추」, 1944. 10)이지만, 『산도화』에 처음 수록됐다. 여기에도 달의 상상력과 흐름의 이미지가 주류를 이룬다. 특히 여기에서는 이 두 가지가 "대밭/송뢰" 등의 식물적 심상과 얼키고, "들밖으로 달빛감고 달빛감고/사람 그림자 밤길 가고"처럼 인간과 교감을 이룸으로써 심미감을 고조시켜 준다. 시 ③ 「산도화 1」은 『청록집』에서의 「청노루」와 거의 유사하다. 그렇지만 여기서도 탐미적인 느낌이 더욱 심화되어 나타난다. 시 ④ 「여운」도 『청록집』에서처럼 정지적 심상과 율동적 심상이 서로 대응하면서 심미감을 고조시킨다. "산/초가삼간/돌다리" 등의 정지적 심상과 "강/별빛/이슬/달빛/바람" 등의 운동적 심상이 대조되면서 자연의 생동감과 율동미를 유발하는 것이다. 특히 이 시의 경우에는 시각, 청각, 촉각, 후각 등의 다양한 이미지와 대략 2음보격의 부드러운 율감이 두드러지는 것이 특징이다.[6] 시 ⑤ 「모란여정」에서는 이러한 탐미적 색채가 더욱 두드러진다. "모란/해으름/강/청모시/선도산/수정/보랏빛/옷고름" 등의 유미적 소재들이 감각적이면서도 리드미컬하게 결합됨으로써 아름다운 언어의 수채화를 그려준 것이다. 물론 여기에도 흐름의 이미지가 짙게 깔려 있음은 물론이다.

이렇게 볼 때 시집 『산도화』의 세계는 대체로 『청록집』의 그것을 확대 심

6) 김용직은 이 점을 "김소월류의 민요가락에 30년대 모더니스트가 개발한 기법을 결합시킨 보기"로 들기도 한다. (김용직, 「해조와 기법」(『심상』 3월호, 1979))

화한 정도로 생각할 수 있다. 「산색(山色)」, 「불국사」, 「임에게」 등 많은 시편들이 달의 상상력과 흐름의 이미지를 바탕으로 하여 탐미적 요소를 심화시키고 있는 것이다.

이처럼 『청록집』에서 『산도화』에 이르는 목월의 시세계는 달의 상상력과 흐름의 이미지를 바탕으로 하여 자연과 그 속에서의 인간을 탐구하는 데 집중돼 있다. 그러나 그것은 정물화된 것이 아니라 생동하는 자연으로서의 모습에 대한 관심이며, 따라서 탐미적인 요소로 표출되는 것이 특징이다. 어쩌면 이것은 "향토적인 자연의 풍경과 정서를 세련된 한국의 가락에 실어 상징의 차원에까지 끌어올림으로써 한국의 자연과 전통적 정서에 현대적 생명을 불어넣어 준 것"[7]에 해당한다 할 것이다.

2 『난·기타』, 『청담』, 세속사(事)와 식물적 상상력

자연사에 경도되었던 목월의 시세계는 제2시집 『난·기타』(1958)에 이르러 세속사·인간사의 문제로 급격히 전환하게 된다.

> 당인리(唐人里)변두리에
> 터를 마련할가보아.
> 나이는 들고……
> 한 사(四)·오백평(五百坪)(돈이 얼만데)
> 집이야 움막인들.
> 그야 그렇지. 집이 뭐 대순가.
> 아쉬운 것은 흙
> 오곡(五穀)이 열음하는.
> (중략)

7) 정한모, 「청록파의 시사적 의의」(『청록집 기타』, 현암사, 1968)339쪽.

당인리(唐人里)변두리에
터를 마련할가보아
(괜한 소리. 자식들은
어떡하고, 내가 먹여 살리는)
참, 그렇군.
한쪽 날개는 죽지채 부러지고
가련한 꿈.
그래도 사(四)·오백평(五百坪)
땅을 가지고(돈이 얼만데)
수수·보리·푸성귀
(어림없는 꿈을)
지친 삶, 피로한 인생(人生)
두발(頭髮)은 히끗이 눈이 덮이는데.
(중략)
한 사(四)·오백평(五百坪)
(돈이 얼만데)
바라보는 당인리근처(唐人里近處)를
(자식들은 많고)
잔잔한 것은 아지랑인가(이 겨울에)
나이는 들고.

—「당인리근처」 전문

밤차를 타면
아침에 내린다.
아아 경주역(慶州驛)

이처럼
막막한 지역(地域)에서
하룻밤을 가면
그 안존하고 잔잔한

영혼의 나라에 이르는 것을.
(중략)
이제라도
갈까부다.
무거운 머리를
차창(車窓)에 기대이고
이승과
저승의 강을 건너듯
하룻밤
새까만 밤을 달릴까부다.

무슨 소리를.
발에는 족가(足枷)
손에는 쇠고랑이
귀양온 영혼의
무서운 형벌(刑罰)을
이 자리에 앉아서
돌로 화하는
돌결마다
구리빛 싯벌건 그 무늬를.

—「사향가」 전문

이 두 편의 시에는 현실의 어두운 그림자 또는 생의 어려움이 짙게 깔려 있다. 먼저 「당인리근처」에는 땅과 돈 및 자식 먹여 살리는 일 등 일사적이고 현실적인 문제가 대두된다. 당인리 변두리에 땅 4~5백 평쯤 마련하고 싶다는 소박한 시인의 꿈이 "괜한소리" 또는 "어림없는 꿈"으로 스스로 치부되고 만다. "나이는 들고/자식들은 많고"라는 현실적인 이유로 해서 "한 쪽 날개는 죽지채 부러지고/지친 삶, 피로한 인생"과 같이 신세 한탄과 자학의 심정이 깊어진다. 「사향가」도 마찬가지이다. 현실의 어두운 모습이 "막막한 지역/새까만 밤" 등으로 비유된다. 그렇기 때문에 현실에서의 삶은 "발에는 족가/손에는 쇠고랑이/귀양온 영혼의/무서운 형벌을"과 같이 참담한 구속과 고통으로 표출된다. 그러므로 고향으로 돌아가고 싶다는 소망이 드러난다. 실상 이러한 현실의 어두운 그림자와 목숨의 무게에 대한 중압감은 6·25동란이라고 하는 참화를 겪은 목월(木月)에게 있어 당연한 귀결일는지 모른다. 어쩌면 여기에는 혹종의 개인적인 좌절 체험이나 현실적인 실패가 작용했는지도 모를 일이다. 여하튼 자하산과 선도산 등 상상의 공간에 노닐던 목월이 현실의 공간인 효자동과 원효로로 내려와서 돈을 셈하고 자식걱정을 하게 된 것은 큰 변모가 아닐 수 없다.[8)]

> 관(棺)이 내렸다.
> 깊은 가슴안에 밧줄로 달아내리듯.
> 주여.
> 용납(容納)하옵소서.
> 머리맡에 성경(聖經)을 얹어주고
> 나는 옷자락에 흙을 받아
> 좌르르 하직(下直)했다.
>
> 그후로
> 그를 꿈에서 만났다.
> 턱이 긴 얼굴이 나를 돌아보고
> 형(兄)님!
> 불렀다.
> 오오냐. 나는 전신(全身)으로 대답했다.
> 그래도 그는 못들었으리라.
> 이제
> 네 음성(音聲)을

8) 김종길, 「향수의 미학」(『문학과 지성』 가을호, 문학과지성사, 1971)

나만 듣는 여기는 눈과 비가 오는 세상.

너는
어디로 갔느냐.
그 어질고 안스럽고 다정한 눈짓을 하고.
형님!
부르는 목소리는 들리는데
내 목소리는 미치지 못하는
다만 여기는
열매가 떨어지면
툭하는 소리가 들리는 세상.

—「하관」 전문

이 무렵 목월에게는 충격적인 시련이 닥쳐온다. 단 하나 있던 그의 아우 박영호가 결핵으로 죽은 일이다.[9] 바로 여기에서 시 「하관」을 쓰게 된다. 이 시에는 따라서 자전적인 요소가 강하게 드러난다. 먼저 첫 연에는 매장의 정경이 제시되어 있다. "관이 내렸다/깊은 가슴안에 밧줄로 달아 내리듯"과 같이 그야말로 하관의 순간이 그대로 직서돼 있는 것이다. 그런데 여기에서 주목할 것은 앞 4행의 센텐스마다 마침표 '.'가 반복적으로 찍혀 있다는 점이다. 이 마침표의 지속적인 반복은 감정을 절제하는 역할을 하는 동시에 엄숙감을 고조시켜준다. 첫 연 후반부에서 다시 마침표를 찍지 않고 마지막 행에만 찍은 것은 흙을 덮는 순간까지 한달음에 묘사함으로써 비통함을 함께 묻어 버리려는 안간힘을 담고 있기 때문이다. 둘째 연에는 꿈과 현실이 교차된다. 그만큼 아우가 죽었다는 사실이 아직도 믿기지 않으며, 또 믿고 싶지 않다는 심정을 반영한다. "형님!"과 "오 오냐"라는 대답은 환상이며 환청이다. 그만큼 아우의 요절이 애통하게 다가오며 그리움으로 살아난다는 뜻이 담겨 있다. 아울

9) 정호승, 「「나그네」의 마을에 가서」(『심상』 3월호, 1980)48쪽.

러 여기에는 "이제/네 음성을/나만 듣는 여기는 눈과 비가 오는 세상"처럼 이승과 저승 사이의 단절감이 심화되어 나타난다. 셋째 연에도 환시와 환청이 지속된다. 아울러 "부르는 목소리는 들리는데/내 목소리는 미치지 못하는"과 같이 아득한 절망감과 공허감이 드러난다. 특히 "다만 여기는/열매가 떨어지면/툭하는 소리가 들리는 세상"에서 보듯이 죽은 자와 산 자의 엄청난 괴리감과 단절감이 생생하게 제시되어 있다.

이렇게 볼 때 이 시는 혈육의 죽음과 매장을 직접 겪으면서 새롭게 깨닫게 된 인생의 허무함과 함께 생의 재발견 과정을 묘사한 것으로 이해된다. 특히 이 시는 육신의 허망함에 대한 비통과 탄식이 짙게 깔려 있으면서도 그에 대한 예리한 절제와 극기의 노력이 성공적으로 형상화되어 있다는 점에서 돋보인다. 어느 면에서 시집 『난·기타』의 많은 시들이 사설적·고백적이며, 감정의 토로가 직접적이고 긴 형태로 되어있다는 점에 비해 볼 때 이 「하관」이 성취한 예술성의 깊이가 더욱 두드러진다.

한 가지 여기에서도 소월시와 호응되는 면이 나타나서 관심을 끈다. 소월이 「초혼」에서 "산산히 부서진 이름이여!"처럼 '!'를 반복한 것과 목월이 '.'를 끊어서 지속적으로 사용한 점이 비교되어 흥미롭다. 아울러 "떨어져나가 앉은 산위에서/나는 그대의 이름을 부르노라/부르는 소리는 빗겨 가지만/하늘과 땅사이가 너무 넓구나"라는 구절과 "형님! 부르는 소리는 들리는데/내 목소리는 미치지 못하는/다만 여기는/열매가 떨어지면/툭하는 소리가 들리는 세상"이 대조되는 것도 특이하다. 이것은 소월시가 직정적이고 애상적인 데 비해, 목월시가 암시적이고 절조 있는 극기를 보여준다는 점에서 진일보한 것으로 판단된다.

이러한 아우의 죽음으로 인한 충격과 그에 따른 절망감 및 무상감은 목월로 하여금 육신의 무게를 덜어내기, 즉 정신적인 가벼움과 투명함을 지향하게 만든다. 식물적인 상상력의 대두가 바로 그것이다.

① 오늘 나의 밥상에는
냉이국 한 그릇.
풋나물무침에
신태(新苔).
미나리 김치.
투박한 보시기에 끓는 장찌개.

실보다 가는 목숨이 타고난 복록(福祿)을.
가난한 자의 성찬(盛饌)을.
묵도(默禱)를 드리고
가난한 뜰의
등상(藤床)기둥을 감아
하룻밤 푸근히 꿈속에
쉬는 포도넝굴
—오해를 말라
박목월(朴木月)은
당신이 아는 그 성명이 아닐세.
하루의 작업이 끝난
그날밤에
잠자리에 들기 전을
젓가락을 잡으니
혀에 그득한
자연의 쓰고도 향깃한 것이여.
경건한 봄의 말씀의 맛이여.

—「소찬」 전문

② 자획(字劃)마다
큼직하게 움이트는
박(朴)·목(木)·월(月).
—밤에 자라나는 이름아.

가만히 혼자서 꺼내 보는
꿈의 통감증(通鑑證)에
인쇄(印刷)된 이름.
그것은 박목월(朴木月)안의 박목월(朴木月)
고독이 기르는 수목의 이름이다.

—「춘소」 전문

③ 여전히 있군.
그 나무는. 청록집(靑鹿集)의 내 작품(作品)을
쓸 무렵의 목과수(木瓜樹).
지훈(芝薰)을 기다렸다.
저 나무 아래서.
서울서 내려오는 낯선 시우(詩友)를.

이십년(二十年)의 세월이
어제 같구나.
목과수(木瓜樹)는 여전한 그 모습.
늙어서 나만이 이 나무 아래서
오늘은 구름을 쳐다보는가.

덧없는 세월이여.
어제같건만, 젊음은 갈앉고
머리는 반백(半白).
반평생(半平生) 경영(經營)이 시구(詩句) 두어줄.
너를 노래하여 싹튼 <박목월(朴木月)>도
이제 수피(樹皮)가 굳어졌는데……

오늘은
그 나무 아래서
목과수(木瓜樹)의 묵중(默重)한 인종(忍從)을 배울까부다.

함께 나란히
벗들도 늙고, 환한 이마에
주름이 잡혔는데

늙어서
오히려 태연한 좌정(坐定).
잎새는 바람에 맡겨버리고
스스로 열리는 열매를 거둠하고
때가 이르면
환한 눈을 감으려니
(하략)

—「목과수유감」 전문

④ 이쯤에서 그만 하직(下直)하고 싶다.
좀 여유(餘裕)가 있는 지금, 양손을 들고
나머지 허락(許諾)받은 것을 돌려 보냈으면.
여유(餘裕)있는 하직(下直)은
얼마나 아름다우랴.
한포기 난(蘭)을 기르듯
애석(哀惜)하게 버린 것에서
조용히 살아가고,

가지를 뻗고,
그리고 그 섭섭한 뜻이
스스로 꽃망울을 이루어
아아
먼곳에서 그윽히 향기를
머금고 싶다.

—「난(蘭)」 전문

이러한 식물적 상상력은 먼저 음식에 대한 욕구에서 특징적으로 드러난다. 시 ①에는 "냉이국/풋나물무침/신태/미나리/장찌개" 등과 같이 식물성만이 등장한다. 이것은 "실보다 가는 목숨이 타고난 복록"이며 "가난한 자의 성찬"으로서의 의미를 지닌다. 오히려 이러한 식물성을 통해서 "자연의 쓰고도 향깃한 것이여/경건한 봄의 말씀의 맛이여"와 같이 자연의 깊은 맛을 발견하고 정신적인 위안과 행복을 느끼는 것이다. 아울러 이것은 "모밀묵이 먹고 싶다/그 싱겁고도 구수하고/못나고도 소박하게 점잖은/그것은 저문 봄날 해질 무렵에/허전한 마음이/마음을 달래는"(「적막한 식욕」) 심정과도 통하는 것이다.

시 ②에는 자신의 이름 박목월이 "朴·木·月"처럼 식물적 이미지로 구성된다는 해석이 담겨 있어 주목된다. 이것은 "밤에 자라나는 이름아/고독이 기르는 수목의 이름이다"와 같이 고독과 슬픔으로 자라나는 식물적 속성을 지닌다는 점을 강조하기 때문이다.

시 ③에는 인생의 식물적 이미지가 더욱 구체화되어 나타난다. 모과수 나무는 젊은 날에 있어 그 뻗어 오르는 꿈과 시를 표상한다. 또한 나무와 함께 '박목월'도 자라서, 어느덧 껍질이 굳어지듯이 반백이 된다. 아울러 나무는 인종의 미덕을 가르쳐 주는 등 삶에 수많은 교훈을 심어준다. 그리고 늙어서는 태연하게 좌정하여 "잎새는 바람에 맡겨버리고/스스로 열리는 열매를 거둠하고/때가 이르면/환한 눈을 감으려니"와 같이 육신의 무게를 초극하여 정신의 의연함과 가벼워짐을 획득하는 깨우침을 보여준다.

그만큼 나무는 목월의 삶과 혼연일체가 되어있다. 그런데도 인간은 나이 들수록 욕망의 기름기와 육신의 무게가 늘어갈 뿐이다. 바로 여기에서 현실에서 짓눌린 목월이 식물적인 상상력을 통해서 정신의 투명함과 그 솟아오름을 성취하고자 시도하게 되는 까닭이 있는 것이다. 이 점에서 시 「모과수 유감」은 목월의 자전적인 요소가 담겨져 있는 시로 풀이된다.

시 ④에는 이러한 욕망의 무게 덜어내기, 또는 육신의 짐 벗어버리기의 소망이 식물적 상상력으로 집약되어 나타난다. 한 포기 난을 기르는 심정은 바로 여유 있는 정신적 삶을 표상한다. 온갖 욕망의 기름기와 현실의 때에 절어 있는 육신을 떨치고, 마치 난과 같이 정결하고 투명한 정신으로 살고 싶다는 안타까운 소망이 제시된 것이다.

이처럼 시집 『난·기타』에는 현실의 짙은 그림자 속에 인생의 구속성과 허망성에 대한 탄식과 절망감이 짙게 깔려 있다. 그러면서도 이 시집에는 정신적인 삶의 상승의지가 식물적 상상력으로 변용되어 나타나는 것이 특징이다.

『난·기타』보다 6년 후이지만, 역시 40대 말에 간행한 『청담』(1964)에도 이러한 현실의 그림자와 육신의 무게가 자리잡고 있으며, 식물적 상상력이 발현된다.

① 지상(地上)에는
아홉켤레의 신발.
아니 현관(玄關)에는 아니 들깐에는
아니 어느 시인(時人)의 가정(家庭)에는
알 전등(電燈)이 켜질 무렵을
문수(問數)가 다른 아홉 켤레의 신발을.

내 신발은
십구문반(十九文半).
눈과 얼음의 길을 걸어,
그들 옆에 벗으면
육문삼(六文三)의 코가 납짝한
귀염둥아 귀염둥아
우리 막내둥아

미소(微笑)하는
내 얼굴을 보아라

얼음과 눈으로 벽(壁)을 짜올린
여기는
지상(地上).
연민(憐憫)한 삶의 길이여.
내 신발은 십구문반(十九文半).

아래목에 모인
아홉마리의 강아지야
강아지 같은 것들아.
굴욕(屈辱)과 굶주림과 추운 길을 걸어
내가 왔다.
아버지가 왔다.
아니 십구문반(十九文半)의 신발이 왔다.
아니 지상(地上)에는
아버지라는 어설픈 것이
존재(存在)한다.
미소하는
내 얼굴을 보아라.

—「가정」 전문

② 병원(病院)으로 가는 긴 우회로(迂廻路)
달빛이 깔렸다.
밤은 에테르로 풀리고
확대(擴大)되어 가는 아내의 눈에
달빛이 깔린 긴 우회로(迂廻路)
그 속을 내가 걷는다.
흔들리는 남편의 모습.
수술(手術)은 무사히 끝났다.

메스를 가아제로 닦고……
응결(凝結)하는 피.

병원(病院)으로 가는 긴 우회로(迂廻路).
달빛 속을 내가 걷는다.
흔들리는 남편의 모습.
혼수(昏睡) 속에서 피어 올리는
아내의 미소(微笑). (밤은 에테르로 풀리고)

긴 우회로(迂廻路)를
흔들리는 아내의 모습
하얀 나선통로(螺旋通路)를
내가 내려간다.

—「우회로」 전문

③ 불이 켜질 무렵
잠드는 바람 같은
목마름.

진실로
겨울의 해질 무렵
잠드는 바람 같은
적막한 명목(瞑目)

—「소곡」 전문

시 ①에도 현실의 중압과 육신의 무게에 짓눌린 모습이 제시된다. 우선 신발, 그것도 아홉 켤레나 되는 신발부터가 삶의 고달픔을 표상한다. “강 나루 건너서/밀밭길을/구름에 달가듯이/가는 나그네”의 낭만적 모습이 “얼음과 눈으로 벽을 짜올린/여기는 지상/굴욕과 굶주림과 추운 길을 걸어 내가 왔다”라고 하는 현실의 모습으로 변모한 것이다. 그런데 이 시에는 그러한 고통의 현실을 살아가는 삶에 대한 연민과 애수가 드러난다는 점이 특이하다. “연민한 삶의 길이여/내 신발은 십구문반//아랫목에 모인/아홉마리의 강아지야/강아지 같은 것들아"와 같이 가족들의 삶, 나아가서는 자신을 포함한 모든 인간적 삶의 양식에 대한 애정과 함께 페이소스를 드러내는 것이다.

시 ②에는 이러한 삶의 무게와 육신의 고통이 더욱 선명하게 부각돼 있다. 병원이라는 배경부터가 목월로서는 낯선 곳이며, "수술/메스/가아제/피" 등의 시어들이 이질적이지 않을 수 없다. 이미 아우의 죽음과 매장이라는 충격을 겪고 난 뒤임에도 불구하고, 다시 아내의 입원과 수술은 새삼스럽게 생의 어려움과 육신의 고통을 구체적으로 절감하게 만드는 것이다. 여기에서의 달빛은 이미 초기시의 그것이 아니다. 생의 운명적 업고와 그 비극성을 더욱 실감하게 만드는 객관적 상관물로 변모해 있다. 그러는 인생은 "긴 우회로/하얀 나선 통로"의 모습을 지니며, "흔들리는" 모습으로 제시된다. 새삼 아내의 수술과 그 고통은 아내의 것만이 아니라, 시인 자신의 것이자 인간 모두의 것에 해당한다는 깨달음과 함께 그에 대한 연민과 애수가 강하게 드러나는 것이다. 이 「우회로」에는 현실의 무게와 육신의 업고가 구체적이면서도 생생하게 제시됐다는 점에서 그 특징이 발견된다.

시 ③「소곡」에는 이러한 현실의 질곡과 육신의 고통에 대한 깨달음과 함께 그것을 긍정하는 데서 오는 생에 대한 깊은 허무와 적막감이 탁월하게 형상화되어 있다.[10] 이 시의 핵심은 "겨울 해질 무렵/잠드는 바람"이 환기하는 목마름에 놓여진다. 그것은 "겨울"과 "해질 무렵"이 상징하는 을씨년스럽고 적막한 풍경이 바로 삶의 모습, 특히 온갖 세파에 시달리다가 이제 가까스로 쓸쓸함·적막함으로서의 인생의 본질을 발견하게 되는 시인 자신의 내면 풍경을 제시한 것으로 풀이된다. 이러한 "목마름"과 "적막한 명목"으로서의 생의 발견은 실상 인생사·세속사의 시련으로부터 조금씩 자유로워지기 시작한 것으로 보인다는 점에서 주목된다. 이러한 육신의 가벼워짐, 혹은 정신의 자유

10) 이에 관해서는 김열규의 다소 현학적이지만 정치한 분석이 있다. (김열규, 「정서적 인식과 종교적 위탁」(『심상』 3월호, 1980))

로워지기는 "침울한 그들의, 아아 고독한 모습. 그후로 나는 뽑아낼 수 없는 몇그루의 나무를 기르게 되었다"(「나무」에서), "내가/지금 몇그루의 나무를 숭상하는 뜻을/그는 모른다/내가 숭상하는 나무나 나의 영혼/늘 성장하는" (「비의」) 등의 시에서처럼 식물적 상상력의 발현으로 지속된다.

이처럼 『청담』기의 시들은 세속사·현실사의 중압이 더욱 구체적으로 부딪쳐 오는 가운데에도 이들을 긍정하고, 그에 대한 연민과 애수 및 적막함을 느낌으로써 삶의 정신적 상승을 갈망하는 것이 특징이다.

지금까지 살펴본 것처럼 『난·기타』와 『청담』 등 목월이 40대에 들어서서 쓴 시들은 현실사·세속사의 중압과 질곡을 구체적·사실적으로 드러내는 가운데 그로부터 정신적 상승을 소망하는 내용이 주류를 이루고 있다.

3 『경상도의 가랑잎』, 이별시학과 모성회귀

50대에 들어서서 처음 펴낸 시집 『경상도의 가랑잎』(1968)과 연작시 『어머니』(1968)에 이르러 목월 시는 또 다른 변모를 보여준다. 그것은 『난·기타』, 『청담』 등의 세속사·가족사로부터 자아의 탐구 또는 진아를 찾기 위한 노력으로의 전환이다.

백지(白紙)로 도배한 방(房)의
백지(白紙)로 도배한 벽(壁)의 적막(寂寞)
불이 켜지면
더욱 두렵다.
너는 무엇이냐, 형형(炯炯)한 눈을 부라리고
너는 무엇이냐, 밋밋한 얼굴로
백지(白紙)는 백지(白紙), 사방(四方)이 도배된
밤에 켜지는 불빛은 두렵다.

—「벽」 전문

난초(蘭艸)잎새에 밤이 무르익는다.
난초(蘭艸)의 존재(存在), 잎새의 묵상(默想).
동양적(東洋的)인 정신의 잎새에 무르익는
밤의 심도(深度).
나는 혼자다.
오늘 밤 월세계(月世界)로 달리는 로키트의 궤적(軌跡)이
난초(蘭艸)잎새에 어린다.
난초(蘭艸)는 차라리 무료(無聊)하다.
차라리 수묵색(水墨色).
난초(蘭艸)는 무엇이냐, 나는 무엇이냐.
허막한 공간, 바람에 씻기는 한덩이 유성(遊星) 위에서
나의 내부(內部)에 돋아나는 난초(蘭艸)
밤을 응시하는 난초(蘭艸)의 눈, 난초(蘭艸)잎새의 눈.
난초(蘭艸)는 차라리 무료(無聊)하다.
차라리 수묵색(水墨色).
나는 혼자다.

—「난초잎새」 전문

먼저 시 「벽」에는 자아와의 본격적인 대면이 제시되어 있다. "백지의 방/백지의 벽"이란 순연한 자아의 폐쇄적 공간에 해당한다. 여기에서 "불이 켜지면/더욱 두렵다"처럼 자아와의 맞대면은 두려운 것으로 나타난다. 그만큼 세속의 어둠과 현실의 때에 젖어 있음을 반증한다고 하겠다. "너는 무엇이냐"라는 반복되는 질문은 세속적 삶에서 숨겨져 있던 본원적 자아·내심의 자아로부터 울려나오는 자아통찰의 목소리이다. 그것은 "형형한 눈을 부라리고"처럼 욕망과 때에 절어 살아온 현실적 자아에게 날카롭고 무서운 질책을 퍼붓는다. 그러므로 더욱 "밤에 켜지는 불빛"은 두려운 것으로 다가오게 되는 것이다. 이처럼 이 시는 세파에 시달리며 자아를 잊고 살아오던 시인이 50대에 접어들어서 어느 정도 자신을 들여다보는 모습을 제시한 것이 특징이다.

시 「난초잎새」에는 자아에 대한 응시가 더욱 심화되어 나타난다. 여기에서 자아의 모습은 난초로서 표상되는바, 이것은 식물적 상상력의 지속적인 발현에 해당한다. 그것은 난초의 내면을 들여다보는 것으로서 "밤의 심도"를 투시하는 행위와 등가를 이룬다. 따라서 "난초는 무엇이냐/나는 무엇이냐"라는 질문이 제기되고, "나의 내부에 돋아나는 난초/나는 혼자다"와 같이 단독자의식이 발현된다. 아스라한 밤의 깊이에서 자아의 원상이 '단독자'로서 떠오르면서 '허막한 공간'으로서의 세계인식이 드러나는 것이다. 이러한 단독자로서의 자아의 원상은 이웃에 대한 시선으로 옮겨진다. 나와 이웃은 서로 단독자로서 존재하면서도 동행의 길을 간다. 바로 여기에서 이별하는 것, 소멸하는 것으로서의 생에 대한 인식이 나타난다. 시 「동행」과 「이별가」에는 삶의 원리가 단독자의식과 이별의 원리 위에서 전개된다는 사실에 대한 깨달음이 담겨져 있다.

갈밭 속을 간다.
젊은 시인(詩人)과 함께
가노라면
나는 혼자였다.
누구나
갈밭 속에서는 일쑤
동행(同行)을 놓치기 마련이었다.
성형(成兄)
성형(成兄)
아무리 그를 불러도
나의 음성(音聲)은
내면(內面)으로 되돌아오고
이미 나는
갈대 안에 있었다.
바람이 부는 것도 아닌데

갈밭은
어석어석 흔들린다.
갈잎에는 갈잎의 바람
백발(白髮)에는 백발(白髮)의 바람
젊은 시인(詩人)은
저 편 기슭에서 나를 부른다.
하지만 이미 나는
응답(應答)할 수 없었다.
나의 음성(音聲)은
내면(內面)으로 되돌아오고
어쩔 수 없이 나도
흔들리고 있었다.

—「동행」 전문

뭐락카노, 저 편 강기슭에서
니 뭐락카노, 바람에 불려서

이승 아니믄 저승으로 떠나는 뱃머리에서
나의 목소리도 바람에 날려서

뭐락카노 뭐락카노
썩어서 동아밧줄은 삭아내리는데

하직을 말자 하직말자
인연은 갈밭을 건너는 바람

뭐락카노 뭐락카노 뭐락카노
니 흰 옷자라기만 펄럭거리고……

오냐. 오냐. 오냐.

이승 아니믄 저승에서라도……

이승 아니믄 저승에서라도
인연은 갈밭을 건너는 바람

뭐라카노, 저 편 강기슭에서
니 음성은 바람에 불려서

오냐. 오냐. 오냐.
나의 목소리도 바람에 날려서.

—「이별가」 전문

먼저 시 「동행」에는 함께 살아가는 것으로서의 인생과, 어쩔 수 없이 단독자일 수밖에 없는 개인의 삶이 드러난다. 이 시가 "갈밭"이라는 배경을 취한 것은 이 점에서 시사적이다. 흔히 인생은 갈대로 비유되며, 그들이 함께 사는 모습이 갈밭의 풍경과 유사하기 때문이다. 동시에 갈대는 약한 것, 허무한 것으로서의 인생을 표상한다. 이것이 나는 "혼자였다"라는 단독자의식의 드러남이며, "바람이 부는 것도 아닌데/갈밭은/어석어석 흔들린다/어쩔 수 없이 나도/흔들리고 있었다"라는 구절에서 보듯이 '흔들림'으로서의 생의 모습에 대한 발견이다. 아울러 "나의 음성은/내면으로 되돌아오고"에서처럼 인생이란 "나"에서 시작되어 "나"를 통과하여, 마침내 "나"로 되돌아오고 마는, 덧없고 외로운 단독자적 존재라는 데 대한 자기확인이 제시된다. 따라서 "젊은 시인"과 "나"는 서로 떨어져 갈 수밖에 없는 이별의 법칙에 지배를 받는다. '저 편 기슭'에서 부르는 소리와 '응답할 수 없는' 나의 대응이 이러한 인간 사이의 운명적인 거리감과 이별의 원리를 제시한 것이 된다.

시 「이별가」는 중기시나 후기시의 대표작으로 꼽히기도 하는 중요한 작품의 하나이다.[11] 이 이별가에도 삶의 원상에 대한 응시와 함께 그에 대한 긍정의 시선이 '이별의 시학'으로 제시되어 있다. 이 시의 핵심은 '너와 나', '강 이편과 저편'(이승과 저승), '뭐락카노'와 '오냐'의 대립 구조로서 드러난다. 그것은 헤어짐이자 나뉨으로서의 이별의 원리에 해당한다. 다시 말해서, 모든 존재는 상대성을 지니면서도 독자성을 지니고 있다는 말이다. 인간은 만나면 반드시 헤어지고, 탄생하면 또한 소멸할 수밖에 없는 운명적인 이별의 법칙에 지배당한다는 뜻이다. 아울러 이 시에는 '강'과 '배', 그리고 '바람'이라는 흐름의 이미지가 중심을 이룬다. 이것은 변화하고 소멸해 가는 것으로서의 인생, 덧없는 것으로서의 목숨을 표상한다. "동아밧줄"이 사람과 사람, 존재와 존재를 연결해주는 단단한 끈 혹은 인연을 상징하지만, 이것 역시 시간 속에서 "삭아내리는" 허무한 것에 불과하다. 이 점에서 이 시는 소멸해 가는 것, 헤어지는 것이 인생의 본질이며 삼라만상의 원리라는 데 대한 깨달음과 함께 "오냐"의 반복처럼 그에 대한 긍정과 순응을 탁월하게 형상화한 작품이라 할 수 있다.

그렇다면 이별의 긍정이란 무슨 의미를 지니는가? 이별의 긍정이란 궁극적인 면에서 죽음의 수락을 의미한다. 여기에서 죽음의 문제와 본격적으로 대면하게 된다. 그것은 먼저 죽음을 별달리 충격적인 것으로서가 아닌 일상사로 받아들이는 담담한 자세로서 나타난다.

> 청마(青馬)는 가고
> 지훈(芝薰)도 가고
> 그리고 수영(洙瑛)의 영결식(永訣式).
> 그날 아침에는
> 이상한 바람이 불었다.
> 그들이 없는
> 서울의 거리.

---

11) 이승훈, 「「이별가」의 구조분석」(『한국대표시평설』, 문학세계사, 1983)261쪽.

청마(靑馬)도 지훈(芝薰)도 수영(洙暎)도
꿈에서조차 나타나지 않았다.
(하략)

—「일상사」 전문

이 시에서 죽음은 이미 삶의 자연스런 일부, 즉 일상사로서 제시된다. 이러한 죽음의 긍정과 그에 대한 순응의 자세는 이별이 삶의 근본 원리이며, 죽음이란 그러한 이별의 궁극적인 양식에 지나지 않는다는 깨달음에서 비롯된다. 여기에서 죽음을 보다 뜨겁게 끌어안는 수락의 자세, 더 나아가서 죽음의 세계와 삶의 세계가 하나로 합치되는 모습이 드러난다.

아베요 아베요
내눈이 티눈인 걸
아베도 알지러요.
등잔불도 없는 세상에
축문 당한기요.
눌러 눌러
소금에 밥이나마 많이 묵고 가이소.
윤사월 보릿고개
아베도 알지러요.
간고등어 한손이믄
아베 소원 풀어드리련만
저승길 배고플라요
소금에 밥이나마 많이 묵고 묵고 가이소.

여보게 만술(萬述)아비
나 정성이 엄첩다.
이승 저승 다 다녀도
인정보다 귀한 것 있을락꼬,

망령(亡靈)도 응감(應感)하여, 되돌아가는 저승길에
나 정성 느껴느껴 세상에는 굵은 밤이슬이 온다.

—「만술아비의 축문」 전문

일찍이 한 비평가가 "혼이 형식을 압도하고 있는 형국이어서 시의 범주에서 벗어날 위기에까지 나아간 작품"12)이라고 평한 바 있는 이 작품은 죽음과 삶, 저승과 이승이 서로 화해하고 있는 모습을 제시하여 주목된다. 물론 이 시에서 이승의 삶은 "등잔불도 없는 세상/간고등어 한 손"도 없는 비관적인 모습으로 파악된다. 그렇지만 이러한 이승의 가난과 한은 정성과 인정의 따뜻함과 절실함으로 해서 죽음의 세계인 저승과의 불연속성을 뛰어넘게 된다. 사람의 "정성"이 간절하고, "인정"이 극진한 한에서는 이승과 저승이 하나의 세계로 합일되고 화해를 성취할 수 있다는 믿음이 담겨져 있는 것이다. 인간적 진실이란 "망령도 응감하여, 되돌아가는 저승길에/니 정성 느껴느껴 세상에는 굵은 밤이슬이 온다"라는 결구에서 확인할 수 있듯이 가장 감동적이면서도 궁극적인 인류 시원의 것이면서 최후의 재산에 해당한다. 이처럼 이 시는 죽음이 삶의 일부이면서 또한 삶의 연장선상에 놓여진 것이라는, 죽음과의 화해 또는 죽음의 길들이기 과정을 보여준다는 점에서 의미를 지닌다.

그렇다면 영원한 이별의 양식으로서의 죽음과의 화해 또는 죽음. 길들이기란 무엇인가? 그것은 바로 고향으로 돌아가는 일을 의미한다. 이별의 긍정이 궁극적인 면에서 죽음을 긍정하는 일로 연결된다면, 인간이 할 수 있는 일이란 그 죽음을 적극적으로 수락하는 것뿐이다. 이 적극적인 수락이 바로 죽음과의 화해이며, 죽음의 길들이기인 것이다. 죽음을 길들인다는 것은 그럼 무엇인가? 그것은 죽음으로부터 자유로워지기를 의미한다. 자유로워진다는 것은 또한 무엇인가? 그것은 원래의 나, 즉 진아로 돌아가는 일이며, 편안함으

12) 김원식, 「도라지빛 하늘꼭지에 이른 길」(『심상』 3월호, 1979)

로의 회귀 또는 자연스러운 상태로의 귀환에 다름 아니다. 이 점에서 고향으로 돌아가는 문제가 제기된다. 목월에게 있어, 아니 인간에게 있어서 고향이란 과연 어디에 있는가? 목월에게 있어 고향이란 그가 태어나고 자란 경주 부근, 즉 '경상도'가 있을 것이며, 그보다도 근원적인 육신과 영혼의 고향인 '어머니'가 있을 것이다. 따라서 귀향이란 경상도로 돌아감이며, 어머니로의 귀환을 의미한다.

① 팔목시계를 풀어 놓듯
며칠 고향에서 지냈다.

진정 인생이란 무엇일까

고향에 돌아와서
비로소 나의 인생을 뉘우쳐 보았다.

—「고향에서」 부분

아우 보레이
사람 한평생
이렇게 살아도
저러쿵 살아도
시쿵둥하구나.

—「기계장날」 부분

아베요 아베요
내 눈이 티눈인걸
아베도 알지러요.

—「만술아비의 축문」 부분

어메야
복이 따로 있나
둑심세고 부지런하면 사는거지.

—「천수답」 부분

아즈바님
잔드이소
환갑이 낼 모렌데
남녀가 어디 있고
상하(上下)가 어디 있는기요.

—「한탄조」 부분

② 처음으로
젖꼭지를 깨문다.
첫아기 잇몸에
하얀 이빨
어머니
가슴에
아릿한 비명
물줄기 뿜어 오르듯
즐겁고도 아픈
어머니 가슴에
영원히 남는 것.

—「영원히 남는 것」 전문

깻단을 터시는
얼어서 빨간 어머니의 손

참깨는 흰 깨
들깨는 꺼먹깨

뒷감나무에 까치가 짖고
첫서리 온 아침에
얼어서 어머니의 빨간 손.

—「첫서리 온 아침」 전문

늘 미소하는 어머니

늘 한편으로 비켜앉는 어머니

늘 헌신(獻身)하는 어머니
늘 눈물겨워 하는 어머니

늘 팔분(八分)만 나타내고
두푼은 죽이는
어머니
역경에 부딪쳤을 때만
활활 타오르는 불꽃이 된다.

—「늘 미소하는 어머니」 전문

문득 발이 멎고
가게 앞에 내걸린
옷감을 유심히 본다.
어머니께 꼭 어울릴 성싶어

하지만
—마음
뿐인걸……

—「쓸쓸한 독백」 전문

시편 ①은 나고 자란 곳으로서의 고향 경상도가, ②는 생명의 원천이자 목숨의 고향인 어머니가 각각 테마로 되어있다. 목월의 시에는 경상 방언이 비교적 초기시보다는 후기시에 많이 활용된다. 특히 시집 『경상도의 가랑잎』에서는 시집 전체의 주조를 이룰 정도로 폭넓게 활용되고 있다. 향토적인 핏줄과 체취가 짙게 배어 있는 방언을 활용한다는 것은 그만큼 향토적 정서에 젖어 있으며 생명의 원상에 근접해 있다는 사실을 의미한다. 시에서 방언의 활용은 따뜻하고 편안함을 안겨 준다는 점에서 독자들을 자연스럽게, 또 자유스럽게 만들어 준다. 이렇게 본다면 고향으로 돌아간다는 것은 따뜻하고 편안함으로의 돌아옴을 의미하며, 동시에 자연스러움과 자유스러움에로의 귀환을 의미한다. 죽음 자체가 영원의 입장에서 본다면 고향으로 돌아가는 영겁회귀의 일이며, 영원한 자유로의 귀환에 해당할 뿐이다. 이 점은 실상 『경상도의 가랑잎』이라는 제목에 극명하게 제시되어 있다.

> 『경상도의 가랑잎』은 고향의 가랑잎이라는 뜻이다. 경상도의 소박하고도 마디가 억센 사투리처럼 나는 소박하기를 염원하고 또한 무뚝뚝하게 져가는 가랑잎이기를 소원한다. 그런 뜻에서 이 시집의 이름은 나의 소원을 단적으로 표현한 것이라 할 수 있다. (『경상도의 가랑잎』 서문)

이 글에는 시집 『경상도의 가랑잎』의 근본 취의가 잘 드러나 있다. 그것은 "경상도"와 "가랑잎"의 상징성에 의존한다. 경상도는 그가 나고 자란 본원으로서의 고향이고, 가랑잎은 언젠가는 떨어져서 흙과 바람으로 사라져갈 존재의 표상이자 죽음의 뜻을 담고 있다. 다시 말해서, 고향과 죽음의 이미지를 상징적으로 연결함으로써 죽음과 화해하고 그것을 길들이고자 노력한다는 점이다. 바로 이 점에서 경상도와 가랑잎은 둘 다 근원으로의 회귀 또는 자유로의 귀환을 지향하고 있는 것으로 풀이된다.

시편 ②에는 어머니사상, 즉 여성주의가 담겨 있다. 연작시집 『어머니』 전체가 바로 인류의 고향으로서의 어머니를 흠모하고 예찬하는 시로 구성되어 있다. 인용한 시편들에서도 어머니는 인간의 정신적·육체적 고향으로서, 영원히 남는 것으로서, 현실적인 생활을 이끌어 가는 힘의 원천으로서 인종과 헌신의 미덕을 일깨워 주는 교훈으로서, 역경에서 일어서게 하는 구원의 표상으로서, 그리고 은총과 그리움의 대상 등으로서 다양하게 나타난다. 이런 점에서 어머니를 노래한다는 것은 목숨의 고향, 정신의 고향으로 돌아가고자 하는 소망과 의지를 반영한 것이 된다. 그것은 어쩌면 영원한 모성을 상징하는 대지에로의 귀환을 의미하는지도 모른다. 바로 이 점에서 어머니로 돌아간다는 것은 편안함과 자유로움으로의 회귀를 뜻하며, 이것 역시 죽음을 길들이는 일에 속한다고 할 수 있다. 그의 시편을 관류하는 달의 상상력과 흐름의 이미지, 그리고 식물적 상상력과 낙하의 상상력이란 것도 실상은 이별과 죽음으로서의 만상의 원리를 반영한 것으로 해석할 수 있음은 물론이다. 이러한 목월시의 모성회귀사상 또는 여성주의도 결국은 "영원히 여성적인 것이 인간을 구원한다"(Ewige weibliche zieht uns hinan)라고 하는 명제와 맞닿아 있는 것이며, 그것이 바로 정신의 구원 또는 자유에의 길을 향한 나아감인 것이다.

이렇게 볼 때 50대 지천명의 나이에 이르러서 목월은 자아의 원상을 새롭게 발견하기 시작하며, 아울러 인간의 본질이 단독자의식과 이별의 원리에 놓이며, 그것은 죽음이라고 하는 영원한 자유에의 귀환으로 마무리된다는 점을 확인하게 된다. 죽음으로 돌아간다는 것은 고향으로 돌아가는 것이자 영원한 자유에로의 귀환을 의미하기 때문에, 이러한 죽음과의 화해 또는 죽음의 길들이기로서 경상도의 가랑잎을 노래하고 어머니를 예찬하는 고향회귀사상이 나타나게 되었던 것이다.

4 「사력질」, 『무순』, 존재론과 자유에의 길

목월이 50대 후반부터 쓰기 시작한 연작시 「사력질」이 실려 있으며 화갑인 1976년에 간행한 시집 『무순』에 이르러서 목월시는 하나의 정점에 도달한 것으로 판단된다. 이 시집의 시들은 존재론적 사유에 바탕을 둔 완숙한 정신의 깊이를 보여주는 것으로 이해되기 때문이다.

> 시멘트 바닥에
> 그것은 깨어졌다.
> 중심(中心)일수록 가루가 된 접시.
> 이 정결한 옥쇄(玉碎)터지는 매화포(梅化砲))
> 받드는 것은
> 한번은 가루가 된다.
> 외곽(外廓)일수록 원형(原型)을 의지(意志)하는
> 그 싸늘한 질서(秩序).
> 파편(破片)은 저만치
> 하나.
> 냉엄한 절규(絶叫).
> 모가 날카롭게 빛난다.
>
> —「사력질」 1

> 경주(競走)에는
> 발이 가벼워야 한다.
> 골짜기로 달리는 물의 맨발.
> 어디서 어디로 달릴까.
> 그것은 나도 모른다.
> 그 맹목적(盲目的) 경주(競走)에서
> 환하게 눈을 뜨고
> 콸콸콸 가슴을 울리는

돌개울의 물소리.
무엇때문에 달릴까.
그것은 나도 모른다.
까닭없이 열중하는 경주(競走)에
속잎 뿜어오르는 가로수로
달리는
희고 신선한 맨발.
시간(時間)의 물보라.

—상동 7, 「맨발」

타오르는 성냥 한가치의
마른 불길.
모든 것은
잠간이었다.
사람을 사모한 것도
새벽에 일어나 목놓아 운 것도
경주(慶州)에서 출발하여
서울에 머문 것도
타오르는 한 가치의 성냥불.
다만
모든 성냥가치가
다 불을 무는 것이 아니다.
태반은 발화(發火)도 못하고
픽픽 꺼져가는 성냥개비.
그리고
빈 성냥곽을
멀리 던져버린다.

—상동 15, 「잠간」

먼저 연작시 「사력질」은 인간에 대한 존재론적 인식을 심화하고 있어 주목된다. 사물이 존재하는 방식과 그 특성을 투시함으로써 인간의 존재론적 특징을 드러내려 하는 노력이 제시된 것이다. '나'의 문제, 즉 자아의 원상을 탐구하던 『경상도의 가랑잎』의 세계가 보편적인 사물의 존재 원리에 대한 탐구로 이행된 것이다.

먼저 「사력질 1」은 그릇을 통해서 존재의 본질을 구명하려 시도한다. 그릇은 흙으로 빚어져서 일정한 형태를 유지하다가 언젠가는 시간 속에서 소멸해 가는 운명을 지닌다. "받드는 것은/한 번은 가루가 된다"라는 구절이 그것이다. 그릇은 언젠가는 깨어지게 마련이며, 가루로 돌아가는 숙명성을 지니는 것이다. 그렇지만, 깨어지는 그 순간까지 "냉엄한 절규/모가 날카롭게 빛난다"처럼 자기 존재성을 확보하고 있다. 아울러 그릇의 형태가 파편으로 되고 가루가 된 이후에는 '흙'이라는 원래의 질료로 돌아간다는 그릇의 존재론적 원리가 "싸늘한 질서"로서 날카롭게 투시된 것이다. 그릇은 다만 끊임없이 변화하는 하나의 가상의 세계에 불과하며, 본체는 흙이며 그 흙으로의 사라짐이라는 뜻이 담겨 있는 것이다. 이 점에서 그릇은 인간존재의 객관적 상관물에 해당하는 것으로 보인다. 인간도 그릇처럼 일정 기간 그 고유의 형식으로 존재하다가 언젠가는 그 본체인 흙, 즉 죽음 또는 무(無)로 환원하는 싸늘한 질서를 이루고 있기 때문이다. 인간을 인간 자체 또는 나로서 말하지 아니하고 객관적인 사물로 치환하여 그 존재론적 원리를 예리하게 드러내 주었다는 점에서 목월의 시정신이 도달한 높이와 깊이를 짐작할 수 있다.

「사력질 7」은 시간에 대한 탐구를 보여준다. 그런데 여기에서도 시간은 시간 그 자체로서 묘사된 것이 아니라 물의 흐름이라는 현상을 통해서 투시된다. 즉, "달리는 물의 맨발/맹목적 경주/콸콸콸 가슴을 울리는/돌개울의 물소리/까닭없이 열중하는 경주/속잎 뿜어 오르는 가로수로/달리는/희고 신선한 맨발/시간의 물보라"라는 구절들에서처럼 물의 흐름이 바로 시간의 흐름이라는 원리를 비유적으로 드러낸 것이다. 여기에서 그러한 시간의 흐름이란 무슨 상징성을 지니는가? 그것은 또한 인생의 본질을 투시한 것으로 여겨진다. 인생이란 시간 속에서 태어나서 "어디서 어디로 달리는지도 모르고" 맹목적인 경주처럼 시간 속을 달리다가 마침내 "시간의 물보라" 속에 사라져가는 시간의 존재에 해당하기 때문이다. 초기 시편들에서 단지 자연현상으로 흘러갈 뿐이던 물(시내·강물)이 수십 년에 걸친 흐름 끝에 어느덧 이순에 이르러 존재론적인 물로 상승한 것이다.

「사력질 15」는 성냥불로서 존재의 의미를 상징화하고 있다. 성냥불이 타오르는 것은 오랫동안 지속될 수 없다. 또한 제대로 발화조차 못하고 꺼져가 버린 성냥개비들도 무수히 많다. 그렇다면 이 성냥개비 내지 성냥불은 무엇을 상징하는가? 그것은 인간존재의 객관적 상관물에 해당한다. "모든 것은 잠간이었다/사람을 사모한 것도/새벽에 일어나 목놓아 운 것도/경주에서 출발하여 서울에 머문 것도"라는 구절 속에는 바로 이러한 한순간을 성냥불처럼 타오르다가 소멸해 가는 인생의 본질에 대한 날카로운 투시가 담겨져 있는 것으로 해석된다.

이렇게 본다면 연작시 「사력질」에는 흙, 물, 불 등의 상징을 통해서 존재의 현상과 본질을 객관적으로 투시하는 깊이 있는 통찰력과 예지가 펼쳐져 있는 것으로 이해된다. 이 점에서 연작시 「사력질」은 인간존재에 대한 초월에의 의지를 드러낸 것으로 보인다. 사물이 지니고 있는 근본적인 진리를 객관적으로 통찰하고 그에 회귀함으로써 인간의 본래 모습과 그 가치를 탐구하고자 하는 존재론적인 노력이 담겨 있기 때문이다. 그렇다면 인간존재에 있어 초월에의 의지란 무엇인가? 그것은 진정한 자아를 발견하고 고향으로 돌아감으로써 정신의 구원을 갈망하던 『경상도의 가랑잎』의 세계에서 한 걸음 더 나아가서 자유의 본질을 발견하고 그 실천에의 길로 나아가려는 노력이다.

앉는 자리가 나의 자리다.

자갈밭이건 모래톱이건

저 바위에는
갈매기가 앉는다. 혹은
날고 끼룩거리고

어제는
밀려드는 파도를 바라보며
사람을 그리워 하고

오늘은
돌아가는 것을 생각한다.
바다에 뜬 구름을 바라보며,

세상의 모든 것은
앉는 자리가 그의 자리다.

벼랑 틈서리에서
풀씨가 움트고

낭떠러지에서도
나무가 뿌리를 편다.

세상의 모든 자리는
떠버리면 흔적 없다.
풀꽃도 자취없이 사라지고

저쪽에서는
파도가 바위를 덥쳐
갈매기는 하늘에 끼룩거리고

이편에서는
털고 일어서는 나의 흔적을
바람이 쓰담아 지워버린다.

—「무제」 전문

앉으면
그것이 그의 자리다.
널려 있는 성좌(星座)를 이고
바람에 씻기운다.
내것이 없는
있음 속에서
옮아가는 별자리의
스치는 옷자락소리가
조심스럽다.
꽃이 핀다.
도라지는 도라지 빛으로
구름은 구름의 빛깔로
하지만 흐르는 물은
제자리로 돌아갈 뿐,
앉으면
그것이 그의 좌향(座向)이다.
널려있는 성좌(星座)를 이고
뿌리를 내리는 돌의 깊이
옮아가는
별자리의 스치는
옷자락 소리가 조심스럽다.

—「좌향」 전문

이 두 편의 시는 한평생 이순에 이르기까지 끊임없이 흔들림 속에서 살아오며 정신의 투명화 또는 삶의 상승을 갈망하던 목월의 생애와 시가 도달한

한 정점에 해당한다. 이 시들은 그가 지향하던 정신의 투명화 또는 상의 상승이 바로 자유에의 길, 영원에의 길로 나아가는 데서 성취된다는 것을 극명하게 제시하고 있는 것으로 판단되기 때문이다.

먼저 ①시는 「무제」라는 시 제목부터가 상징적이다. 「무제」란 제목을 붙일 수 없어서 안 붙인 것이 아니라, 굳이 그 어떤 제목을 붙여서 그 의미를 제한하고 싶지 않다는 뜻에서 붙여진 이름이다. 제목이 있으면서도 선고, 없으면서도 있다는 그야말로 '자유롭다'는 것의 본성을 날카롭게 간파한 소치이다. 이 시는 모두 10연으로 구성되어 있는데 앞에 4연과 뒤에 4연, 그리고 마지막 2연 등 세 단락으로 구분된다.

첫 단락에는 자유의 본성이 제시되어 있다. 그것은 "앉는 자리가 나의 자리다/자갈밭이건 모래톱이건"이라는 잠언적인 모습으로 제시된다. 모든 존재는 그것이 어디에서 왔던가 간에 지금 그것이 놓여져 있는 장소가 바로 그 존재의 원인이며 결과에 해당한다는 깨달음이 담겨 있다. 모든 존재는 그 스스로의 자존성에 의해서 규정되며, "어디서 어디까지라거나/무엇 때문이라거나/그런 제한과 물음을 벗어 버린"(「무한낙하」) 자유자재로운 자기 원본성과 독자성 및 고유성을 지닌다. 바로 이러한 자기 존재성과 자기 원본성, 그리고 자발성의 원리가 자유의 본성에 해당하는 것이다. '바위에 갈매기가 앉건 날건 끼룩거리건' 그것은 오로지 갈매기의 자유로운 영역에 속한다. 그런데 이 존재는 시간에 의해 규정된다. "어제"와 "오늘", 그리고 미래가 작용한다. 그런데 이 시에서는 "어제"와 "오늘"만이 제시돼 있다. 있으면서 없는 것으로서의 과거와 그의 연장으로서의 현재로서 실존의 본질을 파악하고자 하는 것이다. 그리고 이 시간 위에 존재하는 방식은 "파도"와 "뜬 구름"인데, 이것 역시 시간 속에 소멸해 갈 무의 존재임을 상징한다.

둘째 단락에서는 '나'의 존재성이 "세상의 모든 것"으로 옮아간다. 세상의 구성이 '나'와 '세계'로 이루어져 있기 때문이다. "벼랑 틈서리에서/풀씨가 움트고/낭떠러지에서도/나무가 뿌리를 편다"라는 구절 속에는 삼라만상이 모두 그 독자적인 존재 양식과 원리를 지닌다는 뜻이 다시 담겨 있다. 그렇지만 이것들 역시 "세상의 모든 자리는/떠버리면 흔적 없다/풀꽃도 자취없이 사라지고"라는 구절처럼 무로의 회귀를 그 본성으로 한다.

따라서 셋째 단락에서는 다시 '저쪽과 이쪽', "일어서는"과 "지워버린다"라는 대립항이 나타난다. 저쪽이란 저승(영원)에 해당하며, 이쪽이란 이승(현실)을 의미할는지도 모른다. 이 현실에서의 존재란 그 형상을 유지하면서 자리를 차지하고 있는 그 시간까지 의미를 지닐 뿐, 그것 역시 "나의 흔적을/바람이 쓰담아 지워버린다"라는 결구에서 보듯이 영원한 무로 회귀하는 존재일 따름이다. 이렇게 본다면 이 시는 모든 존재의 근거가 그 독자성과 고유성에서 비롯되며, 그 본질은 영원한 자유, 즉 무로 돌아감이라는 철학적인 바탕 위에 놓인다는 점을 확실하게 제시한 것으로 이해된다.

시집『무순』에 실려 있는 또 하나의 시「좌향」도 이러한 자유에의 길, 영원에의 길을 선명히 보여준다. 이 시의 핵심도 "앉으면/그것이 그의 자리다/그의 좌향이다"에 놓여 있다. 그것은 모든 존재는 그 스스로가 존재의 원인이며 결과라는 인식과 함께 그 원인과 결과가 바로 자유를 바탕으로 한다는 확신을 제시한다. 아울러 인생이란 "내것이 없는/있음 속에서/제자리로 돌아갈 뿐"과 같이 무소유와 영원회귀, 즉 자유로의 귀환을 본질로 하고 있다는 점을 분명히 하고 있다. 그러면서도 이러한 것들이 '풀꽃'과 '성좌'가 상징하는 우주의 원리 또는 보이지 않는 힘의 질서로 수렴된다는 점을 조심스럽게 시사한 것은 유의할 만한 일이다.

지금까지 살펴본 것처럼「사력질」중심으로 한『이순』의 세계는 인간의 궁극적인 삶이 자유에의 길, 영원에의 길을 갈망하고 지향하는 데서 그 본질적 의미가 드러난다는 점을 강조한 데 뜻이 놓여진다. 시집 제목이『무순』으로 되어있다는 점 자체가 자유의 본질이 순서가 있으면서도 없고, 없는 듯하면서도 있는, 그야말로 자유로움 그 자체에 놓인다는 사실을 시사한다. 『무순』의 시편들이 "무순의식·우연의식으로 덮인다는 것은 결국 무순 자체나 우연성 자체에 의미가 있는 것이 아니라 무순과 우연이 인간적 존재의 자유로움을 환기 한다는 사실에 의미가 있다"라는 한 지적[13]이 적절하게 여겨지는 것도 바로 이 때문이다.

결국 『이순』의 세계는 지나간 한 생애 동안 남도 삼백리를 "구름에 달가듯이" 정처 없이 방랑하던 나그네로서의 목월이 마침내 자유에의 길, 영원에의 길목에 접어들었음을 시사해 주는 것이 된다.

5 『크고 부드러운 손』, 신성사(史)와 영원에의 길

목월 시는 신 앞에 선 인간의 행복을 노래함으로써 그 대단원의 막을 내리게 된다. 그의 시는 그리스도 주 안에서 진리의 길, 은총의 길, 구원의 길, 영원의 길을 발견하는 데서 끝맺음하는 것이다. 그의 생애와 시는 제5막 신앙시로서 신성 지향을 드러내게 된다.

걸으면서 기도한다.
거리에서
마음속으로
중얼거리는 주기도문
나이 60세
아직도 중심이 잡히는지 나의 신앙
주여
굽어 살피소서.

―「거리에서」 부분

13) 이승훈, 「박목월의 시세계」, 『목월문학연구』, 97쪽.

나의
머리위에 얹혀지는
손이 나를 태운다.
나사렛 예수여
나사렛 예수여
못박힌 자국이
모든 것을 증거해 주는
불의 손이
나를 태운다.

―「노래」 부분

이른 새벽에 일어나
내외가
돋보기를 서로 빌려가며
성경을 읽었다.
눈이 오고 있었다.

―「예수 그리스도의 나심은 이러하니라」 전문

마태복음 1장 2장
읽을수록
그 신비
그 은총
너무나 감사해요.
아멘.
그리스도의 탄생 안에서
우리는 거듭나고

―「성탄절을 앞두고」 부분

유품(遺品)으로는
그것뿐이다.

붉은 언더라인이 그어진
우리 어머니의 성경책
가난과
기도와
기도로 일생을 보내신 어머니는

어머니가 그으신
붉은 언더라인은
당신의 신앙을 위한 것이지만
오늘은
이순(耳順)의 아들을 깨우치고
당신을 통하여
지고하신 분을 뵙게 한다.

—「어머니의 언더라인」 부분

목월 자신이 밝혔듯이 일반시와 신앙시는 같은 시이지만 다소 차이가 난다. 즉, 일반시는 어디까지나 시의 본질을 잃지 않아야 하지만 신앙시는 그것과 달라 어디까지나 그 핵심이 신앙의 고백이어야 한다. 신앙으로서의 은혜가 흡족하면 그만인 것이다.[14] 이런 점을 감안해 볼 때 우리는 목월의 이 마지막 유고시집이 온통 신에의 감사와 기도, 찬양과 은총, 고백과 참회로 가득 차 있다 해도 흠잡을 것이 아니라는 점을 깨닫게 된다. 그리스도에의 신앙은 미션스쿨인 계성학교 시절부터 이미 싹터서 조금씩 성장하다가 이 마지막 생의 단계에서 신앙시로 열매 맺은 것이기 때문이다. 신앙은 이순을 넘긴 목월에게 있어 이미 생활과 예술의 전부가 되어있는 것이다. 특히 그것은 어머니라는 촉매를 통해서 신이 뜻하는 영원에의 길로 이르게 된다. 어머니는 목월에게 있어 육신의 고향이며 영원의 고향이기도 하지만, 구원의 표상이기도

14) 이성교, 「크고 부드러운 손」(『심상』 3월호, 1979)

하다. 어머니는 생명의 근원이면서도 더 큰 어머니인 하느님의 나라로 이르게 하는 영생의 가교이기도 한 것이다. 어머니를 통해서 목월은 비로소 하느님께 완전히 인도됨으로써 영원한 생명에의 길, 은혜로운 구원에의 길로 나아가게 된 것이다. 여기에서 「크고 부드러운 손」이 생명의 정수리로 다가오게 된다.

크고 부드러운 손이
내게로 뻗쳐온다.
다섯 손가락을
활짝 펴고
그득한 바다가
내게로 밀려온다.
인간의 종말이
이처럼 충만한 것임을
나는 미처 몰랐다.
허무의 저편에서
살아나는 팔
치렁치렁한
성좌(星座)가 빛난다.
목언저리쯤
가슴 언저리쯤
손가락 마디 마디마다
그것은 보석(寶石)
그것은 눈짓의 신호(信號)
그것은 부활(復活)의 조짐
하얗게 삭은
뼈들이 살아나서
바람과 빛 속에서
풀잎처럼 두런거린다.

다섯 손가락마다
하얗게 떼를 지어서
맴도는 새
날개와 울음
치렁치렁한
성좌(星座)의
둘레 안에서.

—「크고 부드러운 손」 전문

이 시의 핵심은 신의 은총과 부활이다. 그리고 새와 성좌가 상징하는 자유와 영원에의 귀환이다. 그것은 목월이 그의 생애와 예술, 그리고 신앙생활 전체를 통하여 간구하던 구원의 이데아에 해당한다. 따라서 하느님에의 귀의는 운명론으로의 귀결이 아니라 오히려 자유에의 길, 영원에의 길로 나아감을 의미한다. "크고 부드러운 손"이란 그러한 자유와 영원에로 목월을 인도해 주는 구원의 손길인 것이다. 여기에서 마침내 자유와 영원이라는 인생과 예술의 궁극적 목표와 이념에 도달한다. 시 「개안」이 바로 이 구원과 득도의 시이다.

나이 60에 겨우
꽃을 꽃으로 볼 수 있는
눈이 열렸다.
신(神)이 지으신 오묘한
그것을 그것으로
볼 수 있는
흐리지 않는 눈
어설픈 나의 주관적인 감정으로
채색(彩色)하지 않고
있는 그대로의 꽃
불꽃을 불꽃으로 볼 수 있는

눈이 열렸다.

세상은 너무나 아름답고
충만하고 풍부하다.
신(神)이 지으신
있는 그것을 그대로 볼 수 있는
지복(至福)한 눈
이제 내가
무엇을 노래하랴.
신(神)의 옆자리로 살며시
다가가
아름답습니다.
감탄할 뿐
신(神)이 빚은 술잔에
축배의 술을 따를 뿐.

—「개안」 전문

목월은 이순을 넘긴 생애와 예술의 절정에 서서 비로소 "꽃을 꽃으로 볼 수 있는 눈/지복한 눈"이 열림으로써 그가 전 생애에 걸쳐 갈망하던 정신의 투명화, 즉 자유에의 길을 완성하게 된다. 바로 이 지점에서 "세상은 너무나 아름답고/충만하고 풍부하다"와 같이 세계를 화해와 은총의 눈으로서 바라보게 되는 영원의 길, 구원의 길을 성취하게 된다. 그러므로 목월은 "이제 내가 무엇을 노래하랴/신의 옆자리로 살며시/다가가/아름답습니다/감탄할 뿐/신이 빚은 술잔에/축배의 술을 따를 뿐"이라는 구절로서 인생과 시를 마무리 지을 수 있는 행복을 누리게 되는 것이다.

이처럼 목월은 시집 『크고 부드러운 손』에서 신을 통해서 보다 완전한 자유에의 길, 보다 아름다운 영원에의 나라로 나아감으로써 한 가닥 영혼의 구원을 성취한 것으로 판단된다.

□ 맺음말

분명히 목월은 문화적 암흑기인 일제 말기에 등장하여 분단 후 이 땅 시단을 이끌어간 가장 지도적인 시인의 한 사람이다. 아울러 그는 한 권 한 권의 시집, 한 편 한 편의 시를 다 읽어야 비로소 그 윤곽을 짐작할 수 있는 대가형 시인이자 국어미의 완성을 위해서 생애를 경주한 장인형 시인에 속한다 할 수 있다. 따라서 그와 그의 시를 논하지 않고서 해방 후의 시사를 기술한다는 것은 매우 어려운 일이 아닐 수 없다.

그의 시는 그가 20~30대이던 40년대에는 자연탐구에서 시작하여, 40대인 50년대에는 세속사로서의 인생탐구로 이어진다. 아울러 지천명의 나이인 50대에 이르러서는 객관화된 사물의 존재론적 탐구를 통해서 생의 본질이 자유에의 길을 향한 영원한 순례의 도정에서 현현되는 것이라는 점을 제시하였다. 따라서 이순의 60대를 전후하여서는 마침내 삶의 근원적인 이데아가 자유에의 길, 구원에의 길, 영원에의 길을 탐구하는 그 자체에서 성취된다는 깨달음을 분명히 보여주었다. 이렇게 본다면 그의 시세계는 '자연탐구→인생탐구→자아탐구→존재탐구→신앙탐구'로 이어지며, 그 핵심은 인간적인 그리움에 바탕을 둔 자유에의 길, 영원에의 길, 구원에의 길로 요약할 수 있다.

그의 시가 지닌 약점 또한 간과할 수는 없다. 그의 시에는 사회의식이나 역사의식이 현저히 거세되어 있는 것이 사실이다. 지사형 시인을 기대하는 심의 경향을 지닌 우리로서 볼 때, 그것은 분명히 하나의 약점에 속한다. 실상 유독 험난한 역사를 헤쳐온 우리의 민족사에 비춰볼 때 이것은 아쉬운 점이 아닐 수 없기 때문이다. 그럼에도 불구하고 그가 성취한 인생탐구의 깊이와 예술성의 높이는 그러한 단점을 충분히 보충해 주기에 부족한 것이 아니다.

그의 시는 시사적인 면에서 볼 때 멀리는 조선조의 강호가도의 자연시와 민중적 가락의 민요시에 원천을 두고 있으며, 가까이는 소월의 달의 상상력과 흐름의 시학, 지용의 지적 감수성과 섬세한 언어 감각, 그리고 영랑의 향토적 가락과 표현미학에 연결된다. 아울러 해방 후의 시사는 목월 등이 선구한 '청록파'적인 경향에 대한 호응과 반발이라는 파장을 그리면서 그 골격의 한 가닥을 형성해 갔다 해도 과언이 아닌 것이다.

생애의 절정에 이르러서 인간의 길, 예술의 길, 신앙의 길이 행복한 삼위일체를 보여 준 시인 박목월, 비록 그는 이제 가고 없지만 아름다움과 착함, 진실함에 대한 갈망과 지향이 시의 본도임을 제시한 그의 따뜻한 교훈은 시사에 오래도록 살아남을 것이 분명하다.

□ 연 보

1916 : 1월 16일 경북 경주 모량리에서 박준필(朴準弼)의 장남으로 출생, 본명은 영종(泳鍾).

1933 : 대구 계성중학교 2학년 재학중 동시 「통딱딱 통딱딱」이 『어린이』지에, 「제비맞이」가 『신가정지』 6월호에 당선되다.

1938 : 류익순과 결혼하다.

1940 : 경주 금융조합 재직 중, 『문장』지 9월호에 「가을 어스름」, 「연륜」 등의 작품이 지용에 의해 추천완료됨으로써 문단에 데뷔.

1941 : 경주 금융조합을 휴직하고 두 차례나 도일하였으나 곧 귀국하다.

1945 : 해방 이후 대구로 이사하다.

1946 : 김동리, 서정주, 유치환, 조지훈, 박두진 등과 함께 조선청년문학가협회를 결성하고 그 준비위원으로 일하다. 동시집 『박영종동시집』(대구, 조선아동회), 『초록별』(조선아동문화협회)을 펴내다. 어린이 잡지 『아동』을 편집 발간하다. 3인 시집 『청록집』 발간.

1948 : 서울로 이사. 이화여고, 서울대 음대 강사 역임.

1949 : 학생 잡지 『여학생』을 편집 발간. 한국문학가협회를 조직하고 사무국장을 맡다.

1950 : 시전문지 『시문학』을 편집 발간.

1955 : 제3회 아세아 자유문학상 수상. 제1시집 『산도화』(영웅출판사)를 간행하다. 이후 『난·기타』(1959), 『청담』(1964), 『경상도의 가랑잎』(1968), 『어머니』(1968), 『무순』(1976) 등의 시집을 간행하다.

1957 : 한국시인협회를 창립하여 출판간사직을 맡다.

1962 : 한양대학교 문리대 조교수로 부임하다. 동시집 『산새알 물새알』(여원사) 간행.

1968 : 시집 『청담』으로 대한민국 문학상 본상을 수상하다. 수필집 『밤에 쓴 인생론』, 『구름에 달가듯이』 발간. 조지훈, 박두진과 함께 『청록집, 기타』를 간행.

1973 : 월간 시지 『심상』을 발행. 『박목월자선집』(전 10권)을 삼중당에서 간행.

1974 : 한국시인협회 회장에 피선됨.

1976 : 한양대학교 문리대 학장에 취임.

1978 : 3월 24일 지병인 고혈압으로 별세하다.

1979 : 미망인 유익순 여사에 의해 신앙시집 『크고 부드러운 손』이 간행되다.

1984 : 『박목월시전집』(서문당) 간행.

15. 혜산(兮山) 박두진(朴斗鎭)

—기독교적 세계관과 예술의식—

일제 말엽의 암흑 속에서 "해야 솟아라. 해야 솟아라. 말갛게 고운 해야 솟아라"라고 갈망하며 기도하던 시인 혜산(兮山) 박두진(朴斗鎭)(1916.3.10.~1998.9), 그는 해방 후 이 땅의 혼란과 소용돌이 속에서도 일관성 있게 시적 신념을 실천하고 인간적 절조를 지켜왔던 대표적 시인의 한 사람이다. 그는 험난한 세파를 헤쳐오면서도 세속의 명리에는 애써 초연하려 노력했으며 오로지 시작활동과 신앙생활에만 전념하였다. 그렇지만 그는 6·25와 4·19, 5·16과 유신파동, 그리고 10·26 등 역사적 격랑에 처하여서는 정치현실과 사회현상에 대한 날카로운 비판정신을 드러내는 데 주저하지 않았다. 그가 문인단체나 시인들의 사회참여를 주장한 일들은 잘 알려진 이야기이다.

박두진은 50년 가까이 시작활동을 전개하면서 10여 권의 창작시집을 발간하는 등 무려 1,000여 편의 시작품을 남겨 놓았으며, 고희에 접어든 지금까지도 왕성하게 창작활동을 계속하고 있는 정력적인 시인이다. 그런데도 그와 그의 시에 대한 연구는 그리 많지 않았던 것으로 보인다. 그리고 그 연구조차도 그를 항상 '청록파'의 범주 속에서 논의함으로써 제한적인 경향을 지녀온 것이 사실이다. 청록파의 일원이었던 지훈이나 목월의 시가 중기시 이후에 더욱 본격적인 자기 세계를 완성해 간 것처럼 혜산도 후기로 갈수록 그의 진면목을 드러내었다는 점에서 그에 관한 보다 포괄적인 논의가 요청된다. 무엇보다도 그의 시에 대한 연구가 부족했던 이유는 그의 생애와 시에 있어서 정신적 지주였던 기독교적 세계관이 지나치게 시에 침투됨으로써 그에 접근하기가 용이하지 않았던 데 기인하는 것으로 보인다. 필자도 마찬가지이지만, 기독교에 조예가 깊지 않은 사람들로서는 그가 이룩한 신앙의 세계가 은연중에 심리적 부담감을 던져 주었기 때문이다. 이 점에서는 본고가 한계를 지닐 수밖에 없을 것이다. 본고는 그의 시가 변모해 온 과정 속에서 드러나는 몇 가지 특징을 총체적인 각도에서 살펴보는 데 목적을 두기로 한다.

1 비관적 현실인식과 미래지향성

시인 박두진은 『문장』지에 「향현」, 「묘지송」(1939.6), 「낙엽송」(1939.9), 「의」, 「들국화」(1940. 1) 등을 추천받아 등장하였다.

> 박두진군(朴斗鎭君). 박군(朴君)의 시적(詩的) 체취(體臭)는 무슨 삼림(森林)에서 풍기는 식물성(植物性)의 것입니다. 실상 바로 다옥한 삼림(森林)이기도 하니 거기에는 짐생이나 뱀이나 죽음이나 슬픔까지가 무슨 수취(獸臭)를 발산(發散)할 수 없이 백일(白日)에서는 없고 푹은히 젖어 있습니다. 조류(鳥類)의 우름도 기괴(奇怪)한 외래어(外來語)를 섞지 않고 인류(人類)와 친밀(親密)하야 자연어(自然語)가 되고 보니……중략……시단(詩壇)에 하나 「신자연(新自然)」을 소개(紹介)하며 선자(選者)는 만세(滿稅) 이상(以上)이외다.[1]

이상의 추천사에서 볼 수 있듯이 박두진은 신선하면서도 생동감 있는 자연의 호흡과 체취를 남성적인 가락으로 노래함으로써 주목을 받으며 등단한 것이다.

---

1) 조지훈, 「시선후」(『문장』 1월호, 1940)

그는 해방 직후인 1946년에 박목월, 조지훈과 3인시집 『청록집』(을유문화사)을 낸 이후 지금까지 첫 개인 시집 『해』(청만사, 1949)를 비롯하여 『오도』(영웅출판사, 1954), 『박두진시선』(성문관, 1956), 『거미와 성좌』(대한기독교서회, 1961), 『인간밀림』(일조각, 1963), 『하얀 날개』(향린사, 1967), 『고산식물』(일지사, 1973), 『사도행전』(일지사, 1973), 『수석열전』(일지사, 1973), 『속수석열전』(일지사, 1976), 『야생대』(일조각, 1977), 『하늘까지 닿는 소리』(범조사, 1981), 『포옹무한』(범조사, 1981) 등의 창작시집과 『청록집, 기타』(현암사, 1968), 『청록집이후』(현암사, 1968), 『나, 여기 있나이다 주여』(홍성사, 1982), 『에레미야의 노래』(창작과비평사, 1981), 『청록시집』(삼중당, 1983), 『박두진』(지식산업사, 1983) 등의 시선집 및 『Sea of Tomorrow』(일조각, 1971) 등의 영역 시선집을 간행하였다. 아울러 시론집 『시와 사랑』(신흥출판사, 1960), 『한국현대시론』(일조각, 1970) 및 에세이 『시인의 고향』(범조사, 1958) 등의 저서를 출간하고, 최근에는 『박두진전집』 전 21권(범조사, 1982)을 간행하는 등 창작생활에 전념해 왔다.

그의 시들이 지닌 표기상에 있어서의 문제점은 별반 없다. 다만 몇 차례 전재되는 과정에서 처음에 사용됐던 방언이나 의도적인 표기 등이 얼마간 변화한 정도이며, 구두점이 다양하게 많이 활용된다는 특징을 지닐 뿐이다. (본고에서는 『박두진전집』을 텍스트로 하되 원시집을 참조한다.)

그러면 구체적으로 시를 살펴보기로 하자.

① 북망(北邙)이래도 금잔디 기름진 데 동그만 무덤들 외롭지 않어이.

무덤 속 어둠에 하이얀 촉루(髑髏)가 빛나리. 향기로운 주검읫 내도 풍기리.

살아서 설던 주검 죽었으매 이내 안 서럽고, 언제 무덤 속 화안히 비춰줄 그런 태양(太陽)만이 그리우리.

금잔디 사이 할미꽃도 피었고, 삐이 삐이 배, 뱃종! 뱃종 멧새들도 우는데, 봄볕 포근한 무덤에 주검들이 누웠네.

—「묘지송」 전문

② 산새도 날러와
우짖지 않고,

구름도 떠가곤
오지 않는다.

인적 끊인 곳
홀로 앉은

가을 산(山)의 어스름.
호오이 호오이 소리 높여
나는 누구도 없이 불러 보나,

울림은 헛되히
빈 골 골을 되도라 올뿐.

산그늘 길게 느리며
붉게 해는 넘어 가고,

황혼(黃昏)과 함께
이어 별과 밤은 오리니,

생(生)은 오직 갈수록 쓸쓸하고,
사랑은 한갓 괴로울 뿐.

그대 위하여 나는, 이제도 이,
긴 밤과 슬픔을 갖거니와,

이밤을 그대는, 나도 모르는
어느 마을에서 쉬느뇨.

—「도봉」 전문

③ 내게로 오너라. 어서 너는 내게로 오너라. —불이 났다. 그리운 집들이 타고, 푸른 동산, 난만한 꽃밭이 타고, 이웃들은, 다 쫓기어 울며울며 흩어졌다. 아무도 없다.

이리 들이 으르댄다. 양떼가 무찔린다. 이리들이 으르대며, 이리가 이리로 더불어 싸운다. 살점들을 물어 뗀다. 피가 흐른다. 서로 죽이며 자꼬 서로 죽는다. 이리는 이리로 더불어 싸우다가, 이리는 이리로 더불어 멸하리라.

처참한 밤이다. 그러나 하늘엔 별— 별들이 남아 있다. 날마다 아직은 해도 돋는다. 어서 오너라. ……황폐한 땅을 새로 파 이루고 너는 나와 씨앗을 뿌리자. 다시 푸른 산을 이루자. 붉은 꽃밭을 이루자.

정정한 푸른 장생목도 심그고, 한 철 났다 스러지는 일년초도 심그자. 잣나무, 오얏, 복숭아도 심그고, 들장미, 산죽, 산국화도 심그자. 싹이 나서 자라면, 이어, 붉은 꽃들이 피리니……

새로 푸른 동산에 금빛 새가 날러 오고, 붉은 꽃밭에 나비 꿀벌떼가 날러 들면, 너는, 아아, 그때 나와 얼마나 즐거우랴. 설게 흩어졌던 이웃들이 돌아오면, 너는 아아 그때 나와 얼마나 즐거우랴. 푸른 하늘, 푸른 하늘 아래 난만한 꽃밭에서, 꽃밭에서, 너는 나와, 마주, 춤을 추며 즐기자. 춤을 추며, 노래하며 즐기자. 울며 즐기자. ……어서 오너라…….

—「푸른 하늘 아래」 전문

박두진의 초기 시를 관류하는 것은 비관적 현실인식이라 할 수 있다. 그의 시적 출발이 1930년대 말에 이루어졌다는 사실 자체가 이러한 점과 무관하지 않다. 1930년대 말엽이란 일제의 대륙 침략 야욕이 만주사변·지나사변을 통해서 더욱 본격화하는 것과 함께 이 땅에는 민족문화 말살정책이 적극적으로 쳐지기 시작하던 암흑기에 해당하기 때문이다. 그의 시에는 먼저 당대를 "주검", "무덤", "밤"으로 파악하는 비관적 현실인식이 두드러진다.

시 ①에는 당대 현실이 "무덤", "주검" 등으로 비유되어 있다. "무덤"이란 흔히 그러했듯이 일제하에서 현실을 암유하는 표상이었으며, "주검"이란 그러한 무덤 속과 같은 현실을 살아가는 비참한 모습에 해당한다(앞의 글들에서 김동환·심훈 항목 등 참조). 그러면서도 이 시에는 비관적인 현실인식이 그대로 나타나지 않고 그것이 밝은 것, 희망적인 것으로 변모되어 있어서 주목된다. 오히려 "살아서 설던 주검 죽었으며 이내 안 서럽고 언제 무덤 속 화안히 비춰 줄 그런 태양만이 그리우리"라는 구절에서 볼 수 있듯이 비관적·부정적인 것을 미래지향적인 것으로써 이겨내려는 능동적인 의지가 엿보이는 것이다.

시 ②「도봉」에는 비관적인 현실인식이 그대로 나타난다. 우선 어미 자체가 "않고/않는다/떠가고/끊인 곳/없이/넘어 가고" 등과 같이 부정적이면서도, "되도라 올뿐/괴로울 뿐" 등처럼 좌절적인 어조로 처리되어 있다. 뿐만 아니라 전체적인 분위기가 "어스름/황혼/밤"으로 표상되어 있으며, '쓸쓸함/괴로움/슬픔'이라는 비관적인 시어가 문면에 드러난다는 점에서도 그러하다. 특히 "생은 오직 갈수록 쓸쓸하고/사랑은 한갓 괴로울 뿐"이라는 구절 속에는 모든 것이 절망적이며 비관적일 수밖에 없는 당대의 어둔 현실인식이 짙게 투영되어 있는 것으로 이해된다. 그러나 이 시에도 "그대 위하여 나는, 이제도 이,/긴 밤과 슬픔을 갖거니와"라는 구절처럼 무언가 앞날에 대한 기대와 누군가에 대한 소망을 간직하고 있는 것이 특징이다.

시 ③ 「푸른 하늘 아래」도 마찬가지이다. 이 시에서도 현실은 "처참한 밤"과 "황폐한 땅"과 같이 부정적이면서도 비관적으로 묘사된다. 특히 이 시는 당대 현실의 급박함에 대한 상황인식이 "—불이 났다. 그리운 집들이 타고/이웃들은, 다 쫓기어 울며울며 흩어졌다. 아무도 없다."처럼 제시되어 사실감을 고조시켜준다. 아울러 일제 말엽에 있어 약육강식의 잔인한 전쟁 상황이 "이리들이 으르댄다. 양떼가 무찔린다/살점들을 물어뗀다. 피가 흐른다. 서로 죽이며 자꼬 서로 죽는다"로 묘사됨으로써 생동감을 불러일으킨다. 그러면서도 이 시에는 "이리는 이리로 더불어 싸우다가, 이리는 이리로 더불어 멸하리라"라는 예언자적 지성의 변모가 발현되어 관심을 끈다. 또한 "너는 나와 씨앗을 뿌리자. 다시 푸른 산을 이루자. 붉은 꽃밭을 이루자"와 같이 미래지향적인 선구자의식과 함께 "설게 흩어졌던 이웃들이 돌아오면, 너는 아아 그때 나와 얼마나 즐거우랴. 푸른 하늘, 푸른 하늘 아래/울며 즐기자……어서 오너라"와 같은 낙원 회복의 꿈을 갈망하고 고대하는 신앙적 기다림이 담겨져 있어서 주목된다.

실상 이렇게 본다면 박두진의 초기 시는 부정적·비관적 현실인식을 바탕으로 하면서도 그에 좌절하거나 절망하지 않고, 미래지향적인 낙원 회복의 꿈과 기다림을 간직하고 있는 것이 특징이라 할 수 있다. 그렇다면 이러한 미래지향적인 믿음과 낙원 회복의 꿈을 간직할 수 있었던 원동력은 무엇일까? 이것은 우리가 상식적으로 알고 있듯이 그가 『문장』지에 추천받기 훨씬 이전부터 가져왔던 기독교 신앙의 힘에서 비롯된다.

> 「문장(文章)」지에 추천을 받기까지의 이 한 6, 7년 동안이 내게 있어서는 문학(文學)과 동시(同時)에 인생수업(人生修業)의 제1기적인 매우 중요한 단계였다. 가정적으로 또는 생활로 정신적(精神的) 사상적(思想的)으로 이동안의 나는 내 환경과 지향에 적지 않이 심각한 동요를 받았다. 고독(孤獨)과 비애(悲哀)와 절망(絶望)과 기아에 직면하

면서도 나는 불굴(不屈)의 투지와 발분으로써 어쨌든 모든 위에 말한 가장 기본적이며 제1의적인 인생 문제의 해달(解達)을 위하여 꾸준한 사색과 연마를 쌓으며 동요되는 환경과 불같은 시련에 대한 나 독력(獨力)으로서의 대결을 계속하였다.

그렇게 하는 가장 큰 힘의 배경과 근원이 되며 모든 문제를 해결할 수 있는 유일한 길로서 나는 종교(宗敎) 신앙(信仰)의 길을 택하기에 이르렀고, 비내리는 어느 주일(主日)에 스스로 찾아가 기독교회(基督敎會)의 문(門)을 두드렸다.

—「나의 추천시대」[2]

박두진의 데뷔기에 있어 정신적 정황을 짐작할 수 있게 하는 이 글은 그의 시적 출발에 있어서 기독교가 필연적인 것이었음을 고백한다. 그가 기독교를 택하게 된 것은 인생 문제의 해달을 위한 정신적 암투과정에 필연적으로 도달하게 된 정신적 당위에 해당하며, 그렇기 때문에 그의 초기시에서부터 기독교사상이 근원적인 힘으로 작용하게 됐던 것이다. 실상 그의 초기 시에 비관적인 현실인식이 짙게 깔려 있으면서도 그것을 뛰어넘는 강력한 믿음의 세계가 작용하고 있는 것도 이러한 기독교적 세계관에 말미암은 것이 분명하다. 특히 미래지향적인 정신의 지향성과 예언자적 지성의 맹아가 엿보이는 것은 그가 신앙을 정신의 핵으로 갖고 있었기 때문에 가능한 일이다. "믿음은 바라는 것들의 실상이요 보지 못하는 것들의 증거니"(「히브리서」 제11장 1절)라는 성서의 한 구절처럼 기독교적 믿음의 힘, 신앙의 바탕이 그러한 정신의 미래지향성을 견고하게 만들어 준 것이다. 「설악부」, 「어서 너는 오너라」 등 『청록집』에 수록된 초기시를 관류하는 정신이 바로 이러한 미래지향적인 기독교 신앙에서 출발함은 물론이다.

---

2) 박두진, 『시인의 고향』(범조사, 1958)207-208쪽.

2 자연의 생명력과 '해'의 상상력

산아. 우뚝 솟은 푸른 산아. 철철철 흐르듯 짙푸른 산아. 숱한 나무들, 무성히 무성히 우거진 산마루에, 금빛 기름진 햇살은 내려오고, 둥둥 산을 넘어, 흰 구름 건넌 자리 씻기는 하늘. 사슴도 안 오고 바람도 안 불고, 넘엇 골 골짜기서 울어오는 뻐꾸기…….

산아 푸른 산아. 네 가슴 향기로운 풀밭에 엎드리면, 나는 가슴이 울어라. 흐르는 골짜기 스며드는 물소리에, 내사 줄줄줄 가슴이 울어라. 아득히 가버린 것 잊어버린 하늘과, 아른아른 오지 않는 보고 싶은 하늘에, 어쩌면 만나도질 볼이 고운 사람이, 난 혼자 그리워라. 가슴으로 그리워라.

티끌 부는 세상에도 버레 같은 세상에도 눈 맑은, 가슴 맑은, 보고지운 나의 사람. 달밤이나 새벽녘, 홀로 서서 눈물 어릴 볼이 고운 나의 사람. 달 가고, 밤 가고, 눈물도 가고, 틔어올 밝은 하늘 빛난 아침 이르면, 향기로운 이슬밭 푸른 언덕을, 총총총 달려도 와줄 볼이 고운 나의 사람.

푸른 산 한나절 구름은 가고, 골 넘어, 뻐꾸기는 우는데, 눈에 어려 흘러가는 물결 같은 사람 속, 아우성쳐 흘러가는 물결같은 사람 속에, 난 그리노라. 너만 그리노라. 혼자서 철도 없이 난 너만 그리노라.

—「청산도」 전문

해야 솟아라. 해야 솟아라. 맑갛게 씻은 얼굴 고운 해야 솟아라. 산 넘어 산넘어서 어둠을 살라먹고, 산 넘어서 밤 새도록 어둠을 살라먹고, 이글이글 애띈 얼굴 고운 해야 솟아라.

달밤이 싫여, 달밤이 싫여, 눈물같은 골짜기에 달밤이 싫여, 아무도

없는 뜰에 달밤이 나는 싫여……,

해야, 고운 해야. 늬가 오면 늬가사 오면, 나는 나는 청산이 좋아라. 훨훨훨 깃을 치는 청산이 좋아라. 청산이 있으면 홀로래도 좋아라.

사슴을 딿아, 사슴을 딿아, 양지로 양지로 사슴을 딿아 사슴을 만나면 사슴과 놀고,

칡범을 딿아 칡범을 딿아 칡범을 만나면 칡범과 놀고…….

해야, 고운 해야. 해야 솟아라. 꿈이 아니래도 너를 만나면, 꽃도 새도 짐승도 한자리 앉아, 워어이 워어이 모두 불러 한자리 앉아 애띄고 고은 날을 누려 보리라.

—「해」 전문

박두진의 시세계는 그의 첫 개인시집인 『해』(1949)에 이르러서 확실하게 자리 잡는다. 그것은 "산"이 표상하는 자연의 생명력에 대한 신앙적 믿음이며, "해"가 상징하는 역사의 아침에 대한 희망찬 기다림으로 요약할 수 있다. 세칭 『청록파』로 불리는 삼가시인들이 모두 자연을 초기시의 모티브로 삼았다는 것은 주지의 사실이다. 목월의 「나그네」, 「산도화」가 그러하며, 지훈의 「파초우」, 「완화삼」 등이 또한 그러하다. 박두진에게 있어서도 마찬가지이다. 그의 시에는 자연이 매우 중요한 소재이자 배경으로 나타난다. 『청록집』에서 「향현」, 「연륜」, 「도봉」, 「별」, 「설악부」 등처럼 전원심상과 식물적 이미저리가 등장하지 않는 시가 거의 없다는 사실이 그것을 증명한다. 그런데 시집 『해』에 이르러서 자연은 "산"의 표상으로 집약되어 나타나는 것이 특징이다.

그 대표적인 예가 바로 이 「청산도」라는 작품이다. 이 작품에도 비관적인 현실인식이 짙게 깔려 있음은 물론이다. "안 오고/안 불고/잊어버린/가버린/

오지 않는/흘러가는" 등의 부정어사가 빈번히 사용되고 있으며, 시간 배경이 "밤/어둠"으로 되어있다는 사실 등이 그러하다. 현실이 "티끌 부는 세상에도 버레같은 세상에도"와 같이 부정적으로 파악되는 것이다. 그럼에도 불구하고 이 시에는 자연의 생명력이 강하게 분출됨으로써 그러한 비관적·부정적인 현실인식을 약화시키는 작용을 한다.[3] "산아. 우뚝 솟은 산아. 철철철 짙푸른 산아. 숱한 나무들, 무성히 무성히 우거진 산마루에, 금빛 기름진 햇살은 내려오고"와 같이 자연은 풍요롭고 아름다운 생명력의 표상으로서 제시된다. 실상 이러한 자연은 끊임없는 생명력의 분출을 속성으로 하며, 그 주기적 순환을 법칙으로 한다. 잎이 피었다 지고, 졌다가 다시 피어나는 생성과 소멸, 소멸과 생성의 원리를 바탕으로 한다. 이 점에서 본다면 자연은 영원한 생명력을 지니는 것이 분명하다. 이른바 자연은 거듭남으로서의 부활과 영생의 표상이라 할 수 있다.

아울러 "밤"이라는 시간 배경도 마찬가지이다. 밤이 가면 아침이 오고, 아침이 가면 낮이 오고, 이윽고 밤이 오리라는 것은 자연의 이법에 속한다. 따라서 "어둠", "밤"으로서의 당대 현실이란 하나의 현상에 속할 뿐이며, 머지않아 "밝은 하늘 빛난 아침"이 다가오리라는 것이 당연한 이치이다. 그렇기 때문에 "향기로운 이슬밭, 푸른 언덕을, 총총총 달려도 와줄 볼이 고운 사람/난 그리노라. 너만 그리노라. 혼자서 철도없이 난 너만 그리노라"라는 미래지향적인 기다림의 사상을 이루어내게 된다.[4]

이 점에서 「청산도」의 의미는 자명해진다. 「청산도」는 소멸과 생성으로서의 자연의 원리를 표층으로 하며, 상실과 회복으로서의 역사의 원리를 심층

3) 김현자는 "박두진의 시적 인식의 특이성이 자연에 대한 근원적인 찬미를 통하여 생명력의 새로움을 추구한 점에 있다."고 한다. (김현자, 「박두진과 생명의 탐구」(『한국현대시사연구』, 일지사, 1983)521쪽.)

4) 김봉군은 이것을 "기다림의 시학"이라 부른다. (김봉군, 「박두진론」(『한국현대작가론』, 민지사, 1984)276쪽.)

구조로 한다는 점이다. "오고/감"으로서의 자연사가 "밤/아침"으로서의 역사 내지 인간사의 원리로 침투해 간다는 점에서 「청산도」의 생동감과 설득력이 드러나는 것이다. 특히 이 「청산도」가 "누구도 흉내내지 못할 만큼 뚜렷한 운율"을 가지고 있으며 그것이 "급한 유수같으면서도 거칠지 않고 풍만하여 말소리가 곧 서정으로 처리"[5]되어있다는 한 지적이 있듯이 유장하면서도 운치 있는 산문시의 운율을 지니고 있다는 점은 큰 장점이 아닐 수 없다. 이러한 산문시의 유장하면서도 절조 있는 리듬의 순환 자체가 자연사의 순환원리와 인간사 역사의 변화법칙을 포괄적으로 암시하고 있다고 해석할 수 있기 때문이다.

시 「해」에는 이러한 초기시의 특징들이 더욱 선명하게 드러나 있다. 여기에서도 비관적인 현실인식이 드러난다는 점은 마찬가지이다. 당대 현실이 "어둠", "밤"으로 표상되어 있으며, "아무도 없는 뜰"과 같이 부정적으로 묘사된다는 점에서 그러하다. 이 시의 배경 또한 자연이라는 점이 마찬가지이다. 사슴과 칡범이 노니는 훨훨훨 깃을 치는 청산이 바로 시의 소재이자 배경이 된다. 그런데 이 시에서 주목되는 것은 "해"의 상상력이 강력하게 작용한다는 점이다.

여기에서 "해"는 어둠과 악을 몰아내는 정의와 광명의 표상이면서, 동시에 지상의 모든 생물들에게 에너지를 불어넣는 근원적인 생명력의 상징이다. 해가 '빛'과 '열'이라는 두 가지 속성을 함께 지닌다는 점이 이를 반영한다. 불의와 악이 지배하는 세상이란 밤과 어둠의 장소에 해당한다. 일제하의 식민지 현실이 바로 이러한 "밤"의 세계에 해당한다. 그렇기 때문에 밝음으로서의 "해"에 대한 갈망과 기다림은 신앙적인 것일 수밖에 없다. 또한 대자연의 법칙으로 미루어 보더라도 밤이 가면 아침이 오리라는 것은 의심할 여지가 없는 일이다. 바로 여기에서 "해야 솟아라. 해야 솟아라. 말갛게 씻은 얼굴 고운 해야 솟아라"라고 하는 간구와 기도가 나타나게 된다. 해가 솟아야만 이 땅의

5) 윤재근, 「시인의 의와 음(吟)」(정한모 편, 『한국대표시평설』, 문학세계사, 1995)247쪽.

어둠도 물러가고, 자연도 생명력을 유지할 수 있기 때문이다.

이렇게 본다면 "해"란 자연사를 지배하는 근원적 힘을 의미하며, 동시에 인간사의 모든 것을 이끌어가는 이념적 진리의 표상임을 알 수 있다. 그렇다면 그러한 근원적 힘이자 이념적 진리란 과연 무엇을 의미하는가? 이것이 기독교정신에서 배태된 것임은 쉽게 짐작할 수 있는 일이긴 하지만…….

> 하여간 내 사랑의 유일한 기조를 기독교정신에다 두었고 이 기독교정신을 형상화하려는 의욕이 적지 않게 강했음에도 불구하고, 나는 의연히 더 신중해만 갔을 뿐 자연(自然)을 소재로 한 시만을 몇해고 계속하여, 신앙시(信仰詩)란 것을 써서 성공해 보지를 못하였읍니다. 당시에 써진 시(詩)로서 어느것 하나가 정치적(政治的) 동기(動機)와 충격에서 안 출발한 것이 없고, 어느 것 하나가 자연(自然)을 소재로 한 것이 아닌 것이 없었으며, 어느 것 하나가 기독교적인 이상을 내용으로 안한 것이 없었으되, 묘하게도 신앙시라는 범주에 넣을만한 그러한 것은 써지지 않었습니다.
>
> —「시화한제」[6)]

이러한 진술에서 우리가 알 수 있는 것은 대체로 박두진의 초기시가 기독교정신을 바탕으로 하면서도 그것이 신앙시라는 측면보다는 시 그 자체로서의 성격을 강하게 지닌다는 점이다. 아울러 그의 시가 "정치적 동기"라는 말처럼 현실과 사회에 대한 관심을 저변에 담고 있다는 점도 알아차릴 수가 있다. 이렇게 본다면 박두진의 초기시는 자연사를 표층으로 하면서도 인간사를 내용으로 하며, 신성사를 그 저변으로 하고 있다는 점을 확인하게 된다.

여기에서 시 「해」의 의미가 선명히 드러난다. 그것은 자연의 생명력과 그 섭리에 대한 옹호의 정신을 드러낸 것이며, 역사의 아침이 도래하리라는 데 대한 신앙적 확신과 기다림을 "해야 솟아라"라는 갈망으로서 표출한 것이다.

---

6) 박두진, 『시인의 고향』, 앞의 책, 185쪽.

"해"는 생명의 표상이자 그 영속성의 상징이며, 새 역사의 도래에 대한 확신이며 갈망이고, 그러한 모든 것을 주재하는 원천으로서의 하나님에 대한 신앙심의 발현이라 할 수 있다. 특히 이러한 남성적인 '해의 상상력'이 박두진의 시에 강력히 작용하고 있다는 것은 중요한 의미를 지닌다. 일제하에서 우리 시의 기본적인 정조가 '밤'과 '꽃', '달의 상상력'이 표상하는 소극적·여성적 세계에 머문 감이 없지 않았던 데 비하여, 박두진 시에 있어서의 이러한 우람한 '산'과 '태양'이라는 남성적 상상력의 분출은 독보적인 것이 아닐 수 없기 때문이다.

3 수직상상력의 의미

6·25를 겪으면서 박두진의 시는 또 다른 변모를 보여준다. 시집 『오도』(1953)와 『거미와 성좌』(1962) 등 중기시에 이르러 그의 시는 상징성을 보다 강하게 지니기 시작한다. 그것은 '기'가 상징하는 이념 지향성과 '돌'과 '새'가 상징하는 투명지향성으로 요약할 수 있다.

> 기(旗)! 그것은—
> 찬란하게, 우리 앞에, 나부끼어야 한다. 바람결 티끌마다 흐려져 온 것, 미쳐 뛰는 물결마다 휩쓸려 온 것, 아우성의 저자마다 찢겨져 온 것,
>
> 그것은—
> 어짜면 핏빛, 어짜면 별빛, 어짜면 초록, 어짜면 눈물, 어짜면 꿈! 어짜면 활활 타는 불꽃 빛으로, 가슴마다 살아있어 나부끼는 것,
>
> 펄펄펄펄 창궁(蒼穹) 위에 펼쳐 오르면, 저마다의 기(旗)폭들이, 아득하게 한폭으로 피어 살아오르면, 우리들의 눈은 다시 부시어져 온다. 가슴들이 둥둥 새로 틔어 부퍼 온다. 피가 더욱 새로 맑아 펄덕여

져 온다.

기(旗)! 다시 오른 기(旗)폭은 찢겨지지 않는다. 펄펄펄펄 기(旗)폭에서 빛발들이 흩는다. 펄펄펄펄 기(旗)폭에서 꽃가루가 흩는다. 기(旗)를 향(向)해 우리들은 행진(行進)을 한다. 파다아하게 모여들어 새로 뽑는 합창(合唱)— 손벽들을 흠빽 친다. 하얀 새를 날린다. 눈빛 같은 하얀 새뗄 파닥파닥 날린다.

기(旗)! 그것은—
우리들 젊은, 우리들 뛰는, 가슴마다 당신께서 주신 것.
기(旗)! 그것은 —
기적(奇籍)처럼 찬란하게, 당신께서 우리앞에 날리셔야 한다.

—「기」 전문

안에서 또 밖에서도 찢기우는 날개
대오(隊伍)가 적(敵)의 앞에 하나씩 무너져도
뜨거운 것 강이 되어 땅의 모둘 물들여도
살아서 안 죽어서 펄럭대는 깃발
하늘로 으쓱이는 영원한 고무(鼓舞)
언젠가는 하늘 땅 한자락에 휩싸볼
밟혀도 불태워도 다시 솟는 목숨
죽음들이 죽음을 넘어 손을 들고 투항(投降)할 자유(自由)!
그 낡은 이름 불멸(不滅)을 단다.

—「기를 단다」 전문

박두진의 시에는 “기”라는 상징어가 자주 등장하는데, 인용시는 그 대표적인 예의 하나이다. 시 「기」는 첫 구절부터 당위적이고 신념적인 의지를 드러낸다. “기! 그것은—/찬란하게, 우리 앞에, 나부끼어야 한다”라는 구절이 그것이다. 이 첫 구절은 다시 마지막 구절 “기! 그것은— 기적처럼 찬란하게, 당신께서 우리앞에 날리셔야 한다"와 호응되어 "기"가 무언가 강력한 신념과 의지, 또는 이념의 표상이라는 점을 분명히 해준다.

첫 연에서는 기가 수난의 역사를 상징한다. "바람, 물결, 아우성" 등에 찢겨져 온 것이기 때문이다. 둘째 연에서는 그것이 각각 희생(핏빛), 이념(별빛), 평화(초록), 고난(눈물), 이상(꿈), 투쟁(불꽃)의 상징이라는 점이 제시된다. 셋째 연에서는 기가 하늘에 펼쳐 오르고 살아 오르면, "우리의 눈이 밝아오고", "가슴이 부풀어오르고, "피가 맑아 펄덕여" 오듯이 그것이 생명력의 표상이라는 점이 강조된다. 넷째 연에서는 빛발과 꽃가루가 상징하듯 이념을 향한 전진 또는 희망과 구원을 향한 비상("하얀 새를 날린다")이 제시된다. 마지막 연에서는 그것이 "당신"께서 주신 것이며 역사의 당위에 해당한다는 점이 강조된다.

이렇게 볼 때 기는 과거적인 것이며 현재적인 것이고, 동시에 미래적인 그 무엇을 함께 포괄하는 총체적 상징이라는 점을 알 수 있다. 그것은 생명의 표상이며, 역사의식의 상징이고, 동시에 신념과 의지 또는 이념을 의미하는 것이다. 특히 기는 "이념을 향한 강력한 지향성"의 상징이라 할 수 있다. 깃발의 펄럭임과 나부낌은 인간의 이념을 구현하기 위한 상징적 의미를 내포하기 때문이다. 아울러 그것은 '깃대'가 상징하듯이 견고함에 대한 의지 또는 이념의 뼈대가 인생과 시에 있어 얼마나 중요한가 하는 확신을 제시한다.

시 「기를 달다」에는 이러한 기의 의미가 더욱 구체화된다. 그것은 "자유! 그 낡은 이름 불멸을 단다"라는 결구에서 제시되듯이, 자유의 상징이다. 이 점에서 기는 인류에게 있어 자유를 표상하는 불멸의 상징으로서 이 의미를 지닌다. 아울러 기는 "살아서 안 죽어서 펄럭대는 깃발/하늘로 으쓱이는 영원한 고무/밟혀도 불태워도 다시 솟는 목숨"과 같이 불사조로서 표상된다. 그의 "기"가 상징하는 것은 이처럼 이념지향성을 지니며, 그 궁극적 의미는 자유라는 가치 덕목으로 수렴된다. 특히 박두진의 많은 시편에서 기는 새의 이미지와 결합되어 나타나는데, 이것은 새가 뜻하는 상승의 힘 또는 자유에로의 비상의지를 내포하기 때문인 것으로 풀이된다. 「기」에서 "하얀 새를 날린다/하얀 새뗄 파닥파닥 날린다", 「기를 단다」에서도 "날개"로서 표상되는 것이 그 대표적인 예가 된다.

—한마리만 푸른 새가 날아 오르라. 비(碑)……한마디만 길다랗게 소릴 뽑으라.

천년(千年) 이천년(二千年)을 삼천년(三千年)을 조으는 것, 이끼마다 눈이 되어 꽃잎으로 피라. 이슬처럼 꽃잎마다 녹아 흐르면, 아득한 하늘 밖에 별이 내린다.

비(碑). 오오, 돌. ……무엇을 호흡(呼吸)는가. 오래 숨이 겹쳐지면 깃쭉지가 돋는가. 목을 뽑아 학(鶴)처럼 구름 밖도 나는가. 비바람과 눈포래와 내려쬐는 또약볕. 미처 뛰는 세월(歲月)들이 못을 박는다. 징을 박는다.

월광(月光)……또는, 별이 글성 배어 내려, 거울처럼 맑아지면 다시 네게 오마. 넌즛 한번 내어밀어 손을 쥐어 다오. 벌에 혼자 너를 두고 훌훌 내가 간다.

—「비」 전문

돌이어라. 나는,
여기 절정(絶頂).
바다가 바라뵈는 꼭대기에
앉아,
종일(終日)을 잠잠하는
돌이 어라.

밀어올려다 밀어올려다

나만 혼자 이 꼭지에 앉아있게 하고,
언제였을까
바다는,
저리 멀리, 저리 멀리,
달아나 버려,

손 흔들어, 손 흔들어,
불러도 다시 안 올 푸른 물이기,
다만 나는, 귀 쭝겨 파도소릴
아쉬워할 뿐.
눈으로만 먼 파돌
어루만진다.

오, 돌.
어느 때나 푸른 새로
날아오르랴.
먼 위로 아득히 짙은 푸르름
온몸에 속속들이
하늘이 와 스미면,
어느 때나 다시 뿜는 입김을 받아
푸른 새로 파닥어려
날아오르랴.

밤이면 달과 별
낮이면 햇볕.
바람 비 부딪치고 흰 눈
펄펄 내려,
철 따라 이는 것에 피가 감기고
스며드는 빛깔들,
아롱지는 빛깔들에
혼이 곱는다.

어느 땐들 맑은 날만
있었으랴만, 오,
여기 절정(絶頂).
바다가 바라뵈는 꼭대기에 앉아
하늘 먹고, 햇볕 먹고,
먼, 그, 언제,
푸른 새로 날고지고
기다려 산다.

—「돌의 노래」 전문

박두진이 시에는 돌 또는 비의 이미지가 자주 등장하는 것이 또한 특징이다. 후기 시집『수석열전』등에서 등장하는 돌과는 다른 의미가 중기시에 나타나는 것이다.

먼저 시「비」는 돌과 새의 이미지가 함께 결합되어 흥미롭다. 결론부터 말한다면 그것은 물질과 정신의 대립·갈등을 의미하며, 그로부터의 정신의 투명화 내지 상승지향성을 의미한다. 비는 물론 돌로 만들어져서 땅속에 뿌리를 내리고 있는, 서 있는 존재이자 솟아 있는 물체이다. 어쩌면 이 점에서 "비"는 육신을 지니고 있으면서 대지에 뿌리내려 살아가고 있는 인간의 모습을 상징하는지도 모른다. 대지에 뿌리박고 있으되 하늘을 향해 솟아오르려는 수직 상승의 자세를 지니고 있는 모순의 표상이다. 대지가 상징하는 온갖 육신의 무게, 운명의 짐을 덜어내고 자유의 하늘, 정신의 우주에 도달하고 싶다는 수직 상상력의 상징으로 해석할 수 있기 때문이다.

"한마리만 푸른 새가 날아오르라. 비./비. 오오, 돌. ……무엇을 호흡는가. 오래 숨이 겹쳐지면 깃쭉지가 돋는가"라는 거듭되는 구절 속에는 바로 이러한 지상의 삶에서부터 벗어나서 정신의 삶에 이르려는 비상에의 의지 또는 투명지향성이 담겨져 있다. 특히 첫 구절 "푸른 새가 날아오르라"와 마지막 구절 "너를 두고 훨훨 내가 간다"의 대응 속에는 육신의 무게 덜어내기, 또는 가벼워져서 투명해지기로서의 정신적 삶에 대한 간절한 갈망이 제시된 것으로 여겨진다. 따라서 비(碑)란 물질적 구속성과 정신적 상승성이 함께 갈등을 이루면서 도 끊임없이 하늘을 향한 솟아오름의 이념지향성을 지니고 있는 인간의 객관적 상관물에 해당한다 할 수 있다. 그만큼 육신의 질곡과 현실의 중압을 이겨내고, 정신적 삶을 갈망하는 박두진의 수직적 상상력 또는 투명지향성을 반영한 것으로 해석되기 때문이다.

시 「돌의 노래」도 마찬가지이다. 여기서의 돌도 바다에 의해서 밀어올려져 꼭지에 앉아있는 모습으로 제시되어 있다. 그리고 이 돌은 "오, 돌/어느때나 푸른 새로/날아오르랴/먼 위로 아득히 짙은 푸르름/온몸에 속속들이/하늘이 와 스미면/어느 때나 다시 뿜는 입김을 받아/푸른 새로 파닥어려/날아 오르랴"(4연)와 같이 하늘로의 솟아오름으로서의 상징성을 지닌다. 시 「기」나 「비」에서처럼 수직상상력에 근거하며 상승지향성과 투명지향성을 내포하는 것이다.

따라서 이 시는 "여기 절정/바다가 바라뵈는 꼭대기에 앉아/하늘 먹고, 햇볕 먹고/먼, 그, 언제/푸른 새로 날고지고/기다려 산다"라는 구절에서처럼 "하늘을 향한 새의 비상"으로서의 정신적 상승에 대한 갈망을 고대하게 된다. 이러한 돌의 상승지향성과 투명지향성은 그대로 인간이 갈망하는 세계와 연결된다. 돌이 새가 되어 하늘로 날아오르는 꿈이란 바로 육신을 지니고 현실에 구속받으며 살아가는 인간이 그로부터 벗어나서 자유로워지고자 하는 소망을 상징화한 것이기 때문이다. "기(旗)"나 "돌"이 다 같이 솟아오름의 수직적 이미지를 지니며, 그것이 새의 이미지와 결합됨으로써 이러한 정신의 지향성을 적절히 표상해 준 것이다.

이처럼 박두진의 중기시에는 땅과 하늘의 이원적인 세계인식이 제시되면서 땅으로부터 하늘로 향한 일어섬, 또는 하늘로의 솟아오름이라는 '이념지향성'과 '투명지향성'을 지니는 것이 특징이다.

이처럼 박두진의 시는 이념지향성과 투명지향성이라는 수직 상상력의 두 가지 축을 바탕으로 전개되어 가며, 이 두 지향성은 이후 그의 삶과 시에 있어서 정신을 지탱해 가는 두 뼈대가 된다.

4 지상의 척도, 천상의 척도

실상 그의 중기 시집인 『오도』(1954)와 『거미와 성좌』(1961), 『인간밀림』(1963) 및 『하얀 날개』(1967) 등에는 고통스러운 것으로서의 지상적 삶에 대한 비관적 인식과 함께 '별'과 '새'가 상징하는 천상적 삶, 또는 자유로운 정신에 대한 갈망과 지향이 지속적으로 분출되고 있다. 이른바 자연사에서 인간사·세속사에 대한 관심으로 변모하면서 더욱더 정신적 삶의 가벼움과 이념지향성에 기울어지게 된 것이다. 실상 6·25라는 참담한 동족상잔의 비극을 겪으면서, 또한 4·19라는 민족사적 소용돌이를 체험하면서, 시인 박두진이 그러한 정신적 삶을 향한 투명 지향성과 이념지향성을 추구하게 될 것이라는 점은 자명한 이치이기 때문이다.

> 백(百) 천만(千萬) 만만(萬萬) 억(億)겹
> 찬란한 빛살이 어깨에 내립니다.
>
> 작고 더 나의 위에
> 압도(壓倒)하여 주십시요.
>
> 일히도 새도 없고,
> 나무도 꽃도 없고,
> 쨍, 쨍, 영겁(永劫)을 볕만 쬐는 나혼자의 광야(曠野)에
> 온몸을 벌거벗고
> 바위처럼 꿇어,

귀, 눈, 살, 터럭,
온 심혼(心魂), 전령(全靈)이
너무도 뜨겁게 당신에게 닳읍니다.
너무도 당신은 가차히 오십니다.

눈물이 더욱 더 맑게 하여 주십시요.
땀방울이 더욱 더 진하게 해주십시요.
핏방울이 더욱 더 곱게 하여 주십시요.
타오르는 목을 추겨 물을 주시고,
피 흘린 상처(傷處)마다 만져 주시고,
기진한 숨을 다시
불어 넣어 주시는,

당신은 나의 힘.
당신은 나의 주(主).
당신은 나의 생명(生命).
당신은 나의 모두……

스스로 버리랴는
버레같은 이,
나 하나 구求은 것을 아셨읍니까.
또약볕에 기진(氣盡)한
나홀로의 피덩이를 보셨읍니까.

—「오도」 전문

습습(濕濕)하고 어두운
지옥(地獄)으로부터의 너희들의 탈출(脫出)은
또 한번 징그러운 흑갈색(黑褐色) 음모(陰謀)
지옥(地獄)에서 지상(地上)에의 유배(流配)였고나.

추녀 밑 낡은 후미진 틈새에서

털 솟은 숭숭한 얼룽이진 몸둥아리
종일을 움츠리고 묵주(默呪) 뇌이를 한다.

거미, 거무,
거미, 거뮈! ……
지주(蜘蛛), 지주(蜘蛛)! ……지주(蜘蛛), 거믜!
거미, 지주(蜘蛛)! ……지주(蜘蛛),
거뮈! ……

—일몰(日沒)……
어디쯤 바다에서 밀물소리 잦아오고
산에서, 들에서는,
밤새가 왜가리가 뜸북새가 울고오고
이리는 너구리를
너구리는 다람쥐를, 구렁이는 개구리를, 개구리는 쉬파리를,
먹으며 먹히우며 처절(悽絶)한 정적(靜寂)……
거미는

새까만 내장(內場),
새까만 내장(內場)을 겹겹이 열어 피묻은 일몰(日沒)을 빨아먹고,
새까만 내장(內場)을 겹겹이 열어 피묻은 후광(後光)을 빨아 먹고,
새까만 내장(內場)을 겹겹이 열어 피묻은 노을을 빨아 먹고는,
그리고는 황혼(黃昏),
당향묵(唐香墨)처럼
선명(鮮明)한
까만 황혼(黃昏)을 뿜어낸다.

서서(徐徐)히
거미는
이제야 실현(實現)해 볼 회심(會心)의 음모(陰謀)
오늘의 짙은 황혼(黃昏)을 위한

피묻은 계략(計略)을 펴는 것이다.

(중략)

아, 거미도 이런 밤엔 오열(嗚咽)을 한다.
디룽디룽 매어달려
먼 그런 울음소리에 귀를 기울여
흔들리는 실줄을 잡고 눈물짓는다.

지르지르 지르르르……지질지질 지르르르……
바로 발밑
시궁창 울밑에서 이제야 겨우 우는
지지리도 못생긴
지렁이의 측은(惻隱)함에 연민(憐憫)을 준다.

그는—눈은 든다.
다시 한번 바라보는 먼 항하사(恒河沙)
성좌(星座)와 성좌(星座)들의 어찔어찔한
대우주(大宇宙)—
오오래인 이법(理法)들을 궁글려보며
묵묵(默默)하니 눈을 감고 철학(哲學)하다가,
호접(蝴蝶)! 오, 호접(蝴蝶)!
문득 그는,
밤이 다한 아침, 어쩌면 다시 오는 해밝이 녘에
극채색(極彩色) 눈이 부신 네 겹 날개의
남국종(南國種) 크다란 범나비가 한마리

추방(追放)되어 내려오는 천사(天使)의 그것
찬란하게 펄럭이는 자유(自由)의 나라의
기폭(旗幅)처럼
훨훨훨 날아들어 펄럭일지도 모른다는

부풀어오르는 보람에 싸여
황홀(恍惚)해 하며 있었다.

—「거미와 성좌」 부분

이 두 편의 시들은 모두 현실 또는 지상의 삶이 얼마나 고통스러운 것이며 또한 절망적인 것인가를 선명히 제시해 준다.

먼저 시집 『오도』의 표제시인 시 「오도」는 현실의 모습이 "나무도 꽃도 없고/쨍, 쨍, 영겁을 볕만 쬐는 나 혼자만의 광야"처럼 절망적인 것으로 표출된다. 그리고 그 지상에서의 삶이 "타오르는 목/피흘린 상처/스스로 버리랴는/버레같은 이/또약볕에 기진한/나 홀로의 피덩이"와 같이 참담하고 고통스러운 모습으로 제시되어 있다. 어쩌면 이것은 "거기는 한번 뜬 백일이 불사신같이 작열하고/일체가 모래속에 사멸한 영겁의 허적에/밤마다 고민하고 방황하는 열사의 끝"에 서서 절망하던 청마 유치환의 모습과 통할는지도 모른다. 따라서 "당신"으로서의 주(主)에 대한 간절한 기도가 나타난다. 그것은 "눈물이 더욱 더 맑게 하여 주십시요/땀방울이 더욱 더 진하게 해주십시요/핏방울이 더욱 더 곱게 하여 주십시요"라고 하는 육신의 고통을 벗어나서 정신의 투명한 삶에 이르고자 하는 애절한 기원으로 나타난다.7)

실상 이러한 삶의 상승에 대한 끊임없는 갈망과 기도로 인하여 정신의 투명화와 이념화를 성취해 가게 됨은 물론이다. "온몸을 벌거벗고/바위처럼 끓어/귀, 눈, 살, 터럭/온 심혼, 전령"으로 간구하였기 때문에 육신의 무게를 조금씩 덜어내고 투명해지기 시작한 것이다.

시집 『거미와 성좌』의 표제시인 이 「거미와 성좌」에는 지상의 척도와 하늘의 척도가 더욱 날카롭게 대립하는 가운데 하늘의 척도로 상승해 가는 모습이 제시되어 있다. 이 시에서 거미는 지상에서의 추악한 삶의 양식을 여러

7) 박철희, 「신앙과 현실인식」(『문학과 지성』 겨울호, 문학과지성사, 1972)

모로 반영한다. "거미, 거무, 거뮈, 거믜, 지주" 등으로 다양하게 불리며, 쉼표(,), 말줄임표(……), 느낌표(!) 등으로 구분되는 것 자체가 지상에서 온갖 종류의 삶과 그 존재 양식을 드러낸 것이다. 그리고 지상에서 거미는 간음, 음모, 투쟁, 교살 등 인간사회에서 펼쳐지는 모든 종류의 사회악과 추악상을 그대로 재현한다. 이렇게 본다면 거미는 온갖 악과 위선을 자행하는 추악한 인간군상을 상징화한 것으로 볼 수 있다. 아울러 이 시의 결구에서 거미가 "성좌"를 바라보며 "묵묵하니 눈을 감고 철학" 하면서, "호접" 즉 나비를 떠올리는 것은 지상의 삶에 갇혀 살면서 하늘의 삶을 갈망하는 인간의 모습을 그대로 반영한 것이라 할 수 있다.

이렇게 볼 때 「오도」와 「거미와 성좌」는 다 같이 지상에서 육신의 질곡에 신음하면서도 하늘의 삶, 즉 정신적 삶을 갈망하고 지향하는 상징적인 의미가 내포되어 있는 것이다. 바로 이 점이 앞에서 「기」와 「비」 등에서 끈질기게 추구하고 갈망하던 이념지향성과 투명지향성으로서 형상화되었던 것이다.

이러한 현실에서의 삶의 질곡과 그 추악상은 시집 『인간밀림』(1963)에서 시 「꽃사슴」 등과 같이 더욱 절망적인 모습으로 나타나기도 한다. 그러나 시집 『하얀 날개』(1967)에 이르러서는 그런 가운데도 "비로소 당신 앞에/당신 눈에 젖을 때/내 전신 속속들인 황홀한 떨림/순간이 그 영원으로 꽃 버는 것을"과 같이 정신적인 상승을 향해 나아가게 되는 것이다.

이처럼 중기시들은 지상의 척도와 천상의 척도를 함께 제시하면서 천상의 척도를 향한 정신적 지향성을 더해 가는 것이 주된 흐름이다.

5 분단 극복과 자유민주주의에의 길

중기시에 있어서 중요하게 드러나는 특징의 또 한 가지는 사회 현실과 역사 민족에 대한 관심이 두드러진다는 점이다. 실상 이러한 관심은 초기시부터 후기시에까지 지속적으로 작용하고 있는 것이지만, 4·19 이후에 더욱 강력하게 분출되어 관심을 끈다.

우리는 아직도
우리들의 기빨을 내린 것이 아니다.
그 붉은 선혈(鮮血)로 나부끼는
우리들의 기빨을 내릴 수가 없다.

우리는 아직도
우리들의 절규(絶叫)를 멈춘 것이 아니다.
그렇다. 그 피불로 외쳐 뿜는
우리들의 피외침을 멈출 수가 없다.

불길이여! 우리들의 대열(隊列)이여!
그 피에 젖은 주검을 밟고 넘는
불의 노도(怒濤), 불의 태풍(颱風), 혁명(革命)에의 전진(前進)이여!
우리들 아직도
스스로는 못막는
우리들의 피대열(隊列)을 흩을 수가 없다.
혁명(革命)에의 전진(前塵)을 멈출 수가 없다.

민족(民族). 내가 사는 조국(祖國)이여.
우리들의 젊음들.
불이여! 피여!
그 오오래 우리에게 썩어 내린
악(惡)으로 불순(不純)으로 죄악(罪惡)으로 숨어 내린
그 면면(綿綿)한
우리들의 핏줄 속의 썩은 것을 씻쳐 내는,
그 면면(綿綿)한
우리들의 핏줄 속에 맑은 것을 솟쳐 내는,

아, 피를 피로 씻고,
불을 불로 살워,
젊음이여! 정(淨)한 피여! 새 세대(世代)여!

너희들 이미 일어선게 아니냐?
분노(憤怒)한게 아니냐?
내달린게 아니냐?
절규(絶叫)한게 아니냐?
피흘린게 아니냐?
죽어간게 아니냐?

아, 그 뿌리워진
임리(淋漓)한 붉은 피는 곱디 고운 피꽃잎,
피꽃은 江을 이뤄,
강(江)물이 갈앉으면 하늘 푸르름.
혼령(魂靈)들은 강산(江山) 위에 햇볕살로 따수어,
아름다운 강산에 아름다운 나라를,
아름다운 나라에 아름다운 겨레를,
아름다운 겨레에 아름다운 삶을
위해,
우리들이 이루려는 민주공화국(民主共和國).
절대공화국(絶對共和國).

철저한 민주정체(民主政體).
철저한 사상(思想)의 자유(自由),
철저한 경제균등(經濟均等),
철저한 인권평등(人權平等)의,
우리들의 목표는 조국(祖國)의 승리(勝利),
우리들의 목표는 지상(地上)에서의 승리(勝利),
우리들의 목표는
정의(正義), 인도(人道), 자유(自由), 평등(平等), 인간애(人間愛)의 승

리(勝利)인,

인민(人民)들의 승리(勝利)인,

우리들의 혁명(革命)을 전취(戰取)할 때까지,

우리는 아직

우리들의 피기빨을 내릴 수가 없다.

우리들의 피외침을 멈출 수가 없다.

우리들의 피불길,

우리들의 전진(前進)을 멈출 수가 없다.

혁명(革命)이여!

―「우리들의 기빨을 내린 것이 아니다」 전문

이 시는 4·19혁명의 상황과 그 이념을 당대 현장과 비교적 밀착된 거리에서 형상화한 4·19혁명 시의 대표적인 한 작품이다. 『학생혁명시집』(교육평론사, 1960. 7)에 수록되어 있는 이 작품은 당시에 발표된 대다수 현장시들이 흥분과 감격을 평면적으로 영탄하는 경향을 보인 데 비해서 4·19의 성격과 이념을 분명하게 제시한 것으로 판단되기 때문이다.

먼저 이 시는 4·19가 민족의 자유와 민주, 인권과 평등, 인도와 정의, 그리고 인간애의 실천을 위한 우리 모두의 투쟁이며 혁명이라는 점을 분명히 한다. "철저한 민주정체/철저한 사상의 자유/철저한 경제 균등/철저한 인간평등의/우리의 목표는 조국의 승리/우리의 목표는/정의, 인도, 자유, 평등, 인간애의 승리"라는 구절은 4·19가 이 땅의 '민족과 민중을 위한', '민중에 의한', '민중의 인권 혁명'이라는 이념을 확실하게 천명한 것이다.

특히 '~아니다/없다'라는 부정어사의 힘찬 반복은 "그 오오래 우리에게 썩어내린/악으로 불순으로 죄악으로 숨어내린/그 면면한/우리들의 핏줄 속의 썩은 것"들에 대한 강력한 거부와 저항의지를 드러낸 것이 된다. 4·19는 반민주·반민족·반민중의 세력에 대한 정치적 투쟁이며 항거이기도 하지만, 사회 현실의 모순과 비리 및 추악함을 물리치고 정의, 진리, 순수를 확보하기 위한 인간적 해방운동이라는 점을 분명히 한 것이다.

무엇보다 주목할 것은 이 시가 4·19를 지나간 역사적 사건, 일회적 사건으로 단순하게 파악하고 있지 않다는 점이다. 4·19는 과거완료형이 아니라 현재진행형이며, 아울러 미래진행형이 되어야 한다는 깨달음과 그에 대한 확고한 신념을 "우리들의 기빨을 내린 것이 아니다"라는 핵심 구절 속에 선명하게 제시한 데서 박두진의 역사의식과 예언자적 지성의 면모를 확인할 수 있다.[8) "우리는 아직/우리들의 피기빨을 내릴 수가 없다/우리들의 피외침을 멈출 수가 없다/우리들의 피불길/우리들의 전진을 멈출 수가 없다"라는 이 시의 결구에는 앞으로 이 땅에서 민주·인권 혁명으로서의 4·19정신이 지속적으로 계승돼야 할 실천적 명제이자 역사적 과제라는 신념과 그 예언이 깃들어 있는 것이다.

4·19는 이 땅에서 1960년 4월 19일에 일어난 반독재·반정의·반인권에 대한 민족적 저항운동이라는 역사적 성격을 지니는 것이 확실하지만, 동시에 앞으로의 이 땅 역사전개에 있어서도 지속적으로 추진되어야 할 "진행형 혁명"[9)]임을 분명히 함으로써 4·19혁명의 이념과 성격을 성공적으로 구현한 데서 박두진의 역사의식의 탁월성과 그 시사적 의의가 드러난다.

이러한 4·19혁명시는 시 「아, 조국」에서는 "조국은 내가 자란 육신의 고향/조국은 나를 기른 슬픈 어머니"처럼 조국사상으로 나타나기도 하며, 「삼월일일의 하늘」에서는 "유관순누나로 하여 우리는 처음/저 아득한 삼월의 고운 하늘/푸름속에 펄럭이는 피깃발의 외침을 알았다"와 같이 민족정기와 민족애로 구현되기도 하였다.

---

8) 김재홍, 「4·19의 시적 수용과 문제점」(『한국문학』 4월호, 한국문학사, 1985)
9) 신경림, 「우리 시에 비친 4월혁명」(『사월혁명기념시전집』, 학민사, 1983)368쪽.

특히 1,500행이 넘는 장시 「아, 민족」은 우리 민족이 임진왜란 등 수많은 외우내환을 헤쳐 오면서도 마치 불사조처럼 민족적 생명력과 저력을 발휘해 온 과정을 역사적 사실을 토대로 하여 재구성한 장편 대하시로서의 의미를 지닌다. 특히 "오늘 우리가 우리의 조국 못 통일하면/자유, 민주, 민족통일/못 이룩하면/어떻다하리/먼 후예가 오늘의 우리를 어떻다하리"라는 절규 속에는 분단시대인 오늘에 있어서 최대의 역사적 과제가 민족과 국토의 통일이라는 점을 강조한 것이 된다. 이러한 광복정신에 바탕을 둔 조국사상과 민족사상, 그리고 분단 극복의지와 민주화 실천의 의지는 시 「우리들의 8·15를 4·19에 살자」에 선명히 드러나 있다.

8월 15일
오늘 이 하늘에 무엇이 울리나
자유와 승리일까?
민주주의(民主主義)의 새로운 구가(謳歌)일까?

일찌기 「자유해방만세(自由解放萬歲)! 만세(萬歲)!」
웨치며 울며 얼싸안던
그 8·15 오늘은
다만 우리들의 아득한 전설(傳說).

그때 갑자기 인 기쁨 갑자기 인 혼란(混亂)속에 미주(美州)에서
중경(重慶)에서 정객(政客)들 돌아왔고 남북(南北)으로 잘리운
땅에 서로 죽고 죽이워.

다만 선량(善良)한건 백성 순박(淳朴)한건 민중(民衆)뿐
6·25여! 6·25여! 죽음이여!
죽음이었어라!
독재자(獨裁者)들의 희생(犧牲) 피의강(江) 뼈의산(山)이었어라.

아, 8·15는 슬픈 전설(傳說)
화려(華麗)한 신화(神話)
얼떨결 15년을 속아 살아왔거니
승만·리일(一) 일당(一黨)에게 속아 뺏겨왔거니
무슨 말 하리 오늘
이제부터의 8·15는 4·19에 살자.

—「우리들의 8·15를 4·19에 살자」 전문

이 시에서 보듯이 8·15와 6·25, 그리고 4·19는 한국 근대사에 있어서 최대의 역사적 사건들이다. 8·15는 식민통치로부터 민족의 해방과 독립을 성취한 역사적 전환점으로서의 획기적 의미를 지닌다. 그러나 8·15는 6·25라는 동족상잔의 참혹한 비극을 낳는 계기가 되었으며, 남북분단이라는 엄청난 민족사적 불행의 실마리가 됐다는 점에서 부정적인 측면을 내포하기도 한다. 4·19는 해방 후 이 땅에서 지속적으로 추진돼야 할 역사적 민족적 과제가 자유민주주의의 실현이라는 점에서 민족의 저력과 가능성을 보여 준 대혁명이었다. 그것이 비록 미완성 혁명으로 머물고 말았다는 아쉬움을 남겨 준 것이 사실이지만, 4·19는 일제하에서의 3·1운동처럼 민족적인 자존심을 고양시켜 주었으며, 해방 후 이 땅의 이념적 지표를 확실하게 제시했다는 점에서 중요한 의미를 지닌다. 바로 이러한 점들에 대한 명확한 인식이 이 시 「우리들의 8·15를 4·19에 살자」로서 표출된 것이다.

지금까지 살펴본 것처럼 박두진은 4·19를 겪으면서 역사와 현실, 민족과 사회에 대한 관심을 더욱 날카롭게 형상화하기 시작한다. 일제하 어둠 속에서 「해야 솟아라 해야 솟아라」 하고 고대하다가 정작 조국광복과 독립의 해는 솟았지만, 아직도 통일의 해, 민주의 해는 완전한 광명을 발휘하고 있지 못한 현실에서 또다시 더 밝은 태양의 솟아오름을 갈망하고 있는 것이다.

6 신앙시, 섭리사관과 종말론

박두진의 신앙시는 신에 대한 찬양과 감사를 노래하면서도 인간적인 고통과 좌절을 담고 있는 것이 특징이다. 그리고 그 기독교적 신앙심은 섭리사관과 종말론을 핵심으로 하여 전개된다. 그것은 어쩌면 초기시에서 '해'가 유토피아 지향성을 보여준 것에 대한 자연스런 귀결일는지도 모른다.

① 마지막 내려덮는 바위같은 어둠을 어떻게 당신은 버틸 수가 있었는가? 뜨물같은 치욕(恥辱)을, 불붙는 분노(憤怒)를, 에어내는 비애(悲哀)를, 물새 같은 고독(孤獨)을, 어떻게 당신은 견딜 수가 있었는가? 쾅쾅 쳐 못을 박고, 창(搶)끝으로 겨누고, 채찍질해 때리고, 입맞추어 배반(背叛)하고, 매어달아 죽이려는, 어떻게 그 원수(怨讎)들을 사랑할 수 있었는가? 어떻게 당신은 강(强)할 수가 있었는가? 파도(波濤)같이 밀려오는 승리(勝利)에의 욕망(慾望)을 어떻게 당신은 버릴 수가 있었는가? 어떻게 당신은 패(敗)할 수가 있었는가? 어떻게 당신은 약(弱)할 수가 있었는가? 어떻게 당신은 이길 수가 있었는가? 방울방울 땅에 젖는 스스로의 혈적(血滴)으로, 어떻게 만민(萬民)들이 살아날 줄 알았는가? 어떻게 스스로가 신(神)인줄을 믿었는가? 크다랗게 벌리어진 당신의 두 팔에 누구가 달려들어 안길 줄 알았는가? 엘리……엘리……엘리……엘리……스스로의 목숨을 스스로가 매어달아, 어떻게 당신은 죽을 수가 있었는가? 신(神)이여! 어떻게 당신은 인간(人間)일 수 있었는가? 인간(人間)이여! 어떻게 당신은 신(神)일 수가 있었는가? 아!… 방울방울 떨구어지는 핏방울은 잦는데, 바람도 죽고 없고 마리아는 우는데, 마리아는 우는데, 인자(人子)여! 인자(人子)여! 마지막 쏟아지는 폭포(瀑布)같은 빗줄기를 어떻게 당신은 주체할 수 있었는가?

—「갈보리의 노래 2」 전문

② 내게서 당신의 눈길을 돌리시지 마셔요.
　내게서 당신의 음성을 끊으시지 마셔요.

내게서 당신의 입김을 떼시지 마셔요.
내게서 당신의 포옹을 풀으시지 마셔요.
그러시면 나는 천지가 온통 깜깜해 버려져요.
그러시면 나는 두귀가 절벽으로 귀가 멀어요.
그러시면 나는 전신이 꽝꽝차게 얼음 얼어요.
그러시면 나는 낭떠러지 저 낭떠러지로 절벽으로 떨어져요.

—「고백」 전문

③ 별을 보면 별들 속에 내가 있었네.
그 속에서 언제나
당신 만났네.

꽃을 보면 꽃들 속에 내가 있었네.
그 속에서 언제나
당신 만났네.

바닷가 아침에 반짝이는 모래알
하나씩의 모래알에 내가 있었네.

바람이 불고 가면 바람 소리 그속
산새가 울고 가면
산새소리 그 속에

아, 불려가는 낙엽속에 내가 있었네.
거기서도 언제나
당신 만났네.

서걱이는 갈대 속에 내가 있었네.
거기서도 언제나
당신 만났네.

—「사도행전」 9-1

④ —이대로는 우리들을 멸망케 말으소서.
—우리들의 잘못을 이대로 사하소서.
—당신의 형상대로 우리를 만드소서.
—나라가 이땅에 임하게 하소서.
—하늘의 당신뜻을 땅에속히 이루소서.

—상동, 20

박두진의 시는 그 출발점 자체가 기독교정신과 신앙심을 바탕으로 한 것이었지만, 이러한 기독교정신은 그의 전 생애와 시작에 있어서 지속적으로 작용함으로써 마침내 연작시 「사도행전」을 비롯한 수많은 신앙시를 탄생시키게 되었다. 그의 후기시, 즉 70년대에 이르러서 그의 시는 신성사에 관한 집중적인 관심과 탐구를 보여준다. 그것은 예수 그리스도의 수난과 고통, 영광과 은총을 함께 노래하면서 그 속에서 진정한 삶의 길, 신앙의 길을 발견하려는 노력으로 나타난다.

먼저 시 ①은 예수 그리스도가 십자가에 못 박혀 죽어가는 마지막 장면을 박진감 있게 묘사하고 있다. 하느님의 아들, 사람의 아들로서 가장 완성된 인간인 그리스도의 위대한 죽음을 장엄하게 형상화한 것이다. "내려 덮는 바위/불붙는 분노/에어내는 비애/고독/채찍질/창/배반/원수/파도/혈적/폭포/빛줄기" 등과 같은 강렬한 시어의 부딪침과 쉼표와 물음표, 느낌표 등의 다급한 반복은 그리스도의 죽음이 얼마나 비장한 것이었으며 또한 절박한 것이었는가를 제시해 준다. 아울러 그러한 위대한 죽음이 담고 있는 희생과 속죄, 참회와 구원, 용서와 사랑이라고 하는 기독교정신의 참뜻을 강조하고자 한다.

특히 물음표에서 시작되어 물음표로 전개되며, 다시 물음표로 끝맺음되는 이 시의 독특한 구성법은 그리스도의 고난에 찬 행적을 통해서 인간적 삶의 의미와 가치를 발견하려는 구도정신의 발현으로 해석된다. 모든 인류의 죄를 대신해서 스스로 죽음을 수락하고, 그 죽음의 고통을 통해서 인간적 완성과

신적 초월을 이룩한 예수 그리스도의 위대한 생애를 찬양하면서, 동시에 그러한 위대한 생애를 본받아 따르고 싶다는 신앙심을 애절하게 드러낸 것이다. 예수 그리스도의 고통은 인류 모두의 것이며 그렇기 때문에 바로 시인 자신의 것일 수밖에 없다는 깨달음이 자리잡고 있는 것이다.

시 ②는 절대자로서의 "당신"이 "나"에 있어 삶의 시작이며 그 목표이고, 우주의 중심이라는 간절한 신앙고백을 담고 있다. "마셔요"라는 결구의 반복을 통해서 신에 대한 간구를 지속적으로 드러낸다. 특히 앞의 4행과 뒤의 4행을 대구식으로 병치하여 구조적인 안정감을 획득하고 있는 사실은 신앙이 삶의 중심에 위치함으로써 삶에 용기와 힘을 불어넣어 주며 마침내 구원으로 이끌어 주는 정신적 원동력이라는 점을 시사한 것이 된다. 나를 존재케 해주고, 완성과 구원으로 이끌어 주는 "당신"에게 "내" 삶의 모든 것을 헌신하고 의존하고자 하는 절대신앙이 표출된 것이다.

시 ③은 연작시 「사도행전」 중의 한 편인데, 이 시는 '나'와 '세계', 그리고 신앙의 삼위일체를 보여준다는 점에서 특히 관심을 끈다. 별과 꽃, 모래알과 산새소리, 그리고 갈대 속에서 나와 당신이 함께 혼연일체가 되어있음을 새롭게 자각한다. 세계와 '나', 그리고 '당신'이 하나로 화합하면서 정신의 행복한 승리감을 맛보는 것이다. 그만큼 신앙의 육화를 성취했다는 말이다. 아울러 이 시에는 참된 신앙의 길 속에서 삶의 의미와 나의 존재를 새삼 발견하는 과정에서의 신앙적 희열이 담겨져 있는 것으로 이해된다.

시 ④는 기독교사상의 한 핵심인 섭리사관과 종말사관을 제시한다. 「사도행전」의 마지막 작품인 이 시는 인류의 삶에 있어서 그 존재의 밑바닥에는 언제나 신의 섭리와 목적이 존재한다는, 다시 말해서 우주와 역사 형성의 주재자를 유일신으로 보는 섭리사관이 강력하게 제시되어 있다. 첫 행은 인류가 온갖 죄악과 부패로 인해서 멸망의 위기에 처해 있음을 경고하는 뜻이 담겨 있다. 그러므로 둘째 행에서 죄의 사함을 간구하게 된다. 셋째 행은 우주, 만유의 창조자·조물주로서의 신의 위대함을 역설적으로 강조한다. "당신의 형상대로 우리를 만드소서"라는 미래시제는 이러한 하나님의 위대한 권능을 찬양하고자 하는 뜻을 담고 있다. 넷째·다섯째 행은 종말사관을 제시함으로써 하나님 왕국의 도래에 대한 기다림으로 끝맺음 한다. "나라가 이 땅에 임하게 하옵소서/하늘의 당신 뜻을 땅에 속히 이루소서"와 같이 주기도문의 일부를 인용하여 현재 인류의 삶이 종말에 가까워지고 있으며, 이 종말에 드디어 예수가 재림함으로써 하나님의 왕국, 즉 메시아왕국이 건설될 것이라는 신앙적 예언과 확신을 표출한 것이다.

실상 이렇게 볼 때 이 시에는 오늘날 지상의 삶이 하나님의 뜻대로 이루어지지 못하고 온갖 불의와 사악이 범람하고 있는 데 대한 항거의 뜻이 담겨 있는 것으로 이해된다. 아울러 어서 빨리 메시아왕국이 이 땅에 건설되기를 간구하고 소망하는 절박한 기도가 담겨져 있는 것으로 풀이된다. 실상 이 「사도행전」이 "예수의 수난과정으로부터 회생되는 종말을 읊은 시"[10]라고 볼 때 이러한 해석은 크게 무리가 없을 것이다. 진정한 신앙시란 신의 위대함을 찬양하고 은총에 감사하는 것이기도 하지만, 신앙의 길에 있어서의 회의와 좌절을 노래할 수도 있는 것이라는 점을 음미한다면 이 연작시가 지니는 의미가 쉽게 드러난다. 그것은 이 「사도행전」이 신성사를 핵심으로 하지만, 그것이 어디까지나 인간사를 기반으로 하는 것이며 또한 이 두 가지가 함께 화해하고 교감을 이루는 데서 올바른 삶의 길, 참다운 신앙의 길이 열린다는 깨달음을 제시한 것으로 풀이되기 때문이다.

> 연재시 「사도행전」은 물론 기독교에서 말하는 <사도>에 연유한 제목이었고 그 주제였었다. 그러나 실제의 나의 시적 동기와 그 의도는 보다 더 광범한 의미로서이고 꼭 기독교와 그리스도의 사도로 국

---

10) 신동욱, 「역사에 있어서 결핍과 충족의 변증법」(『박두진전집』 7권, 범조사, 1984) 274쪽.

한하지는 않았다.

—시집 『사도행전』 자서에서

이러한 박두진 자신의 술회에서 볼 수 있듯이 그의 신앙시는 신앙 자체 또는 신성사에만 국한된 것이 아니라 인류의 삶 전체를 향해서 열려진 것임을 알 수 있다. 실상 이처럼 열린 정신을 가지려고 항상 노력한 데서 박두진의 비판정신이 정당성과 객관성을 확보할 수 있었음은 물론이다.

7 광물적 상상력과 영원주의

박두진의 시세계는 『수석열전』과 『속·수석열전』에 이르러서 자연사와 인간사 및 신성사가 하나로 합치됨으로써 그 시의 정점에 도달하게 된다. '수석'이라고 하는 돌의 형상, 즉 광물적 상상력을 바탕으로 해서 자연사와 인간사 및 신성사를 하나로 통합·압축하게 된 것이다. 수석은 우주 자연의 축도이면서 인생의 축약이며, 신앙의 응결체이기 때문이다.

① 먼 항하사
영겁을 바람부는 별과 별의
흔들림
그 빛이 어려 산드랗게
화석하는 절벽
무너지는 꽃의 사태
별의 사태
눈부신,
아
하도 홀로 어느 날에 심심하시어
하늘 보좌 잠시 떠나

납시었던 자리.
한나절내 당신 홀로
노니시던 자리.

—「천태산 상대」 전문

② 날새도 바람결도 얼어서 박히고
눈물도 옛날도 얼어서 박히고
꿈도 사랑도
달밤도 그 아침해도 얼어서 박히고
별들도 무지개도 얼어서 박히고
만남과 그 헤어짐
남과 죽음
영화와 그 몰락
아우성도 환호도 얼어서 박히고
비수와 꽃
깃발도 그 개선가도 얼어서 박히고
얼어서 박히고……

—「빙벽무한」 전문

③ 해와 달과 별이 내려 옛날얘기한다.
사슴 하나 서서 듣다 물만 먹고 가고,
나무들도 지켜서서 바람 잠재우고,
먼 바다 먼 바다 먼 바다 시름,
뒤착이는 바다설렘 잠들 때까지,
무궁 무한 억겁 세월 심심한 때 만나,
해와 달과 별이 내려 옛날얘기한다.

—「천지」 전문

④ 거기서 너 서 있는 채로 떠내려가지 말아라.
거기서 너 서 있는 채로 무너지지 말아라.
거기서 너 서 있는 채로 뒤돌아보지 말아라.

거기서 너 서 있는 채로 눈물흘리지 말아라.
거기서 너 서 있는 채로 너를 잃어버리지 말아라.
네가 가진 너의 속의 불을 질러라.
네가 가진 너의 속의 칼을 갈아라.
네가 가진 너의 속의 심장을 푸득여라.
이에는 이로 갚고 사랑 포기하라.
눈에는 눈으로 갚고 사랑 포기하라.

—「십계」 전문

인용한 네 편의 시에는 수석, 즉 돌이 각각 상상력의 발화점으로서 작용하고 있다. 돌은 이 시편들의 소재이면서 제재이고, 동시에 주제에 해당한다. 아울러 상상력을 이끌어가는 힘으로서의 의미를 지닌다. 따라서 수석은 이미 물질로서의 돌이 아니라 정신으로서의 돌이며 예술로서의 돌이고, 그리고 신앙으로서의 돌로 변모·상승되어 있다. 이 수석 속에는 민족과 현실, 인간, 국토, 역사, 예술, 신앙 그리고 온갖 관념과 사상이 폭넓으면서도 깊이 있게 투영되어 있는 것이다.

먼저 시 ①은 '천태산'이라는 말뜻 그대로 하늘에 솟아 있는 높고 높은 산에 "당신", 즉 하나님이 노니시는 모습을 묘사한다. 수석의 모습이 마치 하나님이나 납실 만큼 높고 빼어난 형상을 지니고 있다는 말이다. 단순한 돌로서가 아니라 이미 신앙화 내지 신성화된 돌로서 상승한 것이다. 다시 말해서, 광물적 상상력이 우주적인 교감을 획득함으로써 신성사의 차원으로 자연스럽게 육화를 성취했다는 뜻이다.

②시에는 우주와 시간, 인간과 생멸 등 모든 우주적 질서와 인간적 질서, 그리고 자연의 이법이 돌 속에 하나로 통합되어 있다. 특히 이 시가 주목되는 것은 돌 속에 온갖 시간의 흐름과 우주의 흐름 및 인간사의 흐름이 하나의 정지된 형상으로 응결됨으로써 시간의 공간화(물질화)를 성취하고 있다는 점이다. 그만큼 박두진의 상상력이 우주만물을 자유자재로 통합하고 변용시키는

유연성과 탄력성을 획득하고 있는 것으로 이해된다.

시 ③「천지」는 백두산 천지 형상의 수석을 통해서 우주적 질서의 친화와 교감을 노래하고 있다. 광물적 상상력이 "해와 달과 별이 내려 옛날애기한다" 처럼 우주적 상상력으로 상승돼 있는 것이다. 동시에 수석을 통해서 국토에 대한 신앙적 애정을 표출한 것으로 보인다.

시 ④「십계」는 돌을 완전히 관념화하고 있어서 주목된다. 특히 이 시는 '십계'라고 하는 성서적 계율을 자신의 내면적인 도덕률로서 변형시킴으로써 좌우명을 완성하고 있다는 데서 육화된 신앙을 단적으로 읽을 수 있다. "거기서 너 서 있는 채로 무너지지 말아라/거기서 너 서 있는 채로 너를 잃어버리지 말아라" 등의 구절과 같이 견고한 의지의 삶, 주체적인 삶의 태도를 가져야 한다는 인간적인 내심의 명령을 신성사적 차원으로 통합시킨 것이다. 매 행마다 반복되는 "말아라/하라"라는 명령형 어미 속에는 좀 더 강한 이념지향성과 살아 있는 정신 및 사랑의 철학을 갖고서 인생을 살아가야 한다는 자신에 대한 채찍질이 들어 있는 것으로 해석된다. 이렇게 본다면 수석은 단순한 광물로서의 돌이 아니라, 정신의 표상이자 신앙의 상징으로서 상승돼 있음을 확인할 수 있게 된다. 수석은 돌이 내포하는 견고한 속성으로 인해서 이념적 삶과 영원성을 표상하는 것으로서, 응결·압축된 형상을 지닌다는 점에서 자연과 우주적 질서의 축도로서, 또한 각양각색 신비한 모습으로 존재한다는 점에서 신성사의 상징으로서 의미를 지닌다.

이렇게 본다면『수석열전』은 광물적 상상력을 매개로 해서 박두진의 인생과 예술 및 신앙이 하나로서 일체화되고 통합된 것임을 알 수 있다. 이것은 그가 초기시에서 자연을 매개로 해서 이념을 형상화하던 방법에서 나아가, 마침내 자연과 인간과 신앙의 행복과 화해와 일치를 획득함으로써 인생과 예술에 있어서 하나의 이념태에 근접하게 됐음을 시사하는 것이 된다. 박두진이 전 생애에 걸쳐 이상으로 생각했던 것은 자연 그 자체만이 아니었으며, 인생이나 예술 그 자체만도 아니었고, 아울러 신앙 그 자체만도 아니었던 것으로 보인다. 자연과 인생, 예술과 신앙이 하나로서 행복한 화해와 일체를 이룸으로써 인간다운 인간에로의 길, 참다운 예술로서의 길, 그리고 신성사가 의미하는 영원에의 길로 나아가고자 한 것이다.

□ 맺음말

박두진은 '청록파'의 일원이었다는 사실만으로써도 해방 후 시사에 중요한 위치를 차지한다. 해방공간의 혼란 속에서 그들이 추구한 자연의 발견과 그 탐구의 노력은 그것 자체가 신선한 생동감을 던져 주기 때문이다.

그의 시세계는 대략 자연사에 대한 관심으로부터 출발하여, 차츰 인간사로 기울어져 갔으며, 마침내는 신성사에 근접해 간 것으로 이해된다. 그렇지만 그 어떤 경우라도 기독교정신과 신앙심은 그의 시에 저류로서 흐르고 있었으며, 근년에 이르러서는 특히 인생과 예술과 신앙이 하나로 합치되는 행복한 면모를 보여준다. 아울러 그는 시인과 현실과의 관계에 있어서 시인은 시인으로서의 본도를 걸어가야 하는 것이 대원칙이지만, 역사의 위기에 처하여서는 현실과 사회에 대한 참여를 할 수도 있어야 한다는 바람직한 시인의 길을 제시한 것으로 이해된다. 그에 있어 현실이란 항상 어두운 것으로서 인식되었으며, 그렇기 때문에 항상 천상의 질서에 대한 갈망과 함께 미래지향적인 역사의식이 표출되었다.

그의 시가 지니고 있는 단점 또한 적지 않다. 그의 시에는 육화되지 못한 관념어가 많이 등장하여 난해함을 불러일으키며, 또한 동어반복적인 요소가 되풀이됨으로써 식상한 느낌을 던져 주기도 한다. 구조적인 면에서도 대체로 시가 길고 산만한 경우가 많아서 시적인 탄력과 긴장감을 저해하며, 구조적인 안정감을 결여한 경우도 없지 않다. 무엇보다도 신앙시가 대단히 많음에도 불구하고, 그것들이 전체적인 체계나 집중을 이루지 못함으로써 단편적인 신앙고백이나 넋두리의 차원에 머물고만 느낌을 주는 것은 커다란 아쉬움이 아닐 수 없다.

그럼에도 불구하고 그의 시는 밝고 힘찬 남성적 기상과 종교적인 신앙의 깊이를 이 땅 현대시에 불어넣어 주었다는 점에서 커다란 중요성을 지닌다. 특히 그와 그의 시는 정신사적인 면에서 만해를 비롯한 이 땅의 지사적 시인들의 맥락을 계승하고 있으며, 김수영을 비롯한 해방 후 비판적 지성의 시인들에 있어서 그 선구적 위치에 놓인다는 점에서 소중한 위치를 지닌다. 그의 시는 항상 미래지향의 건강한 역사의식과 신앙심을 바탕으로 비판적 지성과 예언자적 지성을 예술적인 차원으로 상승시키려는 노력을 보여주고 있다는 점에서 앞으로도 이 땅 예술사와 지성사에 빛을 던져 줄 것으로 기대된다.

□ 연 보

1916 : 3월 10일 경기도 안성에서 출생. 호는 혜산(兮山).

1939 : 「향현」, 「묘지송」, 「낙엽송」, 「들국화」 등의 작품이 지용에 의해 『문장』지에 추천됨으로써 문단에 데뷔하다.

1946 : 조지훈, 박목월과 함께 『청록집』을 출간하다.

1948 : 한국청년문학가협회 시부 위원장, 전국문화단체총연합회 중앙위원 역임.

1949 : 시집 『해』 출간 이후 『오도』(1954), 『박두진 시선』(1956), 『거미와 성좌』(1961), 『인간밀림』(1963), 『하얀 날개』(1967), 『고산식물』(1973), 『사도행전』(1973), 『수석열전』(1973), 『속·수석 열전』(1976), 『야생대』(1977) 등 다수의 시집을 간행하다.

1951 : 연세대 전임강사, 조교수로 승진(1959).

1957 : 아세아 자유문학상 수상.

1960 : 시론집 『시와 사랑』 출간. 4·19 후 학내 분규로 연세대 교수직 사임.

1965 : 우석대 조교수로 취임.

1968 : 박목월, 조지훈과 『청록집·기타』, 『청록집·이후』를 출간하다.

1970 : 시론집 『한국현대시론』 출간. 이화여대 부교수로 취임. 3·1문화상 예술상 수상.

1972 : 연세대 교수로 재취임하다.

1973 : 수상집 『언덕에 이는 바람』 출간.

1976 : 대한민국 예술원상 수상.

1981 : 연세대 교수직 정년퇴임. 『박두진 전집』(전 21권) 간행. 단국대 초빙 교수로 취임.

1982 : 시선집 『나 여기에 있나이다, 주여』 출간.

1985 : 단국대 초빙 교수를 퇴임.

1986 : 추계예술대 전임대우교수로 취임.

1998. 9 : 사망

16. 지훈(芝薰) 조동탁(趙東卓)

—고전적 상상력과 역사의식—

"세사에 시달려도 번뇌는 별빛이라"고 노래하던 지훈(芝薰) 조동탁(趙東卓)(1920.12.3.~1968.5.17.), 그는 '청록파' 중의 대표적인 시인으로서, 뛰어난 논객이자 중후한 국학자로서, 또한 초강한 애국지사로서 48년이라는 길지 않은 생애를 살다간 사람이다. "그는 당대 일류의 시인이었으며 또한 논객이요 학자였다. 그에게는 화사하고 청장한 시가 있는가 하면 온축을 기울인 문학론이 있고 우아하고 뇌락한 수상이 있는가 하면 유려한 번역이 있고 당당한 논설이 있고 정치한 학술논고가 있다"(「조지훈전집」 간행사)라는 적절한 프로필 소개가 있듯이, 그는 이 땅 현대사에 있어서 마지막 남은 선비의 한 사람이요, 걸출한 교육자의 한 사람이었다. 아울러 그는 해방 후 이 땅 민족문학을 주도하고 시단을 이끌어 간 대표적 문단 지도자의 한 사람이었으며, 6·25와 4·19에 직접 참여하면서 투철한 사회의식과 역사의식을 펼쳐 나간 지절시인의 한 사람이었다.

지금까지 그에 관한 연구는 다양한 각도에서 이루어져 왔다. 대략 그것은 시론, 학문론, 인간론 등으로 요약할 수 있다. 그렇지만 그가 쌓은 학문적 업적이나 그의 문학사적 중요성에 비추어 보면 아직도 그에 관한 논의는 미진한 감이 없지 않다. 그 중요한 이유는 그의 박학다식함과 시세계의 폭넓음으로 인해서 그에 대한 연구가 총체적인 포괄성을 획득하기 어렵다는 점 때문이기도 하다. 따라서 본고에서는 조지훈의 시세계만을 대상으로 하여 그 특징을 살펴보기로 한다.

1 폐쇄된 자아와 불안의식

조지훈은 1939년 4월 『문장』 3호에 「고풍의상」으로 첫 추천을 받고, 이어서 「승무」(상동, 11호) · 「봉황수」, 「향문」(상동, 13호, 1940. 2) 등이 추천 완료됨으로써 시단에 등장하였다. 이때는 그가 스무 살 나던 해로서, 갓 결혼할 무렵이었고 아직 혜화 전문에 재학 중인 시기였다. 해방 후 그는 박목월·박두진과 함께 각기 15편씩을 모아 3인 시집 『청록집』(을유문화사, 1946)을 엮었으며, 이로 인해 '청록파'라 불리게 되었다. 이후 그는 『청록집』에서 9편을 추리고 신작 26편을 엮은 제2시집 『풀잎단장』(창조사, 1952)을 내었고, 다시 『청록집』에서 11편, 『풀잎단장』에서 23편을 추리고 여기에 신작 36편을 묶어 제3시집 『조지훈시선』(정음사, 1956)을 발간하였다. 또한 그는 『풀잎단장』에서 3편과 신작 47편을 묶어 제4시집 『역사 앞에서』(신구문화사, 1959)를 펴내었고, 다시 1957년부터 1964년에 이르는 7년간의 신작을 묶어 마지막 제5시집 『여운』(일조각, 1964)을 발간하였다. 또한 지훈의 작고 직후인 1968년에는 『청록집』과 초기 작품을 수록한 『청록집, 기타』(현암사, 1968) 및 『청록집이후』(현암사, 1968)가 출간되었다. 특히 지훈이 작고한 5년 후인 1973년에 조지훈전집편찬위원회가 결성되어 『조지훈전집』 전 7권(이중 시집은 1, 2권인데 1권은 기간(旣刊)의 시집을 묶었고, 2권은 시집에서 다 싣지 못했던 작품들을 수록했다)이 일지사에서 간행되었다(본고에서는 이 시집을 인용하였다). 다시 그의 작고 10년 후인 1978년에는 시론·학문론·인간론을 묶은 『조지훈연구』(고려대 출판부)가 발간됨으로써 지훈의 전체적인 면모가 개략적으로나마 밝혀지게 되었다. 이 점에서 '조지훈 연구'는 이제부터 시작된다고 해도 과언이 아닐 것이다. 실제로 그에 관한 연구는 문학평론, 문학사, 민속학, 문학사, 역사, 민족운동사 등에 걸쳐 포괄적으로 전개될 필요가 있다. 그러면 그의 시세계를 살펴보기로 하자.

① 마음 후줄근히 시름에 젖는 날은
동물원(動物園)으로 간다.

사람으로 더불어 말할 수 없는 슬픔을
짐승에게라도 하소해야지.

난 너를 구경오진 않았다.
뺨을 부비며 울고 싶은 마음.
혼자서 숨어 앉아 시(詩)를 써도
읽어 줄 사람이 있어야지
쇠창살 앞을 걸어가며
정성스레 써서 모은 시집(詩集)을 읽는다.

철감(鐵柑) 안에 갇힌 것은 나였다
문득 돌아다보면
사방(四方)에서 창살틈으로
이방(異邦)의 짐승들이 들여다본다.

<여기 나라 없는 시인(詩人)이 있다>고
속삭이는 소리……

무인(無人)한 동물원(動物園)의 오후(午後) 전도(顚倒)된 위치(位置)에
통곡(痛哭)과도 같은 낙조(落照)가 물들고 있었다.

—「동물원의 오후」

② 이 어둔 밤을 나의 창가에 가만히 붙어 서서
방안을 들여다보고 있는 사람은 누군가.

아무 말이 없이 다만 가슴을 찌르는 두 눈초리만으로
나를 지키는 사람은 누군가.

만상(萬象)이 깨여 있는 칠흑(漆黑)의 밤 감출 수 없는
나의 비밀(秘密)들이 파란 인광(燐光)으로 깜박이는데

내 불안(不安)에 질리워 땀흘리는 수많은 밤을
종시 창가에 붙어 서서 지켜보고만 있는 사람

아 누군가 이렇게 밤마다 나를 지키다가도
내 스스로 죄(罪)의 사념(思念)을 모조리 살육(殺戮)하는 새벽에—

가슴 열어제치듯 창문을 열면 그때사 저
박명(薄明)의 어둠 속을 쓸쓸히 사라지는 그 사람은 누군가.

—「영상」

시 ①은 시집 『역사 앞에서』(1959)에, ②는 시집 『조지훈시선』(1956)에 각각 수록된 작품이다. 이 둘은 모두 식민지 시대 조지훈의 습작기에 쓰인 것이지만 "발표할 수 없었던 탓으로, 발표할 시기를 놓쳤기 때문에, 혹은 좀 더 손을 보기 위해서 발표를 미루어 온 것"들에 해당한다(시집 『역사 앞에서』 서문). 아울러 이 작품들은 시인 스스로 일컫듯 '지옥기'로서의 성격을 지니는 것으로 보인다.[1]

먼저 시 ①에는 일제 말기의 폐쇄된 현실과 그에 대한 절망감이 잘 드러나

1) 이 <지옥기(地獄記)> 시편에 관해서는 김홍규가 살펴본 바 있다. (김홍규, 「조지훈의 '지옥기 시편에 관하여」(『한국현대시사연구』, 일지사, 1983) 523-532쪽.

있다. "동물원"이라는 시의 배경 자체가 억압과 질곡으로서의 현실 모습을 표상한다. 시의 화자가 동물원을 찾는 행위는 이러한 현실에 대한 좌절감으로부터 기인한다. 그것은 일차적으로 "더불어 말할 사람", 즉 동료의 부재 때문이며, "혼자서 숨어 앉아 시를 써도 읽어 줄 사람"이 없기 때문이기도 하다. 다시 말해서, 비관적 현실인식 또는 절망적 시대인식이 시의 밑바탕에 짙게 깔려 있는 것이다. 이러한 비관적 현실인식은 실상 "여기 나라 없는 시인이 있다"라는 구절에서 볼 수 있듯이 국권상실에 보다 근본적으로 연원한다. 실상 "시름/슬픔/통곡/철책" 등의 비관적인 시어나 "없는/않았다/무인한" 등의 부정적 시어들은 이러한 국권상실에서 오는 암담한 절망을 반영한 것으로 보인다. 여기에서 퍼스나와 동물의 위치가 전도되는 존재의 희화화가 일어나게 된다. "철책 안에 갇힌 것은 나였다/문득 돌아다보면/사방에서 창살틈으로/이방의 짐승들이 들여다본다"라는 구절 속에는 식민지하 절망의 시대를 살아가는 시적 자아에 대한 울분과 함께 그럴 수밖에 없이 만든 힘, 즉 일제 당국에 대한 강력한 적개심이 담겨 있는 것으로 보인다. 짐승과 "나"의 위치 전도 현상은 실상 극도의 심리적 좌절감과 자의식의 과잉에서 유발된 일종의 착란 현상일 수도 있는 것이다. 그만큼 시대 상황에 대한 절망이 깊은 것이며, 그에 따른 울분과 적개심이 강하게 분출된 것으로 이해되기 때문이다. 아울러 강박관념과 위기의식의 표출일 수도 있는 것이다.

시 ②에서도 시대 현실에 대한 절망적 인식과 불안의식이 그대로 드러난다. 먼저 현실인식은 밤과 어둠으로 표상된다. "어둔 밤/칠흑의 밤/땅 흘리는 밤/박명의 어둠" 등이 그러한 절망감과 위기의식을 잘 반영하고 있다. 아울러 갇힌 현실, 폐쇄된 상황에 대한 불안감이 "방/방안" 및 "지키는/들여다보는/가슴을 찌르는/불안에 질리워 땀 흘리는" 등의 이미지로 제시되고 있다. 그렇기 때문에 "내 스스로 죄의 사념을 모조리 살육하는"이라는 공포에 가까운 분위기가 드러나게 된다. 끊임없이 갇힌 방 안에서 누군가에게 감시당하고 있다는 불안감과 위기의식이 잘 표출된 시이다. 실상 이러한 불안감과 위기의식이야말로 일제 말엽, 식민지 치하의 암흑 속을 살아가던 이 땅 대다수의 민중들에 있어서 공통된 심리 현상이었음이 분명하다. 이들은 동물원에 갇혀 통곡하는 짐승의 모습이자 방 안에서 감시당하다가 살육당하는 죄인의 모습과 다를 바 없었기 때문이다.[2] 이처럼 습작기에 있어 지훈의 시는 현실에 대한 절망과 분노를 담고 있으며, 아울러 그에 대한 위기감과 불안의식을 표출하고 있는 것이 특징이다.

2 고전정서와 민족의식

①벌레 먹은 두리기둥 빛 낡은 단청(丹靑) 풍경 소리 날러간 추녀 끝에는 산새도 비둘기도 둥주리를 마구 쳤다. 큰나라 섬기다 거미줄 친 옥좌(玉座) 위엔 여의주(如意珠) 희롱하는 쌍룡(雙龍) 대신에 두 마리 봉황새를 틀어올렸다. 어느 땐들 봉황이 울었으랴만 푸르른 하늘 밑 추석(甃石)을 밟고 가는 나의 그림자. 패옥 소리도 없었다. 품석(品石) 옆에서 정일품(正一品) 종구품(從九品) 어느 줄에도 나의 몸둘 곳은 바이 없었다. 눈물이 속된 줄을 모르랴이면 봉황새야 구천(九天)에 호흡(呼吸)하리라.

—「봉황수」 전문

② 하늘로 날을 듯이 길게 뽑은 부연끝 풍경이 운다.
처마끝 곱게 늘이운 주렴에 반월(半月)이 숨어
아른아른 봄밤이 두견이 소리처럼 깊어 가는 밤
곱아라 고아라 진정 아름다운지고

2) 신동욱은 철책 안에 갇힌 것은 이방의 짐승이 아니라 한국의 시인이며 한국인 전부라고 해석한다. (신동욱, 「조지훈 시에 나타난 저항의식」(『조지훈연구』, 고려대학교 출판부, 1978)120쪽.

파르란 구슬빛 바탕에
자지빛 호장을 받친 호장저고리
호장저고리 하얀 동정이 환하니 밝도소이다.
살살이 퍼져 나린 곧은 선이
스스로 돌아 곡선(曲線)을 이루는 곳
열두폭 기인 치마가 사르르 물결을 친다.
초마끝에 곱게 감춘 운혜(雲鞋) 당혜(唐鞋)
발자취 소리도 없이 대청을 건너 살며시 문을 열고
그대는 어느 나라의 고전(古典)을 말하는 한마리 호접(蝴蝶)
호접(蝴蝶)이냥 사푸시 춤을 추라 아미(蛾眉)를 숙이고……
나는 이 밤에 옛날에 살아
눈 감고 거문고줄 골라 보리니
가는 버들이냥 가락에 맞추어
휜 손을 흔들어지이다.

—「고풍의상」 전문

이 두 편의 시는 지훈이 약관의 나이에 쓴 그의 『문장』지 데뷔작이다. 그만큼 지훈의 초기 시세계를 선명히 보여준다 할 수 있겠다.

> 조군(趙君)의 회고적(懷古的) 에스프리는 애초에 명소고적(名所古蹟)에서 날조한 것이 아닙니다. 차라리 고유(固有)한 푸른하늘 바탕이나 고매(高邁)한 자기(磁器)살결에 무시(無時)로 거래하는 일말운하(一抹雲遐)와 같이 자연(自然)과 인공(人工)의 극치(極致)일가 합니다 …… 중략…… 시단(詩壇)에 하나의 「신고전(新古典)」을 소개(紹介)하며…… 쁘라—보우!
>
> —「시선후」(『문장』 2권 2호)

이러한 지용의 선후평에서도 볼 수 있듯이, 지훈의 시들은 대략 '회고적 에스프리' 또는 '신고전'적인 인상을 던져 주는 것이 사실이다. 물론 지훈은 앞에서 살펴본 것처럼 현실적인 관심을 드러낸 습작들도 쓰고 있었지만, 선자에 의해 회고적 분위기의 작품이 추천됨으로써 이후의 시세계는 이 방면으로 기울어지게 된다.

먼저 ①시는 기울어져 가는 것, 사라져 가는 것들에 대한 애수와 회상을 노래하고 있다. "벌레먹은 두리기둥/빛낡은 단청/거미줄 친 옥좌" 등의 소재들이 이러한 소멸하는 것들에 대한 애수를 표출한다. 그것은 멸망해 가는 역사에 대한 관심이며, 소멸해 가는 것들에 대한 애정의 표현이다. 그러면서도 여기에 지난날 역사의 그릇됨에 대한 비판과 반성을 제기한다. "큰 나라 섬기다 거미줄 친 옥좌"라는 구절이 그것이다. 이것은 이 땅 역사를 그르쳐 온 사대주의에 대한 비판인 동시에 민족적 주체성에 대한 강조이다. 따라서 이 시의 핵심이 드러나게 된다. 그것은 사라져 가는 것으로서의 고전 정서와 민족혼, 퇴락해 가는 것으로서의 민족 정신에 대한 강력한 갈망이며 부활의지를 의미한다. 이 시에서 "패옥 소리도 없었다/나의 몸둘 곳은 바이 없었다"라는 구절에 드러나는 부정적 현실인식과 비관적 세계관이 국권상실에 연유한다는 점은 쉽게 짐작할 수 있는 일이다.

따라서 이 시는 사라져 가는 것, 퇴락해 가는 것들에 대한 관심과 애정을 통해서 민족혼의 부활과 국권 회복의 꿈을 노래한 작품이라 할 수 있다. 아울러 소멸하는 것들로서의 고전정서에 대한 애수를 노래함으로써 전통의 현대적 계승을 소망하고, 민족적 주체성의 확립을 지향하려는 열린 의도를 반영한 것이다. 지훈의 이러한 회고적 에스프리는 그것이 단지 과거적 상상력의 소산이 아니라, 현재에 있어서 전통의 살아 있는 자취를 확인함으로써 민족혼의 부활을 갈망한 것이라는 점에서 긍정적 의미를 지닌다. 역사로부터 밀려나고 현실로부터 소외되어 절망하던 당대 한민족에게 있어 회고적 정서, 고전정신에 대한 회복의지와 노력이야말로 하나의 정신적 구원을 의미할 수 있었기 때문이다.

시 ②에는 전통에 대한 관심과 애정이 더욱 구체적으로 나타나 있다. 고풍의상이란 고전적인 아취와 풍격을 지닌 한복을 일컫는다. 이러한 고전의상에 대한 관심과 애정은 여기에서는 애수의 미학이 아닌 찬탄과 탐미로서 나타난다. 시의 배경 자체가, 처마의 곡선이 아름다운 한옥이 공간 배경이며 봄밤이 시간 배경이다. "풍경/주렴/반월/두견" 등의 탐미적 소재들이 어울려서 시적 미감을 고조시킨다. 여기에 호장저고리의 하얀 동정이 눈부시게 빛나고, 치마의 아름다운 곡선이 물결친다. 아울러 치마 끝에 보일 듯 말 듯 운혜, 당혜가 여운을 불러일으킨다. 저고리부터 치마, 그리고 버선발에 이르기까지 부드러운 곡선의 미가 넘실거리며, 이 옷을 입은 인물 역시 "발자취 소리도 없이/살며시 문을 열고 한마리 호접/호접이냥/사푸시 춤을 추라 아미를 숙이고"와 같이 은근한 자태와 율동미를 자랑하는 것이다. 따라서 "나는 이 밤에 옛날에 살아/눈 감고 거문고줄 골라 보리니"라는 온고이지신의 고전 정취에 흠뻑 젖어 들게 된다. 이른바 주객이 혼연일체가 되어 무아의 경지에 몰입[3]한 것이다.

다소 과장적인 면이 없지 않지만 이 시는 고풍의상의 아름다움을 노래함으로써 전통정신의 살아 있음과 그 회복의 소중함을 강조한 것이다. 고풍의상은 바로 조선심의 표현이자 민족의식의 표상에 해당하기 때문이다. 아울러 이 시에 국어미에 대한 재발견의 노력이 드러난다는 것은 소중한 일이 아닐 수 없다. 체언에 있어서도 "호장저고리/하얀 동정/거문고/버들/구슬/가락" 등의 고유어 발굴은 물론 "고아라/아름다운지고/밝도소이다/흔들어지이다" 등과 같이 어미 처리에 대한 섬세한 배려를 보여준다. 이러한 고전의상에 대한 관심과 애정은 바로 내 것의 소중함, 오래된 것으로서의 우리 것에 대한 가치관의 확립을 의미한다. 아울러 국어미에 대한 발굴과 그 가치의 재발견은 일제하 빼앗긴 시대, 상실의 시대에 있어서 민족혼과 부활의지의 구현에 해당

3) 정한모, 「초기작품의 시세계」(『조지훈연구』, 앞의 책)20쪽.

한다. 일제의 지속적인 침탈과 억압 속에서 역사와 전통을 빼앗기고, 마침내 민족과 언어마저도 상실할 지경에 이른 시기에 전통의상과 국어미에 대한 가치의 재발견을 통해서 역사와 민족의 살아 있음을 증거하려 노력한 데서 이 시의 의미가 드러난다.

실상 시인의 사명이 민족혼의 고취와 민족어의 완성에 목표를 두고 있다는 점에 비추어, 조지훈의 이러한 노력은 단순한 복고취미가 아니라 확고한 현실의식으로부터 비롯된 것이라는 점에서 설득력을 지닌다. 더구나 국권상실의 시기에 있어서 시인이 할 수 있는 가장 큰 저항은 바로 이러한 전통정신의 부활과 국어미의 발굴을 통해서 민족혼을 확립하고 민족어를 완성하는 길일 수 있는 것이다.

3 방랑의식 또는 소멸의 미학

① 꽃이 지기로 소니
바람을 탓하랴.

주렴 밖에 성긴 별이
하나 둘 스러지고

귀촉도 울음 뒤에
머언 산이 닥아서다.

촛불을 꺼야 하리
꽃이 지는데

꽃 지는 그림자

뜰에 어리어

하이얀 미닫이가
우련 붉어라.

묻혀서 사는 이의
고운 마음을

아는 이 있을까
저허하노니

꽃이 지는 아침은
울고 싶어라.

—「낙화」 전문

② 차운산 바위 우에 하늘은 멀어
산새가 구슬피 울음 운다.

구름 흘러 가는
물길은 칠백리(七百里)

나그네 긴 소매 꽃잎에 젖어
술 익는 강마을의 저녁 노을이여.

가 밤 자면 저 마을에
꽃은 지리라.

다정하고 한 많음도 병이냥하여
달빛 아래 고요히 흔들리며 가노니……

—「완화삼」 전문

지훈 시에 있어서 방법적인 특색은 다양한 감각을 함께 사용하여 심미적 아름다움을 유발하는 것이며, 아울러 그것이 비교적 규칙적인 행 및 연구성을 통해서 구조적인 안정감을 확보하고 있다는 점이다. 이것은 어느 면 한시적인 전통을 수용한 데서 비롯된 것으로 볼 수도 있다.[4] 다시 말해서, 시어의 탐미성과 구조적 안정성은 지훈의 한시적 훈련과 교양에서 체득된 것으로 보인다는 점이다.[5] 실제로 그는 도연명의 「유연견남산」 등 30여 편의 한시역을 제시하기도 하였다(『전집』 2권, 188-251쪽). 이것은 김동리가 지적한 바 있었던 "자연과의 전체적 교섭을 통한 선의 본질에의 접근"[6]을 보여준 작품이라고 할 수도 있을 것이다. 그런데 여기에서 주목할 것은 그의 시에서 상상력의 유형이 낙하의 상상력, 또는 소멸의 상상력에 근거하고 있다는 점이다. 그가 소멸해 가는 것들에 대한 애수를 지속적으로 노래했다는 것은 이미 앞항에서 살펴본 바 있다. 그렇지만 그는 자연과 인생을 노래하는 경우에 있어서 특히 떨어지는 것, 사라져 가는 것으로서의 인생과 자연의 모습을 집중적으로 탐구하고 있는 것이다.

먼저 시 ①에서 볼 때 "꽃이 지기로소니/별이 하나 둘 스러지고/촛불을 꺼야 하리/꽃 지는 그림자/꽃이 지는 아침" 등과 같이 시의 중심 시상은 떨어지는 것, 스러지는 것 등의 낙하적 심상을 뼈대로 하고 있다. 그러면서도 이것들이 꽃(시각, 후각), 바람(청각, 촉각), 별(시각), 귀촉도 울음(청각), 촛불(시각), 하이얀 미닫이 우련 붉어라(시각, 촉각) 등과 같이 다양한 공감각적 이미지를 형성함으로써 탐미적이면서도 애수어린 분위기를 형성하게 된다. 아울러 이 시는 "묻혀서 사는 이의/고운 마음을/아는 이 있을까/저허하노니"라는 구절

---

4) 실제로 이동환은 「세초우」, 「낙화 1·2」, 「완화삼」, 「계림의창」, 「의루취적」, 「도행 1」 등을 한시와 관련지어 생각할 수 있음을 지적했다. 이동환, 「지훈시에 있어서의 한시전통」(『조지훈연구』, 앞의 책)238쪽.

5) 이 점은 만해시와도 상관관계를 지니는 것으로 이해된다. 김재홍, 『한용운문학연구』(일지사, 1982)257-258쪽.

6) 김동리, 「자연의 발견」(『문학과 인간』, 백민문화사, 1984)63-64쪽.

처럼 은둔의 사상을 내밀하게 피력함으로써 시의 중심상을 소멸하는 것, 떨어지는 것, 숨는 것 등으로써 제시한다. 이것을 우리는 낙하의 상상력 또는 소멸의 미학이라고 부를 수 있을 것이며, 이 점에서 그의 시편이 낭만적인 비애와 방랑의식을 드러내게 되는 것으로 해석할 수 있다.

'목월에게'라는 부제가 붙은 시 ②도 이러한 낭만적인 방랑의식과 한시적 체취를 보여준다. 목월의 「나그네」와 서로 화답하는 의도로 쓰인 이 작품은 시상이나 제재 및 주제면에서 서로 공통점을 많이 지니고 있다.[7)]

먼저 이 시의 장점은 연 구성의 특이함에서 드러난다. 한 연이 길고 다음 연이 짧은 교차 형식으로 짜임으로써 나그네의 일정치 않은 방랑의 여정을 효과적으로 암시하는 것이다. 아울러 부연미와 생략미, 이완미와 긴장미의 교차와 대조에 의해 이 나그네의 여정이 바로 인생 역정과 비슷한 흐름으로서의 상징성을 지니고 있음을 암시하고 있다. 또한 "차운산 바위/산새가 울음 운다/긴 소매 꽃잎에 젖어/술 익는 강마을의 저녁 노을/달빛아래 고요히 흔들리며" 등의 구절에서 보듯이 촉각, 청각, 미각, 시각, 근육감각 등 다양한 공감각적 심상의 결합을 통해서 시의 탐미성을 고조시킨다. 특히 이 시에도 "구름 흘러가는/물길/꽃은 지리라/흔들리며 가노니"와 같이 흐름의 이미지 혹은 떠나감의 이미지 등 낙하의 상상력, 소멸의 상상력이 작용하고 있음을 발견할 수 있다. 나그네의 여정이 끊임없는 떠나감 또는 흐름의 이미지로 구상화된 것은 그것이 바로 인생의 모습과 유사함을 암시해 준다. 인생도 결국은 하나의 비교적 긴 여행에 불과하며, 언젠가는 끝나고 마는 것이라는 운명론적 예감이 작용하고 있는 것이다. 특히 이 시에서 "구름"과 "물길"의 이미지가 중요 소재로 등장한 것은 이러한 상징성을 반영한 것이라는 점에서 적절하다. 그것은 흘러가는 것, 스쳐가는 것, 떨어져 가는 것, 돌아가는 것으로서의 인생의 허망성과 그 비애를 암시하는 것으로 해석되기 때문이다.

---

7) 이에 관해서는 정한모가 이미 살펴본 바 있다. 정한모, 『현대시론』, 보성문화사, 1985.

영(嶺)넘어 가는 길에
임자없는 무덤 하나
주막이 하나

시름은 무거운데
주머니 비었거다

하늘은 마냥 높고,
고목(枯木)가지에

서리까마귀 우지짖는
저녁 노을 속

나그네는 홀로 가고
별이 새로 돋는다

영(嶺)넘어 가는 길에
산 사람의 무덤 하나
죽은 이의 집

—「고목」 전문

피었다 몰래 지는
고운 마음을

흰 무리 쓴 촛불이
홀로 아노니

꽃 지는 소리
하도 가늘어

귀기울여 듣기에도
조심스러라

두견(杜鵑)이도 한목청
울고 지친 밤

나 혼자만 잠들기
못내 설어라

—「낙화 2」 전문

외로이 흘러간 한송이 구름
이 밤을 어디메서 쉬리라던고

성긴 빗방울
파초잎에 후두기는 저녁 어스름

창 열고 푸른 산과
마조 앉어라

들어도 싫지 않은 물소리기에
날마다 바라도 그리운 산아

온 아츰 나의 꿈을 스쳐간 구름
이 밤을 어디메서 쉬리라던고.

—「파초우」 전문

이상의 예시에서도 단적으로 알 수 있듯이, 그의 시에는 무수한 떠나감의 이미지 또는 사라짐의 이미지가 지속적으로 흐르고 있다. '스쳐가는/흘러가는/떠나가는/깨어지는/사라지는/잊혀지는/낡아가는/무너지는/날라가는/기울은/지쳐버린/떨어지는/죽은/끊어지는/쓰러지는' 등 헤아릴 수 없이 많은 낙하의 이미지 또는 소멸의 이미지가 작용하고 있는 것이다. 실상 지훈의 시에는 정관적이며 정지적인 이미지가 선(禪) 감각을 심화시켜 주는 것과 상대적인 각도에서 이러한 낙하적 이미지 또는 소멸이라는 동태적 이미저리가 지속적으로 작용함으로써 미적 긴장을 유발하게 된다. 실상 이러한 운동과 정지, 긴장과 이완, 생략과 부연이라는 대조적인 원리가 인생의 모습을 포괄적으로 암시하는 것이라는 점은 쉬 이해할 수 있는 일이다. 다시 말해서, 지훈의 시는 자연에 대한 미세한 투시를 통해서 탄생과 소멸, 죽음과 부활, 운동과 정지로서의 삶의 원리를 형상화한 데서 참뜻이 놓여진다. 아울러 그의 시는 인생의 현상적인 모습이 흘러감, 떠나감, 낡아감이라는 지속과 변화의 원리에 근거하며, 그 본질적 모습은 허무한 것, 덧없는 것이라는 존재론적 깨달음을 담고 있다는 점에서 시적 깊이를 지닌다.

이렇게 볼 때 지훈의 시는 자연 표상을 통해서 인생의 존재론적 의미를 탐구하고 있다는 점에서는 소월의 시와 선적 감각의 다양성과 한시적 교양이 착색되어 있다는 점에서는 만해의 시와 근친 관계를 형성하고 있는 것으로 풀이된다. 실상 이 점이 지훈시로 하여금 서정적인 면에서나 정신적인 면에서 전통시와 밀접히 관련되어 있음을 확인할 수 있게 하는 자료가 됨은 물론이다.

4 세속과 신성의 갈등, 조화의 미학

얇은 사(紗) 하이얀 고깔은
고이 접어서 나빌네라.

파르라니 깎은 머리
박사(薄紗) 고깔에 감추오고

두 볼에 흐르는 빛이
정작으로 고아서 서러워라.

빈 대(臺)에 황촉(黃燭)불이 말없이 녹는 밤에
오동잎 잎새마다 달이 지는데

소매는 길어서 하늘은 넓고,
돌아설 듯 날아가며 사뿐이 접어 올린 외씨보선이여.

까만 눈동자 살포시 들어
먼 하늘 한 개 별빛에 모도우고

복사꽃 고운 뺨에 아롱질듯 두 방울이야
세사에 시달려도 번뇌(煩惱)는 별빛이라.

휘어져 감기우고 다시 접어 뻗는 손이
깊은 마음속 거룩한 합장(合掌)이냥하고

이밤사 귀또리도 지새는 삼경(三更)인데
얇은 사(沙) 하이얀 고깔은 고이 접어서 나빌네라.

—「승무」 전문

주지하다시피 이 작품은 지훈의 데뷔작이자 출세작에 해당한다. 원래 승무란 불교의식에서 승무복에다 북채를 들고 가락에 맞춰 추는 파계무를 일컫는다. 특히 춤이 고조되었을 때 법고를 치는데, 이것은 수행 과정에서의 고통과 번뇌를 잊으려는 몸부림을 반영한다고 한다. 따라서 이 작품은 민속예술화한

춤으로서의 승무를 단순히 묘사하려고 하는 것만은 아니다. 오히려 승무의 동작 속에서 수도승으로서의 번뇌를 이겨 나아가고자 하는 안타까운 소망이 담겨져 있는 것으로 보인다. 춤을 추는 배경이 "귀또리도 지새는 삼경의 빈대"라는 사실에서 보더라도 이것이 누구에게 보여주려는 춤이 아니라, 춤추는 사람 자신의 번뇌를 끊어내려는 안타까운 몸부림을 반영한 것으로 이해된다.

대체로 이 시는 3연 "서러워라"까지를 첫 단락, 7연 "별빛이라"까지를 둘째 단락, 그리고 마지막 두 연을 셋째 단락 등, 세 단락으로 나눌 수 있다. 그리고 둘째 단락은 다시 전·후 2연씩 두 단락으로 나눌 수 있다는 점에서 대략 네 단락으로 구분할 수 있다. 먼저 첫 단락에는 승무자의 모습이 묘사되어 있다. 그것은 '고깔→ 깎은 머리→ 두볼'과 같이 승무자의 머리 부분이 상세히 묘사된 것이 특징이다. 이것은 승무의 동작, 그 자체의 묘사보다는 승무자의 심리 묘사 또는 내면 묘사를 효과적으로 성취하기 위한 시적 복선 설정에 해당한다. 여기에서 승무자의 연령층이 "두 볼에 흐르는 빛이/정작으로 고아서 서러워라"에서 짐작할 수 있듯이 젊은 여자라는 사실은 이 첫째 단락이 단순히 승무자의 모습을 묘사하려는 것 이상의 내밀한 의도를 숨기고 있음을 반영한다. 그것은 이 작품의 주제라고 할 수 있는 세속과 신성의 갈등과 조화를 암시하는 것으로 보인다. 또한 이 단락에서 "나빌네라/감추오고/서러워라"라고 하는 아어형의 종지법을 활용하고 있다는 것은 시적 미감을 유려하게 형성하는 데 기여하고 있다.

둘째 단락에서는 시적 배경이 제시되는 것과 함께 승무의 동작이 본격적으로 펼쳐진다. 배경 묘사에서는 "빈 대에 황촉불이 말없이 녹는 밤에/오동잎 잎새마다 달이 지는데"와 같이 월인천강의 이미지를 통해서 고전적인 정적미 또는 선미의 그윽함을 형상화하고 있다. 여기에 소매와 외씨보선의 결합을 통해서 춤을 추는 동작을 연출한다. 다시 말해서, "소매는 길어서 하늘은 넓고/돌아설 듯 날아가며 사뿐히 접어 올린 외씨보선이여"라는 구절을 통해서 유장하면서도 급박한 동태미를 형성하는 것이다. 그렇기 때문에 이 시의 한 핵심미학인 정적미(정지미)와 동작미(율동미)의 갈등과 조화가 성취된다. 실상 이러한 정지미와 율동미의 부딪침과 교차는 바로 세속과 신성의 갈등과 고뇌를 반영한 것이며, 그 화해에의 의지를 드러낸 것으로 이해된다. 아울러 한국미의 한 특징인 선(線)의 미학을 구상화하려는 의도를 반영한 것일 수도 있을 것이다.

따라서 셋째 단락에서 이 시의 주제인 세속과 신성의 갈등과 그 화해의 모습이 제시된다. 먼저 까만 눈동자를 살포시 들어 먼 하늘 한 개 별빛에 모으는 행위 속에서 진실에의 의지와 선의지(善意志)에 바탕을 둔 갈등의 초극의지가 담겨져 있다. 특히 까만 눈동자와 별빛의 대응 속에는 세속사의 온갖 잡념과 번뇌를 끊어 버리려는 "번뇌무진서원단"의 갈망이 내포되어 있는 것이다. 그렇기 때문에 "복사꽃 고운 뺨에 아롱질 듯 두 방울이야/세시야 시달려도 번뇌는 별빛이라"라고 하는 오뇌와 참회를 통한 번뇌와 갈등의 소진 가능성이 열리게 되는 것이다. 이 구절 속에는 세속에의 집착에서 쉬 벗어나지 못하고 번뇌하는 구도자의 참담한 갈등이 담겨져 있으며, 이러한 번뇌와 갈등이 어느 정도 화해될 수 있다는 가능성을 발견한데서 오는 참회와 깨달음의 눈물이 암시적으로 내포되어 있다. 세속사의 온갖 번뇌, 지상의 질곡으로부터 벗어나고자 하는 초극의지 또는 자유로 운 정신의 해탈의지가 하늘과 별빛의 이미지로 표상된 것이다. 어쩌면 이것은 지상의 척도가 천상의 질서로 상승하는 꿈을 담고 있는 것으로 해석 할 수도 있다. 물론 이 구절은 선험적인 불교이념에 대한 시인의 상투적인 반응을 노출하고 있는 흠[8]을 다소 지니고 있는 것이 사실이다. 아마도 이러한 비판은 이 시가 전체적인 면에서 치열성을 결여하고 있다는 판단에서 연유하는 것으로 보인다. 매끄러운 가락과 부드러

---

8) 서준섭, 「불교적 소재의 시적 변용과 그 의미」(『한국대표시평설』, 문학세계사, 1983) 257쪽.

운 표현으로 시가 다듬어져 있기 때문에 고뇌의 치열성과 정신의 암투가 부족한 인상을 던져주는 것이 사실이다. 그렇지만 이 시는 번뇌의 초극이나 완성을 제시한 것이 아니라, 그러한 것을 갈망하는 몸부림을 순간적 인상으로 포착하려는데 기본의도가 놓여 있다는 점에서 비판적으로 볼 수만은 없는 것으로 판단된다. 승무라는 춤이 근본적인 면에서 파계승의 갈등과 오뇌를 형상화하는 데서 비롯된 것이라는 점을 감안할 때, 이 시의 근본 취의가 드러나기 때문이다.

따라서 마지막 단락에서 재동작이 연출된다. 번뇌의 초극이나 해탈이 쉽게 얻어질 수 없는 것이라 해도 춤을 추는 과정을 통해서 수행과 구도의 참뜻을 새겨보고 흐트러지려는 자세를 가다듬을 수 있기 때문이다. "휘어져 감기우고 다시 접어 뻗는 손이/깊은 마음속 합장(合掌)이냥하고"라는 구절 속에는 수행과 구도에 대한 새로운 각오가 표출되어 있는 것이다. 따라서 이 시는 번뇌의 초극과 해탈을 성취한 완성의 시가 아니라, 그러한 것들을 성취하고자 몸부림치는 구도의 시, 갈등의 시라고 할 수 있다. 대지적 질서로부터 천상적 질서에 도달하고자 하는 갈망, 현실의 질곡에서 벗어나 이상세계에 이르고자 하는 열망, 즉 세속사와 신성사의 갈등과 그에 대한 초극의지를 형상화한 작품으로 해석할 수 있는 것이다. 특히 이 시는 구도를 성취하기 위한 진실한 몸짓 속에 진리 발견의 의지와 선의지를 내포하고, 이것을 미의식으로 이끌어 올림으로써 진·선·미의 합체를 통한 멋[9]을 구현했다는 점에서 의미를 지닌다.

「승무」의 진·선·미 합체에 의한 멋의 구현은 이후 지훈시에서 중요한 비중을 지니게 된다.

목어(木魚)를 두드리다
졸음에 겨워

9) 조지훈, 「멋의 연구」(『전집』 7권, 앞의 책)62쪽.

고오운 상좌아이도
잠이 들었다.

부처님은 말이 없이
웃으시는데

서역(西域) 만리(萬里)길

눈부신 노을 아래
모란이 진다.

—「고사」 1

이 시도 지훈시 특유의 정적미·고취미·아어미를 바탕으로 한 선감각과 화해의 미학이 잘 구현되어 있다. 아울러 기본 시상은 "두드리다/잠이 들었다, 말이 없이/웃으시는데, 노을 아래/모란이 진다"라는 구절의 대응처럼 동태미와 정적미의 어우러짐으로써 전개된다. 특히 고운 상좌아이가 표상하는 선(善)의지, 부처님의 미소가 의미하는 자비, 즉 불교적 진리의 빛남, 그리고 눈부신 노을에 모란이 지는 모습에서 볼 수 있는 아름다운 미의식의 합일은 지훈 미학의 한 극치를 보여준다. 여기에서는 현실과 이상, 세속과 신성이 화해와 조화를 성취하는 순간의 아름다움이 "눈부신 노을 아래/모란이 진다"라는 결구 속에 압축되어 제시된 것이다. 이렇게 볼 때 지훈시의 본성은 화해의 미학 또는 조화의 미학을 추구하는 데서 그 멋스러움이 더욱 드러난다는 점을 알 수 있다. 실상 그의 시에서 흔히 선적 성격이 운위되는 것도 선(禪)이란 것이 "어울리는 것"이요, 어울리는 것이 바로 '조화'이며, '조화'란 곧 진·선·미를 포용하는 것[10]을 의미하기 때문이다. 지훈에게 있어서는 시와 선이 서로 분리되는 것이 아니라 멋으로서 합일되는 미의 표상인 것이며, 그 대표적인 한

10) 김용태, 「조지훈의 선관과 시」(『조지훈연구』, 앞의 책)78쪽.

예가 「승무」, 「고사」 등인 것이다.

5 미시적(微視的) 자연 응시와 교감(交感)의 정신

① 무너진 성(城)터 아래 오랜 세월을 풍설(風雪)에 깎여온 바위가 있다.
아득히 손짓하며 구름이 떠 가는 언덕에 말없이 올라서서
한줄기 바람에 조찰히 씻기우는 풀잎을 바라보며
나의 몸가짐도 또한 실오리 같은 바람결에 흔들리노라.
아 우리들 태초(太初)의 생명(生命)의 아름다운 분신(分身)으로 여기 태어나
고달픈 얼굴을 마주 대고 나직이 웃으며 얘기하노니
때의 흐름이 조용히 물결치는 곳에 그윽히 피어오르는 한떨기 영혼이여.

—「풀잎 단장」 전문

② 실눈을 뜨고 벽에 기대인다 아무 것도 생각할 수가 없다.

짧은 여름밤은 촛불 한 자루도 못다 녹인 채 사라지기 때문에 섬돌 우에 문득 자류(柘榴)꽃이 터진다

꽃망울 속에 새로운 우주(宇宙)가 열리는 파동(波動)! 아 여기 태고(太古)적 바다의 소리없는 물보래가 꽃잎을 적신다.

방안 하나 가득 자류(柘榴)꽃이 물들어 온다. 내가 자류(柘榴)꽃 속으로 들어가 앉는다. 아무것도 생각할 수가 없다

—「화체개현」 전문

시집 『풀잎 단장』(1952) 시기에 이르러서 지훈 시에 나타나는 가장 큰 특징은 자연사와 인간사의 화해가 이루어지며, 그것이 우주적 질서와 교감을

형성한다는 점이다. 이 시기는 「고풍의상」, 「승무」 등 데뷔기의 시련과 월정사 수련 시기를 거쳐 해방을 맞으면서 쓰기 시작한 작품들이 주를 이룬다(『조지훈시선』 후기). 따라서 자연과 인간에 대한 섬세하면서도 미시적인 응시를 바탕으로 짜여 있다.

먼저 시 ①은 대자연의 질서에 대한 미시적 응시를 통하여 인간과 자연, 자연과 우주의 조화와 교감을 노래하였다. "무너진 성터"와 "풍설에 깎여온 바위"의 대응 속에는 인간사의 무상함과 대조되어 자연사의 무궁함이 제시되어 있다. 아울러 이러한 변하지 않는 것으로서의 "바위"와 아득히 손짓하며 떠가는 "구름"의 대조는 자연의 원리가 지속과 변화라는 두 가지 법칙에 근거하고 있음을 말해 준다. 바로 여기에 생명 있는 것으로서의 "나"와 "풀잎"이 등장한다. 한 줄기 바람에 조찰히 씻기우는 풀잎을 바라보는 "나"는 어느새 "실오리 같은 바람결에 흔들리는" 작디작은 존재로서 축소되어 있다. 다시 말해서, "나" 또한 "풀잎"과 마찬가지로 거대한 대자연 속의 미세한 일부로서의 의미를 지닌다. 따라서 나와 풀잎은 "아, 우리들 태초의 생명의 아름다운 분신으로 여기 태어나 고달픈 얼굴을 마주 대고 나직이 웃으며 얘기하노니"라는 구절에서처럼 친화와 교감을 이루게 된다. 나(인간)와 풀잎(자연)이 하나로서 감정이입되어 대자연의 질서를 형성하는 것이다. 특히 "고달픈 얼굴"과 "웃으며 얘기하노니" 사이에는 세속적 삶의 어려움을 자연과의 친화와 교감을 통해서 화해하고 극복하고자 하는 섬세한 노력이 개재해 있다. 이러한 화해와 극복의 노력은 "때의 흐름이 조용히 물결치는 곳에 그윽히 피어오르는 한떨기 영혼이여"와 같이 풀잎의 맑은 아름다움을 인간존재의 지순성으로 상승시키게 된다. 영원한 우주의 질서 속에 인간의 영혼과 자연의 생명이 어우러지면서 존재의 초월을 획득하게 되는 것이다. 실상 천지의 한 점에 자리잡아 바람에 시달리면서 묵묵히 이슬에 씻기우는 풀잎의 맑은 영혼은 바로 잊혀진 삶, 가난한 삶을 긍정하면서 살아가는 바로 어진 우리 이웃들의 모습 그것과 다를 바 없다. 지훈의 후기시의 준열한 사회의식과 역사의식도 이러한 인간 긍정의 실천이념을 형상화한 것임은 물론이다.

시 ②에도 자연사와 인간사의 화해가 이루어지며, 이것이 우주적 질서와의 교감을 형성하고 있다. 특히 이 시에는 석류꽃 꽃망울 속에 우주가 열리고, 그 석류꽃 속으로 시의 화자가 들어간다는 세계 내면 공간의 상상력이 작용하고 있어 관심을 끈다. 다시 말해서, 석류꽃 속에 하나의 우주와도 같은 내면세계의 공간이 펼쳐져 있다는 공간적 상상력의 발현인 것이다. 이것은 마치 "나뷔야 청산에 가쟈 범나뷔 너도 가쟈/가다가 져무러든 곳듸 드러자고 가쟈/곳에셔 푸대접하거든 닙헤셔나 자고 가쟈"라는 고시조를 생각케 해준다. "꽃 속에 들어가서 자고 가자"라는 표현은 그것의 다의성에도 불구하고 나비와의 상관관계를 통해서 볼 때 꽃의 내면 공간으로서의 상징성을 지닌다. 꽃 속에 하나의 내면적인 공간세계가 펼쳐져 있다는 공간적 상상력의 발현인 것이다. 인용시에서도 마찬가지이다. 석류꽃의 "꽃망울 속에 새로운 우주가 열리는 파동!", "내가 석류꽃 속으로 들어가 앉는다"라는 구절 속에는 밖의 세계와는 다른 석류꽃 속의 세계내면 공간, 즉 내적 우주가 펼쳐진다는 공간적 상상력이 작용하고 있다.

다시 말해서, 자연사(석류꽃)와 인간사(나)가 서로 어우러지면서 하나의 우주적 교감을 형성하는 것이다. 마치 릴케(R. M. Rilke)가 장미꽃 속에 세계 내면 공간을 완성하였듯이, 지훈은 석류꽃 속에 하나의 세계 내면 공간을 창조함으로써 자연과 인간의 화해는 물론 우주의 질서와도 교감을 이룬 것이다. 이러한 내면 공간의 확보는 실상 한국시가 상징적 넓이와 깊이를 확보하게 하는 데 크게 기여한 것으로 보인다. 인간이 밖의 세계와 내면의 우주를 동시에 갖고 있듯이, 식물(자연)도 외면세계와 내면세계를 함께 포괄할 수 있다고 하는 이러한 열린 상상력이야말로 지훈의 인생관과 세계관이 포괄성 또는 총체성을 획득하게 하는 원천이 아닐 수 없다. 실상 이러한 세계 내면 공간을 투시하는 열린 상상력은 이미 만해의 시에서도 찾아볼 수 있는 것이었다.

> 나는 당신의 눈섭이검고 귀가갸름한 것도 보앗습니다
> 그러나 당신의 마음을 보지못하얏습니다
> 당신이 사과를 따서 나를주랴고 크고 붉은사과를 따로쌀때에 당신의 마음이 그사과속으로 드러가는것을 분명히보앗습니다
>
> —「당신의 마음」에서

> 당신은 나의꽃밧헤로오서요. 나의꽃밧헤는 꽃들이 픠여잇습니다
> 만일 당신을조처오는 사람이 잇스면 당신은 꽃속으로 드러가서 숨으십시오
> 나는 나븨가되야서 당신숨은꽃위에 가서 안것습니다
> 그러면 조처오는사람이 당신을차질수는 업습니다.
>
> —「오서요」 부분

마음이 사과 속으로 들어가는 것을 분명히 본다는 것이나 꽃 속으로 들어가서 숨는다고 하는 만해의 내면 공간적 상상력은, 지훈 시에서 석류꽃에 들어가 앉는다는 내용의 상상력과 다른 것이 아니다. 실상 이러한 상상력은 "동지달 기나긴 밤을 한 허리를 버혀내어/춘풍 니불아레 서리서리 너헛다가/어른님 오신날 밤이여든 구븨구븨 펴리라[11]라고 하는 황진이의 그것과도 연결될 수 있는 내용이다. 이 점에서 지훈의 상상력의 전통성이 구명될 수 있음은 물론이다. 지금까지 살펴본 것처럼 지훈 시에는 자연과 인간의 화해가 이루어지는 가운데 그것이 우주적인 질서와도 교감과 통일을 획득하는 경우가 많이 드러난다. 이 점에서 우리는 지훈 시를 조화와 교감의 시학이라고 부를 수도 있을 것이며, 바로 이 점이 지훈 시가 내면적 깊이와 형상적 넓이를 획득할 수 있게 하는 원동력이 된다.

---

11) 정병욱편저, 『시조문학사전』(신구문화사, 1969) 참조.

6 자유의 사상, 평화의 사상

한 달 농성(籠城) 끝에 나와 보는 다부원(多富院)은
얇은 가을 구름이 산마루에 뿌려져 있다.

피아(彼我) 공방(攻防)의 포화(砲火)가
한 달을 내리 울부짖던 곳

아아 다부원(多富院)은 이렇게도
대구(大邱)에서 가까운 자리에 있었고나

조그만 마을 하나를
자유(自由)의 국사(國土) 안에 살리기 위해서는
한해살이 푸나무도 온전히
제 목숨을 다 마치지 못했거니

사람들아 묻지를 말아라
이 황폐(荒廢)한 풍경(風景)이
무엇 때문의 희생(犧牲)인가를……

고개 들어 하늘에 외치던 그 자세(藉勢)대로
머리만 남아 있는 군마(軍馬)의 시체(屍體)

스스로의 뉘우침에 흐느껴 우는 듯
길 옆에 쓰러진 괴뢰군(傀儡軍) 전사(戰士)

일찌기 한 하늘 아래 목숨 받아
움직이던 생령(生靈)들이 이제

싸늘한 가을 바람에 오히려
간 고등어 냄새로 썩고 있는 다부원(多富院)

진실로 운명(運命)의 말미암음이 없고,
그것을 또한 믿을 수가 없다면
이 가련한 주검에 무슨 안식(安息)이 있느냐

살아서 다시 보는 다부원(多富院)은
죽은 자(者)도 산자(者)도 다 함께
안주(安住)의 집이 없고 바람만 분다.

—「다부원에서」 전문

지훈은 6·25가 발발하자 곧 문총구국대 기획위원장으로 참여하여 종군문인단에서 활약하게 된다. 그는 공군에 종군하면서 직접 전선에 뛰어들어 평양까지 다녀오고, 마침내 종군문인단 부단장까지 역임하는 등, 역사와 정면으로 마주치게 된다. 이 과정에서 그는 「절망의 일기」, 「이기고 돌아오라」, 「전선의 서」, 「도리원에서」, 「여기 괴뢰군전사가 쓰러져 있다」, 「너는 지금 삼팔선을 넘고 있다」, 「패강무정」, 「벽시」, 그리고 위에 인용한 「다부원에서」 등 수많은 전쟁시편을 남긴다.

이 「다부원에서」는 일찍이 김종길에 의해서 "지훈 시의 두 가지 중요한 흐름인 감각적인 흐름과 사변적인 흐름이 알맞게 조화된 한국 전쟁시의 명편의 하나"[12]로서 평가된 바 있다. 실제로 이 시는 단순히 승전의식을 고취하거나 전장의 참상만을 노래하는 일반적인 전쟁시와는 다른 그 무엇이 담겨 있는 것으로 보인다. 먼저 이 시에는 격렬한 전투가 지난 후의 정적감이 서경적으로 묘사됨으로써 전쟁시의 면모가 분명히 드러난다. "피아 공방의 포화가/한 달을 내리 울부짖던 곳"과 같이 격렬한 전투 장면에 대한 회상이 담겨 있는

12) 김종길, 「지훈시의 계보」(『조지훈연구』, 앞의 책)15-16쪽.

것이다. 실제로 지훈의 전쟁 시에는 전투 장면과 그의 참상 묘사가 여러 군데에 반복적으로 제시되어 있다.

사람의 피로써 하마 짙은 단풍잎, 검은 돌바위에 이끼도 핏빛으로 물이 들었다. 불비에 녹아내린 탕크, 강아지만치 타 오그라진 시체(屍體). 아 터져나온 뇌장(腦漿)에는 벌써 왕개미 떼가 엉켜 붙었다.

—「죽령전투」에서

<여기 괴뢰군전사(傀儡軍戰士)가 쓰러져 있다>

그 옆에 아직
실낱 같은 목숨이 붙어 있는 소년(少年)의 시체(屍體)

검붉은 피에 절인 그의 사지(四肢)는 썩었고
반만 뜬 눈망울은 이미 풀어져 말을 잊었다.

—「여기 괴뢰군전사가 쓰러져 있다」 부분

이러한 참혹한 장면 묘사는 실상 전쟁의 참상을 드러내려 한다기보다는 인간의 잔혹함과 비정함에 대한 항거와 탄식의 의미를 담고 있는 것으로 보인다. 왜냐하면 "조그만 마을 하나를/자유의 국사 안에 살리기 위해서는/한해살이 푸나무도 온전히/제 목숨을 다 마치지 못했거니"라는 구절에서 보듯이 자유의 소중함과 생명의 경건함을 강조하고 있기 때문이다. 이 점에서는 다소 목적 시적인 요소가 드러나는 것이 사실이지만, 오히려 서경적 묘사와 메시지 표출이 서로 어우러짐으로써 시의 설득력을 더해 주는 것으로 이해된다. 그리고 이 시에 아군의 시체보다는 적군의 시체에 초점이 맞춰져 있는 것도 특이한 일이다. 그것은 죽음 앞에서는 아군도 적군도 하나일 수밖에 없다는 휴머니즘의 인식을 반영한 것으로 해석된다. 전장의 참경 묘사를 통해서 역사의 덧없음, 또는 인간 목숨의 허망성을 제시한 것이다.

"여기에 일찌기 한 하늘 아래 목숨받아/움직이던 생령들이 이제/싸늘한 가을바람에 오히려/간 고등어 냄새로 썩고 있는 다부원"과 같이 다시 한 번 날카로운 현장 묘사를 반복한다. 특히 이 구절엔 시체 썩는 냄새를 통해서 시적 화자가 스스로 살아 있음을 냉혹하게 인식하는 순간이 예리하게 포착되어 있다. 마지막 연에서 "살아서 다시 보는 다부원"이라는 구절이 그것이다. 이러한 죽은 자와 산 자의 대비 속에는 역사의 허망성에 대한 인식과 함께 살아 있음의 경건함에 대한 깨달음이 내포되어 있다. 그러면서도 "죽은 자도 산 자도 다 함께/안주의 집이 없고 바람만 분다"라는 결구를 통해서 전쟁이 얼마나 부질없는 것인가에 대한 뼈아픈 탄식을 표출하고 있는 것이다. 아울러 역사 속에서 전쟁이란 영원한 승자도 패자도 없는 불행하고 허망한 인간상실 내지 파멸행위에 불과하다는 비관적인 깨달음이 제시되어 있다. 전쟁 테러리즘에 대한 날카로운 고발과 함께 그에 대한 항거의 정신을 담고 있는 것이다.

이렇게 볼 때 이 시는 전장의 참경을 묘사함으로써 평화와 자유가 얼마나 소중한 것인가에 대한 새삼스런 깨달음을 확보한 데서 의미가 놓여진다. 이 시가 말하려는 것은 단순한 반공 애국사상의 고양이나 승전의식의 고취가 아니다. 오히려 이 시는 전장의 참상을 통해서 인간의 목숨이 얼마나 소중한가를 강조함과 아울러 전쟁의 허망성과 그 무의미성을 비판하고 있는 것이다. 이 점에서 이 시는 전쟁 그 자체를 노래한 상황시가 아니라 자유의 사상, 평화의 사상, 인간 존엄의 철학을 형상화한 휴머니즘 시에 해당한다. 무엇보다도 이 시가 이런 류의 시들이 흔히 빠지기 쉬운 구호적이고 영탄적인 감정 노출을 예리하게 배제하여 관념과 감각의 육화를 성취한 것은 커다란 장점이 아닐 수 없다. 특히 이 시는 어느 면에서 고전적인 정서와 관념적인 민족의식, 그리고 서정적인 선(禪) 감각 등에 경사되어 왔던 지훈의 시가 6·25를 거치면서 역사와 현실, 그리고 목숨 현장에 보다 생생하게 근접하는 계기를 촉발했다는 점에서 소중한 의미를 지니는 것으로 판단된다. 아울러 이 시가 전쟁을 겪는 과정에서 뼈아프게 절감한 민족의 불행, 분단의 비극을 뛰어넘고자 하는 지훈의 간절한 의지와 염원을 담고 있다는 점을 간과해서도 안 될 것이 분명하다.

7 4·19의 사회시와 역사의식

① 너희 그 착하디 착한 마음을 짓밟는
불의(不義)한 권력(權力)에 저항(抵抗)하라.

사슴을 가리켜 말이라 하는 세상에
그것을 그런 양 하려는
너희 그 더러운 마음을 고발(告發)하라.

보리를 콩이라고 짐짓 눈감으려는
너희 그 거짓 초연(超然)한 마음을 침 뱉으라.
모난 돌은 정을 맞는다고?
둥근 돌을 굴러서 떨어지느니—

병든 세월에 포용(包容)되지 말고
너희 양심(良心)을 끝까지
소인(小人)의 칼날 앞에 겨누라.

먼저 너 자신(自身)의 더러운 마음에 저항(抵抗)하라.
사특한 마음을 고발(告發)하라.

그리고 통곡(慟哭)하라.

—「잠언」 전문

② 아 그것은 홍수(洪水)였다
골목마다 거리마다 터져나오는 함성(喊聲)

백성을 암흑(暗黑) 속으로 몰아넣은
불의(不義)한 권력(權力)을 타도(打倒)하라
양심(良心)과 순정(純情)의 밑바닥에서 솟아오른
푸른 샘물이 넘쳐 흐르는
쓰레기를 걸레 쪽을 구더기를 그
죄악(罪惡)의 구덩이를 씻어내리는
아 그것은 파도(波濤)였다.
동대문(東大門)에서 종로(鐘路)로 세종로(世宗路)로 서대문(西大門)으로
역류(逆流)하는 격정(激情)은 바른 민심(民心)의 새로운 물길
피와 눈물의 꽃파도(波濤)
남대문(南大門)에서 대한문(大漢門)으로 세종로(世宗路)로 경무대(景武臺)로
넘쳐흐르는
이것은 의거(義擧) 이것은 혁명(革命) 이것은
안으로 안으로만 닫았던 분노(憤怒).

온 장안(長安)이 출렁이는 이 격류(激流) 앞에
웃다가 외치다가 울다가 쓰러지다가
끝내 흩어지지 않은 피로 물들인
온 민족(民族)의 이름으로
일어선 자(者)여

그것은 해일(海溢)이었다.
바위를 물어뜯고 왈칵 넘치는
불퇴전(不退轉)의 의지(意志)였다. 고귀(高貴)한 피값이었다.

정의(正義)가 이기는 것을 눈 앞에 본 것은

우리 평생 처음이 아니냐
아 눈물겨운 것
그것은 천리(天理)였다.
그저 터졌을 뿐 터지지 않을 수
없었을 뿐
애국(愛國)이란 이름조차 차라리
붙이기 송구스러운
가 빛나는 파도(波濤)여
해일(海溢)이여!

—「혁명」 전문

조지훈은 50년대 말에 이르러 민권수호 국민총연맹 중앙위원, 공명선거 전국위원회 중앙위원 등 현실참여 활동을 적극적으로 전개한다. 제4시집『역사 앞에서』(1959)가 간행된 것도 실상은 이러한 사회와 현실에 대한 참여의식을 반영한 것이다.

시 ①은 이 무렵 쓰인 작품으로서 부정한 방법으로 장기집권을 획책하는 자유당 정권에 대한 항거를 담고 있다. 말하기는 쉬워도 실제로 행동하기는 어려운 상황에서 불의와 부정을 비판하고 그에 대한 저항을 직접적으로 시도한 것이다. "사슴을 가리켜 말이라 하는 세상/보리를 콩이라고 짐짓 눈감으려는" 세태의 비뚤어진 모습을 신랄하게 공격함으로써 사회정의를 실천하고자 한다. 아울러 그것은 밖의 현실 또는 특정한 정당에 대한 공격이나 비판만을 시도한 것이 아니라, 먼저 그러한 비판을 전개하려는 행동 주체에게 개인윤리의 실천과 정의감을 요구하고 있다는 점이 주목된다. 실상 이러한 행동 주체로서 자신의 올곧은 윤리의식 확립과 지조 있는 삶의 태도만이 불의와 부정에 저항할 수 있는 실천적인 힘이 되리라는 것은 두말할 필요가 없다. 올바른 윤리의식이란 무엇인가? 그것은 진리와 양심을 실천하려는 노력이며, 사회정의와 도덕률을 확립하려는 의지일 것이다. 이러한 개인에게 있어서의 윤리의식이 사회 전체로 흘러넘칠 때 비로소 올바른 정의사회 건설과 바람직한 역사 전개가 이루어진다. 바로 이 점에서 시 ①은 당대의 부패하고 혼탁한 사회상에 대한 항거이면서 민주와 정의 회복을 위한 양심선언에 해당한다. 더구나 이러한 양심선언이 4·19가 일어나기 전의 억압되고 통제된 상황하에서 던져졌다는 점에서 선비정신의 시인 조지훈의 날카로운 비판정신과 투철한 역사의식을 짐작할 수 있게 해준다. 아울러 밖의 왜곡된 정치현실에 대한 비판을 전개하면서도 이보다도 먼저 개인적인 윤리의식과 정의감의 실천을 강조했다는 점에서 이 시의 설득력이 돋보인다.

한편 시 ②는 1960년 4월 26일 밤 당시 언론통제로 폐간됐던 경향신문이 복간되면서 지훈이 청탁받아 쓴 시이다. 따라서 4·19 직후의 감격과 환희가 직정적으로 토로되어 있다. 그러나 이 작품은 관념적인 서술과 영탄의 나열로 인해 이념적인 형상화를 성취하는 데는 실패한 것으로 보인다. 이러한 종류의 시일수록 행동의 이념화 내지는 실천의 논리화가 필요한 것임에 비추어 지나치게 4·19를 단순화하고 구호화한 흠을 발견할 수 있기 때문이다. 이러한 취약점은 단지 이 시뿐이 아니라 「늬들 마음을 우리가 안다」, 「사랑하는 아들딸들아」, 「터져 오르는 함성」 등 그의 많은 4·19 상황시에 공통적으로 드러나는 결점이자 한계점으로 판단된다. 대가다운 원숙함과 큰 스케일로서 4·19 이념을 형상화하기보다는 원색적인 시어로써 감정을 노출하여 공허한 느낌을 던져 준다는 점은 안타까운 일이 아닐 수 없다.

이러한 현상은 지훈이 50년대 중반부터 『시의 원리』 등의 시론집을 간행하고, 『한국현대시문학사』 집필을 시도하는 등 학구적인 탐구에 몰두하는 한편, 사회참여 활동을 왕성히 전개해 나간 일과 무관하지 않은 것으로 보인다. 시 그 자체보다는 학문적인 저술과 논평 및 수상집 발간 등 지성적 작업과 현실참여 운동에 몰두함으로써 뽀에지의 고갈을 초래한 것인지도 모른다. 탐구의 다양성은 큰 그릇으로서의 한국학자 조지훈의 총체성 획득에는 크게 기여한 것이 사실이지만, 시인 자체로서는 오히려 부정적인 요소로 작용한 것이 분명하다(이 점에서는 육당의 시적 실패를 음미해 볼 필요가 있을 것이다). 특히 이러한 한국학 탐구와 사회참여 활동은 60년대 이후 두드러지며, 이 때문에 60년대 이후에는 구작들을 정리하고 4·19 이후에 쓴 사회시 약간을 보태어 발간한 시집 『여운』(1964) 이외에는 이렇다할 시적 정진이 발견되지 않는다. 그렇지만 지훈의 4·19 상황시들과 사회시들이 시적으로 완숙되고 이념적인 형상화를 성취하는 데는 다소 실패한 것이 사실이라 해도, 「마침내 여기 이르지 않곤 끝나지 않을 줄 이미 알았다」 등의 사회시편들에서 정의와 양심이 이기고 만다는 역사법칙을 천명함으로써 민족의 앞날을 바람직하게 제시한 것은 긍정적인 것으로 판단된다. 60년대 초의 역사적 아픔이 당대적인 것으로 연결된다는 교훈적인 시사성만으로도 지훈의 예언자적 지성에 바탕을 둔 역사의식이 돋보인다 할 수 있기 때문이다.

□ 맺음말

이렇게 본다면 지훈의 시는 민족의식과 역사의식, 생명의식과 미의식을 바탕으로 하여 이루어진 것임을 알 수 있다. 특히 그의 시는 이러한 것들이 서로 유기적으로 통합되면서 자유사상과 평등사상, 그리고 휴머니즘 사상을 형성하고 있다는 점에서 의미를 지닌다. 그의 시는 자연에 대해서도 섬세한 투시를 보여주었으며, 인간의 생명현상에 관해서도 진지한 탐구를 기울였고, 역사와 현실에 대해서도 치열한 응전력을 펼쳐 나갔다. 아울러 서정과 감각의 천착에도 게을리하지 않음으로써 시의 한 전범을 제시한 것이 사실이다. 이 점에서 지훈의 시는 만해와 소월, 그리고 지용시와 관계를 맺고 있는 것으로 보인다. 종교적 명상과 선(禪)감각 및 한시(漢詩)적 교양과 지사의식은 만해로부터, 낭만적 자연의 발견과 존재론적 생의 탐구는 소월로부터, 그리고 서정적 감각과 전아한 정제미는 지용으로부터 접맥된 것으로 보인다. 따라서 지훈의 시는 고전적 상상력, 전원적 상상력, 종교적 상상력 및 사회적 상상력을 포괄하고 있다고 할 수 있다.

물론 지훈시가 지니고 있는 단점 또는 부정적 측면이 없는 것은 아니다. 무엇보다 정물화된 풍경 묘사와 연약한 초월주의가 약점으로 지적된다. 그의 시에는 고통의 가열함과 갈등의 치열성이 현저히 부족하다. 짐짓 세속사를 뛰어넘은 듯한 초월의 포즈 속에는 무기력한 타협주의와 순응주의가 깔려 있는 것으로 해석할 수도 있기 때문이다. 특히 후기의 사회시에서 발견되는 관념의 나열과 지리한 교훈조는 시적 긴장을 저해하고 설득력을 약화시키는 요인이 됐다는 점에서 한계점을 지닌다.

그럼에도 불구하고 지훈시는 고전정신을 현대적인 감수성의 언어로 계발하는 선구적인 업적을 보여주었다는 점에서 시사적 중요성을 지닌다. 그가 기울인 민족혼의 발굴과 민족어의 완성을 향한 꾸준한 노력은 값진 것이 아닐 수 없기 때문이다. 무엇보다도 현대시인 중에서 가장 폭넓은 학문과 심도 있는 사상, 그리고 지조와 멋을 지닌 거물시인으로서 그가 오래도록 시사에 살아남을 것은 분명한 사실이다.

□ 연 보

1920 : 12월 3일 경북 영양군 일월면 주곡동에서 부 조헌영(趙憲泳)의 차남으로 출생. 본명은 동탁(東卓).

1928 : 신문, 잡지를 읽고 처음으로 동요를 지음.

1936 : 상경하여 동향시인 오일도가 주재하던 '시원사'에 머무르면서 시 습작을 계속함.

1939 : 혜화전문학교 문과 입학. 「고풍의상」등이 『문장』지에 추천됨으로써 문단에 데뷔. 동인지 『백지』를 발간함.

1940 : 김위남과 결혼.

1941 : 혜화전문학교 졸업. 오대산 월정사 불교전문강원 강사 역임.

1942 : 조선어학회 『큰사전』 편찬원이 됨. 10월 조선어학회 사건으로 검거되어 심문받음. 이 해에 박목월과 처음으로 만남.

1945 : 해방 직후 조선문화건설협의회 회원, 한글학회 국어교본 편찬위원, 진단학회 국사교재 편찬위원 등으로 활약. 명륜전문학교 강사 역임.

1946 : 전국 문필가협회 중앙위원 역임. 청년문학가협회 고전문학부장 역임. 박두진, 박목월과 함께 3인시집 『청록집』(을유문화사) 간행.

1948 : 고려대학 문과대학 교수로 부임하여 『시론』, 『현대문학사』 등을 강의함.

1950 : 6·25 동란중 문총구국대 기획위원장 역임. 피난지 대구에서 문인들을 규합하여 공군 종군작가단을 결성하여 종군함.

1952 : 첫 시집 『풀잎단장』(창조사) 간행, 이후 『조지훈시선』(1956), 『역사 앞에서』(1959), 『여운』(1964) 등을 차례로 간행.

1963 : 고려대 민족문화연구소 초대 소장으로 취임.

1967 : 한국시인협회 회장에 피선

1968 : 5월 17일 기관지 확장증으로 별세

1972 : 서울 남산에 조지훈 시비가 세워짐.

1973 : 『조지훈 전집』 전 7권이 일지사에서 간행됨.

17. 윤동주(尹東柱)

—암흑기의 등불, 시의 별—

"죽는 날까지 하늘을 우러러/한점 부끄럼이 없기를" 기도했던 윤동주, 그는 1917년 망명의 땅 북간도에서 태어나 적지 일본의 감옥에서 스물 아홉 나이로 죽어간 일제 말기의 대표적 시인의 한 사람이다. 그는 고향을 잃고 객지를 전전한 실향민으로서, 조국을 빼앗기고 방황했던 망국민으로서의 비애를 투명한 지성으로 이끌어 올리는 한 시범을 보여주었다. 그는 일제와의 적당한 타협과 굴종 속에서 전개되었던 암흑기의 문단에서 홀로 묵묵히 시업에만 정진함으로써 어두운 시대에 빛나는 시의 별로 떠오르게 되었던 것이다. 살아서 무명이었던 그는 적지 후쿠오카의 차디찬 감방에서 외마디 소리를 남긴 채 외로이 사라져간 암흑기의 등불로서, 우리 문학사에 불멸의 이름으로 살아남을 것이라고 믿어진다.

그는 북간도 명동촌에서 교원이던 윤영석의 맏아들로 태어났다. 그의 조부는 원래 함경북도 회령에서 살았는데 북간도로 망명하여 손수 벌채하여 집을 짓고 황무지를 개척하였다. 때마침 기독교가 들어오자 그의 조부는 솔선 신자가 되었고, 손주 동주를 볼 즈음에는 장로로서 교민의 교육에 힘썼다. 윤동주의 건실하고 너그러움은 그의 조부에게서, 내성적이고 겸허함은 부친에게서, 그리고 온화하고 치밀한 성격은 모친에게서 물려받은 성품이라고 한다.

명동에서 소학을 다닐 즈음의 윤동주는 글짓기와 그림에 취미가 있는 다정다감한 소년이었다. 1931년 소학교를 졸업하고 나서 대랍자라고 하는 곳에서 중국인 관립학교를 1년간 수학하기도 하였는데, 시 「별헤는 밤」에 나오는 패, 경, 옥 등의 중국인 소녀들은 이때의 추억에서 비롯된 것이라고 전해진다. 1932년 윤동주는 용정의 은진 중학에 입학하였다. 이때부터 그는 축구선수로 활약하기도 하였으나, 대부분의 시간은 문학잡지를 탐독하거나 산책을 즐기곤 하였다고 한다. 1935년 은진중학 3년을 마칠 즈음엔 불현듯 고국에의 유학을 꿈꾸고 부친을 설득하여 평양 숭실중학에 전학하게 된다. 이 무렵은 그가 가장 문학열에 불타던 시기였다고 한다. 밤늦도록 도서관에서 당대의 민족시인들의 시집을 탐독하거나 구하기 힘든 시집들은 필사해서 애송하곤 하였다는 것이다. 그러나 신사참배 문제로 숭실학교가 폐교하게 되자 다시 용정에 돌아와 광명중학을 다니게 된다. 이무렵 그는 당시 북간도에서 발간되던 『카토릭소년』지에 「오줌싸개 지도」 등의 동시 몇 편을 발표했으며, 날마다 산과 들로 쏘다니며 문학적 감수성을 키워나갔던 것이다.

1938년 봄에 윤동주는 서울로 와서 연희 전문학교에 입학하게 된다. 이후로부터 고향에는 1년에 2회 정도 오갈 뿐, 서울에서의 객지 생활이 거의 전부가 된다. 그러나 "손들어 표할 하늘도 없는" 일제 말기 서울의 숨 막히는 현실에 쫓길 때면 고향산천에 묻혀 하늘과 바람과 별을 바라보며 시상을 가다듬곤 하였다. 용정 고향의 들길에 서서, 여기저기서 단풍잎 같은 슬픈 가을을 맞으며 별이 바람에 스치우는 아름다운 소리를 듣곤 하였다. 또한 이 무렵에는 앙드레 지드, 발레리, 릴케, 프랑시스 잠, 그리고 도스토예프스키 등에 심취하여 많은 밤을 꼬박 새곤 하였다는 것이다.

1941년 연희전문을 마칠 무렵에는 19편의 자작시를 묶은 자선시집 『하늘과 바람과 별과 시』를 간행하려 했으나 이양하 교수의 권유로 보류하기로 했다고 한다. 이러던 차에 그는 1942년 불현듯 도일하여 릿쿄오 대학에 적을 두게 된다. "파란 녹이 낀 구리거울속에/내 얼골이 남어 있는 것은/어느 왕조의 유물이기에/이다지도 욕될까"라고 하는 「참회록」를 쓰고는 분연히 적지를 향해 떠나간 것이다. 그러나 여러 가지 사정으로 인해 스승 이양하 선생이 공부하던 일본의 고도 경도에 자리잡고 있으며, 사숙하던 시인 지용이 공부하던 동지사 대학 영문과로 옮겨갔다. 아마도 이 무렵이 그에게는 가장 참담한 고독과 절망을 가져다 준 시기였던 것으로 보인다. 태평양 전쟁의 소용돌이 속에서 전쟁의 공포와 궁핍은 날로 더해만 갔고 가족과 친구들의 소식마저 여의치 못해서 한층 비참한 외로움과 절망을 겪을 수밖에 없었던 것이다.

"육첩방은 남의 나라/창밖에 밤비가 속살거리는데//등불을 밝혀 어둠을 조곰 내몰고/시대처럼 올 아침을 기다리는 최후의 나……" 이는 암담한 현실 속에서도 역사의 아침이 도래하리라는 믿음과 그 기다림이 제시되어 있는 작품인 「쉽게 씌워진 시」의 한 구절이다. 그는 또한 뿌리 깊은 생에 대한 고독과 절망감 속에서 조국과 고향, 그리고 어머니에 대한 그리움에 뒤척이게 되었다.

> 이네들은 너무나 멀리 있습니다.
> 별이 아슬히 멀듯이,
>
> 어머님,
> 그리고 당신은 멀리 북간도에 계십니다.

식민지 치하의 한 지식인으로서의 윤동주, 망국민, 실향민으로서의 윤동주의 절망과 비애는 점점 극에 달하게 되었으며, 이 시점에서 조국과 민족을 향한 애국, 애족의 열정이 폭발하게 된다.

1943년 7월 고향에 귀향 일자를 알리는 전보를 띄우고 귀향을 준비하던 윤동주는 고종사촌인 송몽규와 함께 불령선인으로 지목되어 사상불온 및 독립운동 혐의로 일경에게 체포되고 만다. 그리하여 1944년 6월, 2년 언도를 받고 후쿠오카 형무소에 수감되었다. 그는 싸늘한 감방에서 성치 않은 몸을 뒤채이면서도, "코카사쓰 산중에서 도망해온 토끼처럼/둘러리를 빙빙 돌며 간을 지키자/내가 오래 기르던 여윈 독수리야!/와서 뜯어 먹어라, 시름없이//너는 살지고/나는 여위어야지"라는 그의 싯구처럼 절규하며 저항혼을 불태웠던 것이다. 그러다 비운의 1944년 2월 어느 날 북간도 그의 가족에게 배달된 전보 한 장, "이월 십육일 동주 사망, 시체 가져가라"는 전보는 일제 말엽 암흑 속에 빛나던 민족의 마지막 등불, 시의 별이 떨어지는 순간을 알리는 최후의 신호였던 것이다.

백골 몰래 또 다른 고향에 가자던 외로운 청년 윤동주, 나팔 소리 들려올 새벽 아침을 기다리던 시인 윤동주, 그는 마침내 '어두워가던 하늘밑에 모가지를 드리우고 꽃처럼 피어나는 피를 조용히 흘리며' 순국하고 만 것이다.

스물아홉의 아까운 나이로 죽은 윤동주는 한 줌 재가 되어 눈보라치는 2월 어느 날, 눈물도 말라 버린 그의 아버지와 당숙 윤영춘에 안겨 고향 북간도로 되돌아왔다. 그리고는 가족의 손으로 '시인 윤동주지묘'란 묘비가 세워짐으로써 짧고 한 많은 일생 29년의 막을 내린 것이다. 비운의 시인 윤동주, 그의 삶이 비극적이었고, 생전이 무명 시인이었기 때문에 더욱 안타까운 이름 윤동주, 그가 간 후 몇 년이 지난 1948년 광복의 하늘 아래에서 당숙 윤영춘, 후배 정병욱, 장덕순, 그리고 동생 윤일주 등의 주선으로 마침내 유고시집 『하늘과 바람과 별과 시』가 간행되어 그의 이름과 시는 문학사의 뚜렷한 별로 떠오르게 된 것이다.

1 실향의식과 그리움의 정서

윤동주는 식민지 치하에서 본격 문인으로서 문단활동을 전개하지 않았던 시인이다. 그럼에도 불구하고 그는 이육사와 함께 식민지 후기의 우리 시사를 대표하는 저항 시인으로 일컬어져 왔다. 해방 전에 발표된 그의 작품은, 청소년 시절인 용정 광명중학 재학중 『카토릭소년』이라는 잡지에 실린 동시 몇 편, 『조선일보』 학생판, 연전문과에서 발행한 『문우』에 게재된 몇 편이 전부인 셈이고, 대부분의 작품들은 해방 후 친지들에 의해 간행된 『하늘과 바람과 별과 시』라는 유고시집에 수록되어 햇빛을 보게 되었다. 이 유고시집에 실린 작품은, 주로 그가 연희 전문학교에 다니던 무렵(1938~41)과 일본 릿쿄오대학 및 동지사대학에 유학하던 시절(1942~43)에 쓰인 것으로 추측된다. 이처럼 살아서는 무명이었던 시인 윤동주와 그의 작품이 "일제하 마지막 시인인 동시에 해방 후의 시단과 연결되는 맨 처음 시인이며, 일제하와 해방 후를 잇는 기념비적 위치를 차지하는 시인"[1]이라는 평가를 받게 된다는 것은 그의 문학과 생애가 남다름을 말해 주는 것이다. 즉, 암흑기에 이루어진 시 창작과 시인의 옥사, 그리고 그의 시에서 예언되던 "시대처럼 밝아 올 아침"으로서의 해방의 도래, 그리고 유고집 간행에 의한 사후 데뷔 등 생애와 문학에 있어서 비극성과 희극성의 숨가쁜 교차는 그것 자체가 이미 세인의 집중적인 관심을 불러일으키고, 또한 문학사적 조명을 유도하기에 충분한 극적 모멘트를 지니고 있는 것이었다.

본고에서는 지금까지의 윤동주와 그의 작품에 관한 다양한 논의들을 포괄적으로 수렴하면서,[2] 그의 시가 지닌 정신세계의 특징을 다시 검토해 보기로 한다. 필자는 이미 「운명애와 부활의지」(『현대문학』 1984년 5~6월호), 「자기 극복과 초인의 길」(『현대시』 1집) 등의 윤동주론을 쓴 바 있다. 텍스트로는 1955년 2월 16일에 간행된 『하늘과 바람과 별과 시』(정음사)를 사용했다.

어머님, 나는 별 하나에 아름다운 말 한마디씩 불러봅니다. 소학교

---

1) 정한모, 『현대시의 정수』(서울대학교출판부, 1979)196-197쪽

2) 마광수, 『윤동주연구』(정음사, 1984) 및 홍정선, 「윤동주 시연구의 현황과 문제점」; 김현자, 「대립의 초극과 화해의 시학」(『현대시』 제1집, 문학세계사, 1984)이 주목할 만하다.

(小學校)때 책상(冊床)을 같이 했든 아이들의 이름과, 패(佩), 경(鏡), 옥(玉) 이런 이국소녀(異國少女)들의 이름과, 벌써 애기 어머니 된 계집애들의 이름과, 가난한 이웃사람들의 이름과, 비둘기, 강아지, 토지, 노새, 노루, '프랑시쓰·짬' '라이넬·마리아·릴케' 이런 시인(詩人)의 이름을 불러 봅니다.

이네들은 너무나 멀리 있읍니다.
별이 아슬이 멀듯이,

어머님,
그리고 당신은 멀리 북간도(北間島)에 계십니다.

나는 무엇인지 그리워
이 많은 별빛이 나린 언덕 우에
내 이름자를 써 보고,
흙으로 덮어 버리었습니다.

—「별 헤는 밤」에서

윤동주의 유고시집 『하늘과 바람과 별과 시』를 관류하는 것은 '그리움'의 정서라고 할 수 있겠는데, 이 그리움의 기저에는 고향 상실의 비애가 자리잡고 있다. 인용시는 그가 연전 시절에 쓴 작품으로써 인구에 회자되는데, 여기서 '향수' 또는 '그리움'의 정서가 시의 중심 이미지를 이루고 있음을 알 수 있다. 그런데 그의 시에 나타난 향수는 단순히 그리운 것, 아름다운 것에로의 회상이 아니라 오히려 어두운 것, 잃어버린 것 혹은 슬픈 것으로서의 실향의식이라는 특징을 지니고 나타난다. 스물아홉의 생애를 마칠 때까지 북간도 명동촌에서 대랍자, 평양, 서울, 동경, 경도, 후쿠오카 등지로 줄곧 떠돌아다니기만 한 윤동주에게는 끝내 뿌리내릴 고향이 없었을는지 모른다. 그와 같이 항상 떠도는 젊은 날의 영혼에 실향의 비애가 짙게 투영된다는 것은 어쩌면 당연한 사실이었으리라. 그의 시에서 빈번하게 나타나는 '떠난다/사라진다/떨어진다/돌아간다' 등등의 시어들이 바로 윤동주의 실향과 그에 따른 방랑심리 또는 불안한 정서를 반영하고 있는 것으로 보인다.

한편 그의 초기 동시에도 '그리움'의 정서가 다양하게 드러난다.

① 어머니의 젖가슴이 그리운
서리 나리는 저녁—

어린 영(靈)은 쪽나래의 향수를 타고,
남쪽 하늘을 떠 돌뿐—

—「남쪽 하늘」 부분

② 까마귀떼 지붕 우으로
둘, 둘, 셋, 넷, 자꼬 날아 지난다.
쑥쑥, 꿈틀꿈틀 북쪽 하늘로,

내사……
북쪽 하늘에 나래를 펴고 싶다.

—「황혼」 부분

인용한 두 작품은 새(제비와 까마귀)와 그 날개의 이미지, 고향 북간도에 대한 짙은 향수를 연결함으로써 주제를 드러내고 있다는 점에 그 공통점이 있다. 이와 같이 윤동주 시의 주요한 모티브를 이루는 그리움은 매우 다양하게 나타나는데, 소학교 때 친구들에 대한 그리움, 어머니, 동생 등 가족에 대한 그리움, 고향에 대한 그리움, 흘러가 버린 지난날에 대한 그리움 등이 그것이다. 이러한 그리움 가운데 가장 중심적이며 지속적인 것은 바로 고향상실의 비애라고 할 수 있다. 그의 고향상실의 비애는 「또다른 고향」에 대한 갈망으로 전환되어 그 극복을 위한 시도가 이루어진다.

고향에 돌아온 날 밤에
내 백골이 따라와 한방에 누웠다.

어둔 방은 우주로 통하고
하늘에선가 소리처럼 바람이 불어온다.

어둠 속에서 곱게 풍화작용하는
백골을 들여다 보며
눈물 짓는 것이 내가 우는 것이냐
백골이 우는 것이냐
아름다운 혼이 우는 것이냐

지조 높은 개는
밤을 새워 어둠을 짖는다.

어둠을 짖는 개는
나를 쫓는 것일 게다.

가자 가자
쫓기우는 사람처럼 가자
백골 몰래
아름다운 또 다른 고향에 가자.

—「또다른 고향」 전문

이 작품에는 윤동주의 뿌리 깊은 고향상실의식과 그 비애, 불안심리, 강박관념 등과 함께 새로운 고향, 즉 열린 세계, 아름다운 세계에 대한 동경과 갈망이 잘 나타나 있다. 그러나 그 고향은 이미 영혼과 육신이 함께 편안히 안주할 수 있는 장소는 아니다. 이미 유년의 평화와 아름다운 동심은 사라지고 어둠으로 가득 찬 불안의 장소일 뿐이다. 따라서 그곳은 추억에의 향수와 현실의 어둠이 서로 갈등을 이루는 이미 상실된 낙원에 불과한 것이다. 여기에서

"나"는 현실적 자아, 백골은 본질적 자아, "아름다운 혼"은 이상적 자아를 의미한다. 그러므로 이 시의 중심 연인 셋째 연은 현실의 어둠 속에서 잃어만 가는(풍화작용하는) 삶의 터전과 생명의 근원, 정신의 뿌리 등의 고향상실에 대한 절망과 비애를 각각 현상자아, 본질자아 및 이념자아의 탄식으로 형상화한 것이 된다. 여기에서 세 자아의 등장은 필연적으로 갈등을 유발하게 되고, 그 갈등에서 고향상실과 그에 따른 불안과 강박관념이 배태되는 것이다. 그러므로 시적 화자는 "쫓기우는 사람"으로서 "아름다운 또다른 고향에 가자"라고 절규하기에 이른다. 이러한 "또다른 고향"에 대한 동경과 지향은, 고향상실의 비애와 그 불안의식이 추구할 수밖에 없는 열린 세계에 대한 지향인 동시에 정신적 파산에서 스스로를 구원할 수 있는 효과적인 방법이 되기 때문이다.

2 동심지향과 인간애

우리 애기는
아래 발치에서 코올코올,

고양이는
부뜨막에서 가릉가릉,

애기 바람이
나무가지에서 소올소올,

아저씨 햇님이
하늘한가운데서 째앵째앵.

—「봄」 전문

시집 『하늘과 바람과 별과 시』의 주조를 이루는 또 하나의 정서는 동심과 인간애를 지향하는 것이다. 윤동주의 시세계는 맑고 밝은 세계에서 시작하여, 착하고, 진실하고, 아름다운 것을 사랑하고 꿈꾸는 휴머니즘으로 귀결된다. 그의 동심 지향을 알 수 있는 것은 그의 전 작품에서 차지하는 동시의 비중을 통해서이다. 총 111편의 시에서 30퍼센트에 달하는 35편의 시를 동시로 볼 수 있다는 점에서 동심 회귀와 그 지향이 중요성을 지니는 것이다. 또한 해님, 달님, 눈, 산골짝, 바닷가 등 원초적 자연의 이미지와 엄마, 아기, 누나, 동생 등의 원형 심상 그리고 조개껍질, 무지개, 반딧불, 병아리, 강아지 등 수많은 유년 추억의 소재들이 시편들에 가득 차 있다는 점에서도 그러한 동심 지향을 읽을 수 있다. 이것은 비단 동시와 초기시에서만 나타나는 것이 아니라, 후기시에도 면면히 이어지는 윤동주 시 정서의 중요한 원형질이라는 점에서 더욱 의의를 지니는 것이다.

인용시 「봄」은 동시의 특징을 단적으로 보여준다. "우리 애기" "고양이"가 천연스럽게 잠들어 있는데, "애기바람" "아저씨 햇님" 등 의인화된 원형적 자연 심상이 결합되어 평화스러운 동심의 풍경화를 그려내고 있다. 특히 "코올코올" "가릉가릉" "소올소올" "째앵째앵"이라는 정제된 의성, 의태어는 인간과 자연의 평화스런 화해와 교감을 유발하는 것이다.

또한 시어와 행, 연의 간결한 형태와 단순한 율격은 소박하면서도 꾸밈없는 동심을 그대로 반영한 것이 아닐 수 없다. 이것은 윤동주의 시심이 본원적으로 밝고 맑으며 착하고 따뜻한 동심의 세계에 자리잡고 있음을 말해 주는 것이다.

① 손가락에 침발러
쏘옥, 쏙, 쏙,
장에 가는 엄마 내다보려
문풍지를

쏘옥, 쏙, 쏙,
아침에 햇빛이 반짝,

손가락에 침발러
쏘옥, 쏙, 쏙,
장에 가신 엄마 돌아오나
문풍지를
쏘옥, 쏙, 쏙,

저녁에 바람이 솔솔.

—「햇빛 · 바람」 전문

② 빨래줄에 걸어논
요에다 그린 지도
지난 밤에 내동생
오줌싸 그린 지도

꿈에 가본 엄마계신
별나라 지돈가?

돈벌러 간 아빠계신
만주땅 지돈가?

—「오줌싸개 지도」 전문

③ 바닷가 사람
물고기 잡아 먹고 살고

산골엣 사람
감자 구어 먹고 살고

별나라 사람
무얼 먹고 사나.

—「무얼 먹고 사나」 전문

인용한 세 편의 시에는 동심이 해학적으로 드러나 있다. ①에는 유년의 풍정이 잘 묘사돼 있다. 여기에는 세 가지 소재가 결합돼 있다. 햇빛과 바람, "손가락에 침발러" 문풍지를 뚫는 장난기와 엄마를 기다리는 심정, 이들이 자연스럽게 결합되어 유년의 포근하고 따뜻한 평화를 일깨워 주는 것이다. ②에도 장난기 어린 동심이 해학적으로 표현돼 있다. 동생이 오줌을 싸서 그린 요를 놓고 "별나라 지도" "만주땅 지도"라고 놀리는 풍정은 앙증스럽기까지 한 것이다. 한 가지 여기에는 '돈벌러 만주간 아빠', '죽어서 별나라 간 엄마' 등 현실의 그림자가 드리워진 것이 특징이나, 그것 자체가 순수하고 때없는 동심을 그대로 반영한 것이라는 점에서 의미가 있다. 그것은 동시라고 해서 어린이가 쓴 시만을 뜻하는 것이 아니라는 점을 말해 준다. 이 경우는 스무 살 난 청년 윤동주가 썼다는 점에서 어른이 쓴 동시에 해당하며, 이것은 윤동주의 동심에 대한 지향정신을 반영한 것이 된다. 시 ③은 어린이의 눈으로 "먹고 사는" 문제에 대한 관심이 드러난다는 점에서 흥미롭다. 매우 단순한 이야기임에도 불구하고, 그 속에 다른 사람들 특히 미지에 대한 호기심과 함께 근심이 깃들어 있다는 점에서 선의지가 작용하고 있는 것으로 보인다.

이처럼 동시에는 자아와 세계와의 행복한 화해가 추구되는 가운데 현실의 어두운 그림자가 다소 드리워지고 있음을 불 수 있다. 이 점은 이미 지적한 것처럼 동시가 어린이 시절보다는 20세 무렵에 쓰여진 것이라는 점에서 색다른 의미를 지닌다. 그것은 윤동주의 유아의식 혹은 유아기에의 퇴행[3]을 반영한 것이라고 생각되지는 않는다. 오히려 그것은 거칠고 억센 식민지 말기의 질

3) 김열규, 「윤동주론」(『국어국문학』 27호, 1964) 참조.

곡에서 벗어날 수 있는 유일한 방법 중의 하나가 어린 것, 착한 것, 불쌍한 것, 아름다운 것을 동경하는 동심에 대한 지향정신 속에서 획득될 수 있다는 점을 반영하는 것으로 해석된다. 이것은 유아적 퇴행 또는 패배주의에서 비롯된 것이 아니라, 오히려 현실에 대한 극복과 초월 정신을 지향하는 착하고 맑은 정신에서 우러나온 것으로 판단되기 때문이다.

거칠고 억센 현실의 폭력에서 벗어날 수 있는 길은 인간성의 요람인 동심에의 추구를 통해서 가능한 것일 수 있다. 고향상실에 대한 좌절과 저항의지의 내면화에 따르는 부끄러움의 정조는 과거적 상상력을 바탕으로 하여 천진무구하면서도 아름다운 동심으로 회귀하게 되기 때문이다. 이러한 이행 과정에서 겪는 갈등과 괴리감이 생의 비애와 부끄러움을 더욱 부채질했을 것임은 물론이다.

아울러 동화적 세계에의 회귀와 동심에의 지향은 필연적으로 약자에 대한 관심과 애정을 기울이는 휴머니즘의 향성을 지닐 수밖에 없게 된다. 시집 도처에 노새, 노루, 토끼, 강아지, 비둘기 등등 힘없는 짐승들과 어머니, 아기, 누나 등 약자가 주로 등장하는 것은 이러한 휴머니즘 정신을 반영한 것으로 볼 수 있다. 약한 것, 착한 것, 불쌍한 것, 외로운 것, 슬픈 것들을 사랑하는 마음이야말로 동심과 휴머니즘의 공통분모일 수 있기 때문이다. 과거적 상상력에 바탕을 둔 동심 추구의 정신과 선의지에 근거한 휴머니즘 지향 정신은 윤동주 시정신의 소중함을 일깨워 주는 가장 중요한 원질이 된다. 동심과 휴머니즘 정신에 대한 지향과 추구야말로 윤동주 시의 정신적 고향이며, 전 생애에 걸쳐 갈망하던 구원의 이데아이고 동시에 그 유토피아로 볼 수 있는 것이다.

3 천상에의 동경과 자연 친화

계절이 지나가는 하늘에는
가을로 가득 차 있습니다.
나는 아무 걱정이 없이
가을 속의 별들을 다 헤일 듯합니다.

가슴 속에 하나 둘 새겨지는 별을
이제 다 못 헤는 것은
쉬이 아침이 오는 까닭이오,
내일 밤이 남은 까닭이오,
아직 나의 청춘이 다하지 않은 까닭입니다.

별하나에 추억과
별하나에 사랑과
별하나에 쓸쓸함과
별하나에 동경과
별하나에 시와
별하나에 어머니, 어머니,

—「별헤는 밤」 부분

『하늘과 바람과 별과 시』라는 시집 제목부터가 그렇듯이 윤동주의 시집 도처에는 무수한 천체적 이미지와 전원심상이 발견된다. 이는 그의 시집에서 3할을 차지하는 동시와 거기에 나타난 동심회귀 혹은 그 지향이 현실의 어둠을 정화시켜 주는 한 원천이 되고 있다는 사실과 비교된다. 즉, 천상적 이미지인 "하늘, 바람, 별" 등과 자연의 상징인 계절, 식물적 이미지들에는 신뢰할 수 없는 현실로부터 열린 세계를 지향하는 정신이 담겨있는 것으로 파악되기 때문이다. 그것은 순환하는 것, 변화하는 것으로서의 대자연의 순환질서가 막힌 현실에 변화를 불어넣음으로써 새로운 정신의 탄력을 유발하고, 서정의 신선한 긴장을 유지시켜 주는 힘으로 작용하는 것으로 해석되기 때문이다.

인용시에서 별빛은 현실의 어둠을 정화해 주고, 하늘은 막힌 현실을 열린 세계로 통하게 하는 천상적 동경의 표상인 것이다. 다시 말해, 별은 과거(추억), 현재(사랑, 쓸쓸함), 그리고 미래(동경)와 만나게 해주는 아름다운 '추억의 별'이고, 이룰 수 없는 '사랑과 쓸쓸함의 별'인 동시에 신비한 미래에의 '동경의 별'인 것이다. 또 천체적 이미지의 핵심 표상 중의 하나인 "하늘"은 "어두운 방이 우주로 통하고/소리처럼 바람이 불어오게 하는"(「또 다른 고향」에서) 열림의 표상이며, "가을이 가득차" 있을 수 있는 충만의 공간이다. 한편 하늘은 "죽는날까지 하늘을 우러러/한점 부끄럼이 없기를"(「서시」) 이나 "우물속에는 달이 밝고 구름이 흐르고 하늘이 펼치고 파아란 바람이 불고 가을이 있읍니다."(「자화상」)처럼 거울의 이미지와 연결되어 자아성찰의 동기로써 무구한 세계 또는 순결정신의 상징으로 사용된다. 이처럼 별과 하늘은 천체적 이미지의 중심 표상으로, 지상의 한계를 벗어나서 아름다운 것, 꿈꿀 수 있는 것으로서의 천상적 질서에 도달하고자 하는 윤동주의 유토피아 정신을 반영한 것으로 해석할 수 있다.

> 바람이 어디로부터 불어와
> 어디로 불려가는 것일까,
>
> 바람이 부는데
> 내 괴로움에는 이유(理由)가 없다.
>
> 내 괴로움에는 이유(理由)가 없을까,
>
> —「바람이 불어」 부분

바람은 무언가 괴로움을 불러일으키는 원인이거나 촉매로서 작용한다. 또한 많은 경우 "오늘 밤에도 별이 바람에 스치운다"(「서시」)처럼 별·바람·구름 등 다른 천체적 이미지와 결합되어 서정의 풍향계 역할을 하기도 한다. 요컨대 '흔들림'의 이미지 혹은 '흘러감'의 이미지로서, 정신의 '흔들림' 또는 서정의 '울림'을 표상한다.

한편 전원심상은 생명 감각과 결합되어 서정적 또는 육화된 자연으로서의 의미를 지닌다.

> 여기저기서 단풍잎 같은 슬픈 가을이 뚝뚝 떨어진다. 단풍잎 떨어져 나온 자리마다 봄을 마련해 놓고 나무가지 우에 하늘이 펼쳐 있다. 가만히 하늘을 들여다 보려면 눈섭에 파란 물감이 든다. 두손으로 따뜻한 볼을 쓧어보면 손바닥에도 파란 물감이 묻어난다. 다시 손바닥을 들여다 본다. 손금에는 맑은 강물이 흐르고, 맑은 강물이 흐르고, 강물 속에는 사랑처럼 슬픈 얼골—아름다운 순이(順伊)의 얼골이 어린다. 소년(少年)은 황홀히 눈을 감어 본다. 그래도 맑은 강물은 흘러 사랑처럼 슬픈 얼골—아름다운 순이(順伊)의 얼골은 어린다.
>
> —「소년」 전문

이 시에는 "슬픈 가을/파란 하늘/맑은 강물" 등의 전원심상이 "사랑처럼 슬픈 얼골/아름다운 순이 얼골" 등 인간적 이미지와 환상적으로 결합되어 인간(소년)과의 친화와 교감을 서경적으로 이루어내고 있다. 특히 "눈썹에 파란 물감이 든다/볼을 쓧어 보면 손바닥에도 파란 물감이 묻어 난다"라는 구절이나 "손금에는 맑은 강물이 흐르고/강물 속에는 사랑처럼 슬픈 얼골—아름다운 순이의 얼골이 어린다"라는 구절에서 볼 수 있듯이 인간과 자연의 육화된 일치와 거기서 우러나는 아름다운 교감으로 인해 윤동주의 탁월한 자연 처리 능력을 엿볼 수 있다. 자연의 아름다움 속에는 슬픈 인생으로서의 외로운 자아의 모습이 대조돼 있는 것이다.

봄이 혈관(血管)속에 시내처럼 흘러
돌, 돌, 시내 가차운 언덕에
개나리, 진달래, 노오란 배추꽃

삼동(三冬)을 참어온 나는
풀포기처럼 피어난다.

즐거운 종달새야
어느 이랑에서나 즐거웁게 솟처라.

푸르른 하늘은
아른아른 높기도 한데……

—「봄」 전문

이 시에서 우리는 순환하는 자연과 그 율감 속에서 끊임없이 상관되며 변화해가는 것으로서의 생의 본질에 대한 섬세한 투시를 읽을 수 있다. "봄이 혈관 속에 시내처럼 흘러/삼동을 참어온 나는/풀포기처럼 피어난다"라는 구절 속에서 피 속에 육화된 자연 친화와 그 교감의 정신을 확연히 깨달을 수 있는 것이다. 이러한 자연과 인간의 육화된 어우러짐을 통해서 비로소 신선한 시적 서정이 건강한 생명 감각을 획득하게 되며, 아울러 삶의 의욕으로 되살아나게 됨은 물론이다. 바로 이러한 '육화된 자연'으로서의 자연과의 친화와 교감의 정신이야말로 윤동주 시정신의 건강성을 단적으로 말해주는 것이 된다. 또한 병든 현실로부터 스스로를 구원할 수 있는 중요한 방법의 하나가 건강한 자연에의 몰입 또는 그 지향에 있다는 점을 제시해 주는 것으로 보인다. '흐르는 것/사라지는 것/떨어지는 것'들과 같이 소멸과 하강의 전원심상이 지속적으로 나타나는 것은 바로 이러한 병든 현실에 대한 위태로움의 인식을 반영한 것으로 해석되기 때문이다. 어쩌면 윤동주는 자연의 근원적 허적과 인간의 생래적 고독을 동일시함으로써 자신의 허무와 고독을 이겨 나가려고 시도한 것인지도 모른다. 그는 자연의 본래적인 모습인 생성과 소멸, 상승과 하강 등의 순환원리를 인간의 그것과 동일하게 이해함으로써 현상계의 위태로움으로부터 자유로워질 수 있었던 것으로 보인다. 자연친화와 교감의 정신은 불안정한 정신을 지탱시켜 주고, 어두워만 가는 심성을 맑게 고양시켜주는 영혼의 샘물이 되는 것이다.

신뢰할 것 하나 없는 현실, 막다른 지상의 굴레에서 유일하게 희망과 동경을 불어넣어 주는 표상으로서의 천체적 이미지, 그리고 이와 연결되어 정신과 서정에 신선한 활력을 불어넣어 줌으로써 생명 감각을 일깨우고 삶의 용기를 북돋워 주는 전원심상으로서의 자연 친화와 교감의 정신은 『하늘과 바람과 별과 시』를 관류하는 중요한 특질이 되는 것이다. 이같은 천상에의 아름다운 동경과 자연에의 건강한 지향이야말로 윤동주 시심의 아름다움과 건강함을 반영하는 것이 아닐 수 없다.

4 부정적 현실인식과 비극적 세계관

① 흐르는 달의 흰 물결을 밀쳐
여윈 나무그림자를 밟으며
북망산(北邙山)을 향(向)한 발걸음은 무거웁고
고독(孤獨)을 반려(伴侶)한 마음은 슬프기도 하다.

누가 있어만 싶은 묘지(墓地)엔 아무도 없고,
정적(靜寂)만이 군데군데 흰 물결에 폭 젖었다.

—「달밤」 전문

② 잠은 눈을 떴다
그윽한 유무(幽霧)에서.

노래하는 종달이
도망쳐 날아나고,

지난날 봄타령하든
금잔디밭은 아니다.

탑(塔)은 무너졌다,
붉은 마음의 탑(塔)이—

손톱으로 새긴 대리석탑(大理石塔)이—
하로저녁 폭풍(暴風)에 여지(餘地)없이도,

오오 황폐(荒廢)의 쑥밭,
눈물과 목메임이여!

꿈은 깨어졌다.
탑(塔)은 무너졌다.

—「꿈은 깨어지고」 전문

③ 하나, 둘, 셋, 네
………
밤은
많기도 하다.

—「못자는 밤」 전문

윤동주의 시에는 부정적인 현실인식이 두드러지게 나타난다. 그것은 현실을 부재하는 것 또는 깨어진 것으로 인식하는 것으로서 어둠 또는 밤의 표상성을 지닌다. 인용한 세 작품에는 윤동주의 현실인식의 태도가 잘 드러나 있다.

먼저, ①에는 북망산과 묘지로서의 현실인식이 드러난다. 살아 있어도 살아 있다 할 것이 없는 현실은 마치 북망산 또는 묘지와 다를 바 없는 것이다. 이 시에서, "흰 물결, 여윈 그림자, 정적" 등의 이미지가 환기하는 것 역시 절망에 가까운 무기력의 그것이며 "발걸음은 무거웁고/마음은 슬프기도 하다"라는 구절은 절망적인 심정을 반영한 것이 된다. 무엇보다도 "누가 있어만 싶은 묘지엔 아무도 없고"라는 구절 속에는 부정적인 현실인식이 구체적으로 드러난 것으로 보인다.

②에는 부정적·절망적 현실인식이 더욱 심화되어 나타난다. 무엇보다도 먼저 어미 처리에서 그 특색이 드러난다. "도망쳐 달아나고/아니다/무너졌다/깨어졌다"라는 술어는 부정적, 절망적 심리상태를 단적으로 반영한 것으로 보인다. "오오 황폐의 쑥밭/눈물과 목메임이여!"라는 구절 속에는 이미 폐허화한 현실의 모습과 그에 대한 절망과 비탄의 감정 반응이 직접적으로 표출된 것이다. 고향을 잃어버리고 조국을 빼앗긴 현실은 이미 '깨어진 꿈'이며 '무너진 탑'으로서 "묘지"로밖에 인식될 수 없는 것이다.

한편, 인용시 ③에는 현실이 끝없이 계속되는 밤으로 표상돼 있다. 끝없이 계속되어 "……" 표로밖에 표현할 수 없는 밤은 절망 그 자체일 수밖에 없을 것이다. "……" 속에는 밤으로서의 현실에 대한 절망과 공포, 그리고 깊은 탄식이 깃들어 있는 것이다. 실상 『하늘과 바람과 별과 시(詩)』의 주조는 어둠의 색채로 물들어 있고 밤의 이미지로 가득차 있을 정도로 절망과 공포, 그리고 비탄 등 부정적 현실이 팽배해 있는 것이 사실이다. 이것은 관형어가 '슬픈/괴로운/어두운/텅빈' 등과 같이 서술어가 '없다/아니다/말다'를 중심으로 이루어지고 있다는 점에서도 확인될 수 있다. 이것은 어느 면 윤동주의 현실인식이 비극적 세계관에 자리하고 있음을 시사하는 것일 수도 있다. 그의 시집 도처에 깔려 있는 소멸과 하강의 이미지, 과거적 상상력에 주로 의존하는 소극적 정서, 부정적 시선으로만 바라보는 현실인식의 비관적 태도 등은 윤동주의 비극적 세계관을 드러내주기에 충분한 것으로 해석되기 때문이다.

다음 두 편의 시는 이러한 윤동주의 부정적 현실인식의 바탕에 자리잡고 있는 비극적 세계관을 선명히 제시해준다.

① 거 나를 부르는 것이 누구요.

가랑잎 잎파리 푸르러 나오는 그늘인데,
나 아직 여기 호흡(呼吸)이 남어 있소.

한번도 손들어 보지 못한 나를
손들어 표할 하늘도 없는 나를

어디에 내 한몸 둘 하늘이 있어
나를 부르는 것이오.

일 마치고 내 죽는 날 아침에는
서럽지도 않은 가랑잎이
떨어질텐데……

나를 부르지 마오.

—「무서운 시간」 전문(인용자 가점)

② 흰 수건이 검은 머리를 두르고
흰 고무신이 거츤 발에 걸리우다.

흰 저고리 치마가 슬픈 몸집을 가리고
흰 띠가 가는 허리를 질끈 동이다.

—「슬픈 족속」 전문

시 ①에는 부정적인 현실인식의 태도와 그 속에 깔린 비극적 세계관이 직접적으로 드러나 있다. "한번도 손들어 보지 못한 나/손들어 표할 하늘도 없는 나/어디에 내 한몸 둘 하늘이 있어"라는 구절 속에는 암담한 현실에 대한 속깊은 절망과 함께 세계를 부정적, 절망적, 비관적으로만 바라보려고 하는 비극적 세계관이 담겨져 있다. "손들어 표할 하늘도 없는" 나, "내 한몸 둘 하늘도 없는" 세상은 비극적인 것 그 자체일 수밖에 없는 것이다. 그러므로 이러한 비극적 세계관은 "내 죽는 날"이라는 최후의 운명의식 또는 한계적 생의 인식, 즉 죽음의식으로 연결되게 된다. 이러한 죽음에 대한 운명의식 또는 한계의식은 부정적 현실인식이 도달할 수 있는 극점이지만, 어쩌면 비극적 세계관이 이끌어낼 수 있는 자연스런 귀결일지도 모른다. 이 점에서 윤동주는 항상 "죽는 날"을 그의 생의 인식 속에서 예감하고 있었던 것으로 보이는 것이다.

시 ②에도 비극적 세계관이 잘 나타나 있다. 여기에서 "흰 수건/흰 고무신/흰 저고리 치마/흰 띠" 등이 상징하는 것은 백의민족으로서의 한민족이며, 동시에 그것은 '흰색'이 표상하듯이 슬픈 역사·어두운 현실을 살아왔고, 또 살아가고 있는 민족의 한의 운명을 반영한 것이 된다. "흰 저고리 치마로 슬픈 몸집을 가리고, 흰띠로 가는 허리를 질끈 동이고" 걸어가는 슬픈 족속으로서의 민족을 바라보는 시인의 시선은 분명 비극적 세계관에 깊이 물들어 있는 것이 아닐 수 없다. 또한 이 속에는 슬픔을 운명적인 것으로 받아들이려는 비장한 운명의식이 깃들어 있는 것으로 보인다. 이러한 죽음을 의식한 슬픈 운명의식과 처절한 비극적 세계관이야말로 시집 『하늘과 바람과 별과 시』를 더욱 비장한 아름다움으로 고양시켜 주는 원동력이 된다.

5 운명애와 자기애

산모퉁이를 돌아 논가 외딴우물을 홀로 찾아가선 가만히 들여다 봅니다.

우물속에는 달이 밝고 구름이 흐르고 하늘이 펼치고 파아란 바람이 불고 가을이 있읍니다.

그리고 한 사나이가 있읍니다.
어쩐지 그 사나이가 미워져 돌아갑니다.

돌아가다 생각하니 그 사나이가 가엾어집니다.
도로가 들여다보니 사나이는 그대로 있읍니다.

다시 그 사나이가 미워져 돌아갑니다.
돌아가다 생각하니 그 사나이가 그리워집니다.

우물 속에는 달이 밝고 구름이 흐르고 하늘이 펼치고 파아란 바람이 불고 가을이 있고 추억(追憶)처럼 사나이가 있습니다.

—「자화상」 전문

윤동주의 시에는 사랑의 문제가 특이한 양상을 띠면서 나타난다. 사랑의 종류에는 부모와 자식에 대한 사랑, 형제간, 이웃 간의 사랑, 이성 간의 성적 사랑, 자기에 대한 사랑, 그리고 절대자에 대한 신앙적 사랑 등등이 있다. 윤동주의 시에서 부모에 대한 원초적 사랑은 「쉽게 씨워진 시」에서의 "땀내와 사랑내 포근히 품긴/보내주신 학비봉투를 받어"와 같은 구절이라든가, 「별헤는 밤」에서의 "별 하나에 시와/별 하나에 어머니, 어머니……/그리고 당신은 멀리 북간도에 계십니다"와 같은 구절에서 발견된다.

또 동등애(equal love)로서의 형제애는 「아우의 인상화」에서 드러나는바, 그것은 혈육애에 바탕을 두고 있지만 동시에 자신에 대한 연민의 인식이며, 보편적인 인류애로 연결된 사랑의 표현이라고 할 수 있다. 한편 「사랑의 전당」이라든지 「태초의 아침」 같은 작품에서는 이성에 대한 사랑의 고뇌를 찾아볼 수 있으며, 신앙적 사랑이 육화되어 있는 작품도 부분적으로 나타난다.

그러나, 윤동주 시에 있어서, 사랑은 무엇보다 자기에 대한 사랑의 문제가 가장 지속적으로 작용하고 있는 것으로 여겨진다.

인용시 「자화상」의 모티브는 '들여다 봄', 즉 자기 성찰에서 비롯된다. 달, 구름, 하늘, 바람, 구름이라는 천체적 이미지와 전원심상이 서정적 분위기를 형성하는 가운데 나르시즘적인 자아성찰이 전개되는 것이다. 이 자기애적인 자아성찰은 변증법적인 과정으로서 전개된다. 그것은 '들여다봄→미움', '돌아감→가엾음', '도로 들여다봄→미움', '돌아가다 생각함→그리움'이라는 이행 과정을 겪는다. 다시 말해 '미움→가엾음→미움→그리움'이라는 정·반·합의 변증법적 발전과정으로 요약할 수 있는 자기애의 과정을 거침으로써, 미움도 가엾음도 아닌, 미움과 가엾음의 과정을 통해 마침내 진정한 그리움의 세계에 도달하게 되는 것이다. 이 점에서 윤동주의 자기애는 자기성찰의 변증법적인 갈등을 겪은, 진정한 자기애의 모습을 지니게 되는 것이다. 이러한 자기애의 변증법적 발전과정은 마침 내 운명애의 단계로 고양되게 된다.

> 죽는 날까지 하늘을 우러러
> 한점 부끄럼이 없기를,
> 잎새에 이는 바람에도
> 나는 괴로워 했다.
> 별을 노래하는 마음으로
> 모든 죽어가는 것을 사랑해야지
> 그리고 나한테 주어진 길을

걸어가야겠다.

오늘 밤에도 별이 바람에 스치운다.

—「서시」 전문

시집 『하늘과 바람과 별과 시』의 서시인 이 작품은 시집의 전체적인 내용을 개략적으로 암시하고 있다. 시는 내용적인 면에서 세 연으로 나눌 수 있는데, 첫째 연은 "하늘—부끄럼", 둘째 연은 "바람—괴로움", 셋째 연은 "별—사랑"을 중심으로 각각 짜여 있다. 첫째 연에서는 하늘의 이미지가 표상하듯이 천상적인 열린 세계로 지향하는 순결의지가 드러난다. 바라는 것, 이념적인 것과 실존적인 것, 한계적인 것 사이의 갈등과 부조화에서 오는 부끄러움의 정조가 두드러진다. 둘째 연에는 대지적 질서 속에서의 삶의 고뇌와 함께 섬세한 감수성의 울림이 드러난다. 셋째 연에는 "별을 노래하는 마음"으로서의 '진실한 마음, 착한 마음, 아름다운 마음'을 바탕으로 한 운명애의 정신이 핵심을 이룬다. 특히 "그리고 나한테 주어진 길을 걸어가야겠다"라는 구절은 운명애에 대한 확고하면서도 신념에 찬 결의를 다지고 있는 것으로 해석된다. 이러한 운명애의 결의와 다짐은 험난한 현실에서 도피하지 않고, 운명과 마주 서서 절망을 극복하려는 자기구원과 사랑에 있어 최선의 방법일 수 있다. 절망의 환경일수록 스스로를 구원할 수 있는 것은 자기 자신일 수밖에 없다. 여기에서 윤동주가 택한 자기구원의 방법은 운명에 대한 긍정과 따뜻한 사랑이었던 것이다. 그러나 이 운명애의 길은 관념적으로 도출된 것이 아니라, 냉엄한 자아성찰과 통렬한 참회의 과정을 겪으면서 변증법적 자기극복과 초월의 노력 속에서 마침내 획득되어진 것이라는 점에서 참된 생명력을 지니는 것이다. 그것은 단순한 운명 감수의 태도가 아니라, 그 극복과 초월에 목표를 둔 것이기 때문이다.

이렇게 볼 때, 윤동주 시의 근원이 되는 것은 사랑의 정신이며, 그것은 운명애에 의한 자기극복과 구원의 성격을 지닌다. 약한 것에 대한 사랑은 휴머니즘의 정신을, 원초적인 것과 혈육에 대한 사랑은 조국애의 정신을, 그리고 운명애는 현실 극복의 정신을, 신앙애는 초월의 정신을 각각 포괄하고 있는 것이다.

6 예언자적 지성의 발현

① 다들 죽어가는 사람들에게
검은 옷을 입히시요.

다들 살어가는 사람들에게
흰 옷을 입히시요.

그리고 한 침대(寢臺)에
가즈런히 잠을 재우시요.

다들 울거들랑
젖을 먹이시요.

이제 새벽이 오면
나팔소리 들려 올게외다.

—「새벽이 올 때까지」 전문

② 나는 무엇인지 그리워
가 많은 별빛이 나린 언덕 우에
내 이름자를 써보고,
흙으로 덮어 버리었읍니다.

따는 밤을 새워 우는 벌레는
부끄러운 이름을 슬퍼하는 까닭입니다.

그러나 겨울이 지나고 나의 별에도 봄이 오면
무덤우에 파란 잔디가 피어나듯이
내 이름자 묻힌 언덕우에도
자랑처럼 풀이 무성할게외다.

—「별헤는 밤」 부분

이 두 편의 시는 죽음과 부활의 정신이 그 핵심을 이루고 있다. 시 ① 은 "죽어가는 사람"과 "살아가는 사람"을 검은 옷과 흰옷으로 대비시키는 가운데, 죽음을 넘어서서 새로이 살아나는 부활을 노래하고 있다. '나팔소리 들려올 새벽'은 부활의 탄생을 성취하는 시간이며, 동시에 역사의 아침이 도래하는 엄숙한 시간인 것이다. 특히 시 ②에서는 이 부활이 신앙적인 것으로 상승한다. 겨울과 밤이 지나면 "자랑처럼 풀이 무성할 봄"이 올 것이라는 확고한 믿음을 간직하고 있는 것이다. 그것은 밤과 낮, 그리고 계절이 순환하는 것이라는 대자연의 영원한 섭리로 보아서도 그렇고, 영생과 부활을 신념으로 믿는 기독교적 신앙에 비추어 보아도 진리일 수밖에 없는 것이다. 끝 연의 "그러나"에는 현실의 어둠을 밀쳐 내고자 하는 완강한 의지와 함께 순환의 섭리와 부활의 진리를 신앙처럼 믿고 기다리는 확고한 신념이 담겨져 있는 것으로 이해된다.

이 점에서 이 미래지향의 정신은 단순한 기대로서가 아니라 신앙적인 차원에로 상승돼 있는 것으로 판단된다. 그러므로 마지막 순간까지도 부활을 믿으며 그 아침을 기다리는 것이다.

인생은 살기 어렵다는데
시가 이렇게 쉽게 씌워지는 것은

부끄러운 일이다.

육첩방(六疊房)은 남의 나라
창(窓)밖에 밤비가 속살거리는데,

등불을 밝혀 어둠을 조금 내몰고
시대(時代)처럼 올 아침을 기다리는 최후(最後)의 나,

나는 나에게 적은 손을 내밀어
눈물과 위안(慰安)으로 잡는 최초(最初)의 악수(握手).

—「쉽게 씌워진 시」 부분

이 시에는 비 내리는 밤, 남의 나라이자 적국인 일본의 하숙방에 앉아 시를 쓰고 있는 자신에 대해 느끼는 실의와 페이소스가 담겨 있다. 아울러 궁핍한 조국의 현실을 떠나와 방황하고 있는 식민지 지식인으로서의 부끄러움과 자조의 심경이 드러나 있다. 그런데, 윤동주의 최후의 작품이라고 알려진 이 시에서조차 부활의 정신과 미래지향의 기다림이 강렬하게 표출되어 있다는 점은 무엇보다도 의미심장한 일이다. "등불을 밝혀 어둠을 내몰고/시대처럼 올 아침을 기다리는 최후의 나"라는 구절 속에는 어둠의 현실을 살아가는 정신의 격투와 함께 미래에 대한 신앙적 기다림의 자세나 드러나 있는 것이다. 특히 "시대처럼 올 아침을 기다리는 최후의 나" 속에는 현실적 생의 한계를 의식하는 지점에서 문득 죽음을 예감하고 역사의 아침을 믿고 기다리는 예언자적 지성이 자리잡고 있는 것으로 보인다. '새벽', '아침', 그리고 '봄'으로 표상되는 부활의 정신과 미래지향의 정신은 윤동주의 예언자적 지성의 탁월한 발현인 동시에 영생과 부활을 믿는 기독교 정신에 뿌리를 둔 역사의식을 반영한 것이다. 일제의 패망을 예감하고 조국의 광복을 고대하던 암흑의 하늘 아래에서 이 부활의 정신과 미래지향의 역사의식은 윤동주의 삶과 시를 지탱시켜 주던

가장 큰 힘이었으며 동시에 최후의 정신적 보루였던 것으로 판단된다.

7 속죄양의식과 저항의식

바닷가 햇빛 바른 바위우에
습한 간(肝)을 펴서 말리우자,

코카사쓰 산중(山中)에서 도망해 온 토끼처럼
둘러리를 빙빙 돌며 간(肝)을 지키자,

내가 오래 기르는 여윈 독수리야!
와서 뜯어 먹어라, 시름없이

너는 살지고
나는 여위어야지, 그러나,

거북이야!
다시는 용궁(龍宮)의 유혹(誘惑)에 안떨어진다.

프로메테우스 불쌍한 프로메테우스
불 도적한 죄로 목에 맷돌을 달고
끝없이 침전(沈澱)하는 프로메테우스

—「간」 전문

이 시는 강자 등의 악랄한 간교에 빠져 위험에 처한 약자 토끼가 기지를 발휘하여 오히려 그들을 낭패케 골려 준다는 「별주부전」의 설화적 내용과, 역시 인간을 위해 제우스를 속이고 불을 훔친 죄로 코카서스의 큰 바위에 묶여 독수리에게 간을 쪼아먹히는 벌을 묵묵히 감내한다는 프로메테우스 신화를 결합한 풍자적 작품이다. 비록 궁지에 몰린 약자이지만 슬기롭게 자기(간)를 지킨 토끼와, 죄 아닌 죄를 짓고서 속죄양이 되어 묵묵히 인고하는 프로메테우스의 속성은 바로 윤동주의 그것과 연결되는 것이다. 약자로서 토끼가 취할 수 있는 저항방식은 용왕의 거대한 힘과 정면으로 싸우는 무모한 투쟁이 아니다. 오히려 용왕의 절대적인 힘과 권위를 쓰러뜨릴 수 있는 것은 스스로 기지를 발휘하여 간을 지키는 일뿐인 것이다. 따라서 보다 능동적·투쟁적이지 못하고 소극적인 저항방식에서 유발되는 자책심과 울분을 스스로 프로메테우스처럼 속죄양의식으로 극복하고자 하는 윤동주의 내면의식이 담겨져 있는 것이다. 이 점에서 "토끼"와 "프로메테우스"는 윤동주의 저항의식의 특징이 잘 반영된 자기동일시의 표상인 것으로 이해된다. 그의 저항의식은 내면적으로는 가열한 것이지만 밖으로는 절제된 '내재적·인고적·자책적' 특징을 지니며, 그것은 기독교적 속죄양의식에 뿌리를 두고 있는 것으로 이해되기 때문이다.

실상 일제말의 궁핍한 현실에서는 인간적 품격과 자존심에 근거하여 자기 자신의 삶 하나도 제대로 지켜가기 어려운 실정이었을 것이 확실하다. 이런 때일수록 살아 있는 정신의 상징으로서의, 그리고 인간적 존엄성과 생명의 핵으로서의 '간'[4]을 잃지 않고 끝까지 지킨다는 것은 지난한 일이 아닐 수 없다. 이러한 것들은 윤동주 시에 있어서의 저항의식의 특성을 말해 주는 동시에 그 한계 지점을 명확히 설명해 준 것이 된다. '괴로움·슬픔·부끄러움·욕됨' 등으로 요약되는 윤동주 시의 소극적·부정적 정서와 시의식은 그가 자신의 분노와 비판의식 등 저항정신을 적극화하지 못한 데서 유발되는 자기혐오와 자책의 감정에 기인하는 것으로 판단된다. 이러한 소극적, 자책적 저항정신은 다시금 자기희생 또는 속죄양의식으로 연결돼 나타난다.

---

4) 김홍규는 간을 "인간적 고통의 핵심"으로 파악한다. (김홍규, 「윤동주론」(『문학과 역사적 인간』, 창작과비평사, 1980)154쪽.

쫓아오는 햇빛인데
지금 교회당(敎會堂) 꼭대기
십자가(十字架)에 걸리었습니다.

첨탑(尖塔)이 저렇게도 높은데
어떻게 올라갈 수 있을까요.

종(鐘)소리도 들려오지 않는데
휘파람이나 불며 서성거리다가,
괴로웠든 사나이,
행복(幸福)한 예수·그리스도에게
처럼
십자가(十字家)가 허락(許諾)된다면

목아지를 드리우고
꽃처럼 피어나는 피를
어두어가는 하늘 밑에
조용히 흘리겠읍니다.

—「십자가」 전문

이 시의 핵심은 수난의식과 속죄양의식에 놓여 있다. 그것은 기독교적 세계관에 바탕을 둔 것이 사실이다. 그러나 보다 직접적인 동기가 되는 것은 무기력한 자신에 대한 자책감과 현실적인 괴로움에 연원한다. 현실에서는 고난과 역경밖에 없었기 때문에 그 모든 인류의 짐을 지고 괴로왔던 예수 그리스도, 그러나 모든 인류의 죄와 구원을 위해 십자가에 못박혀 희생됐기 때문에 역설적으로 행복했던 예수 그리스도의 속죄양의식은 윤동주의 그것과 통하는 것이 아닐 수 없다. 윤동주의 생애와 시에 있어서 그의 유년부터 가족적 신앙인 기독교 정신은 그 정신적 기조를 형성해 왔던 것이다. 따라서 윤동주의 저항의식에 있어서도 그리스도적 수난의식과 속죄양의식이 그 핵심으로 작용한 것이다. 이 점이 좀 더 적극적·전투적 저항방식의 관점에서 볼 때는 한계적인 것으로 해석될 수 있게 된다. "십자가가 허락된다면//목아지를 드리우고/꽃처럼 피어나는 피를/어두어 가는 하늘 밑에/조용히 흘리겠읍니다"라는 구절 속에는 수난에 대한 인고의 정신과 속죄양의식으로서의 저항정신이 선명하게 드러나 있는 것이다. 그러나 점차 가열화해 가는 현실의 모순과 불합리는 윤동주로 하여금 이에 대한 새로운 자기반성을 심화시키도록 만든다. 여기에서 자기에 대한 근본적 성찰을 겪게 되며 '욕됨'과 '부끄러움'으로서의 자아를 새삼 깨닫게 되는 순간 격렬한 참회의 심정에 사로잡히게 되는 것이다.

파란 녹이 낀 구리거울 속에
내 얼골이 남어 있는 것은
어느 왕조(王朝)의 유물(遺物)이기에
이다지도 욕될가

나는 나의 참회(懺悔)의 글을 한줄에 주리자
—만(滿) 이십사년(二十四年) 일개월(一個月)을
무슨 기쁨을 바라 살아 왔든가

내일이나 모레나 그 어느 즐거운 날에
나는 또 한줄의 참회록(懺悔錄)을 써야한다.
—그때 그 젊은 나이에
웨 그런 부끄런 고백(告白)을 했든가

밤이면 밤마다 나의 거울을
손바닥 발바닥으로 닦어보자

그러면 어느 운석(隕石)밑으로 홀로 걸어가는

슬픈 사람의 뒷모양이
거울 속에 나타나온다.

—「참회록」 전문

이러한 참회는 역사조차도 부끄럽게 생각되는 본원적인 자아성찰에서 비롯된다. "흰 띠가 가는 허리를 질끈 동이고" 살아온 민족을 '슬픈 족속'으로 바라보던 시선이 자기자신으로 돌아와 자세히 들여다보게 될 때, 그것은 파란 녹이 낀 구리거울 속에서 "왕조의 유물"처럼 욕되고 부끄럽게 느껴지는 것이다. 그만큼 윤동주의 정신과 시가 치열해지고 성숙된 것으로 보인다. "간마저 빼앗길" 막다른 골목에서 통렬한 자기반성을 일으키게 되고, '욕됨'으로서의 자기혐오의 감정과 마주치는 순간에 참회의 격정에 사로잡히게 되는 것이다. 따라서 "나는 나의 참회의 글을 한줄에 줄이자/만 이십 사년 일개월을/무슨 기쁨을 바라 살아 왔든가"라는 구절에서 보듯이, 삶의 무의미함을 지각하는 순간에 유서와도 같은 참회의 마지막 시 한 줄을 쓰고자 한 것이다. 그러나 어차피 삶은 회한과 참회의 연속인 것, 언젠가 미래의 어느날 다시 써야만 할 참회록을 예감하고는 새삼 부끄러움에 사로잡히게 된다. 그러므로 현재에 할 수 있는 것은 "밤이면 밤마다 나의 거울을/손바닥 발바닥으로 닦아보자"와 같이 현실의 어둠 속에서 흐려만 가는 본원적 자아를 자꾸만 갈고 닦는 일밖에 없는 것이다. 비록 슬픔 그 자체로서의 운명이라 하여도, 욕됨과 부끄러움, 그리고 슬픔이 뒤섞인 인생이라 하여도 참회의 눈물 속에서 새롭게 태어나는 자신을 발견하며 새삼 스스로의 운명을 긍정하게 되는 것이다. 바로 이 점에서 '욕됨, 부끄럼, 슬픔' 등 윤동주 서정시의 핵심이 고스란히 드러나는 작품 「참회록」의 참뜻이 놓여지는 것이다.

이렇게 볼 때 『하늘과 바람과 별과 시』에서 우리가 읽을 수 있는 저항의식은 흔히 얘기되는 비판적·투쟁적·행동적 속성을 지니지 않는다. 그것은 내성적·자책적·암유적 저항이라는 특성을 지니며, 인고의 정신에 바탕을 둔 수난의식과 속죄양의식에 본원적으로 회귀되는 기독교적 저항의식인 것이다.

□ 맺음말

그렇다면 윤동주 시의 한계는 무엇이며 그 의미는 어떠한 것인가. 무엇보다도 윤동주의 시는 성숙의 요소 또는 완숙의 요소가 부족하다는 점을 지적할 수 있다. 후기 시에 이르러 어느 정도 성숙의 요소를 발견할 수 있는 것이 사실이지만, 그의 많은 시에서 미숙한 정신과 기법을 찾아볼 수 있는 것도 사실인 것이다. 대가적 천품을 지녔으면서도 요절이라는 생애사적 불행으로 인해 그것을 제대로 다 발휘하지 못했던 미완의 대기(大器)로 생각된다. 따라서 그의 시에는 센티멘탈리즘의 요소가 지나치게 풍미 한다는 점이 단점으로 지적될 수 있다. 그리움, 괴로움, 슬픔 등의 부정적, 애상적 정감이 덜 여과된 채 시의 전면에 노출된 경우가 많은 것이다. 그가 지나치게 과거적 상상력과 서정의 표출에 집착했던 것도 부정적 요인이 됨은 물론이다.

다음으로는 자기학대의 징후가 많이 드러난다는 점을 지적할 수 있다. 욕됨, 부끄러움 등의 정조가 그의 생리적 순결 의지를 반영하는 것이라 하더라도 이에 대한 지나친 편향성은 오히려 시의 참된 감동과 설득력을 저해할 수도 있는 것으로 보인다는 점에서 바람직한 것만은 아닐 것이다.

아울러 남성적 대결 정신 또는 치열한 저항정신이 부족하다는 점을 들 수 있다. 그의 시에는 약한 것, 착한 것, 외로운 것 등의 이미지가 짙게 깔려 있는바, 이것들이 휴머니즘의 정신을 반영한 것이 확실하다 해도 문제점이 없는 것은 아니다. 이러한 소극적인 것들에 대한 옹호의 정신, 약자 수호의 휴머니즘 정신이 보다 빛을 발하기 위해서는 경우에 따라서는 노할 줄도 알고 고함치며 당당히 대결하는 정신의 치열성이 필요한 것이다. 이 점에서 대결정신 또는 저항의식의 치열함과 맞섬의 당당함이 부족하다고 비판할 수도 있는 것이다.

윤동주는 투쟁적인 의미에서라면 저항시인이라고 하기 어렵다. 오히려 윤동주는 치열한 정신의 고통과 암투를 자기자신 속으로 이끌어들임으로써 자기극복을 성취하려 한 초인지향(übermenschen)의 시인이라 볼 수 있다. 현실의 고통과 절망을 아파하고 괴로워하는 가운데 역사의 새벽에 대한 신념과 기다림을 완성하려 노력한 것이다. 이 점에서 윤동주는 미래 지향의 서정시인 또는 예언자적 지성의 시인이라고 생각할 수 있을 것이다. 또한 동심을 사랑하고 천상적 질서를 동경하며 자연과의 친화와 교감을 노래하는 데 천부적인 재질을 보여 준 천래의 서정시인으로 볼 수 있는 것이다.

윤동주 시의 가치는 그것이 저항시냐 아니냐 하는 데 있지 않다. 스물여덟 젊은 나이로 이국 땅에서 옥사한 윤동주의 생애사적 비극은 숭고한 감동과 비장한 아름다움을 불러일으키는 것이 사실이다. 그러나 그 사실이 곧바로 시의 예술적 가치와 그 감동으로 직결되는 것은 아니다. 그의 시를 읽고 우리가 감동받는 것은 무엇보다도 욕됨과 부끄러움으로서의 자아에 대한 치열하면서도 적나라한 성찰을 제시함으로써 인간적 진실에 보다 가까와지려 끊임없이 노력하고 있기 때문이다. 또한 시대적 절망과 현실적 고통을 참고 견디는 속에서 자기 희생을 통해서 자기극복과 구원을 성취하려는 처절한 노력을 보여주었다는 점에서 비롯될 것이다. 아니면 절망의 극한에서도 미래에 대한 희망과 꿈을 잃지 않고 부활의 신념으로 고양시킬 수 있었던 지절의 치열성을 보여주었기 때문인지도 모른다. 따라서 그의 시가 지닌 가치는 그것이 저항시냐 아니냐하는 문제의 그 너머에 존재한다. 그의 시는 존재론적 고뇌를 투명한 서정으로 이끌어올림으로써 해방 후 혼란한 시대에 방황하는 이 땅의 많은 젊은이들에게 따뜻한 위안과 아름다운 감동을 불러일으키는 것으로서 이미 시의 사명을 다하는 것으로 판단되기 때문이다.

□ 연 보

1917 : 12월 30일 만주국 간도성 화룡현 명동촌에서 부 윤영석(尹永錫)의 장남으로 태어남.

1925 : 명동소학교 입학, 재학중 송몽규·문익환 등과 함께 『새명동』이라는 등사판 문예지 간행.

1931 : 명동소학교 졸업. 송몽규, 김정우 등과 대랍자에 있는 중국인 관립학교에 편입하여 수학함.

1932 : 가족이 용정으로 이주. 용정 은진중학교 입학. 재학중에 교내 문우지를 발간하면서 문예작품 발표.

1935 : 평양 숭실중학교 3학년에 편입. 재학중 창작에 몰두함.

1936 : 신사참배 거부사건으로 숭실중학교가 폐교되자 용정 광명학원 중학부 4학년에 전입. 『카토릭 소년』지에 동주(童舟)라는 필명으로 동시 『병아리』 『빗자루』 등을 발표.

1938 : 광명 중학 졸업, 연희전문 문과에 입학.

1941 : 연희전문 문과에서 발행한 『문우』지에 시 「자화상」 「새로운 길」을 발표함. 12월 연희전문 문과 졸업, 졸업기념으로 자선 시집 『하늘과 바람과 별과 시』를 출간하려 했으나 이루지 못함.

1942 : 도일하여 동경의 입교대학 영문과에 입학. 하기 방학에 마지막으로 용정의 고향집을 다녀감. 입교대학에서 지용이 공부하던 동지사대학 영문과로 옮김.

1943 : 7월 귀향 직전 『독립운동』의 사상범으로 송몽규와 함께 일경에 체포. 일본 유학중에 쓴 작품과 일기를 압수당함.

1944 : 독립운동의 죄목으로 2년형을 언도받고 후쿠오카 형무소에 수감됨.

1945 : 2월 16일 옥사

1948 : 유고시집 『하늘과 바람과 별과 시』(정음사) 발간.

1968 : 연세대학교 교정에 윤동주 시비가 세워짐.

주요 연구서지

* 시인별, 시대순으로 정리하였음.

** 각주에서 다루어진 것은 원칙적으로 생략했음.

한용운

1926. 5. 31. 유광열, 「님의 침묵 독후감」, 『시대일보』.
1926. 6. 22~26. 주요한, 「애의 기도, 기도의 애」, 『동아일보』.
1958. 10. 조지훈, 「한용운론」, 『사조』 1-5.
1959. 8. 홍효민, 「만해 한용운론」, 『현대문학』 통권 56호.
1960. 6. 김상일, 「한용운론」, 『현대문학』 통권 66호.
1960. 1. 인권환·박노준, 『한용운 연구』 통문관.
1962. 4. 장문평, 「한용운의 '임'」, 『현대문학』 88호.
1964. 10. 김운학, 「한국 현대시에 나타난 불교사상」, 『현대문학』 118호
1964. 11. 최일수, 「부정과 현세 해방」, 『문학춘추』 8호.
1966. 8. 김윤식, 「소월·만해·육사론」, 『사상계』 160호.
1967. 1. 박노준, 「한용운의 「님의 침묵」」, 『사상계』 165호.
1969. 6. 고은, 「한용운론」, 『월간문학』 8호.
1969. 여름. 백낙청, 「시민문학론」, 『창작과 비평』 14호.
1969. 8. 김우정, 「한용운론」, 『현대시학』 5호.
1971. 4. 한용운 특집 『나라사랑』 2집. 신석정, 「시인으로서의 만해」/염무웅, 「님이 침묵하는 시대」/한영숙, 「아버지 만해의 추억.」

1972. 2. 김재홍, 「한국 현대시의 방법론적 연구」, 서울대 대학원.
1972. 3. 유승우, 「한용운의 시세계」, 『현대시학』 36.
1972. 임중빈, 「절대를 추구한 길」, 『부정의 문학』, 한얼문고.
1972. 12. 염무웅, 「만해 한용운론」, 『창작과 비평』 26.
1973. 1. 한용운 특집 『문학사상』 4. 민희식, 「바슐라르의 촛불에 비춰 본 한용운의 시」/서경보, 「한용운과 불교사상」/이원섭 외, 「땅에의 의지와 초월에의 정신」/박경혜, 「새 자료로 본 만해」/김열규, 「슬픔과 찬미사의 이로니」/서정주·김구용, 「치운 설날 입을 옷이 없어」.
1974. 4. 윤영천, 「형식적 영원주의의 허구」, 『신동아』 116.
1974. 11. 김용직, 「「님의 침묵」 그 노래와 형태의 비밀」, 『심상』 14.
1974. 12. 김상선, 「한용운 서설」, 『국어국문학』 65·66 합병호.
1974, 12. 오세영, 「침묵하는 님의 역설」, 『국어국문학』 65·66 합병호.
1974. 김윤식, 「님과 등불」, 『한국근대작가론고』, 일지사.
1974. 김학동, 「만해 한용운론」, 『한국근대시인연구(1)』, 일조각.
1974. 김용직, 「비극적 구조속의 초비극성」, 『한국문학의 비평적 성찰』, 민음사.
1974. 임중빈, 『한용운 일대기』, 정음사.
1974. 송욱, 『전편해설 '님의 침묵'』, 과학사.
1974. 김용직·염무웅, 『일제시대의 항일문학』, 신구문화사.
1975. 4. 김재홍, 「만해의 상상력의 원리와 그 실체화 과정의 분석」, 『국어국문학』 67.
1975. 김윤식, 「만해론」, 『한국현대시론비판』, 일지사.
1975. 고은, 『한용운 평전』, 민음사.
1975. 최동호, 「만해 한용운 연구」, 고려대 대학원.
1976. 6. 조동일, 「김소월·이상화·한용운의 님」, 『문학과 지성』 24.
1976. 8. 김영무, 「한용운과 이육사」, 『뿌리깊은 나무』 7-7.
1976. 이명재, 「한용운 문학의 연구」, 『중앙대 논문집』 20.
1976. 정한모, 「만해시의 발전과정 서설」, 『관악어문연구』 1.
1977. 4~5. 송혁, 「만해의 불교사상과 시세계」, 『현대문학』 268~269.
1977. 5. 이용훈, 「「님의 침묵」에 나타난 인식론적 고찰」, 『국어국문학』 75호.
1977. 8~9. 장백일, 「만해 한용운론」, 『시문학』 73~74.
1977. 김재홍, 「만해시 형질에 관한 분석」, 『국어국문학』 74.
1977. 김선학, 「시인 한용운론」, 동국대 대학원.

1977. 김우창, 「궁핍한 시대의 시인」, 『궁핍한 시대의 시인』, 민음사.
1977. 송명희, 「한용운시연구」, 고려대 대학원.
1978. 8. 김 현, 「「님의 침묵」과 「태평천하」」, 『문학사상』 71.
1978. 10. 한용운 특집 『문예중앙』. 송욱, 「설법과 증도의 선시」/김현, 「만해, 그 영원한 이별의 미학」/김홍규, 「시인인가 혁명가인가」/이선영, 「그 실상은 무엇인가」.
1978. 11. 서영은, 「한용운의 고향」, 『문학사상』 74.
1979 여름. 김홍규, 「님의 소재와 진정한 역사」, 『창작과 비평』 52.
1979. 7. 한용운 특집 『문학사상』 80. 김우창, 「한용운의 믿음과 회의」/김열규, 「「님의 침묵」에 대한 해석학적 접근」/이상섭, 「만해시에의 열쇠는 없다」.
1979.11. 김현, 「님의 사랑」, 『한국문학』 73.
1979. 김종균, 「한용운의 한시와 시조」, 『어문연구』 21.
1979. 심재기, 「만해 한용운의 문체 추이」, 『백사 전광용박사 화갑기념논총』, 서울대출판부.
1980. 6. 김종균, 「만해 한용운의 시조」, 『국어국문학』 83.
1980. 6. 만해사상연구회 편, 『한용운사상연구(1)』, 민족사.
1980. 12. 김은자, 「「님의 침묵」의 비유연구시론」, 『관악어문연구』 5.
1980. 안병직 편, 『한용운』, 한길사.
1981. 4. 김은자, 「잉크칠을 할까 술을 마실까」, 『문학사상』.
1981. 서우석, 「한용운—리듬의 유기성」, 『시와 리듬』, 문학과 지성사.
1981. 신동욱, 「한용운 시의 연구」, 『우리 시의 역사적 연구』, 새문사.
1981. 박철희, 「「님의 침묵」「알 수 없어요」」, 김용직·박철희 편, 『한국 현대시작품론』, 문장.
1981. 만해사상연구회 편, 『한용운사상연구(2)』, 민족사.
1982. 김재홍, 『한용운문학연구』, 일지사.
1982 여름. 이선영, 「한용운의 대중적 역사의식」, 『세계의 문학』 24.
1982. 문덕수, 「만해의 인간과 시」, 『현대한국시론』, 이우출판사.
1982. 김현자, 「한용운 시의 대응적 구조와 변용」, 『시와 상상력의 구조』, 문학과 지성사.
1982. 이명재, 「민족문학의 한 모델」, 『현대 한국문학론』, 중앙출판인쇄주식회사.
1982. 『한용운 연구』(신동욱 편) 새문사. 서준섭, 「한용운의 상상세계와 「수의 비

밀」」/마광수, 「한용운 시의 상징적 기법」/정한모, 「「찬송」론」/김학동, 「한용운의 시세계」/박철희, 「한용운 시작품의 정체」/김대행, 「한용운의 시조와 삶의 문제」/김열규, 「한용운 시의 아이로니」/최원규, 「만해시에 있어서 「사랑」과 「존재」의 본질」/김해성, 「시문체로 본 「공」과 「진아」의 세계」/조동일, 「「잠없는 꿈」을 어떻게 이해할 것인가」/문덕수, 「한용운에 있어서의 님의 성격」/오세영, 「마쏘히즘과 사랑의 실체」/신용협, 「한용운 문학의 연구사적 비판과 전망」/김용직, 「한용운의 시에 끼친 타고르의 영향」/김인환, 「한용운의 문학과 불교사상」/송명희, 「한용운의 한시론」/이선영, 「한용운의 역사의식」.

1983. 신상철, 「「님의 침묵」의 님」, 『현대시와 「님」의 연구』, 시문학사.

1983. 윤재근, 『만해시와 주제적 시론』, 문학세계사.

1983. 김재홍, 「만해시학의 원리」, 『한국현대시사연구』, 일지사.

1983. 김용직, 「만해 한용운의 시와 그 문학사적 의의」, 『한국근대시사』, 새문사.

1984. 이상섭, 『「님의 침묵」의 어휘와 그 활용구조』, 탐구당.

1984. 김봉군, 「한용운론」, 『한국현대작가론』, 민지사.

1984. 김재홍, 「민족시의 등불—한용운」, 『시와 진실』, 이우출판사.

1984. 윤재근, 『님의 침묵」 연구』, 민족문화사.

1985. 이동하, 「한국의 불교와 근대문학」, 『집없는 시대의 문학』, 정음사.

1985. 9. 「한용운 특집」, 『문학사상』 155. 김재홍, 「만해의 문학과 사상」/이상섭, 「자세히 들려오는 「님의 침묵」」/김준오, 「님의 현상학과 형이상학」/조창환, 「소멸의 미학과 절대미의 찬미」/이태동, 「님의 소멸과 기다림의 미학」/김종욱, 「만해시 연구사 개관」/이승훈, 「한용운의 대표시 20편은 무엇인가」.

1985. 최동호, 「한용운시와 기다림의 역사성」, 『현대시의 정신사』, 열음사.

1985. 서준섭, 「한용운론」, 『식민지시대의 시인 연구』, 시인사.

1985. 김준오, 「총체화된 자아와 담화 형식」, 『가면의 해석학』, 이우출판사.

1985. 성기옥, 「만해시의 운율적 의미」, 『한국시가율격의 이론』, 새문사.

김소월

1935. 2. 김억, 「소월의 생애와 시가」, 『삼천리』 7-2.

1947.12. 오장환, 「소월시의 특성」, 『조선춘추』 1.

1948. 김동리, 「청산과의 거리」, 『문학과 인간』, 백민문화사.

1955. 12. 백철, 「김소월의 신문학사적 위치」, 『문학예술』 2-7.

1956. 4. 김춘수, 「김소월론을 위한 각서」, 『현대문학』 16. 1

1959. 5. 서정주, 「소월의 자연과 유계와 종교」, 『신태양』 79.

1959. 6. 서정주, 「소월시에 있어서의 정한의 처리」, 『현대문학』 54.

1959. 11. 김상일, 「김소월—근대 시인론(기 2)」, 『현대문학』 59.

1960. 1~9. 김영삼, 「소월정전」, 『여원』.

1960. 12. 김소월론, 『현대문학』 72. 서정주, 「소월에 있어서의 육친, 붕우, 연인, 스승의 의미」/김춘수, 「소월 시의 행과 연」/정태용, 「체념적 애수의 세계」/김양수, 「「김소월론」, 각서」/유종호, 「한국의 퍼세틱스」/윤병로, 「혈관에서 솟구친 순수시」/천이두, 「소월의 멋」/원형갑, 「소월과 시의 서정성」/하희주, 「전통의식과 한의 정서」/김우종, 「숙명적인 기도」.

1964. 4. 홍사중, 「진달래의 문학적 고찰」, 『세대』 11.

1964.11. 문덕수, 「리리시즘의 발견」, 『문학춘추』.

1966. 8. 김윤식, 「소월·만해·육사론」, 『사상계』 160.

1967. 5. 임헌영, 「보수와 전통」, 『현대문학』.

1968. 5. 문덕수, 「신소월문학론」, 『사상계』 181.

1968. 7. 김우창, 「한국시와 형이상—최남선에서 서정주까지」, 『세대』

1969. 4. 송욱, 「기분의 시학과 뉘앙스의 시학」, 『문화비평』 1.

1971. 1. 김영기, 「김소월론」, 『현대문학』 193.

1972. 서정주, 「김소월과 그의 시」, 『서정주전집』 권2, 일지사.

1972. 김재홍, 「한국 현대시의 방법론적 연구」, 서울대 대학원.

1973. 5. 한국 현대문학의 재정리, 『문학사상』 8. 김윤식, 「식민지의 허무주의와 시의 선택」/정현종, 「시의 리듬과 의미」/서승옥, 「새 자료로 본 두 시인」.

1973. 12. 김사목, 「영역된 소월시의 진단」, 『문학사상』 15.

1973. 백순재, 「소월시의 문학적 특성과 서지 해설」, 『완본 소월시집』, 정음사.

1973. 정한모, 「민요시인으로서의 안서와 소월」, 『현대시론』, 민중서관.

1973. 김용성, 김정식 『한국현대문학사 탐방』, 국민서관.

1974. 5. 김종은, 「소월의 병적」, 『문학사상』 20.

1974. 10. 김소월 연구, 『심상』 13-10. 김우정, 「일상적 정서와 밀착」/윤재근, 「소월의

의식과 그 오류」/김용직, 「관습적 언어와 그 주류화」/정창범, 「배제의 서정」.
1974. 김용직, 「소월시와 앰비귀이티」, 『한국문학의 비평적 성찰』, 민음사.
1975. 6. 권기호, 「작품 「산유화」의 <있음>의 문제」, 『한국문학』 20.
1975. 10. 김근수, 「김소월의 생애를 둘러싼 허구들」, 『문학사상』 37.
1975. 김윤식, 「소월론」, 『한국현대시론비판』, 일지사.
1976. 3. 조병춘, 「소월시의 부사어 기능 고찰」, 『국어국문학』 70.
1976. 3. 장윤익, 「소월의 시에 나타난 한의 심리」, 『시문학』 56.
1976. 6. 조동일, 「김소월·이상화·한용운의 님」, 『문학과 지성』 24.
1976. 8. 이인섭, 「김소월과 김광균 시의 문체연구」, 『월간문학』 90.
1976. 12. 한국 대표작 정리 : 소월의 대표작 분석, 『문학사상』 51. 오세영, 「한의 논리와 그 역설적 의미」/조남현, 「개작 과정으로 본 소월시의 이막」/김종욱·이명자, 「서로 다른 소월의 시들」.
1977. 3. 유종호, 「임과 집과 길」, 『세계의 문학』 2-1.
1977. 11~12. 정연길, 「안서·소월의 민요시와 7·5조」, 『시문학』 76~77.
1977. 12. 성기옥, 「소월시의 율격적 위상」, 『관악어문연구』 2, 서울대 국문과.
1978. 8. 이선영, 「김소월과 이상화」, 『뿌리깊은 나무』 30.
1978. 8. 김용직, 「「진달래꽃」과 「돈」」, 『문학사상』 71.
1978. 조동일, 「현대시에 나타난 전통적 율격의 계승」, 『우리 문학과의 만남』, 홍성사.
1978. 김시태, 「자연과 덧없음의 인식—김소월론」, 『현대시와 전통』, 성문각.
1979. 9. 오세영, 「식민지 상황과 불연속적 삶」. 『세계의 문학』.
1979. 9. 오세영, 「「저만치」의 역설적 거리—김소월론」, 『시문학』 98.
1979. 10. 조병춘, 「김소월 연구」, 『현대시학』 127.
1979. 12. 송명희, 「소월시의 반성」, 『세계의 문학』 14.
1980. 10. 조창환, 「소월시의 구조」, 『국어국문학』 84.
1980. 오세영, 「소월 김정식 연구」, 『한국 낭만주의 시연구』, 일지사.
1980. 최하림, 「식민지시대 시인의 초상」, 시집 『김소월』, 지식산업사.
1981. 4. 김용직, 「김소월—저만치 혼자서 피어 있네」, 『문학사상』 102.
1981. 오세영 편, 『꿈으로 오는 한 사람—김소월 평전』, 문학세계사.
1981. 성기옥, 「김소월의 「초혼」」, 『한국현대시 작품론』, 문장사.
1981. 김대행, 「김소월의 「접동새」」, 『한국현대시 작품론』, 문장사.

1981. 서우석, 「김소월 : 전통 운율의 효과」, 『시와 리듬』, 문학과지성사.
1981. 신동욱, 「김소월의 시에 있어서 나와 현실」, 『우리 시의 역사적 연구』, 새문사.
1981. 신동욱 편, 『김소월』, 문학과지성사.
1981. 김용직, 「소월의 삶과 예술」, 김용직 편, 『김소월 전집』, 문장사.
1981. 오규원, 「주요 소월시집의 오기 이기 비교 분석」, 김용직 편, 『김소월전집』 문장사.
1982. 이명재, 「체념과 저항의 시학—김소월론」, 『현대 한국문학론』, 중앙출판인쇄주식회사.
1982. 이성교, 「김소월론」, 『현대시의 모색』, 맥밀란.
1982. 김현자, 「김소월 시의 구조와 상상력의 변용」, 『시와 상상력의 구조』, 문학과지성사.
1982. 신동욱 편, 『김소월 연구』, 새문사. 이명재, 「「진달래꽃」의 짜임」/김용직, 「「먼 후일」, 그 구조의 특성과 시적 의의」/박철희, 「김소월 시작품의 정체」/김열규, 「소월시의 아이러니」/송명희, 「소월시의 운율과 의미」/정한모, 「「금잔듸」론」/김남조, 「「예전엔 미처 몰랐어요」와 슬픔의 의미」/오세영, 「모상실 의식으로서의 한—「접동새」를 중심으로」/최동호, 「김소월시의 무덤과 부서진 혼」/김준오, 「김소월의 「시혼」에 대하여」/마광수, 「소월 시정과 원초적 인간」/전광용, 「소월과 소설」/신동욱, 「「초혼」의 상징적 의미」/조동일, 「김소월 시에서 님이 존재 하는 시간」/조남현, 「소월시에 나타난 사계절의 의미」/김학동, 「「산유화」와 소월의 자연관」/백철, 「소월의 신시사적인 위치」/문덕수, 「소월의 서경시에 나타난 자연관」/이성교, 「김소월 시에 나타난 향토색 연구」/김은전, 「소월시에 나타난 전통적 요소」/하동호, 「소월시 작품서지」.
1982. 오탁번, 「한국현대시사의 대위적 구조—소월시와 지용시의 시사적 의의」, 고려대 대학원.
1982. 계희영, 『김소월의 생애』, 문학세계사.
1983. 신상철, 「『진달내옷』의 님」, 『현대시와 「님」의 연구』, 시문학사.
1983. 허소라, 「김소월론」, 『한국현대작가연구』, 유림사
1983. 조동일·윤주은, 『김소월시선연구』, 학문사.
1983. 김대행, 「김소월과 전통의 문제」, 『한국현대시사연구』, 일지사.
1983. 이규호, 「소월의 한시 번역고」, 『한국현대시사연구』, 일지사.

1983. 김용직, 「향토정조 추구의 논리와 그 흐름」, 『한국근대시사』, 새문사.
1984. 12. 임종찬, 「소월시의 구조적 접근」, 『세계의 문학』 34.
1984. 김봉군, 「김소월론」, 『한국현대작가론』, 민지사.
1985. 7. 특집, 한국시 다시 읽는다. 기획 1회—김소월편, 『문학사상』 153. 이승훈, 「김소월의 대표시 20편은 무엇인가?」/오세영, 「꿈과 현실」/이승훈, 「「진달내꼿」의 구조분석」/김현자, 「「강촌」의 시적 순간과 「산」의 불귀 의식」/김승희, 「언어의 주술이 깨뜨린 죽음의 벽」/김성태, 「소월시에 대한 언어시학적 연구」/김옥순, 「소월시 연구사 개관」.
1985. 박호영·이숭원, 「소월시의 위상」, 『한국 시문학의 비평적 탐구』, 삼지원.
1985. 최동호, 「김소월시의 현재성」, 『현대시의 정신사』, 열음사.
1985. 정한모, 「소월시의 정착 과정 연구」, 『현대시론』, 보성문화사.
1985. 김준호, 「소월시정과 원초적 인간」, 『가면의 해석학』, 이우출판사.
1986. 이귀영, 「한국현대시의 아이러니연구」, 숙명여대 석사논문.
1986. 조창환, 「김소월시의 운율론적 연구」, 『한국 현대시의 운율론적 연구』, 일지사.

이상화

1959. 10. 김상일, 「사용과 상화-근대 시인론 <기 1>」, 『현대문학』 58.
1959. 11. 백기만, 「상화의 시와 그 배경」, 『자유문학』 32.
1964. 11. 박봉우, 「상화의 시와 인간」, 『한양』 33.
1964. 12. 김춘수, 「퇴폐와 그 청산 이상화론」, 『문학춘추』 9.
1968. 김용직, 「현대 한국의 낭만주의 시 연구」, 『서울대 논문집』 14집.
1969. 1. 이성교, 「이상화 연구」, 『성신여사대 연구논문집』 2집.
1969. 6. 문덕수, 「이상화론」, 『월간문학』 8호.
1970. 박두진, 「이상화와 홍사용의 시」, 『한국현대시론』, 일조각.
1971. 6. 김학동, 「이상화 문학의 유산」, 『현대문학』 27.
1973 봄. 임형택, 「신문학운동과 민족현실의 발견」, 『창작과 비평』 27.
1973. 4. 이형기·이성교, 「이상화 미정리작 29편 평가」, 『문학사상』 7.
1973. 7. 『문학사상』 10, 이상화 특집. 이광훈, 「어느 혁명적 로맨티스트의 좌절」/홍기삼, 「한 역사의 상처」/백순재, 「상화와 고월 연구의 문제점」/김학동,

「이상화 문학의 재구」/김인환, 「주제의 명증성」/정병규·이종진, 「새 자료로 본 생애」.
1974 여름. 이선영, 「식민지시대 시인의 자세와 시적 성과」, 『창작과 비평』 9권 2호.
1974. 김학동, 「상화 이상화론」, 『한국근대시인연구(1)』, 일조각.
1976 여름. 홍기삼, 「이상화론」, 『문학과 지성』 24.
1976. 정태용, 「이상화론」, 『한국현대시인연구』, 어문각.
1974. 이상화 특집, 『문학사상』 55. 김용직, 「포괄능력과 민족의식」/이태동, 「생명원체로서의 창조」/이명자, 「빼앗긴 상화시의 형태와 시어」.
1978. 9. 이선영, 「김소월과 이상화」, 『뿌리깊은 나무』 30.
1978. 김시태, 「저항과 좌절의 악순환 - 이상화론」, 『현대시와 전통』, 성문각.
1979. 2. 유병석, 「나의 침실로 평석」, 『국어 교육』 34, 한국국어 교육연구회.
1981. 2. 신동욱 편, 『이상화의 서정시와 그 아름다움』, 새문사. 오세영, 「어두운 빛의 미학」/김춘수, 「나의 침실로의 내용전개와 구조」/김용직, 「식민지시대의 창조적 감각」/신동욱, 「빼앗긴 들에도 봄은 오는가의 율격미」/이기서, 「이상화의 시와 그 미적 특질」/김학동, 「낭만과 저항의 한계성」/문덕수, 「이상화와 노만주의」/이명재, 「이상화의 시와 저항의식 연구「/송명희, 「나의 침실로의 상징 구조와 수사적 기법」/최동호, 「이상화 시의 연구사적 검토」/박철희, 「이상화시의 정체」/정한모, 「이상화의 시와 그 문학사적 의의」.
1981. 2. 조항래, 「이상화의 시와 그 배경」, 신동욱 편, 『이상화의 서정시와 그 아름다움』, 새문사.
1982. 이명재, 「일제치하 시인의 양상-이상화론」, 『현대한국문학론』, 중앙출판인쇄주식회사.
1982. 이기철 편, 『이상화 전집』, 문장사.
1983. 장사선, 「이상화와 로맨티시즘」, 『한국현대시사연구』, 일지사.
1984. 김봉군, 「이상화론」, 『한국현대작가론』, 민지사.
1984. 김홍규, 「1920년대 초기시와 어두운 낭만주의」, 시집 『이상화·박종화외』 지식산업사.
1985. 최동호, 「이상화시의 연구사」, 『현대시의 정신사』, 열음사.
1985. 김준오, 「이상화론 파토스와 저항」, 『식민지시대의 시인연구』, 시인사.
1985. 정효구, 「「빼앗긴 들에도 봄은 오는가」의 구조시학적 분석」, 『관악어문연구』 9, 서울대 국문과.

1986. 6. 김학동, 「상화의 시세계」, 『문학사상』 164호.

이상섭, 「풍부한 자연심상으로 걸러낸 식민현실」/이승원, 「환상을 부정한 현실인식」/정현기, 「나의 침실은 예수가 묻혔던 부활의 동굴」/김옥순, 「낭만적 영웅주의에서 예술적 승화로」/이승훈, 「이렇게 읽는다」.

1986. 이기철, 「이상화 연구」, 『작가연구의 실천』, 영남대학교 출판부.

김동환

1932. 김기림, 「김동환론」, 『동광』 35.

1957. 11, 정태용, 「파인의 자연적 풍토」, 『현대문학』 35.

1965. 9. 김춘수, 「서사시는 가능한가」, 『사상계』 151.

1972, 이명우, 「파인 김동환 연구」, 고려대 대학원.

1973. 9. 정의홍, 「김동환의 시」, 『현대시학』 54.

1975. 3. 김동환 특집, 『문학사상』 30호.

이해성, 「새 자료, 김동환의 생애」/김종철, 「자기 객관화와 향수」.

1977. 5. 조남현, 「파인 김동환론」, 『국어국문학』 75.

1978. 조남현, 「김동환의 서사시에 대한 연구」, 『인문과학논총』 11. 건국대 인문과학연구소.

1978. 여윤동, 「김동환 연구」, 계명대 대학원.

1981. 문병욱, 「김동환의 「국경의 밤」」, 『한국현대시 작품론』, 문장.

1982. 김용직, 「근대 서사시의 형성과 그 성격」, 『한국근대문학사론』, 한길사.

1982. 장부일, 「파인 김동환 연구」, 서울대 대학원.

1983. 장부일, 「김동환의 현실 변용」, 『한국현대시사연구』, 일지사.

1983. 김용직, 「「금성」과 금성파의 이해·평가」, 『한국근대시사』, 새문사.

1983. 조남현, 「김동환의 「국경의 밤」」, 『한국대표시 평설』, 문학세계사.

1984. 김인환, 「시조와 현대시」, 시집 『이병기·이은상·양주동·김동환·김동명』, 지식산업사.

1985 가을. 이동하, 「김동환의 서사시에 나타난 지식인과 민중」, 『세계의 문학』 37.

1985. 오세영, 「암흑기의 국민시」, 『관악어문연구』 9, 서울대 국문과.

1975. 차한수, 「파인 김동환론」, 동아대학국문학회지.

심훈

1962. 윤병로, 「심훈과 그의 문학」, 『성균』 16. 성균관대학교.
1963. 홍효민, 「상록수와 심훈」, 『현대문학』.
1964. 유병석, 「심훈 연구」, 서울대 대학원.
1966. 5. 전광용, 「상록수고」, 『동아문화』 5. 서울대 동아문화연구소.
1966. 심재화, 「심훈론」, 『국어국문학회 어문논집』 4, 중앙대.
1968. 유병석, 「심훈의 생애 연구」, 『국어교육』 14.
1972. 6. 신경림, 「농촌현실과 농민문학」, 『창작과 비평』 24.
1972. 8. 박희진, 「저항시 저항시인」, 『신동아』.
1973. 김붕구, 『작가와 사회』, 일조각.
1974. 김용직, 「저항의 논리와 그 정신적 맥락」, 『한국현대시연구』, 일지사.
1974. 유창목, 「심훈 작품에서의 인간과제」, 경북대 대학원.
1978. 3. 이명자, 「심훈의 시·소설·수필」, 『문학사상』.
1980. 유양선, 「심훈론」, 『관악어문연구』 5, 서울대 국어국문학과.
1981. 이경진, 「심훈의 상록수 연구」, 고려대 대학원.
1981. 송백헌, 「심훈의 상록수」, 『한국현대 소설작품론』, 문장.
1982. 한점돌, 「심훈의 시와 소설을 통해 본 작가의 식의 변모과정」, 『국어교육』 4.
1982. 신경림, 『그날이 오면, 그날이 오며는』, 지문사.
1984. 김용성, 심훈, 『한국현대문학사 탐방』, 현암사.
1984. 김윤식, 『황홀경의 사상』, 홍성사.
1984. 유병석, 「심훈의 작품세계」, 『한국현대소설사연구』, 민음사.
1984. 고광현, 「심훈의 시 연구」, 경희대학교 대학원.
1985. 전영태, 「진보주의적 정열과 계몽주의적 여성」, 『한국근대작가연구』, 삼지원.
1985. 최동호, 「심훈 시의 전개와 시대적 상황인식」, 『현대시의 정신사』, 열음사.
1985. 윤병로, 「심훈론」, 『현대작가론』, 이우출판사.

김영랑

1938. 9. 정지용, 「시와 감상」, 『여성』.

1950. 3. 서정주, 「영랑의 서정시」, 『문예』 8.
1956. 7. 이헌구, 「김영랑 평전」, 『자유문학』 1.
1959. 김춘수, 「김영랑의 시형태」, 『한국 현대시 형태론』, 해동문화사.
1962. 4. 김상일, 「김영랑 또는 비굴의 형이상학」, 『현대문학』 88.
1962. 12. 서정주, 「영랑의 일」, 『현대문학』.
1964. 12. 정한모, 「조밀한 서정의 탄주」, 『문학춘추』 9.
1969. 7~8. 김우정, 「한국시인론」, 『현대시학』.
1969. 김용직, 「시문학파 연구」, 『서강대 인문논집』 2.
1972. 6. 김선영, 「김영랑의 시세계」, 『현대시학』 39.
1972. 김재홍, 「한국 현대시의 방법론적 연구」, 서울대 대학원.
1973. 김 현, 「김영랑」, 김윤식·김현 공저, 『한국문학사』, 민음사.
1974. 5. 정한모, 「네개의 작품세계」, 『심상』 7.
1974. 9. 김영랑 특집, 『문학사상』 24호. 김용직, 「남도가락의 순수열정」/김상일, 「김영랑 시와 그 교환의 구조」/정한모, 「서정주의의 한 극치」/남형원, 「새 자료로 본 김영랑의 생애」.
1974. 12. 「김영랑 특집」, 『심상』. 이성교, 「정서의 극치」/박요순, 「영랑시의 서정」/ 김윤식, 「영랑론의 행방」/강우식, 「김영랑의 4행시」.
1975. 김용성, 『영랑 김윤식의 생애』, 삼중당문고 101, 「모란이 피기까지는」, 삼중당.
1975, 김윤식, 「영랑론」, 『한국현대시론 비판』, 일지사.
1976. 정태용, 「김영랑론」, 『한국현대시인연구』, 어문각.
1977. 9. 김흥규, 「영랑의 시와 세계인식」, 『세계의 문학』 5.
1977. 김학동, 「영랑 김윤식론」, 『한국현대시인연구』, 민음사.
1978. 11. 김학동, 「촉기와 정감적 구경—「영랑시선」」, 『시상』 62.
1978. 12. 서준섭, 「김영랑의 시에 대한 비교문학적 고찰」, 『국어교육』 33.
1979. 12. 박철석, 「김영랑론」, 『현대시학』.
1981. 양왕용, 「김영랑의 모란이 피기까지는」, 『한국현대시작품론』, 문장.
1981. 신동욱, 「김영랑의 슬픔과 시」, 『우리 시의 역사적 연구』, 새문사.
1981. 김학동, 『모란이 피기까지는』, 문학세계사.
1981. 김현, 「찬란한 슬픔의 봄」, 시집 『김영랑·박용철 외』, 지식산업사.
1981. 서우석, 「김영랑, 전통운율의 변주 효과」, 『시와 리듬』, 문학과지성사.
1982. 이성교, 「김영랑론」, 『현대시의 모색』, 맥밀란.

1982. 홍희표, 「김영랑연구」, 목원대논문 4집.
1983. 김준오, 「김영랑과 순수·유미의 자아」, 『한국현대시사연구』, 일지사.
1983. 이인복, 「김영랑의 「모란이 피기까지는」」, 『한국대표시평설』, 문학세계사.
1985. 김종, 「김영랑론」, 『식민지시대의 시인연구』, 시인사.
1985. 홍정기, 「김영랑문학연구」, 인하대석사논문.
1985. 강희근, 「김영랑 시연구」, 『우리 시문학 연구』, 예지각.
1986. 정숙희, 「영랑문학 연구사 비판」, 『국어국문학』 95호.

김광섭

1938. 4. 이헌구, 「편묘 김광섭군」, 『삼천리 문학』 2호.
1938. 7. 17~19. 정인섭, 「김광섭 시집 「동경」을 읽고」, 『동아일보』.
1938. 9. 모윤숙, 「김광섭 시집 「동경」」, 『조광』 35호.
1949. 10. 김송, 「이산 김광섭론」, 『주간서울』 55호.
1953. 3. 곽종원, 「인간 김광섭론」, 『백민』 21호.
1956. 10. 모윤숙, 「내가 본 김광섭」, 『문학예술』.
1958. 10. 신선규, 「우수와 관조」, 『자유문학』 19.
1961. 8. 1. 김우종, 「역독과 곡해의 윤리」, 『한국일보』.
1967. 4. 정태용, 「김광섭론」, 『현대문학』.
1969 봄. 김현승, 「김광섭론」, 『창작과 비평』 13.
1969. 7. 고은, 「실내작가론」, 『문학사상』 7.
1970 여름. 조태일, 「고여 있는 시와 움직이는 시」, 『창작과 비평』 17.
1974. 9. 박성룡, 「김광섭의 시정신」, 『서울평론』 43호.
1974. 김윤식, 「시를 쓴다는 것은 무엇인가」, 『한국근대작가논고』, 일지사.
1975. 김윤식, 「유한공간의 표상, 세계시인선 41」, 『김광섭 시선』, 민음사.
1975. 백낙청, 「창비시선 4」, 『겨울날』, 창작과비평사.
1976 봄. 이성부, 「사랑의 실체」, 『창작과 비평』 39호.
1977 가을. 조태일, 「시인의 삶과 민족」, 『창작과 비평』 45호.
1977.11. 강희근, 「이산 김광섭론」, 『시문학』 77호.
1978 여름. 김영무, 「이산 김광섭의 시세계」, 『세계의 문학』 8.

1978 김시태, 「관념의 회화」, 『현대시와 전통』, 성문각.
1979 이화숙, 「김광섭론」, 고려대 대학원.
1981 박이도, 「김광섭의 「성북동 비둘기」」, 『한국현대시작품론』, 문장.
1982 한계전, 「달관의 세계」, 『한국대표시평설』, 문학세계사.
1983 김봉군, 「김광섭론」, 『한국현대작가론』, 민지사.

유치환

1949. 3. 구상, 「고투와 관조와 적멸—유치환씨의 작금 시정신」, 『백민』 18.
1953. 6. 김춘수, 「유치환론」, 『문예』 16.
1957. 11~1958. 5. 문덕수, 「청마 유치환론」, 『현대문학』 35~41.
1962. 9. 이형기, 「상식문학론 3—유치환론」, 『현대문학』.
1964. 10. 김종길, 「비정의 철학」, 『세대』 17.
1965. 2. 이형기, 「유치환론」, 『문학춘추』 11.
1966. 9. 정재완, 「청마 유치환의 시세계」, 『문학시대』 4.
1967. 5. 김춘수, 「청마의 시와 미당의 시」, 『현대문학』.
1970. 10~11. 김윤식, 「유치환론」, 『현대시학』.
1971. 3. 원형갑, 「청마의 인간과 문학」, 『현대문학』.
1972. 11. 서동철, 「현대시에 미치는 실존의식 고찰」, 『국어국문학』 55·56·57 합병호.
1973. 10. 권도현, 「고독과 니힐의 부정 문학」, 『현대문학』 226.
1973. 김현, 「유치환 혹은 지사의 기품」, 『한국문학사』, 민음사.
1974 여름. 김종길, 「청마 유치환론」, 『창작과 비평』 32.
1974. 김윤식, 「허무의지와 수사학—유치환」, 『한국근대작가논고』, 일지사.
1974. 김용직, 「30년대 후반기의 한국시」, 『한국현대시 연구』, 일지사.
1974. 김종길, 「청마의 생애와 시」, 유치환, 『청마시선』, 민음사.
1975. 1. 『심상』 16. 김윤식, 「청마시의 행방」/허만하, 「실존과 사랑」/김재홍, 「대결정신과 허무의 향일성」/신달자, 「청마의 연가」.
1975. 9. 조동민, 「청마연구서설」, 『국어국문학』 68·69 합병호.
1975. 김윤식, 「청마론」, 『한국현대시론비판』, 일지사.
1976. 2. 조동민, 「생명의 윤리」, 『신동아』.

1977. 1. 박철석, 「유치환시의 변천」, 『현대문학』.
1978. 8. 허만하, 「청마의 아포리즘」, 『심상』.
1979. 정재완, 「유치환론」, 『현대시인론』, 형설출판사.
1980. 오탁번, 「청마 유치환론」, 『어문논집』 21. 고려대학교.
1981. 서우석, 「유치환 : 리듬의 역동성」, 『시와 리듬』, 문학과지성사.
1981. 김은자, 「유치환의 「생명의 서」」, 『한국현대시 작품론』, 문장.
1981. 박홍원, 「유치환의 「일월」」, 『한국현대시 작품론』, 문장.
1981. 김현, 「「기빨」의 시학」, 시집 『유치환』, 지식산업사.
1982. 문덕수, 「유치환의 시연구」, 『현대한국시론』, 이우출판사.
1983. 김준오, 「유치환의 「깃발」」, 『한국대표시평설』, 문학세계사.
1983. 권영민, 「유치환과 생명의지」, 『한국현대시사연구』, 일지사.
1983. 신상철, 「『청마시초』의 「님」」, 『현대시와 「님」의 연구』, 시문학사.
1984. 김봉군, 「유치환론」, 『한국현대작가론』, 민지사.
1984. 정현기, 「청마전집을 엮고 나서」, 『청마유치환전집』 3. 정음사.
1985. 최동호, 「청마시의 「기발」이 향하는 곳」, 『현대시의 정신사』, 열음사.
1985. 『현대시』 2. 유치환연구특집. 송현호, 「유치환의 삶과 문학」/이승원, 「청마 시 연구의 반성과 전망」/김은전, 「청마 유치환의 시사적 위치」.
1985. 김준오, 「원시주의와 자학」, 『가면의 해석학』, 이우출판사.
1985. 차한수, 「청마 유치환론」, 송랑 구연식 화갑기념논총.

노천명

1949. 12. 최정희, 「노천명론」, 『주간서울』 65.
1957. 최미혜, 「노천명연구」, 『청구대 국어국문학 연구논문집』 9.
1957. 6. 16. 전숙희, 「외롭고 알뜰한 그 모습」, 『경향신문』.
1958. 6. 13. 모윤숙, 「못잊을 소복의 모습」, 『문화시보』.
1958. 7. 김광섭, 「시인 천명과의 교우와 회상」, 『자유문학』 16.
1961. 8. 13. 김남조, 「노천명 시전집」, 『동아일보』.
1962, 허영자, 「노천명연구」, 숙대 대학원.
1966. 1. 조정래, 「노천명론」, 『국어국문학 논문집』 6. 동국대학교.

1966. 박옥화, 「노천명의 생애와 작품을 중심으로」, 『서울대국어국문학연구논문집』.
1967.10. 정태용, 「노천명론」, 『현대문학』 154.
1968. 2. 김숙희, 「노천명시의 문체론적 고찰」, 『사대학보』, 서울사대.
1968. 이성교, 「노천명연구」, 『연구논문집』 1. 성신여사대 인문과학연구소.
1970. 박요순, 「노천명시 연구」, 『한국언어문학』 8·9, 한국언어문학회.
1973. 10. 권도현, 「천명과 청마와 작가의 고뇌」, 『현대문학』 226.
1973. 10. 김지향, 「노천명 총정리」, 『시문학』.
1974. 김정순, 「노천명연구」, 경희대 대학원.
1975. 5. 노천명 특집, 『문학사상』 32. 김윤식, 「문학사적 위치」/김현자, 「시어」/박동규, 「시작품론」/최연, 「새 자료, 노천명의 생애」.
1975. 김윤식, 「예술의 방법론과 개인의 기질문제—노천명론」, 『한국현대시론비판』, 일지사.
1975. 박경혜, 「노천명연구」, 연세대 대학원.
1976. 5. 최하림, 「노천명, 「사슴」」, 『문학사상』 44.
1976. 김학동, 「노천명의 초기작품고」, 『도남 조윤제박사 고희기념논총』, 형설출판사.
1977. 조동숙, 「노천명시의 연구」, 부산대 대학원.
1981. 이성교, 「노천명의 「사슴」」, 『한국현대시작품론』, 문장.
1983. 허영자, 「노천명시의 자전적 요소」, 『한국현대시사연구』, 일지사.
1983. 허영자, 「노천명의 「사슴」」, 『한국대표시평설』, 문학세계사.
1984 김봉군, 「노천명론」, 『한국현대작가론』, 민지사.

김광균

1940. 김기림, 「1933년 시단의 회고」, 『인문평론』.
1946. 12. 5. 김동석, 「시단의 제3당—김광균의 <시단의 두 산맥>을 읽고」, 『경향신문』.
1949. 김동석, 「시인의 위기」, 『뿌르조아의 인간상』, 탐구당서점.
1968. 장윤익, 「1930년대 한국 모더니즘 시연구」, 경북대 대학원.
1970. 9. 윤홍로, 「공감각 은유의 구조성」, 『국어국문학』 49·50 합병호.
1970. 10. 정태용, 「김광균론」, 『현대문학』.

1972. 9. 이승훈, 「김광균의 시세계」, 『현대시학』 42.
1972. 김상태, 「김광균과 이상의 시 그 대비적 고찰」, 『논문집』 14. 전북대학교.
1974. 김용직, 「모더니즘의 시도와 실패」, 『한국현대시연구』, 일지사.
1975. 김윤식, 「모더니즘시 운동양상」, 『한국현대시론비판』, 일지사.
1977.6.8. 김은전, 「김광균론」, 『심상』 45·47.
1977. 서준섭, 「1930년대 한국 모더니즘연구」, 서울대 대학원.
1977. 김규동, 「근대정신과 「와사등」의 위치」, 『와사등』, 근역서재.
1977. 김준학, 「김광균론—시집 「와사등」을 중심으로」, 동아대 대학원.
1978. 1. 박진환, 「고독한 낭인—「와사등」을 중심으로」, 『현대시학』 106.
1978. 7. 조동민, 「김광균론」, 『현대문학』 283.
1978. 9. 김규동, 「김광균의 풍모」, 『현대시학』.
1978.11. 김춘수, 「기질적 이미지스트—「와사등」」, 『심상』 62.
1980. 조병춘, 「모더니즘시의 기수들」, 『한국현대시사』, 집문당.
1981. 정재완, 「현대시 단강」, 『한국현대시의 반성』, 형설출판사.
1981. 송하선, 김광균, 『한국현대시 이해』, 금화출판사.
1981. 신경림·정희성, 『한국 현대시의 이해』, 진문출판사.
1981. 문덕수, 「김광균론」, 『한국 모더니즘시 연구』, 시문학사.
1981. 조남익, 『현대시 해설』, 세운문화사.
1981. 박철석, 「김광균론」, 『한국현대시인론』, 학문사.
1981. 김준오, 「시성과 문법성」, 『시론』, 문장사.
1981. 박호영, 「김광균의 「와사등」」, 『한국현대시 작품론』, 문장사.
1981. 서준섭, 「김광균의 「추일서정」」, 『한국현대시 작품론』, 문장사.
1982. 김재홍, 「모더니즘과 1930년대의 시」, 『한국문학연구입문』, 지식산업사.
1982. 박철희, 「감정의 풍경화」, 『한국시사연구』, 일조각.
1982. 박철희, 「실향시대의 시인」, 『김광균·장만영』, 지식산업사.
1983. 조동민, 「김광균시의 모더니티」, 『한국현대시사연구』, 일지사.
1983. 이건청, 「김광균의 「와사등」」, 『한국대표시평설』, 문학세계사.
1984. 김봉군, 「김광균론」, 『한국현대작가론』, 민지사.
1985. 박호영·이숭원, 「김동명과 김광균의 시의식」, 『한국시문학의 비평적 탐구』, 삼지원.

이육사

1962. 12. 신석초, 「이육사의 추억」, 『현대문학』.
1964. 7. 신석초, 「이육사의 생애와 시」, 『사상계』 136.
1967. 2. 정태용, 「이육사—현대시인연구 12」, 『현대문학』.
1972.10. 김인환, 「이육사론」, 『월간문학』 47.
1972. 김학동, 「고월과 육사의 유작」, 『어문학』 26.
1974. 7. 김요섭, 「추상의 세계속 생명력—이육사론」, 『월간문학』 65.
1974. 이육사특집, 『나라사랑』 16. 홍기삼, 「이육사의 저항활동」/이동영, 「이육사의 독립운동과 생애」/정한모, 「육사시의 특질과 시사적 의의」/김학동, 「이육사의 문학활동」/김종길, 「육사의 시」/신석초, 「이육사의 인물」.
1974. 김윤식, 「절명지의 꽃이 육사론」, 『한국근대작가논고』, 일지사.
1974. 김용직, 「저항의 논리와 그 정신적 맥락」, 『한국현대시연구』, 일지사.
1974. 김종길, 「한국시에 있어서의 비극적 황홀」, 『진실과 언어』, 일지사.
1975 여름. 「김영무, 이육사론」, 『창작과 비평』 36.
1975. 김윤식, 「백마와 절정과 시」, 『한국현대시론비판』, 일지사.
1975. 홍신선, 「이육사론」, 동국대 대학원.
1975. 10. 김학동, 「육사 이원록 연구」, 『진단학보』 40.
1975. 11. 이명자, 「본명조차 상실되었던 이육사」, 『문학사상』 38.
1976. 1. 이육사 특집, 『문학사상』 40. 김종철, 「육사시, 그 의의와 한계」/백순재, 「육사의 유작정리와 그 문제점」/이명자, 「새 자료에 의한 이육사의 생애」/홍기삼, 「혁명의지와 시의 복합」/김용직, 「소명감 속의 시와 행동정신」.
1976. 6. 김흥규, 「육사의 시와 세계 인식」, 『창작과 비평』 40.
1976. 6. 김종철, 「이육사의 문학사적 위치」, 『문학과 지성』 24.
1976. 7. 이어령, 「이육사 「황혼」」, 『문학사상』 46.
1977.2~5. 박치원, 「이육사론고」, 『시문학』 67~70.
1977. 5. 김시태, 「민족의 비젼」, 『현대문학』.
1977. 김학동, 「육사 이원록론」, 『한국현대시인연구』, 민음사.
1977. 김영무, 『절망의 변증법—광야』, 민음사.
1977.12. 조창환, 「이육사론」, 『서울대 국문과 관악어문연구』 2.
1978. 11. 오하근, 「광야의 육사」, 『현대문학』 287.

1978. 11. 김주영, 「이육사의 고향」, 『문학사상』 74.
1981. 4. 오세영, 「어데 닭 우는 소리 들렸으랴」, 『문학사상』.
1981. 오세영, 「이육사의 「절정」」, 『한국현대시작품론』, 문장사.
1981. 김진국, 「이육사의 「황혼」」, 『한국현대시작품론』, 문장사.
1982. 1. 1. 이유식, 「이육사 시연구」, 『국어교육』 42·43 합병호.
1983. 이동하, 「이육사의 「절정」」, 『한국대표시평설』, 문학세계사.
1983. 조창환, 「이육사와 초극의지」, 『한국현대시사연구』, 일지사.
1983. 신상철, 「이육사의 시어 연구」, 『현대시와 「님」의 연구』, 시문학사.
1984. 김봉군, 「이육사론」, 『한국현대작가론』, 민지사.
1984 여름. 이남호, 「육사의 신념과 동주의 갈등」, 『세계의 문학』 32.
1984. 김삼주, 「이육사 시의 연구」, 인하대학교 대학원.
1985. 차한수, 「파인 김동환론」, 동아대학 국어국문학과.
1986. 심원섭 편주, 『원본 이육사전집』, 집문당.
1986. 2. 이육사특집, 『문학사상』 160. 김학동, 「〈생애와 문학〉—민족적 염원의 시로의 승화」/김종길, 「「광야」 이상화된 시간과 공간」/김현자, 「황혼속에 자신도 우주화」/이남호, 「「절정」 비극적 황홀의 순간적 묘파」/김옥순, 「이육사 시연구 여기까지 왔다」/이승훈, 「〈대표작 20편〉—이 시를 이렇게 읽는다」.

김현승

1968. 3. 김종길, 「견고에의 집념」, 『창작과 비평』.
1969. 5. 장백일, 「원죄를 끌고가는 고독」, 『현대문학』.
1970. 5. 이동주, 「문단인 물론」, 『세대』.
1970. 조연현, 「김현승」, 『현대한국작가론』, 문명사.
1971. 2. 정태용, 「김현승론」, 『현대문학』 194.
1973. 1. 천상병, 「김현승론」, 『시문학』.
1973. 5. 10. 김현, 「보석의 상상체계」, 숭전대학신문.
1973. 6. 김현승, 「굽이쳐가는 물굽이와 같이」, 『문학사상』 9.
1973. 손광은, 「사물의 가치추구 시론」, 『용봉논총』 2, 전남대 인문과학연구소.

1973. 권영진, 「김현승 시연구」, 고려대 대학원.
1973. 홍기삼, 「김현승론」, 『숭전어문학』 2, 숭전대 국어국문학회.
1973. 김 현, 「김현승」, 『한국문학사』, 민음사.
1974. 김광림, 「사상의 정서화」, 『존재에의 향수』, 조광출판사.
1974. 12. 범대순, 「시적 고독」, 『현대시학』.
1975 여름. 최하림, 「수직적인 세계」, 『창작과 비평』.
1975. 6. 이성부, 「신·인간·민족의 탐구」, 『현대문학』.
1975. 6. 이성부, 「김현승 스승의 편린」, 『시문학』.
1975. 7. 김윤식, 「신앙과 고독의 분리 문제—김현승론」, 『시문학』 48.
1975. 김주연, 「퓨리턴의 주권과 정관」, 『나의 칼은 나의 작품』, 민음사.
1975. 조태일, 『마지막 지상에서』, 창작과 비평사.
1975. 채만묵, 「김현승론」, 『국어문학』 17. 전북대.
1976. 3. 이성부, 「사랑의 실체」, 『창작과 비평』
1976. 조재훈, 「다형 문학론」, 『숭전어문학』 5, 숭전대 국어국문학회.
1977. 3~4. 안수환, 「다형 문학과 기독교」, 『시문학』, 68~69.
1977. 박이도, 「다형문학고」, 숭전대 대학원.
1978. 오규원, 「비극적 종교의식과 고독」, 『현실과 극기』, 문학과지성사.
1978. 김종철, 「견고한 것들의 의미」, 『시와 역사적 상상력』.
1978. 박정도, 「김현승 연구」, 고려대 대학원.
1977. 박두진, 「정신의 승리」, 『한국현대시론』, 일조각.
1980.11. 김희보, 「시인과 하나님 릴케의 「가을날」과 김현승의 「가을의 기도」」, 『기독교사상』.
1981. 김우창, 「김현승의 시」, 『지상의 척도』, 민음사.
1982. 채규판, 「김광섭과 김현승」, 『한국현대비교시인론』, 탐구당.
1982. 문덕수, 「김현승」, 『현대시의 해석과 감상』, 이우출판사.
1982. 박철석, 「김현승론」, 『한국현대시인론』, 학문사.
1983. 정재완, 「김현승의 「견고한 고독」」, 『한국대표시평설』, 문학세계사.
1986. 이운용, 『한국현대시 사상론』, 도서출판 친우.

서정주

1949. 12. 조연현, 「원죄의 형벌」, 『문학과 사상』, 세계문화사.
1952. 10. 김동리, 「서정주의 추천사」, 『문학과 인간』, 청춘사.
1953. 11. 송욱, 「서정주론」, 『문예』 18.
1954. 김춘수, 「시인론을 위한 각서」, 『신작품』 8.
1955. 10~11. 김양수, 「서정주의 영향」, 『현대문학』 10·11.
1957. 8. 조연현, 「민족적 특성과 인류적 보편성」, 『문학예술』 28.
1958. 박진환, 「부활시인의 신경향」, 『국어국문학보』, 동대 국어국문학회.
1959. 8. 이철범, 「신라정신과 한국전통론 비판」, 『자유문학』 29.
1963. 4. 문덕수, 「신라정신에 있어서 영원성과 현실성」, 『현대문학』 100.
1963. 10. 김윤식, 「역사의 예술화」, 『현대문학』 106.
1964. 4. 김상일, 「국화 옆에서의 기적」, 『현대문학』 112.
1964. 8. 김종길, 「시와 이성」, 『문학춘추』 5.
1964. 10. 김운학, 「현대시에 나타난 불교사상」, 『현대문학』 118.
1965. 6. 구중서, 「서정주와 현실도피」, 『청맥』 9.
1965. 7. 원형갑, 「서정주의 신화」, 『현대문학』 127.
1965. 11. 원형갑, 「서정주론」, 『현대문학』 131.
1966. 3. 원형갑, 「서정주론」, 『현대문학』 135.
1966. 3. 김종길, 「「추천사」의 형태」, 『사상계』 157.
1966. 6. 김학동, 「현대시인논고(기 1)」, 『동양문화』 5, 대구대 동양문화연구소.
1967. 5. 김춘수, 「청마의 시와 미당의 시」, 『현대문학』 149.
1967. 5. 김학동, 「서정주 초기시에 미친 영향」, 『어문학』 16, 한국어문학회.
1967. 12. 김시태, 「시와 신념의 관계」, 『현대문학』 156.
1968. 7. 김우창, 「한국시의 형이상」, 『세대』 60.
1969. 3. 고은, 「실내작가론 서정주」, 『월간문학』 5.
1969. 6. 이성부, 「삶의 어려움과 시의 어려움」, 『창작과 비평』 14.
1969. 11. 김용직, 「『시인부락』 연구」, 『단국대 국문학논집』 3.
1970. 8. 이정강, 「시인과 인간조건」, 『소천 이헌구선생 송수기념논총』.
1970. 9. 김성욱, 「상리과원 해도」, 『현대문학』 189.
1970. 10. 최원규, 「서정주연구」, 『국어국문학』 49·50.

1970. 이용훈, 「개인적 생명의식에의 집념」, 『국어교육』 16, 한국국어교육연구회
1971. 2. 신동욱, 「시를 읽는 법—추천사의 해석」, 『현대문학』.
1971. 4. 김학동, 「신라의 영원주의」, 『어문학』 24.
1971. 5. 김재홍, 「하늘과 땅의 변증법」, 『월간문학』.
1971. 7. 박철희, 「현대 한국시와 그 서구적 잔상」, 『예술원 논문집』 10.
1972. 4. 박철희, 「질마재 신화고」, 『현대문학』 208.
1972. 6. 김인환, 「서정주의 시적 여정」, 『문학과 지성』 8.
1972. 6~9. 천이두, 「지옥과 열반—서정주론」, 『시문학』 11~14.
1972. 12. 이성부, 「서정주의 시세계」, 『창작과 비평』 26.
1973. 3. 고은, 「서정주시대의 보고」, 『문학과 지성』.
1973. 8. 김윤식, 「문학에 있어서의 전통 계승의 문제」, 『세대』.
1973. 정한모, 「미당시의 이미저리와 방법」, 『현대시론』, 민중서관.
1973. 김현, 「서정주 혹은 불교적 인생관의 천착」, 『한국문학사』, 민음사.
1973. 조달곤, 「미당 시문학의 원형연구」, 동아대 대학원.
1974. 9. 박재삼, 「내 경험 위에서—서정주의 「무제」」, 『심상』.
1974. 10. 홍신선, 「여성, 천상적 의미의 성당」.
1974. 김윤식, 「전통과 예의 의미—서정주」, 『한국근대작가논고』, 일지사.
1975. 4. 『서정주연구』, 동화출판공사. 김춘수, 「귀촉도 기타」/김학동, 「서정주시인론」/신동욱, 「서정주의 「추천사」 해설」/김동리, 「시집 『귀촉도』 발사」/조윤제, 「서정주의 시사적 위치」/허세욱, 「도잠과 이백과 미당 사이」.
1976. 3. 김윤식, 「서정주의 질마재 신화고」, 『현대문학』 255.
1976. 4. 김열규, 「서정주의 「학」」, 『문학사상』 43.
1976. 7. 김우창, 「미당선생의 시」, 서정주 시집 『떠돌이의 시』, 민음사.
1976. 9. 김종철, 「소나기를 보는 눈」, 『세계의 문학』 1.
1976.12. 송하선, 「미당의 『질마재 신화』 고찰」, 『한국언어문학』 14.
1976.12. 오규원, 「대가의 멋과 한계」, 『문학과 지성』 26.
1976. 허영자, 「현대시에 나타난 신화의 세계」, 『연구논문집』 9, 성신여사대.
1977. 3. 이성부, 「시의 정도」, 『창작과 비평』 43.
1977. 3. 조동민, 「미당과 청마」, 『현대문학』 267.
1977. 5. 김용태, 「서정주론」, 『현대문학』 269.
1977.12. 최원규, 「미당시의 불교적 영향」, 『현대시학』.

1977. 송하선, 「서정주연구」, 고려대 교육대학원.
1978. 11. 김종길, 「인간탐구와 미당의 신화—『화사집』」, 『심상』 62.
1978. 이용훈, 「미당시의 설화수용의 양상」, 『해양대 논문집』 13. 해양대학교.
1980. 3. 최하림, 「신화와 시의 세계」, 『문예중앙』,
1981. 서우석, 「서정주 리듬의 완만한 대립」, 『시와 리듬』, 문학과지성사.
1981. 신동욱, 「국화옆에서의 율격미」, 『우리 시의 역사적 연구』, 새문사.
1981. 천이두, 「서정주의 「동천」」, 『한국현대시 작품론』, 문장.
1981. 김재홍, 「서정주의 「화사」」, 『한국현대시 작품론』, 문장.
1981. 황동규, 「탈의 완성과 해체」, 시집 『서정주』, 지식산업사.
1983. 김화영, 「미당 서정주론(上)」, 『세계의 문학』 29.
1983. 최원규, 「서정주와 불교정신」, 『한국현대시사연구』, 일지사.
1983. 최원규, 「서정주의 「화사」」, 『한국대표시평설』, 문학세계사.
1983. 신상철, 「『화사집』의 「님」」, 『현대시와 「님」의 연구』, 시문학사.
1984. 3. 김화영, 「미당 서정주론(下)」, 『세계의 문학』 31.
1984. 김봉군, 「서정주론」, 『한국현대작가론』, 민지사.
1984. 서정주 시집, 『안 잊히는 일들』, 현대문학사. 박재삼, 「자유자재한 것」/오세영, 「시적 상상력과 개인사의 시화」/권영민, 「시적 체험과 이야기조」/김재홍, 「개인사의 어려움과 역사적 순응주의」.
1985. 박재삼, 「미당을 찾아서」, 서정주시집 『눈이 부시게 푸르른 날은』, 열음사.
1985. 김준오, 「원시주의와 자학」, 『가면의 해석학』, 이우출판사.
1985. 강희근, 「서정주 시연구」, 『우리 시문학 연구』, 예지각.

박목월

1948. 4. 20~8. 25. 김시종, 「삼가시와 자연의 발견—박목월·조지훈·박두진에 대하여」, 『예술조선』.
1949. 9. 28~9. 29. 박화목, 「청록파 시인의 미래」, 『경향신문』.
1959. 12. 유종호, 「토착어의 인간상」, 『현대문학』 60.
1963. 6. 김춘수, 「청록집의 시세계」, 『세대』 1.
1964. 5. 전봉건, 「목월, 카멜레온의 소묘」, 『세대』.

1964. 7. 이형기, 「박목월의 면모」, 『문학춘추』.
1965. 6. 문덕수, 「박목월론」, 『문학춘추』 15.
1968. 김춘수, 「문장추천시인군의 시형태」, 『한국현대시 형태론』, 해동문화사.
1968. 『청록집·기타』 현암사. 김춘수, 「자유시의 전개」/정한모, 「청록파의 시사적 의의」/김우정, 「박목월론」.
1969. 서정주, 「박목월의 시」, 『한국의 현대시』, 일지사.
1969. 1. 김종길, 「박영종의 인품」, 『횃불』 1권 1호.
1969. 8. 고은, 「실내작가론 5. —박목월」, 『월간문학』.
1970. 5. 정태용, 「박목월론」, 『현대문학』 185.
1970. 10. 최창록, 「청록파의 자연관과 시사적 의의」, 『어문학』 23. 한국어문학회.
1970. 박두진, 「목월의 시세계」, 『한국현대시론』, 일조각.
1971 가을. 김종길, 「향수의 미학」, 『문학과 지성』.
1971. 10. 최창록, 「청록파에 있어서의 자연의 해석」, 『현대문학』 202.
1971. 소광희, 「목월의 시정신 연구」, 『지헌영선생 화갑기념논총』.
1972.11. 김시태, 「목월의 제주시편」, 『제주문학』 1.
1973. 5. 김시태, 「이미지와 아뜰리에」, 『현대문학』.
1973. 김현, 「박목월」, 김윤식·김현, 『한국문학사』, 민음사.
1973. 8. 박목월, 「무상의 역정」, 『문학사상』 11.
1973. 정한모, 「목월의 「경상도의 가랑잎」」, 『현대시론』, 민중서관.
1976. 오탁번, 「개인의 회복」, 『현대문학산고』, 고대 출판부.
1977. 6. 김윤식, 「박목월론」, 『심상』 45.
1977 여름, 이승훈, 「두 시인의 변모」, 『문학과 지성』.
1977. 최원규, 「목월의 시정신연구」, 『한국근대시론』, 학문사.
1978. 2. 박철석, 「목월과 두진의 시」, 『현대문학』 278.
1978. 5. 윤재근, 「박목월의 지향성」, 『심상』.
1978. 6. 윤재근, 「박목월의 시세계」, 『현대문학』.
1978. 11. 김종길, 「「청록집」의 의미」, 『심상』 62.
1978. 12. 신동욱, 「박목월의 시와 외로움」, 『관악어문연구』.
1979. 2~3. 정창범, 「박목월의 시적 변용」, 『현대문학』 290·291.
1979. 3. 박목월 특집 『심상』 66. 김윤식, 「도라지빛 하늘 꼭지에 이르는 길」/김용직, 「해조와 기법」/이성교, 「박목월 신앙시집 「크고 부드러운 손」」.

1979. 5. 이명자, 「미발표 박목월 유작시 10편 해설」, 『문학사상』 78.
1979. 6. 이기철, 「서정시의 형태적 승리—박목월론」, 『현대문학』 294.
1979 가을. 김춘수, 「두 개의 적막 사이」, 『문학과 지성』.
1980, 3. 박목월 특집 『심상』. 김열규, 「정서적 인식과 종교적 위탁」/황금찬, 「박목월의 신앙과 시」/이재철, 「목월 동시의 구조 분석」/정호승, 「나그네의 마을에 가서」.
1980, 4. 조병춘, 「박목월론」, 『심상』.
1980. 10. 김준오, 「한국시에 있어서의 전통성 문제」, 『심상』.
1981. 6. 신협, 「한국시에 있어서의 평화지향적 경향」, 『심상』.
1981. 이승훈, 「사물로 통하는 하나의 창」, 『박목월』, 지식산업사.
1981. 이승훈, 「박목월의 나그네」, 『한국현대시 작품론』, 문장사.
1982. 12. 권영민, 「목월의 습작시 두 편」, 『심상』.
1982. 감태준, 「미당과 목월의 비교연구」, 한양대 대학원.
1983. 3. 황금찬, 「창조와 상실—박목월의 시세계」, 『심상』.
1983. 3. 최하림, 「감상적인 사람」, 『심상』.
1983. 3~4. 권명옥, 「목월시 연구(상·하)」, 『심상』.
1983. 4. 김열규, 「화해된 슬픔의 시학」, 『심상』.
1983. 4. 신동욱, 「지상적 삶의 한계의식과 사랑」, 『심상』.
1983. 10. 이형기, 「박목월론」, 『심상』.
1983. 이승훈, 「「이별가」의 구조분석」, 『한국대표시평설』, 문학세계사. 1983. 『목월문학탐구』 민족문화사. 이승훈, 「박목월의 시세계」/유승우, 「가랑잎의 한 살이」/이건청, 「박목월론의 방향」/권달웅, 「목월시의 분석」/윤석산, 「목월의 산문을 통해서 본 그의 시관」/김용덕, 「목월의 동시세계」/감태준, 「한국 현대시의 두 양상」/김용범, 「동양적 자연의 인식과 변용」/이상호, 「갈등과 극복의 순환구조」.
1983. 이숭원, 「박목월과 자연」, 김용직 외 『한국현대시사연구』, 일지사.
1983. 오세영, 「박목월론」, 『현대시와 실천비평』, 이우출판사.

박두진

1949. 3. 조연현, 「성신에의 신앙—박두진론」, 『해동공론』 49.
1956. 2. 박양균, 「기도의 양상—박두진론」, 『시와 비평』 1.
1964. 6. 김문직, 「시와 신앙—박두진시의 방향」, 『세대』.
1965. 11. 이유식, 「박두진론」, 『현대문학』 131.
1968. 11. 장일우, 「박두진론」, 『청록집·기타』, 현암사.
1970. 4. 김윤식, 「박두진론」, 『현대문학』.
1971. 5. 최일수, 「박두진의 「아, 민족」」, 『현대문학』.
1971. 6. 전봉건, 「박두진의 연작시」, 『현대문학』.
1972. 6. 김일훈, 「박두진시론」, 『현대문학』.
1972. 12. 박철희, 「신앙과 현실인식—박두진의 시력 노정」, 『문학과 지성』.
1973. 김현, 「박두진 혹은 자연과 분노」, 『한국문학사』, 민음사.
1975. 7. 안무환, 「크리스챠니티 수용—박두진론」, 『시문학』 48.
1976. 6. 김광협, 「단일소재와 시표현의 다양성」, 『현대문학』 258.
1976. 오탁번, 「두진, 시의 패배」, 『현대문학산고』, 고대출판부.
1977. 6. 정현기, 「박두진론」, 『연세어문학』 9·10 합집.
1977. 신용협, 「박두진의 시연구」, 고려대 대학원.
1978. 11. 김종길, 「「청록집」의 의미」, 『심상』 62.
1981. 2. 박두진, 「40년대 박두진 미발표시와 문학서한 자설」, 『문학사상』 99.
1981. 2. 김용직, 「40년대 박두진 미발표시와 문학서한 평가」, 『문학사상』 99.
1981. 5. 오동춘, 「혜산 박두진론」, 『국어국문학』 85.
1981. 조창환, 「박두진의 「묘지송」」, 『한국현대시 작품론』, 문장사.
1982. 신동욱, 「해와 삶의 원리」, 『박두진전집』 1·2, 해설, 범조사.
1983. 신동욱, 「날아오름과 버팀의 의지」, 『박두진전집』 3, 해설, 범조사.
1983. 홍신선, 「상승과 초월의 변증법」, 시집 『박두진』, 지식산업사.
1983.12. 신동욱, 「박두진의 시에 있어서 저항과 지속의 의미」, 『세계의 문학』 30.
1984. 신대철, 「인간과 무한한계」, 『박두진전집』 4.5, 해설, 범조사.
1984. 이상섭, 「포옹무한, 그 모순의 극복」, 『박두진전집』 6, 해설, 범조사.
1984. 오세영, 「휴머니즘의 옹호와 자연의 의미」, 『박두진전집』 8, 해설, 범조사.
1984. 정현기, 「한국역사의 시적 검증」, 『박두진전집』 9, 해설, 범조사

1984. 박철희, 「「수석」의 현상학」, 『박두진전집』 10, 해설, 범조사.
1984. 차한수, 「박두진론」, 『국어국문학』 92호.
1986. 3. 2. 김인환, 「혜산 박두진의 시세계—산·해·바다·깃발·돌 거친 시적 여정」, 『한국일보』.

조지훈

1948. 4. 20~8. 25. 김동리, 「삼가시와 자연의 발견」, 『예술조선』.
1949. 9. 28~29. 박화목, 「청록파 시인의 미래」, 『경향신문』.
1953. 7. 조연현, 「조지훈」, 『한국현대작가론』, 신구문화사.
1963. 6. 김춘수, 「청록집의 시세계」, 『세대』.
1965.11. 신동욱, 「조지훈론」, 『현대문학』 131.
1968. 7. 박두진, 「조지훈론」, 『사상계』 183.
1968. 7. 박목월, 「처음과 마지막 지훈에의 회상」, 『사상계』 183.
1968. 7. 김종길, 「선비 조지훈의 기품」, 『세대』 60.
1968. 7. 박목월, 「노상의 검은 장갑」, 『현대문학』.
1968, 7. 박목월, 「지금도 지훈의 절규가—그의 인간과 시—」, 『신동아』 47.
1968. 11. 『청록집·기타』 현암사, 김종길, 「조지훈론」/김춘수, 「자유시의 전개」/정한모, 「청록파의 시사적 의의」.
1968. 12. 양왕용, 「「청록집」을 통한 삼가시인의 작품연구—세칭 청록파에 의문을 제기하면서」, 경북대 대학원.
1968. 김종길, 「지훈시의 계보」, 『교양』 5, 고대 교양학부.
1969. 7. 김해성, 「지훈의 선적 사관」, 『불교계』 23.
1970. 6. 정한모, 「조지훈—「승무」·「완화삼」」, 『월간문학』.
1971. 7. 한흑구, 「지훈의 정」, 『현대문학』.
1971. 9. 송재영, 「조지훈론」, 『창작과 비평』 22.
1971. 10. 최창록, 「청록파에 있어서의 자연의 해석」, 『현대문학』 202.
1972. 3. 권도현, 「조지훈시고」, 『시문학』 8.
1972. 7. 장문평, 「지훈의 좌절」, 『현대문학』 211.
1973. 12. 김용직, 「조지훈론 현대시와 전통의 계승」, 『심상』.

1975. 김용태, 「조지훈의 선관과 시」, 『수련어문논집』 3, 부산여대 국어교육학과
1975. 6. 박희진, 「지훈선생의 이모저모」, 『시문학』.
1975. 6. 박희선, 「지훈의 초기시에 나타난 선취」, 『시문학』.
1976. 4. 조상기, 「조지훈의 시문학 연구」, 『한국학논문집』 1.
1976. 8. 박철석, 「지훈의 돌의 미학」, 『현대문학』.
1976. 김종균, 「조지훈의 문학비평연구」, 『우리 문학연구』 1.
1976. 오탁번, 「지훈시의 의미와 이해」, 『현대문학산고』, 고대 출판부.
1977. 홍관표, 「조지훈시 연구」, 고려대 대학원.
1977. 2. 김홍규, 「조지훈의 시세계」, 『심상』 41.
1977.12. 김종균, 「조지훈의 사회비평연구」, 『국어국문학』 76.
1978. 6. 이기철, 「조지훈과 시의 리듬」, 『현대문학』 282.
1978. 11. 김종길, 「「청록집」의 의미」, 『심상』 62,
1978. 『조지훈연구』, 고려대 출판부. 박두진, 「조지훈의 시세계」/정한모, 「초기 작품의 시세계」/김동리, 「조지훈의 선감각」/김춘수, 「지훈시의 형태」/정태용, 「조지훈 시」/문덕수, 「민족시의 방향과 주체적 미학의 정립」/신동욱, 「조지훈의 시에 나타난 저항의식」/이기서, 「지훈시가 지닌 상황의 의지화」/이동환, 「지훈시에 있어서의 한시 전통」/한승옥, 「지훈시의 굴절과 미적 효과」/박목월, 「지훈회상 2제」/김종길, 「조지훈론」/홍일식, 「지훈의 인품과 향훈/박노준, 논객 조지훈의 면모.
1979. 7. 『현대문학』 124호. 정한모, 「지훈의 시」/정진규, 「첫사랑이 없는 자는」/조병화, 「멋」/김광림, 「탐미·선미·지조」/장호, 「국토시인」.
1979. 12. 윤미길, 「조지훈소론」, 『국어교육』 35, 한국 국어교육연구회.
1981. 조윤제, 「지훈시의 한계」, 『동서비교사론』, 대제각.
1981. 윤재근, 「조지훈의 「파초우」」, 『한국현대시작품론』, 문장사.
1982. 김주연, 「인식을 통한 자유의 시인—조지훈론」, 『조지훈』, 지식산업사.
1983. 김홍규, 「조지훈의 초기작 「지옥기」 시편에 관하여」, 『한국현대시사연구』, 일지사.
1983. 서준섭, 「불교적 소재의 시적 변용과 그 의미」, 『한국대표시평설』, 문학세계사.
1984. 김재홍, 「조지훈—「풀잎단장」」, 『시와 진실』, 이우출판사.

윤동주

1948. 정지용, 시집 『하늘과 바람과 별과 시』 초판 서문, 정음사.
1948. 12. 19. 이봉구, 「시인의 별 윤동주 시집을 읽고」, 『평화신문』.
1949. 8. 30. 「유령, 내가 잃은 삼재」, 『자유신문』.
1952. 5. 윤영춘, 「고 윤동주에 대하여」, 『문예』.
1953. 7. 15. 정병욱, 「고 윤동주형의 추억」, 『연희춘추』.
1955. 윤일주, 「선백의 생애」, 시집 『하늘과 바람과 별과 시』 후기, 정음사.
1955. 2. 14. 전형국, 「동주와 간도」, 『연희춘추』.
1955. 2. 14. 김용호, 「민족의식과 자아의식」, 『연희춘추』.
1955. 2. 15. 김춘수, 「불멸의 순정」, 『부산일보』.
1959. 3. 장덕순, 「동주와 나—인간 동주 소묘」, 『자유문학』.
1960. 11~12. 이상비, 「시대와 시의 자세—윤동주론」, 『자유문학』.
1963. 10. 이유식, 「아우트사이더적 인간상」, 『현대문학』.
1964. 8. 김열규, 「윤동주론」, 『국어국문학』.
1965. 김종길, 「시인이라는 것—고 윤동주씨를 생각하며」, 『시론』, 탐구당.
1968. 시집 『하늘과 바람과 별과 시』, 정음사. 백 철, 「암흑기 하늘의 별」/박두진, 「윤동주의 시」/문익환, 「동주형의 추억」/장덕순, 「인간 윤동주」/윤일주, 「선백의 생애」/정병욱, 「시집 『하늘과 바람과 별과 시』 후기」.
1972. 1. 이건청, 「고뇌와 창조—윤동주의 시세계」, 『현대시학』 34.
1973. 김현, 「윤동주 혹은 순결한 젊음」, 김윤식·김현, 『한국문학사』, 민음사.
1973. 3. 김우규, 「윤동주의 미발표 처녀시편 평가」, 『문학사상』 6.
1974. 7. 홍기삼, 「고독과 저항의 세계」, 『월간문학』 65.
1974. 9. 김흥규, 「윤동주론」, 『창작과 비평』 33.
1974.12. 김윤식, 「십자가와 별」, 『현대시학』,
1974. 김윤식, 「어둠속에 익은 사상—윤동주」, 『한국근대작가논고』, 일지사.
1974. 김용직, 「시적 저항과 그 비극성」, 『일제시대의 항일문학』(신구문고 11.), 신구문화사.
1975. 2. 특집 윤동주연구, 『심상』 17. 김윤식, 「윤동주론의 행방」/정한모, 「동주 시의 특질과 시사적 의의」/윤일주, 「다시 동주형님을 말함」.
1975. 4. 오세영, 「윤동주의 문학사적 위치」, 『현대문학』 244.

1975. 김윤식, 「윤동주론」, 『한국현대시론비판』, 일지사.
1976. 4. 한국 현대문학의 재정리 : 윤동주, 『문학사상』 43.
김우종, 「문학사적 위치」/임헌영, 「시인론」/김우창, 「손들어 표할 하늘도 없는 곳에서」/오세영, 「윤동주의 시는 저항시인가」.
1976. 6. 윤동주 특집, 『나라사랑』 23. 김용직, 「윤동주 시의 문학사적 의의」/염무웅, 「시와 행동」/김윤식, 「한국 근대시와 윤동주」/신동욱, 「하늘과 별에 이르는 시심」/전규태, 「저항시인으로서의 윤동주론」.
1976. 9. 김시태, 「밤의 인식과 자기 성찰—윤동주론」, 『현대문학』 261.
1980. 10. 24. 윤일주, 「윤동주 사인 잘못 알고 있다」, 『조선일보』.
1980. 10. 홍농영이(鴻農映二), 「윤동주, 그 죽음의 수수께끼」, 『현대문학』.
1980. 12. 홍농영이(鴻農映二), 「다시 윤동주의 죽음에 대하여」, 『현대문학』.
1981. 이건청, 『윤동주 평전·시집』, 문학세계사.
1981. 홍희표, 「윤동주의 「서시」」, 『한국현대시 작품론』, 문장사.
1981. 정재완, 「윤동주의 「또 다른 고향」」, 『한국현대시 작품론』, 문장사.
1981. 김윤식, 「윤동주론—거울이 되어 버린 자아」, 『(속) 한국근대작가논고』, 일지사.
1982. 홍희표, 「윤동주 연구」, 「목원대 논문집」.
1982. 10. 윤일주, 「새삼 이는 울분을 가누며」, 『문학사상』.
1983. 이동순, 「창조적 진화의 꿈과 삶과 정직성」, 『한국대표시평설』, 문학세계사.
1983. 허소라, 「윤동주론」, 『한국현대작가연구』, 유림사.
1983. 12. 박승준, 「「별헤는 밤」 고」, 『국어교육』 46·47, 한국국어교육연구회.
1984. 5. 신용협, 「윤동주의 시와 인간」, 『국어국문학』 91.
1984. 윤동주 시와 시론의 반성, 『현대시』 1,
홍정선, 「윤동주 시연구의 현황과 문제점」/김현자, 「대립과 초극과 화해의 시학」/김재홍, 「자기 극복과 초인에의 길」/박호영, 「윤동주론의 문제점」.
1984. 김재홍, 「운명애와 부활의지」, 『현대문학』 4~5월호.
1984. 마광수, 『윤동주 연구』, 정음사.
1984. 김봉군, 「윤동주론」, 『한국현대작가론』, 민지사.
1985. 5. 김수복, 「윤동주 시의 원형상징 연구(II)」, 『국어국문학』 93.
1985. 박호영·이숭원, 「윤동주 시의 인식론적 접근」, 『한국 시문학의 비평적 탐구』, 삼지원.

1985. 최동호, 「윤동주의 의식현상」, 『현대시의 정신사』, 열음사.
1986. 4. 한국시 다시 읽는다. 5. 윤동주. 김용직, 「어두운 시대와 시인의 십자가」/이기철, 「삶의 시간과 기도의 공간」/마광수, 「궁극적 이상과 현실적 시련의 암시」/박호영, 「저항과 희생의 남성적 톤」/김옥순, 「윤동주 시연구 어디까지 왔나」/이승훈, 「윤동주 대표시 20편 이렇게 읽는다」.

김재홍

1947년 충남 천안 출생으로 서울대학교 사범대학 국어교육과를 졸업한 후, 동 대학원 국어국문학과에서 박사학위를 취득했다. 1972년 육군사관학교 전임강사를 시작으로 충북대학교, 인하대학교, 경희대학교에서 교수로 재직했으며, 2012년 경희대학교 문과대학에서 정년 연장 명예교수로 퇴직하였다. 현재는 경희대학교 명예교수이자 백석대학교 석좌교수로 있다.

1969년 서울신문 신춘문예에 평론이 당선되면서 본격적인 문단활동을 시작했다. 이후 시인론, 작품론 등의 실제비평 및 문학사와 문학이론 연구 분야에서 독자적인 학문적 영역을 구축했다. 이 과정에서 『한국 현대 시인 연구 1,2,3』, 『카프시인 비평』, 『한국 현대 시인 비판』, 『한국 현대시의 사적 탐구』, 『현대시와 삶의 진실』, 『생명·사랑·평등의 시학 탐구』, 『한국 현대시 시어사전』을 비롯한 40여권의 저서를 발표했다. 이외에도 국내 최장수 시전문지 계간 『시와시학』과 한국현대시 박물관을 창간 및 설립, 사단법인 만해사상실천선양회 상임대표와 만해학술원장 등을 역임하며 시의 대중화 작업 및 인문정신의 실천적 활동을 주도했다.

<제1회 녹원문학상>, <제33회 현대문학상>, <제1회 편운문학상>, <김환태문학상>, <후광문학상>, <현대불교문학상>, <유심문학상>, <만해대상>, <서울특별시 문화상> <보관문화훈장> 등을 수상했다.

한국현대시인연구
김재홍 문학전집 ④

초판 1쇄 인쇄일 | 2020년 3월 05일
초판 1쇄 발행일 | 2020년 3월 14일

엮은이 | 김재홍 문학전집 간행위원회
펴낸이 | 정진이
편집/디자인 | 우정민 우민지
마케팅 | 정찬용 정구형
영업관리 | 한선희 최재희
책임편집 | 정구형
인쇄처 | 으뜸사
펴낸곳 | 국학자료원 새미(주)
등록일 2005 03 15 제25100－2005－000008호
경기도 고양시 일산동구 중앙로 1261번길 79 하이베라스 405호
Tel 442－4623 Fax 6499－3082
www.kookhak.co.kr
kookhak2001@hanmail.net

ISBN | 979-11-90476-16-4 *94800
979-11-90476-12-6 (set)
가격 | 300,000원

* 이 도서의 국립중앙도서관 출판예정도서목록(CIP)은 서지정보유통지원시스템 홈페이지(http://seoji.nl.go.kr)와 국가자료공동목록시스템(http://www.nl.go.kr/kolisnet)에서 이용하실 수 있습니다.